Diogenes Taschenbuch 22585

Philippe Djian

Rückgrat

Roman
Aus dem Französischen
von
Michael Mosblech

Diogenes

Titel der Originalausgabe:
›Echine‹
Copyright © Editions Bernard Barrault, Paris 1988
Die deutsche Erstausgabe erschien 1991
im Diogenes Verlag
Umschlagzeichnung von
Tomi Ungerer, aus *Slow Agony,*
Diogenes 1983

Für Loïc

Veröffentlicht als Diogenes Taschenbuch, 1993
Alle deutschen Rechte vorbehalten
Copyright © 1991
Diogenes Verlag AG Zürich
80/94/43/4
ISBN 3 257 22585 7

Mit scharfen Augen wie ein Tiger
umherspähen in unersättlichem Begehren.
Kein Makel.

I Ging
27. I / Die Mundwinkel
(Sechs auf viertem Platz)

I

Jedesmal, wenn ich Paul Sheller auf mich zukommen sah, hatte ich Lust, ihn zu töten. Sogar, wenn ich ihn besuchte. Einige Sekunden lang starrte ich auf seine Kehle, die wie ein kleiner weißer Vogel zuckte, dann verflüchtigte sich diese Vision, und ich hatte das Gefühl, mein Leben sei weniger toll, als ich mir gewünscht hätte. Danach gaben wir uns die Hand.

Paul strahlte immer, als lege er einem gerade die Sterne zu Füßen. Ob es sich nun um zwei, drei lausige Blätter handelte, dazu bestimmt, in irgendeinem Prospekt zu verkümmern, oder um ein paar Zeilen für eine etwas schwatzhafte Werbeagentur, die Art, wie er einen empfing, wie er einem beide Hände entgegenschleuderte, führte dazu, daß man sich den verrücktesten Hoffnungen hingab. Mitunter machte ich ihm das zum Vorwurf...

– Was erhoffst du dir, fragte er mich dann, was erhoffst du dir eigentlich...?

Ich gab ihm lieber keine Antwort. Ich steckte den Scheck ein, und er stapfte bis zur Tür hinter mir her.

– Spuck nicht drauf..., riet er mir in freundschaftlichem Ton.

– Nein, ich spucke auf gar nichts. Aber dein Büro macht mich depressiv.

– Meine Güte, das ist doch nicht meine Schuld...!

Meistens blieb ich am Ende des Flurs stehen, und ich wandte mich um. Ich wußte, wer dafür verantwortlich war, und er, er wußte es auch. Einen Moment lang schlugen wir im Teppichboden Wurzeln, ohne jedoch über irgendein der Wahrheit verwandtes Thema nachzusinnen. Die Große Ära war nur noch eine blasse Erinnerung. Seither hatten wir uns nichts Besonderes mehr zu sagen, naja, nichts Sensationelles.

Einige Jahre zuvor, als ich noch Bücher schrieb, hatten die Leute vom Film ein Auge auf mich geworfen, und noch heute ließ man mich an etlichen Drehbüchern Hand anlegen, aber nichts sehr Originelles, nichts, das sonderlich aufregend gewesen wäre, und Paul stimmte mir da zu.

– Trotzdem, guck dir doch bitte den Scheck an, seufzte er. Ich glaub, ich hab den Höchstpreis rausgeschlagen...!

Es war nicht zu leugnen, ich verdiente redlich, reservierte mir Paul doch auch die Fernsehserien und Kriminalhörspiele. Ich verdiente redlich an Dingen, die ich zu einer früheren Zeit meines Lebens verachtet hatte. Der Gedanke war nicht gerade angenehm. Daher hatte ich jedesmal, wenn ich Paul Sheller sah, Lust, ihn zu töten.

Ich war mit einigem Abstand der Älteste der ganzen Truppe, um die er sich kümmerte. Die anderen waren noch junge Schriftsteller, die sich ihres Talentes vollkommen sicher waren, und Geld schien sie nicht zu interessieren, sie wollten bloß, daß ihre Bücher veröffentlicht wurden. Manchmal lief ich einem von ihnen in Pauls Büro über den Weg, und indem ich ihn aus dem Augenwinkel beobachtete, erinnerte ich mich, wie schön es war und wie angenehm, seiner eigenen Kraft zu vertrauen. Ich wußte nicht mehr so recht, wann mir dieses Gefühl abhanden gekommen war, das war ziemlich unklar. Paul spendierte mir einen Schluck, wenn sich das Gespräch mit dem jungen Kerl in die Länge zog. Und ich verhielt mich ruhig. Ich wartete geduldig, bis ich an der Reihe war. Ich wartete, bis er zu der B-Klasse kam.

Ich stand in dem Ruf, gute Arbeit zu leisten. Nichts Geniales oder sehr Persönliches, aber dafür wurde ich auch nicht bezahlt. Ich mußte zusehen, daß der Kram einigermaßen Hand und Fuß hatte, ohne allzuviel zu kosten, und daran hielt ich mich. Innerhalb weniger Jahre war ich ein echter Profi geworden. Daß es einem jungen Schriftsteller widerstrebte, sein Talent mit jener Art von Literatur zu vergeuden, die mein tägliches Brot war, fand ich nur natürlich. Wenn einer von ihnen eine Rechnung erhielt oder etwas zu essen gedachte, schusterte ihm Paul einen kleinen, problemlosen Auftrag zu, den er nicht einmal zu signieren brauchte, und die Sache war aus der Welt. Mir persönlich machte es nichts aus, zu signieren. Es bereitete mir sogar ein gewisses Vergnügen, meinen Namen im Vorspann zu sehen, insbesondere bei den ganz miesen Streifen. Einst war dieser Name ganz oben im hellsten Glanz erstrahlt. Was den Platz anging, den er inzwischen einnahm, da war ich der einzige, der dessen gesamte Lächerlichkeit auskosten konnte. Aber war es für einen Mann nicht unerläßlich, ein paar Stunden in puncto Demut zu nehmen?

Jedesmal, wenn ich Paul Sheller sah, ermaß ich den Weg, der hinter mir lag.

Bevor ich sein Büro betrat, küßte ich Andréa, seine Sekretärin, vielleicht eines der letzten Wesen dieser Erde, das sich noch erinnerte, daß ich einst Bücher geschrieben hatte, und ich versäumte nicht, einige nette Worte an sie zu richten, über ihre Dauerwelle, über ihre Bluse, über irgend etwas, das sie jünger machte, über ihre kleinen bestickten Mokassins.

– Er erwartet Sie, Dan ... Sie können eintreten.

In ihrer Stimme schwang noch eine Spur von Respekt mit, aber ich hoffte, mit der Zeit werde sich das legen und sie mich so sehen, wie ich wirklich war. Kein erbärmlicher Typ, das nicht. Nur einer, der die Arme hatte sinken lassen.

In einer der Schubladen ihres Schreibtischs bewahrte sie all die alten Zeitungsausschnitte auf, ich war im Bilde. Ich sagte nichts, aber ich hatte schleunigst einige Fotos von der Wand entfernt, vor allem jenes, auf dem ich wie von einem inneren Feuer beseelt strahlte. Dank einer geschickten Beleuchtung war mein ganzer Schädel mit einer Art Heiligenschein umgeben, meine Augen funkelten, und mein Mund bot sich feucht und weich dar, ein wahres Kalbsgesicht, das ich, als der Verkauf meiner Bücher mehr und mehr zerfiel, bald unerträglich gefunden hatte. Eines Morgens hatte ich dieses lächerliche Porträt in winzige Fetzen zerrissen. Und sie, mit erstickter Stimme, die Armlehnen ihres Stuhls packend:

– Warum denn ...? Also nein, Dan ... WARUM ...?!

Vermutlich, so wie ich sie kenne, glaubte sie meinem Schweigen entnehmen zu können, ich wüßte keine Antwort. Meine süße, meine beste, teuerste Andréa, die Leute, die an mich geglaubt haben, sie sind mir die schwerste Last, verstehst du das nicht?

Trotz alldem sah ich Paul mindestens einmal die Woche. Die Typen, die die Drehbücher in Auftrag gaben, wollten ständig wissen, wie weit ich war. Sie bestanden so hartnäckig auf ihren Vorstellungen, gingen uns dermaßen auf die Nerven, daß wir uns schließlich fragten, warum sie sie nicht gleich selbst schrieben. Hin und wieder erklärte ich mich bereit, eine Szene zu überarbeiten. Verlangten sie mehr, weigerte ich mich verkappt, ich erwog laut, die fälligen Überstunden in Rechnung zu stellen. Man mußte erbittert feilschen. Ohne einen guten Literaturagenten kommt man dabei nicht zu Rande. Paul schlug sich nicht übel. Ich gewährte ihm horrende Prozente auf alles, was ich verdiente, aber alles, was recht ist, er hatte das Geschick, sich dessen im rechten Moment zu entsinnen. Kaum nahm er die Sache in die Hand, atmete ich auf. Er zeigte über eine längere Distanz, was in ihm steckte. Bei mir war das leider nicht der Fall.

– Hör zu, Dan..., sagte er zu mir. Bitte, überleg's dir...

Die Hände auf dem Schreibtisch gefaltet, neigte er sich zu mir hinüber, um mir gut zuzureden. Ich stellte fest, daß er in diesen letzten Jahren eine Menge Haare verloren hatte. Fast hätte ich nachgegeben. Aber was er mir da vorschlug, war vollkommen bescheuert. Erneut lachte ich ihm ins Gesicht.

– Nein, Paul, ich will sie nicht einmal kennenlernen. Schlag dir die Sache aus dem Kopf.

Verstimmt schnellte er aus seinem Bürostuhl und baute sich entschlossen vor dem Fenster auf, um mit einem Finger den Vorhang zur Seite zu schieben. Ich schloß daraus, daß ihm diese Geschichte wirklich am Herzen lag. Leider konnte das unmöglich klappen. Ich glaubte mich gut genug zu kennen. Er seufzte aus tiefster Seele, zwei-, dreimal hintereinander.

– Paul, die Putzfrau hat soeben die Scheiben gewienert...

– Dan, hob er mit halber Grabesstimme von neuem an, ich glaube, die Sache ist wichtig. Es geht dabei um ein enormes Budget, ich hab die Leute hier in meinem Büro sitzen gehabt, und sie wollten dich und niemand anders. Sie sind überzeugt, daß du der Typ bist, den sie brauchen ... Dan, die haben uns das auf einem silbernen Tablett präsentiert!

Ich grinste. Ich war für Geld keineswegs unempfänglich, aber ich verdiente genug für meinen Sohn und für mich, und seit uns seine Mutter verlassen hatte, waren wir nicht schlechter dran. Ich konnte es mir leisten, ein paar Aufträge sausen zu lassen.

– Du wußtest, daß ich da nicht mitmachen würde. Das ist das einzige, was du nicht von mir verlangen darfst.

Bei diesen Worten sank er in sich zusammen. Wir standen bereits mit einem Fuß im Licht des Herbstes, und er erschlaffte vor einer untergehenden Sonne, als würde er urplötzlich von einer seltsamen Müdigkeit übermannt. Ich fand es schade, daß wir ein solches Thema angeschnitten hatten, ich fragte mich, worauf er noch wartete, um mir endlich ein Glas anzubieten. Er nahm seine Brille ab und betrachtete sie mit sorgenvoller Miene.

– Könntest du es nicht für mich tun ...? murmelte er.

– Nein, nie im Leben.

– Etwa, weil es sich um eine Frau handelt ...?

– Nein, aber das ändert auch nichts. Mich stört dieses Aufeinanderhocken.

Es gab noch eine Unmenge anderer Probleme, aber mir war nicht danach, mich nur eine Sekunde länger über dieses Thema auszulassen. Das war auch keine Frage des Stolzes, ich hielt es durchaus nicht für unter meiner Würde, diese oder jene Arbeit zu erledigen. Man war mir nur in meinem Leben genug auf den Wecker gefallen. Ich fand, als Begründung reichte das vollauf.

– Dan, ich will dir eins sagen ...

Ich sprang auf. Ich wollte nicht darüber diskutieren. Ergo schnitt ich ihm das Wort ab.

– Mir reicht's ... Vergessen wir das, sagte ich.

Ich fuhr herum und entschwand aus seinem Büro, während er eine Hand nach mir ausstreckte und sich seinem weit geöffneten Mund ein stummer Schrei entrang.

An jenem Morgen, als Franck, die Mutter meines Sohnes, ihre Koffer packte, hatte ich geschworen, nie wieder werde eine Frau mein Haus betreten, und ich war standhaft geblieben, das war jetzt fünf volle Jahre her, und *ich war standhaft geblieben.* Das war nicht immer ganz einfach, aber ich hatte verbissen, wie ein tollwütiger Hund, an meinem Entschluß festgehalten. Wenn meinen Affären eines gemeinsam war, dann ihre Kurzlebigkeit, denn es gab immer einen Punkt, wo sie wissen wollten, wie es bei mir zu Hause war, wie mein Schlafzimmer aussah und mein Wohnzimmer und erst mein Badezimmer und wo ich meine Sachen unterbrachte und warum ich nicht wollte. Ich schüttelte in diesen betrüblichen Momenten nur den Kopf, mit verstocktem Gesicht und zusammengebissenen Zähnen.

Das hatte alsbald eine große Flaute im Strom meines Sexuallebens zur Folge. Doch das schreckte mich nicht, so wichtig war das im Grunde auch nicht. Ich fand, es war einfacher, aufs Bumsen zu verzichten als aufs Trinken.

Es vergingen einige Tage, ehe Paul wieder zum Angriff blies. Hermann war mit einem blauen Auge aus der Schule gekommen, und ich wollte gerade die Einzelheiten der Sache ergründen, als das Telefon klingelte.

– Dan . . . Ich flehe dich an . . . !

– Eh, du wirst alt, du verlierst allmählich den Verstand.

– Hör zu, Dan . . . Hörst du mir zu . . . ? Ich, Scheiße . . . Naja, ich unterliege einem gewissen Druck, weißt du . . .

– Sag mal, Paul, das ist doch hoffentlich nicht dein Ernst!

Ich hängte erbarmungslos ein. Hermanns Auge war kaum zu erkennen.

– Ich spür überhaupt nichts, offenbarte er mir.

Ich ging mit ihm in Richtung Arzneischränkchen. Behutsam untersuchte ich sein Auge, womit ich, wenn er endlich stillhielt, wie ich ihm sagte, schnell fertig sein würde. Mit verzerrtem Gesicht klammerte er sich an meinen Arm, wie beim Zahnarzt.

– Ich dachte, du spürst nichts.

– Aah . . . ! Das ist nur, wenn du drankommst . . . ! Wenn du draufdrückst . . . !

Ich schnappte mir die Arnikatinktur, träufelte sie auf zwei, drei Kompressen. Ich hatte keine Erinnerung mehr an die Zeit, da ich mein erstes Veilchen nach Hause gebracht hatte, im allgemeinen sah ich mich nicht in diesem Alter, mein Gedächtnis reichte nicht so weit zurück, aber ich versuchte mir vorzustellen, was ich wohl empfunden hatte, ich betrachtete Hermann und versuchte einige Fetzen dieser versunkenen Welt zurückzuholen, ein wenig von dem, was ich war, als ich vierzehn war.

– Hör mal, ich bin dein Vater, es macht mir keinen Spaß, dich mit einem kaputten Auge zu sehen. Trotzdem, die Sache ist klar. Merk dir, Richard wird immer wieder über dich herfallen, sobald er dich um Gladys herumstreichen sieht, über dich wie über alle andern. Es gibt immer einen Punkt, da hört die Freundschaft auf.

– Aber ich hab doch nichts getan! Ich hab sie bloß nach Hause gebracht...!

– Sicher, das ist nicht viel... Er denkt wahrscheinlich, alles fängt irgendwo an. Das Problem ist, er hat nur eine Schwester, und er ist der einzige Mann in der Familie. Vergiß das nicht!

– Scheiße, ich bin doch sein bester Freund...!

– Jaja, aber komm mir jetzt nicht damit, das Leben sei schwierig. Mir brauchst du das nicht zu sagen.

Ein wenig später machte ich mich wieder an die Arbeit. Es handelte sich um eine Szene, in der die Heldin in einen mit Krokodilen gespickten Fluß fiel, aber ich schaffte es nicht, mich darauf zu konzentrieren, und die Krokodile rückten näher, während ich in einem fort gähnte und die Schreie des Mädchens im Dschungel verhallten. Die Zeit verstrich, und mir wurde klar, es hatte keinen Wert, daß ich mich weiter abmühte. Mein Blick schweifte regelmäßig, wie magisch angezogen, zum Fenster, und ich stützte mein Kinn mit beiden Händen und konnte nicht umhin, mir meine schöpferische Ohnmacht einzugestehen, was, dem Himmel sei Dank, nicht mehr zu meinen Hauptsorgen zählte.

Wieder klingelte das Telefon.

– Dan... Dan..., wimmerte er.

An jenem Morgen, als uns Franck, Hermanns Mutter, verließ, hatte ich beschlossen, alles zu tun, was in meiner Macht stand. Ich hatte den Wagen verkauft und mir ein Motorrad zugelegt. Ich war sicher, daß es auf einem Motorrad keine drei Plätze gab, und eine, die mit dem Gepäckträger vorliebgenommen hätte, kannte ich nicht. Mehr interessierte mich nicht. Ansonsten hatte mich eine solche Maschine nie verlocken können. Ich fand, das war das beste Mittel, auf die Fresse zu fallen und sich im Winter die Eier abzufrieren, genauso dachte ich. Erst einmal im Sattel, hatte ich schnell meine Meinung geändert. Und obwohl ich nicht gerade ein fanatischer Anhänger der Chose geworden war, kam es für mich nicht mehr in Frage, fortan darauf zu verzichten.

Ich stellte es vor Pauls Büro ab, auf dem Bürgersteig, keine fünf Minuten nachdem ich wortlos den Hörer auf die Gabel geknallt hatte. Die Luft war mild. Ich glaubte, ich sei wütend, aber ich war es nicht, höchstens gereizt und leicht stutzig wegen seines Verhaltens. Eine gewisse Zeitlang hatte ich es nicht ertragen können, wenn man mich beim Schreiben störte, ich arbeitete in einem Zustand permanenter Spannung, und die geringste Störung brachte mich zur Weißglut, jetzt hingegen lauerte ich nur auf die erstbeste Gelegenheit, alles liegen- und stehenzulassen, eine Fliege genügte, um mich von meinen Blättern loszueisen, ein leiser Luftzug, der zaghafte Hauch eines Atems. Jetzt störte mich niemand mehr, im Gegenteil, man war mir willkommen, man war der Lichtblick, man war alles, was ich letztlich erwartete. Ich glaube, das war auch nicht schlecht. Ich habe den Eindruck, es gibt nichts besonders Wichtiges in diesem Leben.

Ich betrat den Aufzug zusammen mit einem Mädchen, das einen Stoß Blätter in ihren Armen trug. Um nicht zu sagen, auf ihrem Herzen. Ich wußte nur zu gut, worum es sich handelte. Sie sah mich nicht an, aber hätte ich nur den kleinen Finger auf ihren geliebten Schatz gelegt, hätte sie mir sogleich ein Auge ausgekratzt. Wir waren alle gleich, nur daß ich seit fünf Jahren keine einzige wahre Zeile mehr geschrieben hatte, ich spazierte inzwischen mit leeren Händen. Das Ding, zerknittert, wie es war, war sicher nicht auf seiner ersten Reise. Fast hätte ich diesem

Mädchen ein paar nette Worte gesagt. Sie starrte auf ihre Füße, und ich schwieg.

Wir gelangten gemeinsam in Andréas Büro. Das Mädchen hatte einen Termin bei Paul, und in ihrer Stimme lag eine solche Dringlichkeit, daß ich brav wartete, bis ich an der Reihe war, ich, der ich Zeit hatte zuhauf, ich, der ich wieder ein freier Mann war.

Andréa bot mir einen Kaffee an. Draußen wurde es dunkel. Wir pusteten in unsere Plastikbecher und tauschten ein paar Informationen aus.

– Tja, er hat auch nicht mehr den Schwung von einst..., meinte sie zu mir.

– Jaja, er macht mir Kummer, erwiderte ich.

– Seit ein paar Tagen sitzt er nur noch mit leerem Blick hinter seinem Schreibtisch, ohne einen Finger zu rühren. Ich frage ihn:

– Paul, geht es Ihnen gut...? Brauchen Sie etwas...?, aber ich seh schon, er ist nicht bei der Sache, auch wenn er schwach den Kopf schüttelt...

Ich grinste verständnisvoll. Ein Murmeln drang aus Pauls Büro zu uns herüber, und von der Straße stiegen die üblichen Geräusche herauf, stark gedämpft, fast erholsam.

– Ich könnte meinen Hut aufsetzen und eine Runde drehen, ohne daß er etwas merken würde, fügte sie lächelnd hinzu.

Was sie ihren Hut nannte, war ein apfelgrünes Ding, das direkt aus einem Waschkessel zu stammen schien. Ich hatte sie noch nie ohne dieses vom Regen aufgeweichte, im Wind getrocknete, ein für allemal verwaschene Ungetüm ausgehen sehen. Dennoch, ich liebte dieses Ding besonders innig. An jenem Tag, als mich Franck verließ und man mich bei Ladenschluß volltrunken vor dem Eingang vorfand, hatte sie mein Gesicht darin abgewischt. Das ist übrigens das einzige, woran ich mich erinnere, das und ein Gedanke, der mir schlagartig durch den Kopf ging, es ist soweit, habe ich mir gesagt, endlich sehen ihre Haare den Himmel.

Ich schnippte meinen Becher geschickt in den Papierkorb. Danach, die Hände im Nacken, musterte ich die Decke:

– Ihr wußtet alle beide, daß das nicht in Frage kam. Also, was soll das Ganze?

Ich hörte sie seufzen.

– Ach, Dan, natürlich... Ich hab's ihm hundertmal gesagt. Aber er wollte nicht lockerlassen, er behauptet, es sei die letzte Hoffnung...

Ich fühlte mich plötzlich sehr unbehaglich und fuhr wie von der Tarantel gestochen in die Höhe. Ich hoffte, nicht recht gehört oder irgend etwas falsch verstanden zu haben.

– Wie bitte, die letzte Hoffnung...!? Also nein, Andréa...

Sie schüttelte seufzend den Kopf.

– Oooh..., meinte sie und unterstrich ihre Antwort durch eine müde Geste.

Das war die Höhe. Ich platzte in Pauls Büro, vergaß, daß er nicht allein war. Ehrlich gesagt hatte er binnen weniger Tage einen Schuß Senilität abbekommen, und ich erwischte ihn auf dem Tiefpunkt. Als er erfaßte, daß ich es war, setzte er ein Lächeln auf, er versuchte aufzustehen, fiel jedoch sofort wieder zurück. Trotzdem winkte er mir mit zitternder Hand zu:

– Dan... Mein lieber Dan... Sei willkommen... Komm doch rein!

Ich baute mich vor ihm auf, das Mädchen, das in seinem Sessel zu schrumpfen schien, ignorierte ich total. Zehn Jahre meines Lebens waren in diesem Zimmer. Ich fühlte mich zu Hause. All meine Siege, all meine Niederlagen, so etwas wie ein Sammelsurium der schlimmsten und schönsten Momente. Ich scheute mich nicht, meine Hände auf seinen verflixten Schreibtisch zu legen, was seinen Dreckskugelschreiber zu Boden fallen ließ.

– Damit das klar ist..., sagte ich in einem Ton, den die Wut in Heiserkeit verwandelte.

Er lief purpurrot an. Die Anstrengung, die es ihn kostete, weiter zu lächeln, verzerrte sein Gesicht.

– Danny... Darf ich dir Mademoiselle Bergen vorstellen...

Ich fiel ihm unverzüglich ins Wort:

– Sieh mich an, Paul. Du kannst alles mögliche von mir verlangen. Ich schreib dir jeden Schweinkram oder eine politische Rede, morgen noch, verlang von mir, was du willst, es ist mir ganz egal. Aber es gibt EINE SACHE...

– Dan, alter Freund . . .

– . . . eine Sache, von der will ich nichts wissen, nämlich mit jemand zusammenzuarbeiten, hörst du, das würde ich nicht ertragen! Ich will ALLEIN sein . . .!

– Hör mir zu . . . Braus doch nicht gleich auf.

Ich brauste nicht auf, ich ging hoch wie eine lodernde Flamme.

– Du kannst der Tante sagen, sie braucht nicht auf mich zu zählen. Soll sie sehen, wie sie mit ihrem Drehbuch klarkommt, wie sie es hinkriegt. Mit mir nicht! Sie braucht mich, um ihr Dingsda zu überarbeiten . . .? Ist sie dafür nicht groß genug . . .?!!

– Also Dan . . .

Das Mädchen stand auf, es murmelte eine Entschuldigung und raffte ein paar Blätter auf dem Schreibtisch zusammen. Aber ich ließ Paul nicht aus den Augen, ich war noch nicht fertig mit ihm.

– Ich hör sie schon wegen jeder Lappalie herumnörgeln . . .! Ich hör sie schon schreien: Mörder! Rühren Sie mein Kind nicht an . . .!! Sag mal, hast du das nicht bedacht . . .?! Und das ist längst nicht alles . . .

Hinter mir knallte die Tür zu. Paul sackte zusammen. Das Mädchen war ausgeflogen.

– Herrgott . . ., stöhnte ich. Konnte ich das ahnen . . .?

Richards Vater war vor ungefähr zwei Jahren gestorben. Geröstet hoch oben auf einem Hochspannungsmast. Wir waren uns auf einem Elternabend in der Schule begegnet, wir waren nicht nur die einzigen Typen im Klassenraum. Er hatte ebenso Probleme mit seiner Frau wie ich mit meiner. Wir hatten uns schnell etwas zu sagen gehabt.

Als Mat Bartholomi starb, hatte ich so etwas wie einen Freund verloren.

– Ich habe einen Fehler gemacht, hatte er mir erklärt. An dem Tag, als ich diesen Job in der Nachtschicht akzeptiert habe, da habe ich den größten Bock meines Lebens geschossen.

Er sagte das ohne jede Bitterkeit, er stellte es ganz einfach fest. Ich war meinerseits überzeugt, daß das Leben nur eine lange Reihe von Irrtümern war, für die man büßen mußte.

Richard ähnelte ihm, nur daß Mat, ganz im Gegensatz zu seinem Sohn, einen klaren und jugendlichen Blick gehabt hatte. Richards Augen hatten einen dunklen Glanz. Niemand hatte ihn beim Tod seines Vaters eine Träne vergießen sehen, doch seine Gesichtszüge waren härter geworden, und obwohl er ungefähr im gleichen Alter war wie Hermann, wirkte er älter, ungeselliger.

Sobald ein Typ hereinkam, setzte Richard eine argwöhnische, unverhohlen muffige Miene auf, und er wich dem Kerl nicht von der Seite, bis er wieder durch die Tür war. Ich war der einzige, der sich frei in der Bude bewegen durfte, ohne daß er auch nur aufblickte. Ich war der einzige Freund seines Vaters gewesen.

– Ist deine Mutter da? fragte ich ihn.

Er begnügte sich damit, auf den Wagen in der Garage zu zeigen. Es wurde langsam dunkel. Er war dabei, die Kette seines Fahrrads zu schmieren.

Ich fand Sarah im Wohnzimmer, sie lag auf dem Sofa. Ein Stoß Rechnungen war auf dem Boden verstreut.

– Ich werde eine davon bezahlen, sagte sie zu mir. Ich weiß nur noch nicht, welche.

– Ich empfehle dir die Stromrechnung. Die Tage werden kürzer...

– Hm..., vielleicht hast du recht.

Sie klappte ihre Beine hoch, und ich nahm neben ihr Platz, neigte den Kopf auf die Rückenlehne.

– Ich war gerade bei Paul...

– Oh, geht's ihm gut?

– Charles Victor Bergen, sagt dir das etwas...?

Sie stützte sich auf die Ellbogen und blickte mich mit großen Augen an.

– Soll das ein Scherz sein...?

Mir war *ganz und gar nicht* nach Scherzen zumute. Ich wollte wissen, ob dieser Typ in der Lage war, uns derart zu ruinieren, wie er drohte, ob Paul nicht ein wenig verrückt spielte. Sarah kannte Gott und die Welt in diesen Kreisen. Sie war Maskenbildnerin. Sie stand den ganzen Tag vor einem Spiegel.

– Er braucht nur zu niesen, und die Hälfte des ganzen Berufs-

stands kann stempeln gehn, verkündete sie mir. Er ist ein Empor-
kömmling...

– Erdöl?

– Nein, Zucker. Und du kannst mir glauben, Paul hat allen
Grund, sich Sorgen zu machen. Und du gleich mit.

Leicht benommen, sowohl von dem, was sie mir gerade bestä-
tigt hatte, als auch von der Schwere ihres Parfüms, konnte ich
nicht umhin, die Augen zu schließen, ich seufzte:

– Sarah... Hast du noch was zu trinken da...?

Das Jahr, in dem ich sozusagen als Schriftsteller begraben wurde,
war auch das Jahr, in dem Franck die Scheidung eingereicht
hatte. Finanziell brauchte ich eine Weile, um wieder hochzukommen, doch Paul ließ mich nicht fallen, und dank seiner Hilfe
kam ich zu Rande.

Inzwischen lief der Laden wie geschmiert. Ich arbeitete ziemlich schnell, dennoch steckte ich bis zum Hals in Arbeit, mehr als
mir lieb war.

– Paul, Alter, ich habe nur zwei Hände. Ich bin wie das schönste Mädchen der Welt...

Die Schleusen standen weit offen, und die Aufträge flossen nur
so herein, denn der kleine Dan arbeitete zuverlässig wie eine
Wurstmaschine. Diese Art Job barg keine Geheimnisse mehr für
ihn. Er produzierte ungefähr zweitausend Seiten im Jahr, ohne
sich übermäßig anzustrengen, ohne den geringsten Kopf-
schmerz. Und wenn er nachts arbeitete, ruhte er sich am nächsten Tag aus.

Ich dachte selten an die Zukunft, aber wenn mich dieses
Thema doch einmal berührte, sah ich nur einen Horizont ohne
ein Wölkchen, ich hatte keinerlei Anlaß, mir wegen meines Brot-
erwerbs Sorgen zu machen, denn diese Welt ist nun einmal so,
daß man eher dazu neigt, einen guten Profi anzuheuern, als mit
einem jungen Schwärmer ein Risiko einzugehen. Nein, Größen-
wahn war es nicht, wenn ich mich bis zu meinem neunzigsten
Lebensjahr fest im Sattel wähnte. Man brauchte sich bloß umzu-
sehen, um sich zu vergewissern.

Und auf einmal bekam dieses friedliche Bild einen Riß und förderte die unsäglich dreckige Visage von Charles Victor Bergen zutage. Plötzlich erschien das Schreckgespenst der Straße, auf der Paul und ich in einer recht nahen Zukunft landen würden, wenn ich nicht schnell meine Meinung änderte. Denn C. V. Bergen hatte uns tatsächlich in der Hand. Welch ein Gefühl der Ungerechtigkeit überkam mich für den Bruchteil einer Sekunde, welch großartiger Ekel. *Herr... Mein heftiges Wimmern macht, daß mir die Haut an den Knochen klebt.*

Sarah ging diesen Abend aus. Sie stieg hoch in ihr Schlafzimmer und überließ mich meinen trübseligen Gedanken, meinen finsteren Bildern. Ich hörte, wie sie Gladys erklärte, es stehe alles im Kühlschrank. Früher hatte Mat die Anweisungen entgegengenommen.

Wieder draußen, stellte ich mich zu Richard. Ohne ihn anzusehen, steckte ich mir eine Zigarette an. Das Fahrrad stand inzwischen auf dem Kopf. Er brachte die Räder in Schwung, eins nach dem andern, dann hielt er sie abrupt an, um wieder von vorne zu beginnen. Ich wußte nicht, was er da eigentlich trieb, aber vielleicht wußte er es. Ich hatte das Gefühl, daß das nicht der rechte Augenblick war, um mit ihm über Hermanns Auge zu sprechen.

– Ich muß dieser Tage noch zwei, drei Worte mit dir reden..., sagte ich bloß.

Ich schickte mich schon an zu gehen, aber er hob den Kopf. Die Räder drehten sich weiter, ohne daß er sich diesmal dazu entschloß, sie anzuhalten. Der Blick, den er mir zuwarf, war eine rasche Abfolge wirrer, zumindest widersprüchlicher Gefühle. Ich mochte Richard sehr, er wußte es.

– Das ist 'ne Sache zwischen Hermann und mir..., erklärte er schließlich.

– Hmm... Jedenfalls ist es kein Verbrechen, ein Mädchen bis vor die Haustür zu begleiten, das solltest du einsehen.

Er fuhr in die Höhe. Einen Moment lang wirkte er plötzlich ratlos, von einer starken Verwirrung ergriffen, die ihn schmerzlich erstarren ließ, doch er fing sich sogleich, und mit einem Tritt, der der gesamten Erde galt, beförderte er sein Fahrrad auf den Rasen.

Inzwischen stand er mit dem Rücken zu mir, und natürlich ballte er die Fäuste, und ohne jeden Zweifel biß er die Zähne zusammen, denn ich hörte ihn, vor Zorn kochend, durch die Nase atmen. Was er empfand, das brauchte man mir nicht lang und breit zu erklären, aber ich beschloß, es für heute dabei bewenden zu lassen, ich hatte selbst genug Scherereien. Lautlos machte ich mich auf den Weg zu meiner Maschine.

– ER HAT SIE ABER GEKÜSST . . .! rief er mir nach.

Gegen zwei Uhr nachts lag ich auf meinem Bett, die Augen weit aufgerissen. Seit Francks Abreise waren meine Nächte völlig aus den Fugen geraten. Dabei litt ich genaugenommen nicht unter Schlaflosigkeit, denn es passierte regelmäßig, daß ich zehn, zwölf Stunden an einem Streifen schlief, jedoch erst, wenn ich zwei beinahe gänzlich durchwachte Nächte hinter mir hatte, in denen ich mich auf den Federn der Matratze wälzte und hin und her warf, unermüdlich zwischen Schlaf und Wachsein trieb und diesen alternden Körper verfluchte.

Die Hände unter dem Kopf, beobachtete ich das Glas Gin auf meinem Bauch.

Wenn es umfiel, hieß das in der Regel, daß ich zuviel getrunken hatte. Der erste Eindruck war unangenehm, aber danach war ich wie ein Kind, das ins Bett gepinkelt hat, hin und her gerissen zwischen Vergnügen und Scham. In mein immer lauer werdendes Kataplasma gehüllt, schlingerte ich mühsam ins erste Morgenrot, worauf ich heldenhaft in die Küche hinabstieg und mir eine große Schale Kaffee kochte, um meine Übermüdung zu bekämpfen.

Ich hatte nur einige Gläser getrunken, mein Bett war noch trocken. Obschon überzeugt, daß es keine Lösung gab, amüsierte ich mich damit, meine Probleme schwindelig zu wälzen. Ich betrachtete sie von sämtlichen Seiten, ergötzte mich fast an ihrer Unlösbarkeit, ihren ungemein scharfen Konturen, ihrem metallisch blinkenden Glanz, und ich fragte mich, wird es schmerzlicher sein als all die anderen Male, werde ich geschüttelt und zerstampft, werden Schreie aus meinem Mund hervorbrechen...?

Ich gähnte, aber ich traute dem Braten nicht einen Augenblick, hatte ich doch eine gewisse Erfahrung in der Sache. Ich würde nicht so leicht einschlafen, jetzt, da Hermann anfing, um Gladys herumzuscharwenzeln, bestimmt würde ich nach dem Geschenk, das mir C. V. Bergen gemacht hatte, nicht auf Anhieb in Schlaf versinken! Trotz allem blieb ich ruhig, ich regte mich nicht mit dem Glas auf meinem Bauch. Ein Typ, dem bereits die Bretter und das Dach seines Hauses auf den Schädel geknallt sind, sieht die Dinge letztlich mit philosophischem Gleichmut. Ach, all die Prüfungen, all die finsteren Sümpfe, die hinter mir lagen. In dieser Hinsicht war ich nicht besser dran als jeder andere.

2

Wir waren nicht allein, Paul hatte es mir deutlich zu verstehen gegeben. Ich durfte all die jungen Schriftsteller nicht vergessen, die nur dank seiner Hilfe existierten. Vielleicht war einer unter ihnen, der sich eines Tages als Genie entpuppte, vielleicht waren sie gerade dabei, den großen Wurf zu verfassen, während ich mich anschickte, alles über den Haufen zu werfen.

– Dan, wenn nur wir zwei wären..., hatte er mir erklärt und nach meiner Schulter gefaßt. Ach, wenn nur wir zwei wären, Danny, wir würden ihm ins Gesicht speien...! Das Problem liegt woanders...

Daß er mir die Zukunft der neuen Generation auf die Schultern lud, entbehrte in meinen Augen nicht einer gewissen Pikanterie. Die Literatur und ich, das war schon lange vorbei, *aus und vorbei*, und siehe da, plötzlich war ich derjenige, der in den sauren Apfel beißen und sich mit seiner ganzen Person dafür einsetzen sollte. Aber konnte ich mich der Ironie des Schicksals entziehen? Konnte ich es auf mich nehmen, in dieser gnadenlosen Welt ohne Job dazustehen?

Ich würde nicht mein Leben damit verbringen, alles noch einmal von vorn anzufangen. Ich hatte ein gesundes Herz, aber mir fehlte der Wille, der mich einst beseelt hatte. Franck hatte nicht nur meine Nächte auf dem Gewissen.

Ebenso wie die Literatur nicht nur meinen Stolz weggefegt hatte.

Kurz und gut, wenn ich mich an die landläufige Meinung hielt, hatte ich aus einer Mücke einen Elefanten gemacht. Paul war sicher, daß ich die Sache in vierzehn Tagen erledigen würde.

– Außerdem, niemand zwingt dich, sie in deinem Haus zu empfangen, wenn dir das so zu schaffen macht..., hatte er betont.

Immerhin etwas. Hatte ich nicht geschworen, nie wieder werde eine Frau mein Haus betreten...?

Sarah, das war etwas ganz anderes. Sarah Bartholomi nahm einen ganz besonderen Platz in meinem Leben ein. So seltsam es klingen mag, ich hatte nie zuvor Freundschaft für eine Frau empfunden. Sarah durfte bei mir so oft ein und aus gehen, wie sie es wünschte, das eine hatte mit dem anderen entschieden nichts zu tun.

– Hast du denn keine Angst, daß ich mich bei dir einniste...? stichelte sie. Nein, sie konnte tun, was sie wollte. Das dachte ich wirklich. Ich hätte ihr meine rechte Hand gegeben.

– Und selbst wenn's dir keinen Spaß macht, das dauert doch nicht ewig, meinte sie zu mir. Das sage ich mir auch immer, wenn ich einen Pickeligen schminke.

Ich wehrte mich noch zwei Tage. Dann erhielt ich ein Einschreiben von der Steuerbehörde, und ich rief Paul an, um ihn darum zu bitten, das Treffen mit den Bergens in die Wege zu leiten. Wenn man ihm glauben konnte, würde es mir der Himmel vergelten, ich sei wirklich ein feiner Kerl, an so etwas erkenne er seinen alten Dan.

– Verflixt nochmal, mir wäre lieber gewesen, es gäbe nur uns zwei...! knurrte er im nachhinein.

– Paul, seufzte ich, ich möchte, daß du mich nie wieder um so etwas bittest. Gib mir dein Wort, Paul, ich brauche es, ich brauche es...

– Ah, ich will tot umfallen, Danny...! Sämtliche Haare sollen mir vom Kopf fallen...!!

Ich legte auf. Ich verzog das Gesicht und blieb mit ausgestrecktem Arm stehen, die Finger um den Hörer verkrampft, als glaubte ich, ich könnte immer noch zurück, solange ich ihn nur festhielt. Ich war allein. Die Sache mit Hermann und Richard hatte sich mehr oder weniger eingerenkt, die beiden waren am Nachmittag gemeinsam losgezogen. Die Bude war still. Staubige Strahlen durchbohrten das Zimmer.

Nach einer Weile ging ich aus dem Haus, um Alkohol und Zigaretten einzukaufen. Ich sah zu, daß ich auf die sonnenbeschienene Seite der Straße gelangte. Die Luft war frisch, und es war eine wahre Wonne, in dem safrangelben, fast warmen Licht spazieren zu gehen, eine Wonne, wie lau sich die Dächer der Wagen anfühlten. Welch nostalgischer Gesang stieg aus all dem auf! Ah, die schwingenden Weisen, die ergreifenden Symphonien des Herbstes, o Mann.

Als ich aus dem Weinladen kam, sah ich eine Blondine, die rücksichtslos, Kotflügel an Kotflügel, in eine Parklücke setzte. Ah, wie herrlich alles war. Was rüttelte ich nicht gleich der Reihe nach meine alten Phantome wach, wo doch alles so klar war, so transparent!

Später, auf den Zuschauerrängen am Rande des Basketballfeldes, gesellte ich mich zu Sarah. Sie bräunte sich, während sie das Spiel verfolgte, den Rock auf die Oberschenkel gerafft, die Ärmel hochgekrempelt, das Gesicht leicht gen Himmel geneigt. Es war kaum jemand da.

– Und...? *Und...?!* fragte ich sie.

– Unentschieden, antwortete sie mir.

Das wollte ich nicht wissen. Trotz allem warf ich einen Blick aufs Spielfeld, und ich entdeckte Gladys auf der Position der rechten Außenstürmerin.

– Na was...? Marianne Bergen...? ereiferte ich mich.

– Och..., nichts Aufregendes, ich hab nicht viel rausbekommen. Ein Mädchen, das mit mir zusammenarbeitet, meint, sie sei in einer Literatursendung zu sehen gewesen, HEY! DIE NUMMER ACHT STEHT ABSEITS...!!

Ich zog sie auf ihren Platz zurück, drängte sie fortzufahren, während der Schiedsrichter in seine Trillerpfeife blies.

– Hmm..., naja, sie ist um die dreißig, ihr Vater ist reich, sie weiß nichts mit sich anzufangen. Es heißt, eine Zeitlang habe sie es mit Malen probiert. Später dann hat sie eine Novellensammlung geschrieben, und böse Zungen behaupten, sie habe nicht mal ihren ersten Roman fertiggekriegt. Tut mir leid, das ist alles, was ich weiß...

– Ja, klar... Wohlgemerkt, drei Zeilen fehlerfrei schreiben zu können, ist zu wenig, um das große Abenteuer zu wagen. Die Novelle ist wie ein kleines Papierflugzeug, das du in die Luft wirfst, der Roman hingegen, das ist, als müßtest du einen proppenvollen Bomber aus dem Boden reißen, verstehst du...? Du sitzt an deinem Schreibtisch, krempelst die Ärmel hoch, du schwitzt, all deine Muskeln sind zum Zerreißen gespannt, kannst du mir folgen, Sarah?, denn der Zeitpunkt ist gekommen, sich voll ins Zeug zu legen, der ganze Kram fängt an zu zittern, dann hebt er sich ein paar Zentimeter, und du läßt nicht locker, du betest und betest...

Plötzlich merkte ich, was ich da erzählte, und ich biß mir kräftig in die Hand. Zum Glück hörte Sarah nicht zu. Die gegnerische Mannschaft hatte einen Konter inszeniert, und auf den Rängen schnürten sich einige Kehlen zusammen. Ich wickelte meine Hand unauffällig in ein Taschentuch. Es war zum Verrücktwerden! Mochte ich auch noch so geheilt sein, ich schleppte immer noch ein paar lächerliche Nachwirkungen mit mir herum. Im allgemeinen schaffte ich es, mich zusammenzureißen, das erste Wort erstarb auf meinen Lippen wie ein vom Meer zurückgespülter Kadaver. Aber ich konnte mich nicht ständig in acht nehmen, von Zeit zu Zeit erlitt ich einen Rückfall, ich geriet für einige Minuten aus den Fugen. Und wie groß war mein Schmerz, wenn ich mich wieder unter Kontrolle hatte, ich bedauerte, daß ich nicht mit einer Peitsche einherging, ich schämte mich, ich schämte mich fürchterlich. Ich hatte die Hoffnung aufgegeben, diesen Bazillus eines Tages loszuwerden. Dennoch, ich hoffte es von ganzem Herzen.

– He, meinte sie zu mir und schlug die Hände zusammen, hast du gesehen, Gladys hat zwei Punkte erzielt!

– Jaja, das wundert mich nicht.

Gladys war die Jüngste, aber bestimmt eine der besten der Auswahl. Die anderen waren fünfzehn bis achtzehn Jahre alt, manche hatten bereits ernstzunehmende Brüste, was diesen Achtelfinals, diesen famosen Schulwettkämpfen, ein wenig Atmosphäre verlieh. An einem Tag wie diesem erreichte das Spektakel seinen Höhepunkt. Unten auf dem Spielfeld wehte kein Lüftchen, nirgends der geringste Schatten, und gegen Spielende schwitzten sie samt und sonders, ihre Arme und Beine glänzten, und auf den T-Shirts bildeten sich lustige Kringel, und die Shorts klebten teils vorne, teils hinten. Es waren nicht viele Zuschauer gekommen, die Väter waren in der Überzahl. Die Schlußphase lief zumeist in einer feurigen Stille ab.

Dieses Jahr hatte Gladys' Mannschaft gute Chancen, den Pokal zu gewinnen. Zweimal nacheinander waren sie ins Finale eingezogen.

– Langsam geht mir das auf den Zeiger...! erklärte Max, ihr Trainer, jedem, der es hören wollte. Jaja, man sieht schon, du bist nicht an meiner Stelle, meinte er zu mir. Für mich ist das die letzte Saison.

Die Anzahl der Leute, die in Schönheit enden wollen, ist schier unermeßlich. Man begegnet ihnen an allen Ecken.

Es herrschte ein wenig der Eindruck, die Ehre des Gymnasiums stehe auf dem Spiel. Beinahe jeden Nachmittag, nach dem Unterricht, war Training angesagt, und da hatten sie nichts zu lachen. Max scheuchte sie hinter den Sportplatz, mitten ins Gestrüpp, den Ball bekamen sie erst nach einer Viertelstunde Gymnastik in die Finger, und man hörte Max' Stimme durch die Turnhalle schallen, wenn er laut zählte.

– Verdammt, sagte er mir im Vertrauen, ich hab's im Gefühl, weißt du, wir sind 'ne prima Truppe...!

Der Direktor machte ihnen schöne Augen. Die Lehrer betrachteten ihre Hausaufgaben mit wohlwollendem Blick. Und denen, die in der Kantine aßen, stand eine Scheibe Braten zu, die mindestens so groß war wie der Teller.

Einige Minuten vor Schluß führten wir mit zehn Punkten Vorsprung. Es bestand keine Gefahr mehr. Max zwinkerte uns zu. Sarah bat mich um eine Zigarette. Doch, das war ein feines Spiel. Ich hatte meine Sonnenbrille hervorgeholt und sah all diesen Mädchen zu, die da unten liefen, und natürlich beobachtete ich Gladys besonders aufmerksam. Sie war ein hübsches Kind, bestimmt wurde sie eine tolle Frau, man brauchte sich bloß ihre Mutter anzusehen. Es wunderte mich überhaupt nicht, daß Hermann sie geküßt hatte, ich fragte mich sogar, wie er so lange hatte warten können.

Mats Tod hatte uns den Bartholomi nähergebracht. Ich hatte mir damals in den Kopf gesetzt, ich müsse mich um sie kümmern, und in den ersten Monaten hatten wir uns regelmäßig zu fünft getroffen, vor allem am Wochenende, und manchmal waren wir gemeinsam losgezogen, ich ließ alle möglichen Einladungen von Pauls Schreibtisch mitgehen, ich organisierte mordsmäßige Picknicks. Ich entdeckte Sarah. Ich stellte fest, daß ich sie ganz und gar nicht kannte. Wir quatschten ganze Nachmittage miteinander, während die Kinder auf die Bäume kletterten.

Auf die Bäume zu klettern interessierte sie nicht mehr. Schlug man ihnen einen Abstecher aufs Land vor, gähnten sie einem ins Gesicht. Gladys trug einen BH, und die beiden Jungen blätterten meine Pornozeitschriften durch. Diese Ausflüge begeisterten nur mehr Sarah und mich, und sie wurden immer seltener, gleichsam Museumsstücke. Es führt zu nichts, gegen den Lauf der Welt anzukämpfen.

Als der Schlußpfiff ertönte, stieß Max einen Siegesschrei aus. Vor Freude knüllte er seine Schirmmütze zusammen und warf sie in meine Richtung. Sarah blies ihm einen kleinen Kuß von den Fingerspitzen zu, während er sein Hemd in seine Hose stopfte. Das war eine Art Tick von ihm, eine Obsession, sich ständig seiner Hose zu versichern. Ich hatte ihn im Hochsommer dabei ertappt, daß er mit bloßem Oberkörper unwillkürlich irgendein unsichtbares Hemd in seine Shorts schob und vor Zufriedenheit blinzelte.

– Und, was macht dein Rücken...? fragte er mich, während wir uns im Flur, vor dem Umkleideraum der Mädchen, die Beine in den Bauch standen. Die Tür war zu, aber man hörte die ganze Truppe unter der Dusche schreien und lachen.

– Hm, so la la...

– Jaja, nimm ruhig die Salbe weiter, die ich dir gegeben hab.

– Alles klar. Sehr gut.

– Komm doch heute abend vorbei. Ich setz dir ein paar Nadeln.

Seit ein paar Monaten hatte sich Max vorgenommen, meinen ständigen Kreuzschmerzen ein Ende zu machen, und ich diente ihm als Versuchskaninchen. Ein Buch in der Hand und über meinen Rücken gebeugt, versuchte er, die Akupunkturpunkte zu lokalisieren, meine Lebenskraftlinien, dann steckte er mir plötzlich einen Finger zwischen die Rippen. Mir blieb die Luft weg.

– Tut dir da was weh, spürste da was...?

Ich sah nur Sternchen.

Max behauptete, die lymphatische Drainage räume mit allem auf, das sei nur eine Frage der Zeit. Ich hingegen war der unumstößlichen Ansicht, all diese Jahre, die ich auf einem Stuhl verbracht hatte, all diese dem Dämon der Schrift geopferten Jahre hätten mir ein für allemal die Wirbelsäule ruiniert und die Wirbel verhunzt. Im übrigen war das nur die Spitze des Eisbergs.

– Ich hab mich schon um Typen gekümmert, die waren noch viel schlechter dran, schärfte mir Max ein. Haste kein Vertrauen zu mir...?

Einige Tage lang rotierte ich wie ein Löwe im Käfig. Paul erklärte mir, er habe gewisse Schwierigkeiten, die Scherben zu kitten, besonders, was Marianne Bergen anging, die von mir partout nichts mehr wissen wolle. Aber ich solle mich nicht grämen, ihr Vater habe versprochen, die Sache geradezubiegen. Und vor allem, er hatte einen Scheck geschickt. Pauls Stimme glich dem Zwitschern eines Vogels an einem Frühlingsmorgen, er war in Hochform.

Ich stellte mir das Mädchen vor, wie es in ihrem Salon Blumentöpfe schmiß und ein Foto von mir in tausend Stücke zerfetzte. Es gelang mir nicht, ihr Gesicht zu rekonstruieren. Im Aufzug hatte sie den Kopf gesenkt, und in Pauls Büro hatte ich sie kaum angesehen. Ich erinnerte mich an nichts oder nur verschwommen, ich wußte nur, daß sie lange, schwarze Haare hatte und ein Manuskript mit sich herumschleppte.

Paul konnte noch so beruhigend auf mich einreden, mir war klar, wie schlecht sich die Sache angelassen hatte. Es fiel mir ohnehin entsetzlich schwer, mir die Arbeit von jemand anders anzugucken, aber jetzt standen wir bereits auf Kriegsfuß, bevor wir auch nur angefangen hatten, dieses Mädchen und ich. Wenn ich nur daran dachte, mixte ich mir ein Glas und machte mich daran, den Vergaser meines Motorrads zu zerlegen, um auf andere Gedanken zu kommen, oder ich goß die Blumen und stopfte die Waschmaschine voll.

Morgens trabte ich mit Max ein wenig durch die Nebelschwaden, die über den Ginstersträuchern hinter dem Sportplatz schwebten. Spaß machte mir das nicht, aber ich konnte mir nicht mehr tatenlos, ohne die geringste Gegenwehr, ansehen, wie ich auf einem Stuhl dahinstarb, wie mein Bauch schlaffer wurde, wie meine Muskeln verkümmerten und meine Puste schwand wie Schnee in der Sonne. Ich wollte nicht, daß mich Hermann mit angewiderter Miene betrachtete, noch nicht.

Bevor wir unter die Dusche gingen, legte ich mich in einer Ecke der Turnhalle auf eine Schaumstoffmatte, und Max bog mich in alle Himmelsrichtungen, um mein Kreuz zu behandeln. Manchmal, die Nase auf dem Boden plattgedrückt, sein Knie zwischen meinen Schulterblättern, gelangte ich zu der Überzeugung, das mit Marianne Bergen konnte auch nicht schlimmer sein als das hier. Doch nicht ein Ton entrang sich meiner Kehle.

Eines Abends erklärte ich Hermann, in was für eine Scheiße ich mich geritten hatte, aber im Fernsehen lief ein viel spannenderes Ding, und ich war mir nicht sicher, ob er begriffen hatte, in welchem Schlamassel sein Vater gelandet war, auch wenn er mir am Ende lachend eine Hand auf die Schulter legte. Jedenfalls schien niemand um mich herum etwas zu merken. Niemand wollte mich verstehen. Ein Typ, der einmal mit dem Schreiben in Berührung kommt, ist dazu verdammt, im Zickzack durch eine endlose Wüste zu taumeln.

Unterdessen hatte ich Ordnung in meine Sachen gebracht. Ich hatte einen Schlußstrich unter *Die Raserei der Amazonen* gezogen, und ich hatte Paul mitgeteilt, ich für mein Teil sei bereit. Ich hatte meinen Schreibtisch sorgfältig aufgeräumt, in einer nostalgischen Stimmung, wie sie einen Seefahrer befällt, der kurz davor ist, sich für eine Weltreise einzuschiffen. Zähneknirschend hatte ich meinen Macintosh in seine Hülle gepfercht. Ich hatte eine Decke über meinen Drucker geworfen. Ich hatte meinen

Stuhl zurückgeschoben. Dann hatte ich grinsend mein Werk betrachtet.

Ich verfuhr mich und kurvte eine gute Viertelstunde durch die vornehmen Wohnviertel, ehe ich auf den Besitz der Familie Bergen stieß. Es war ein schöner Tag. Ich hatte mich rasiert, und ich hatte meine Stiefel gewichst, ich hatte mir sogar ein Härchen ausgezupft, das aus meiner Nase lugte. Ich war tadellos gelaunt. Am Abend zuvor hatte ich Max gebeten, sein Buch wegzulegen und mir eine ausgiebige Entspannungsmassage zu verpassen – ein wahres Wunder, nebenbei bemerkt –, so daß ich vor Wonne erbebte, als er mir die Trapezmuskeln lockerte. Und da ein Wunder niemals allein kommt, hatte ich obendrein fast die ganze Nacht geschlafen und war am Morgen topfit aufgewacht. Unter der Dusche hatte ich *I'm a man you don't meet every day* geträllert, und später, als ich meinen allmorgendlichen Beschäftigungen nachging, bewahrte ich eine olympische Ruhe und füllte die Kaffeemaschine mit den präzisen Bewegungen eines Scharfschützen. Diese Zusammenkunft hatte mich eine ganze Woche hindurch genervt, einige Stunden vor der Prüfung hatte ich jedoch meinen ganzen Gleichmut wiedererlangt. War das nicht großartig?

Ich stellte mein Motorrad vor die unterste Stufe der Freitreppe, was das Auftauchen eines Kerls nach sich zog, der mit hoch erhobenen Armen aus dem hinteren Teil des Gartens herbeistürmte. Er wirkte völlig aufgewühlt. Wie es schien, durfte ich dort nicht bleiben, mitten davor, ganz davon zu schweigen, daß so eine Maschine unweigerlich einen dicken Ölfleck auf dem schönen weißen Kies hinterließ. Ich reichte ihm meine Schlüssel mit der Empfehlung, sich vor dem Ständer vorzusehen, der recht launisch sei, und während ich die wenigen Stufen emporstieg, die zum Eingang führten, spürte ich die verächtliche Grimasse, die er mir nachschickte.

Ich brauchte eine ganze Weile, um mich zu vergewissern, daß tatsächlich niemand im Salon war, so beeindruckend waren seine Ausmaße, so sehr war er mit Statuen und avantgardistischem

Krempel von zweifelhaftem Geschmack überladen. Die Stille war vollständig. Ich fragte mich, ob ich rufen, mit lauter Stimme meinen Namen nennen mußte, damit jemand kam und sich um mich kümmerte, ob das den Gepflogenheiten des Hauses entsprach. Ich kehrte zum Eingang zurück, um nachzusehen, ob mir irgendeine Klingel entgangen war, als ich mit einemmal meine Maschine umgekippt unter einem Baum erblickte. Ziemlich entrüstet stürzte ich die Stufen hinab und verfluchte diesen Hurensohn, bis ich bemerkte, daß der Typ noch unter ihr lag.

– Was machen Sie denn da?! knurrte ich. Herrgott nochmal, ich bin mit MARIANNE BERGEN verabredet...! Sehen Sie sich an, wie Sie den verdreht haben, den Rückspiegel...!!

– Ah! Jessesmaria, die ist vielleicht schwer! fing er an zu wimmern, während ich ihn befreite. Ich konnte sie nicht mehr halten...

Er rappelte sich auf und rieb sich das Knie, klopfte sich mit finsterer Miene den Staub ab. Ich nahm die Gelegenheit wahr, ihm zu sagen, wer ich war, und forderte ihn auf, mich unverzüglich anzumelden. Sein Gesicht spaltete sich sogleich zu einem scheinheiligen Lächeln.

– Ooohh... Da wird sich Mademoiselle aber freuen...! Warten Sie hier, ich werde sie sofort benachrichtigen.

– Keine Bange, ich fliege schon nicht weg.

Sie erwartete mich unter einem roten Sonnenschirm, neben einem Swimmingpool von der Form einer Bohne, den ich, die Sonne im Blick, vollständig umkurven mußte. Mir war, als träte ich direkt aus *Mort dans l'après-midi* hervor. Das erste, was sie zu mir sagte, war:

– Ich bin sicher, daß wir Schwierigkeiten haben werden, miteinander auszukommen...

Für mich war das eine lächerlich offenkundige Sache, das Gegenteil wäre ein Wunder gewesen. Dennoch bemerkte ich, daß sie ein angenehmes Äußeres hatte, was die Zukunft weniger grausam erscheinen ließ, und ihre Gesichtsfarbe war sehr weiß, was ihr ein geheimnisvolles, fast fiebriges Aussehen verlieh. Ich war der Ansicht, das sei nur Getue, aber ganz sicher war ich mir nicht.

Ich gab keine Antwort.

Und ich entgegnete auch nichts, als sie mit schneidender Stimme hinzufügte:

– Und seien Sie versichert, ich habe Sie nicht ausgesucht, ich nicht!

Im Grunde konnte man sie verstehen. Wie viele Male hatte ich nicht lesen müssen, daß ich nichts taugte, daß ich erledigt sei. Wen konnte es noch reizen, mit mir ein Team zu bilden? Nur eines durfte man nicht außer acht lassen: ich hatte niemanden um etwas gebeten. Aber ich verschonte sie mit meinen Überlegungen und richtete meinen Blick auf die Lichtreflexe des Pools.

Rüde knallte sie ihr Manuskript, das sie irgendwoher geholt haben mußte, auf den Tisch. Ich spürte, daß sie bebte, nur auf ein Wort von mir wartete, um die Kampfhandlungen aufzunehmen, aber der Druck des Lebens hatte mich in eine Marmorstatue verwandelt, und ich hatte ihr nichts zu sagen. Keinen von uns traf irgendeine Schuld. Ihr Vater hatte alles angezettelt.

Ich wartete also ab, nach vorn gebeugt, die Ellbogen auf den Knien, und unterdrückte den Drang, ein paar Steinchen aufzuheben und in das blaue Wasser zu werfen, eine Übung, die mir für gewöhnlich eine große innere Ruhe verschaffte, mich in das profunde Geheimnis des Lebens einweihte. Aber ich befürchtete, daß sie dieses harmlose Spiel falsch auslegen würde, und rührte mich nicht.

– Na schön . . ., fügte sie schließlich hinzu. Nehmen Sie es mit. Mir wäre lieb, wenn wir so schnell wie möglich beginnen könnten . . .

Ich stand unverzüglich auf, steckte mir das Ding unter den Arm. Sie starrte mich unfreundlich an, während ein den Umständen entsprechendes Lächeln um meine Lippen spielte.

– Ich bedaure, daß sich unsere Wege gekreuzt haben, schloß sie.

– Auf Wiedersehen, Mademoiselle, sagte ich.

Ich vertiefte mich nicht unverzüglich in die Lektüre ihres Drehbuchs, ich hatte keinerlei Anlaß, mich darauf zu stürzen, und vor allem nicht die geringste Lust. Zwei, drei Tage erschienen mir eine angemessene Frist. Ich verstaute das Ding in einer der Schubladen meines Schreibtischs und beschloß, vorläufig nicht mehr daran zu denken.

Ich rief bei Eloïse Santa Rosa an, meiner derzeitigen Freundin, aber ich erfuhr nur, sie habe sich den ganzen Tag über nicht blikken lassen und man wisse nicht mehr als ich. Leicht enttäuscht legte ich auf. Noch eine Sache, die ich abhaken konnte. Ich verstand mich gut mit Eloïse, aber ich sah sie nicht allzu oft, muß ich hinzusetzen. Innerhalb weniger Sekunden schoß mir ein ganzer Schwarm von betörenden Bildern durch den Kopf. Ah! Eloïse Santa Rosas aufreizende Wäsche! Ich ging besser vor die Tür. Ich zog es vor, mit meinen Kräften hauszuhalten und Eloïse ein wenig später erneut anzurufen.

Nachmittags um fünf mit guten Aussichten, am Abend zum Bumsen zu kommen, durch die Straßen zu schlendern war mehr, als für den Seelenfrieden erforderlich war. Auf einmal erschien alles so einfach, kein bitterer Gedanke suchte mich noch heim, und die Bürgersteige wurden zu leuchtenden Pfaden. Und wenn ich auch ein geschiedener Typ, ein gescheiterter Schriftsteller, ein halb versoffener Schreiberling war, die Sonne schien weiter. Was machte es, daß ich meine Haare verlor, daß mein Kreuz ruiniert war, daß meine Jugend vorbei war, wenn es mir noch gelang, fröhlich zu sein.

Diese jähen euphorischen Anfälle waren mir ein unergründliches Rätsel. Dieses Gefühl inniger Freude, das mich urplötzlich erfaßte und dem nichts etwas anhaben konnte, ich wußte nicht, woher es rührte. Es war vorgekommen, daß so etwas über mich hereinbrach, während ich mir noch sagte, jetzt ist es vorbei, ein für allemal, nie wieder wirst du so etwas empfinden. Nun denn, ich täuschte mich. Und diesmal begeisterte mich nicht nur die Aussicht, zwischen Eloïse Santa Rosas Beine zu sinken, sondern auch die Farben der Straße, die Gegenwart der Leute, die Transparenz der Luft. Wie soll ich das erklären?

Darauf entschloß ich mich, Hermann und mir ein Kokosnußhühnchen zuzubereiten. Ich wußte, daß ich ihm damit eine Freude machen würde, das war eins seiner Lieblingsgerichte. Er fand, wir aßen es viel zu selten, aber so ein Kokoshühnchen, das braucht Zeit, man muß wirklich Lust haben, so etwas zuzubereiten. Ich hatte Lust dazu. Ich hatte Lust, daß er nach der Schule seinen Vater dabei antraf, wie er ihm ein Kokoshühnchen kochte.

Ich kaufte ein, was ich benötigte, plus eine Flasche leichten Wein und ein paar Scheiben Mortadella, dann machte ich mich unverzüglich auf den Heimweg.

Eloïse Santa Rosa war immer noch nicht zu Hause. Während ich das Hühnchen zerpflückte, das unter meinen Fingern seine welke Haut zusammenrollte, entwickelte sich um mich herum eine eigenartige Atmosphäre. Wir hatten uns mindestens zehn Tage nicht mehr gesehen. Mit einemmal fingen meine Hände beinahe an zu zittern, ich erntete eine Beule in meiner Hose. Gott weiß, wo sie in diesem Augenblick steckte, mit ihren Armen und ihren Schenkeln und ihrer rasierten Möse und ihrer Brust und ihren Lippen und ihren Händen und ihren Beinen und ihren Haaren und ihren Düften und ihren derben Wörtern, die sie einem ins Ohr raunte, und ihrem ganzen Sortiment von Dessous, die sie mit Präparaten auf Ylang-Ylang-Basis besprühte, während ich zwischen ihren Knien grunzte und mein Speichel auf den mit einem Frotteetuch bedeckten Sessel troff. Ich seufzte, wischte mir mit dem Unterarm über die Stirn und machte mich daran, die Kokosnuß zu raspeln. Wenn ich sie diesen Abend nicht zu sehen bekam, würde ich ihr einen Tanz machen, darüber war ich mir vollkommen im klaren. Ich versuchte, mit ihr Kontakt aufzunehmen, um ihr zu zeigen, in was für einem Zustand ich war, um sie schleunigst nach Hause zu locken.

Das Telefon klingelte. Mein Herz klopfte wie früher, als ich sechzehn war. Ich ließ alles liegen und stehen, um Eloïse entgegenzueilen, und hechtete aufs Sofa, um mir den Apparat mit Karacho zu schnappen.

– Hallo, Papa...?

Meine Aufregung flaute umgehend ab. Es kam selten vor, daß mich Hermann Papa nannte. Von daher löste dies in mir, neben einer unbestimmten Rührung, eine gewisse Beunruhigung aus, was er mich wohl fragen würde.

– Hmm. Ja, Hermann...?

– Hör mal, ich bin heute abend bei 'nem Freund eingeladen. Ich bleib nicht lang...

– Hoppla, warte mal...

– Es ist alles geregelt. Seine Mutter fährt mich zurück, mach dir keine Sorgen.

Langsam wechselte ich von meiner liegenden in eine sitzende Haltung über, und ich stellte das Telefon zwischen meine Füße.

– Was ist, einverstanden...!? drängte er mich mit ungeduldiger Stimme.

– Hmm... Ich hab's nicht gern, wenn du mich einfach so im letzten Augenblick informierst.

– Ja, ich weiß. Aber beeil dich, seine Mutter wartet draußen in zweiter Reihe...

– Na schön. Hast du deinen Schlüssel mit?

– Jaja, zerbrich dir nicht den Kopf.

– Nun denn, ich hoffe, du...

Ich kam nicht mehr dazu, meinen Satz zu vollenden, das Bipbip teilte mir mit, daß die Verbindung unterbrochen war. Ich nehme an, er war bereits aus der Zelle gehüpft, und die Kiste der Frau fuhr los.

Ich bereitete mein Kokoshühnchen zu, als ob nichts wäre, ohne auch nur im geringsten zu schludern, ich hatte bloß keinen großen Hunger mehr. Ich war immer noch damit beschäftigt, als es Abend wurde. Das ist ein ziemlich aufwendiges Gericht.

Zum guten Schluß rührte ich es nicht an. Ich machte lediglich die Flasche Wein auf und begnügte mich mit einer Scheibe Mortadella und einer Paprikaschote, die ich im Wohnzimmer verzehrte. Ich kannte die Stille in dieser Bude recht gut, ich hatte ihr lang genug zugehört. Ich wußte, welches Möbel knackte, welches knarrte, welches halb zugige Fenster im Wind leicht vibrierte, nichts war mir fremd. Ich kannte diese Stille wie meine

Westentasche, und wir hatten uns, wenn ich so sagen darf, aneinander gewöhnt. Vor allem, seit ich nicht mehr schrieb, seit ich aufgehört hatte, laut zu reden.

Ich liebte es über alles, mich auf den Boden zu setzen, das Kreuz gegen das Sofa gequetscht. Ich schlug die Beine übereinander und musterte, den Kopf nach hinten geworfen, seelenruhig die weißgetünchte Decke. Es gab derart viele Dinge im Leben, die mir Anlaß zur Überlegung gaben, daß ich nicht den Eindruck hatte, ich vergeude meine Zeit. So zum Beispiel diese Geschichte mit dem Kokoshühnchen, auf dem ich sitzengeblieben war, all diese Geschichten zwischen einem Vater und seinem Sohn.

Ich liebte es nicht, Salz in die Wunden zu streuen, aber bisweilen hatte ich das Verlangen, alte Fotos zu betrachten – was nicht ganz einfach ist –, und dazu wählte ich diese Momente, wenn die Stille und ich eins waren.

Zu allem Überfluß rief Eloïse Santa Rosa immer noch nicht an. So daß ich feuchte Hände bekam, daß mich eine Gänsehaut überzog, daß sich mir die Härchen auf den Beinen sträubten. Das hatte man davon, wenn man den Fehler beging, alles auf eine Karte zu setzen. Sollte sich nicht jeder normale Typ mindestens *eine* Ersatzfreundin halten, gebärdete ich mich nicht wie der letzte Idiot? Naja, das war leicht gesagt, und nur aufgrund meines ständigen Lamentierens würde bestimmt keine Frau aus dem Boden schießen und mir wortlos mit der einen Hand ihr Höschen reichen und mit der anderen nach meinem Slip greifen.

Der Wein hatte mich leicht benebelt, aber das hatte keine Bedeutung. Ich stand auf, um mir das Fotoalbum zu angeln, und kehrte zu meinem Platz zurück, zu meinem stillen Lagerplatz. Ich ließ es einen Augenblick zugeklappt auf meinen Knien liegen, ohne mich deshalb gleich vor der Pforte einer Kirche zu wähnen, aber so fing ich immer an, ich bereitete mich ganz langsam darauf vor. Es war mir gelungen, dieses Album in Sicherheit zu bringen, als Franck ihre Koffer gepackt hatte. Später hatte sie es mehrmals von mir gefordert, aber ich hatte ihr versichert, daß ich es nicht mehr zwischen die Finger bekommen hätte, sei sie sich denn ganz sicher, es nicht selbst mitgenommen zu haben, hatte sie diesen Schwachkopf von Abel schon gefragt, hatte sie *wirklich* überall nachgesehen? Ich konnte mir lebhaft vorstellen, wie sie sich am anderen Ende der Leitung auf die Lippen biß, und ich schwieg, ich hörte sie atmen, ich hörte, daß sie wegen dieser paar Fotos einer Ohnmacht nahe war, und ich, hatte ich nicht nächtelang geschrien?

Ich habe mich lange gefragt, ob sie sich nur für Hermann interessierte oder ob sie uns alle drei Seite an Seite haben wollte, mysteriöserweise vereint auf den meisten Negativen, seit ich das Prinzip des Selbstauslösers entdeckt hatte, mysteriöserweise eng umschlungen, denn meistens rannte ich einfach los, Franck im einen, Hermann im andern Arm, besonders originelle Einfälle hatte ich nie gehabt. Das war eine interessante Frage. Ich brauchte eine Weile, um mir darüber klarzuwerden, daß ich auf diese Frage nie eine Antwort finden würde, daß ich sie mir ein für allemal aus dem Kopf schlagen konnte.

Hermann war neun Jahre alt, als wir uns hatten scheiden lassen. Die Fotos rissen an dieser Stelle ab, so als schauderten sie vor einem Abgrund. Das war so schlimm gewesen, daß ich mich frage, wie wir es überhaupt geschafft haben zu lächeln und woher dieser verzweifelte Starrsinn rührte, mit dem wir uns immer noch auf ein Foto bannten. Jedesmal, wenn ich dieses Album aufschlug, hatte ich den Eindruck, es handele sich um ein anderes Leben und todsicher um einen anderen Typen als mich, ich konnte es kaum glauben. Ich griff mir aufs Geratewohl eines der Bilder heraus, ich hielt es mir vors Gesicht und betrachtete es aufmerksam, studierte es bis ins letzte Detail, versuchte, sein Geheimnis zu ergründen, bis ich anfing zu schielen. Das war nicht ich. Ich hatte keine Frau. Kein Kind mehr, das auf meine Knie hüpfte. Ich machte kein so vergnügtes Gesicht wie dieser Typ da.

3

Elsie trat erst eine Woche später wieder in mein Leben, als ich so gut wie gar nicht mehr schlief und mir die Augen aus dem Kopf traten.

– Ah, Scheiße, wo hast du gesteckt...!? stammelte ich.

– Dan, Dan, mein Schatz, es ist soweit...! ES IST SOWEIT, ICH HAB'S GESCHAFFT...!!!

– Verdammt nochmal, Elsie, wir haben uns seit drei Wochen nicht mehr gesehen! Ich bin bald verrückt geworden, hörst du...?!

– Halt dich fest, Danny... ICH HAB UNTERSCHRIEBEN, ICH HAB ENDLICH UNTERSCHRIEBEN...!!

Wir hatten uns in einer Bar in der Innenstadt verabredet, dem *Durango*, vielbesucht, sobald die Nacht hereinbrach, und gegen Morgen so gut wie menschenleer. Sie saß auf einer Bank im hinteren Teil, vor einer heißen Schokolade und einer Handvoll Croissants. Sie schenkte mir ein Lächeln, das einen ganzen Tag aufheitern konnte. Ihr schwarzer Lederminirock war wie ein Dolchstoß.

– Ich glaube, ich nehme einen großen Kaffee, sagte ich zu Enrique, der gähnend hinter mir her geschlichen war und sich sogleich wieder verzog, *muy bien*. Meinerseits lächelnd guckte ich sie eine Sekunde lang an, dann hechtete ich über den Tisch und bemächtigte mich kühn ihrer Lippen. So beruhigte ich mich ein wenig. Ehrlich gesagt war ich kein großer Kußfanatiker, und ich war mir bewußt, daß ich mich an einem öffentlichen Ort aufhielt, was ein Mindestmaß an Zurückhaltung erforderte. Immerhin konnte ich so ihren Geruch wahrnehmen, mich ihrer Gegenwart vergewissern, eine Hand in die Wärme ihres Nackens schieben. Ich nahm meinen Platz wieder ein, damit Enrique meine Tasse vor mir abstellen und anderswo dämlich weitergrinsen konnte. Sie war völlig aus dem Häuschen. Natürlich versetzte nicht ich sie in einen solchen Zustand, aber ich hoffte gleichwohl, davon profitieren zu können. Nach dem, was sie mir mit Augen, leuchtend wie Laternen, erzählte, winkte ihr endlich die Chance ihres Lebens. Die Verträge waren unterzeichnet, nächstes Frühjahr kam die Platte raus, war das nicht toll? Und wie! Ich nickte Enrique zu, er solle uns zwei Tequila Sunrise bringen, um die Sache zu feiern. Während ich eine Hand unter dem Tisch verschwinden ließ, machte ich ihr trotz allem dieses wochenlange Schweigen ein wenig zum Vorwurf, das mich, wisse sie das wenigstens, entsetzlich betrübt habe. Also nein, da redete ich von Wochen, wo sie bald zwei Jahre auf diesen Tag gewartet habe, ich dürfe nicht so egoistisch sein. Ihr Schenkel fühlte sich derart weich an, daß es einem den Atem verschlug. Ah, sie möge mir verzeihen, ich hätte doch nur Spaß gemacht, aber deshalb habe sie mir trotzdem gefehlt. Sie war in der Schweiz gewesen. Ob ich die Schweiz kannte, ob ich gern Schokolade aß?

– *Enrique, dos otros!* rief ich aus.

Sie zog zwei Tafeln aus ihrer Handtasche, dabei blockte sie meine Hand zwischen ihren Beinen ab. Sie hatte gar keinen Grund, sich zu beunruhigen, niemand konnte uns sehen. Oder fand sie, daß ich ein paar Stufen übersprang, sollte ich Eile und Überstürzung verwechselt haben? Sicher, das war nicht der ideale Ort, aber der Kontakt mit ihrer Haut brachte mich um jedes bißchen Verstand, am liebsten hätte ich alles mögliche versucht. Sie hatte neue Stücke geschrieben, sie konnte es kaum erwarten, sie mir vorzuspielen. Soso, sie mir vorspielen! Ich konnte meine Hand weder vorrücken noch zurückziehen. Ich fragte mich, ob sie zergehen werde. Sie war sicher, daß sie ein paar Kilo zugenommen hatte, ich könne ihr ruhig die Wahrheit sagen.

– Sehr gut, antwortete ich ihr. Wenn das so ist, werde ich eine ungemein gründliche Untersuchung vornehmen.

Sie solle mich nur eben die Getränke zahlen lassen, dann könnten wir direkt in ihr Schlafzimmer flitzen, um uns die Sache ein wenig näher anzusehen. Elsie, *habe ich mich klipp und klar...?* Meine Frage ließ nicht den geringsten Zweifel. Es gibt nicht viele Dinge im Leben, die so traumhaft sind, wie einer Frau in die Augen zu blicken, wenn man seine Karten aufgedeckt hat. Ich pochte an der Pforte zum Paradies, knetete, soweit dies machbar war, ihren Oberschenkel, die Pupillen von einem höllischen Feuer erweitert.

– O Danny..., sagte sie sanft zu mir.

Sie streichelte mir freundlich über die Wange, und mein sprießender Bart begann unter ihren Fingern boshaft zu knirschen.

– O Danny, ich hab gerade meine... Das ist wirklich Pech...

Ganz einfach: ich weigerte mich, ihr zu glauben. Ich zog postwendend meine Hand aus ihren Beinen zurück und biß mir, den Blick abgewendet, in den Daumennagel. Auf diese Weise beging ich einen schmerzlichen Fehler, denn meine Finger waren noch ganz von ihrem Geruch durchdrungen, und ich geriet auf meinem Stuhl quasi ins Schwanken. Ich hatte dermaßen Lust auf sie, daß ich fast erschrak.

– Mir gefällt das auch nicht, murmelte sie. Ich hoffe, da bist du dir drüber im klaren...

Nein, da war ich mir, ehrlich gesagt, überhaupt nicht drüber im klaren, ich sah nicht ein, weshalb ich lügen sollte.

– Meine Güte, guck mich nicht so an, murrte sie verdrossen. Du tust so, als hätte ich das mit Absicht gemacht.

– Tja, Scheiße, genau das frage ich mich!

Sie zögerte einen Augenblick, dann packte sie gemächlich ihre Sachen zusammen und ließ mich grußlos sitzen. Ich machte nicht den geringsten Versuch, sie zurückzuhalten, ich setzte eine unbeteiligte Miene auf und spielte mit meinem Streichholzdöschen. Ich mußte einen Sprint über den Bürgersteig hinlegen, um sie einzuholen. Ich klammerte mich an ihren Arm, aber sie riß sich los und ging weiter.

– Na schön, einverstanden, ICH ENTSCHULDIGE MICH...!

– Bitte, Dan, laß mich in Ruhe.

– Herrgott nochmal, mach nicht alles noch komplizierter, ich sag doch, ES TUT MIR LEID, hier, jetzt, ist das nicht genug...?!

– Du machst es dir leicht...

– Hör mal, ich hab dich Tag für Tag angerufen, ich wußte nicht mal, wo du steckst!

– Ich wüßte nicht, was das damit zu tun hat.

– Ah, hör sich das einer an! Sie weiß nicht, was das damit zu tun hat ...!

– Ich weiß, was dich interessiert. Ich weiß es sehr gut.

– Donnerwetter.

– Ja. Das und nichts anderes ...!

In ebendiesem Moment blieben wir vor einer Ampel stehen, und ich zwang sie, mich anzusehen. Neben uns stand eine Frau, die ein Kind an der Hand hielt.

– Du hast recht, sagte ich zu ihr, im Augenblick denke ich an nichts anderes. Der bloße Umstand, daß ich deinen Arm festhalte, erregt mich in einem Maße, wie du es dir nicht vorstellen kannst, und wenn du's genau wissen willst, ich sehe durch deine Kleidung hindurch, und ich hab den Geruch deiner Beine in der Nase. Ich krieg nur die Hälfte von allem mit, was du mir erzählst, denn mir geht nur eins durch den Kopf, und ich schäme mich dessen nicht, es ist nun mal so. Das Wasser läuft mir im Munde zusammen, wenn ich dich nur ansehe, Elsie, und du hast recht, sonst interessiert mich überhaupt nichts, so sehr leck ich mir die Finger nach dir ...

Ich bemerkte, daß die Frau dem Kind die Ohren zuhielt. Auf daß die Ampel auf Rot springe, damit sie in ihre Welt der Bekloppten zurückkehren konnte.

– Herrgott nochmal, ist das denn 'ne Beleidigung, Elsie ...? Darf ich keine unbändige Lust haben, mit dir zu bumsen, bin ich deshalb gleich eine Art Monster ...? Scheiße, immerhin haben wir uns exakt drei Wochen nicht mehr gesehen, *drei Wochen*, verstehst du ...? Findest du es toll, mir vorzuwerfen, das sei alles, was mich interessiert ...?

Ich stopfte die Hände in die Taschen und starrte mißmutig den Himmel an, es fehlte nicht viel und ich hätte Grimassen geschnitten wie ein Märtyrer. Nach einer Weile hakte sie sich bei mir ein, und wir blieben noch ein paar Stunden zusammen, wandelten durch die Straßen, quatschten, trieben von einer Bank zur andern und aßen Maronen oder mit rosa Zuckerguß umhüllte Erdnüsse, bis sie sich eines wichtigen Termins bei ihrer neuen Plattenfirma entsann. Diese Typen kommen einem ständig mit irgendwelchen wichtigen Terminen daher. Ich erklärte ihr, daß ich auch gern einen hätte.

– Und diesmal etwas *Zuverlässiges*..., scherzte ich.

Sie drückte meinen Arm wie ein kleines Mädchen und flüsterte mir ins Ohr, daß sie so gut wie vorbei seien, daß uns übermorgen, ich könne ganz beruhigt sein, die ganze Nacht zur Verfügung stehe. Sie zuckte mit den Schultern, als ich sie fragte, ob ich mein Gebetbuch mitnehmen müßte.

Von all den Frauen, die ich nach Francks Auszug kennengelernt hatte, war Elsie bei weitem die anziehendste. Gar so viele hatte ich im übrigen auch nicht kennengelernt, dennoch, Elsie hob sich eindeutig von allen anderen ab. Endlich eine, der nicht die Luft wegblieb, als ich mich weigerte, sie mit nach Hause zu nehmen. Ich hatte ihr alles erklärt, ich wollte auf gar keinen Fall, daß sie mir das übelnahm, ich wollte, daß sie mich verstand, und sie hatte mir zur Antwort gegeben, halb so schlimm, mein Haus sei ihr schnurz. Sie könne sich schon denken, daß ein Typ in meinem Alter seine kleinen Macken habe.

– Weißt du, vor dir war ich mit einem jüngeren Typen zusammen, um die dreißig. Der ging jeden Sonntag bei seiner Mutter essen. Seitdem wundere ich mich über nichts mehr...

Ein Glück, daß dieser Blödmann vor mir an der Reihe war, mußte ich zugeben.

Sarah kannte sie. Wir waren ein paarmal zusammen ausgegangen, aber nicht allzu oft, denn Sarahs Freunde behagten mir in der Regel nicht. Die beiden verstanden sich recht gut. Ich war Elsie eines Abends begegnet, als ich Sarah in den Studios suchte, ich hatte dieses Mädchen auf dem Schminkstuhl vorgefunden, in schwarzen Strümpfen und trägerlosem Lastex-BH, sie hatte in fünf Minuten ihren Auftritt. Sie war Chorsängerin. Fünf Minuten später stand sie auf. Ohne sie aus den Augen zu lassen, betete ich inständig weiter. Das Wunder geschah, dem Himmel sei Dank.

– Sind Sie noch da, wenn ich zurückkomme...? fragte sie mich.

Elsies Freunde gefielen mir auch nicht.

– Soso, kannst du mir mal sagen, wer dir eigentlich gefällt? fragte mich Sarah unentwegt. Kannst du mir mal sagen, wer Gnade findet vor deinen Augen...?!

Sie übertrieb, ich hätte ihr Hunderte von Namen aufzählen können, ohne mir den Kopf zu zerbrechen, Bob Dylan, Mahler, Antonio Gaudi, John Cassavetes, Gérard Gasiorowsky, Isadora Duncan, Marlon Brando, Ian Tyson, Jack Kerouac, Melville, Jacques A. Bertrand, Janis Joplin, Lars von Trier, Marilyn Monroe, Blaise Cendrars, Miller, Fante, die Callas, L. Cohen, Brautigan, R. Coover, Godard, Castaneda, Márquez, Schiele, Wenders...

– AH, AH, drei Viertel von denen sind tot, du Dummkopf...!
Ich rannte ihr entschlossen quer durch die Bude nach.

– Tot...? Glaubst du denn, ein Typ wie Richard Brautigan ist *tot*...??!! AH AH AH...!

Naja, kurz und gut, ihre Freunde waren schuld, daß ich Elsie nicht öfter sah. Ich wußte nicht, worüber ich mit ihnen reden sollte. Die seltenen Male, die wir ein paar Worte miteinander wechselten, hatte ich den Ozean ermessen, der uns trennte.

– *Bob Dylan*, wer ist das denn...? glucksten sie und stießen sich mit dem Ellbogen an.

Wenn ich mich mit Elsie im *Durango* traf, kam ich manchmal kaum umhin, sie mir aufzuhalsen, und ich hatte mein Glas noch nicht ausgetrunken, da hatten sie mich schon vollgelabert, lauthals wunderten sie sich, daß ich einen gewissen Sowieso und einen bestimmten Soundso nicht kannte, und versuchten, mir wer weiß was beizubiegen. Sie machten sich über mich lustig. Aber ihr Lächeln erstarb, wenn ich mich erhob und mit Eloïse Santa Rosa am Arm von dannen ging. Das haute sie glatt um. Das überstieg ihren Horizont.

Meines Erachtens waren die Typen, die mit Sarah ausgingen, keinen Deut besser, zumindest die, denen ich begegnet war. Zum Glück hielten sie sich nicht lange.

– Wozu? erklärte sie mir. Ich seh Tag für Tag neue Gesichter...! Warum, findest du sie nicht nett?

Meist waren das verheiratete Typen, an denen die Unruhe

nagte, wenn wir in der Stadt zu Abend aßen, das war ein verbreitetes Modell, der Schlag, mit dem sie sich einließ, Typen, die ihr zufolge keinen Funken Anhänglichkeit hatten. Ich sagte nichts, aber ich wußte, daß sich Mat Bartholomi unentwegt im Grabe umdrehte. Ich sagte nichts, weil Sarah mein einziger Freund war.

– Gehst du heute abend mit mir essen? fragte sie mich. Ich bin ein wenig down . . .

– Ja, wenn du willst.

– Ich hol dich ab, ich hab das Gefühl, es gibt Regen.

Es mochte acht Uhr sein, der Nachmittag war schnell vorübergegangen. Hermann und ich hatten in der Garage Tischtennis gespielt. Er spielte allmählich besser als ich. Er war fast so groß wie ich. Wir hatten jeder einen Hundertfrancschein aus der Tasche gezogen, und meiner war in seiner Tasche verschwunden. Er hatte sich ins Zeug gelegt. Ich hatte aufgepaßt, daß ich mir keinen Hexenschuß holte.

Die Wolken waren erst bei Einbruch der Dunkelheit zusammen mit einer Mütze Westwind eingetroffen, aber das hieß nicht, daß es regnen würde, ich hatte es nicht einmal für nötig erachtet, die Wäsche von der Leine zu nehmen. Wir hatten uns das Regionalprogramm angesehen, weil da irgendein Bericht über das Gymnasium lief, genauer gesagt über die Mädchen des Basketballteams, das spielend leicht ins Viertelfinale eingezogen war und sich in einer wahren Hochform befand, wie der Typ zu erzählen wußte. Die Typen hatten die Mädchen während des Trainings gefilmt. Sie hatten einen wilden Blick.

– Und ob man sich auf die verlassen kann, erklärte Max und rückte zum drittenmal innerhalb weniger Minuten seine Hose zurecht. Die holen uns den Pokal, da halte ich jede Wette!

Gladys schien es dem Kameramann besonders angetan zu haben, denn der Kerl schenkte ihr eine Großaufnahme nach der anderen, und ihr Lächeln füllte regelmäßig den Bildschirm, wenn es nicht gerade ihr Profil war und sie sich eine blonde Strähne hinters Ohr schob. In diesen Augenblicken beobachtete ich Hermann unauffällig.

Ich ließ ihn abends nicht gern allein. Nicht daß ich irgend etwas befürchtete, aber ich hatte einige Erfahrung mit der Einsamkeit, mit den Schatten, mit der Stille, und ich weiß nicht, ich fand, er war noch ein wenig zu jung, um sich damit herumzuschlagen, mag sein, daß ich mich täuschte, jedenfalls hatte ich das nicht gern.

Mit all meinen Scherereien war ich nicht gerade der ideale Vater, dessen war ich mir bewußt. Was für ein Bild konnte er von mir haben, wenn nicht das eines Typen, den die Frau verlassen hatte, der von seiner Freundin vernachlässigt wurde, ein gescheiterter Schriftsteller, der Flaschen in seinem Schlafzimmer versteckt hielt, ein nicht mehr ganz junger Typ, dessen Kreuz obendrein zuschanden war. Mitunter fragte ich mich, wie er es ertragen konnte und wer sich wohl auf wen stützte.

Hermann, ich liebe dich, aber das reicht nicht, um aus mir einen Heiligen zu machen.

– Wer war das?

– Sarah. Sieht so aus, als wär sie nicht gut drauf...

– Ist sie krank?

– Nein, ihr ist bloß danach, essen zu gehen, sie will auf andere Gedanken kommen.

Was trieb er, wenn er allein war? Was hatte ich angestellt, als ich in seinem Alter war, was hieß das damals, ein stilles und verlassenes Haus, woran hatte ich gedacht, wie war die Nacht, hatte ich Angst gehabt, war mir kalt gewesen oder alles egal, hatte ich gar meinen Vater und meine Mutter verflucht oder mir die Hände gerieben, hatte ich ungeduldig auf diesen Moment gewartet...? Ich konnte mich an nichts mehr erinnern, ich warf alles durcheinander, keine Aussicht, unversehens wieder vierzehn zu werden. Inzwischen war ich knapp dreißig Jahre älter, das war nicht eben mal um die Ecke.

– Ich setz mich vor den Fernseher, sagte er zu mir.

Ich hörte die ersten Tropfen fallen. Dan, und deine Wäsche, die Wäsche, die du nicht reingeholt hast... Zu spät, jetzt ist es zu spät. Dan, im Kühlschrank sind noch zwei Scheiben Schinken, es ist noch Käse übrig und ein wenig Thunfischsalat und Eier. Na schön, bestens, er wird nicht verhungern, und im Gefrierschrank liegen noch Pizzen. Dan, du gehst aus der Küche, und eure Blicke sind einander begegnet... Ja, aber ich bin nicht schlauer als vorher, ich weiß nicht, was er von mir hält.

Sarah führte mich in ein italienisches Restaurant. Es war voll, aber zum Glück fanden wir einen Tisch, der ein wenig abseits stand, und die Stühle waren gar nicht so übel. Ich sah schon, daß es nicht zum besten stand, aber wir waren keine Kinder mehr und warteten wohlweislich, bis der Typ mit den beiden großen Gläsern Americano aufkreuzte, ehe wir versuchten, der Sache auf den Grund zu gehen. Ich war zufrieden mit ihr. Daß sie sich an mich wandte, wenn etwas schieflief, daß ich derjenige war, dessen Anwesenheit geboten schien, wenn sie Trübsal blies, war dazu angetan, mich regelrecht euphorisch zu stimmen. Mit meiner prompten Überzeugung, das Leben sei ja doch schön, hatte ich ein besonderes Geschick, ihre Moral zu stärken, ich wirkte schnell ansteckend. So hatten wir oftmals unseren kleinen Kummer weggefegt. Wir standen einander ungeheuer nah. Wenn es nur nach mir gegangen wäre, hätten wir längst zu handfesteren Dingen übergehen können, schließlich macht Freundschaft nicht blind, und Sarah war durchaus nach meinem Geschmack. Nicht daß sie mit Elsies umwerfendem Sex-Appeal hätte konkurrieren können, was ohnehin schwierig war, was an der Grenze des Erträglichen gewesen wäre, aber tief in ihren Augen war etwas, das mich perplex machte, das mich, offen gestanden, überwältigte. Nur das eine, das wollte sie mit mir nicht machen, das, o nein, das kam nicht in Frage, sie riß sich jedesmal zusammen, wenn wir uns versehentlich gehen ließen, urplötzlich stieß sie mich zurück, verkündete, sie wolle das Risiko nicht eingehen, nichts könne das ersetzen, was uns verbinde.

– Vielleicht ist das eine Sache, die ein Mann nur schwer versteht, erklärte sie mir. Ich will dich behalten, wie du bist, ich will nicht, daß sich das ändert, verstehst du...?

Ich bewunderte ihre Charakterstärke, überdies fragte ich mich, wie sie das schaffte. Denn ich für mein Teil, wenn ich zu-

47

fällig ihren Mund flüchtig berührte, dann zählte nichts mehr für mich. Keine Rede der Welt, kein Schwur, kein Entschluß hatte auch nur den geringsten Einfluß auf den Dämon, der in mir wach wurde.

– Dan, sei mir dankbar, daß ich einen kühlen Kopf bewahre..., beschwor sie mich, während sich meine Arme im luftleeren Raum schlossen.

Kaum hatte sie ihr Glas abgesetzt, fing sie an zu seufzen.

– Dan, ich bin verliebt...

Wenn es mehr nicht war, da brauchte ich mir nicht allzuviel Sorgen zu machen, das war das dritte Mal, seit ich sie kannte. Ich hoffte bloß, daß sie uns nicht den ganzen Abend mit ihrem neuen Schwarm auf den Wecker ging.

– Ooh..., machte ich trotz allem.

– Ich muß verrückt sein... Er hat Kinder, er ist verheiratet...

Fast alle hatten sie Kinder, fast alle waren sie verheiratet, oder aber sie gingen zu ihrer Mutter essen, offenbar gab es immer irgend etwas, woran es haperte. War man erst einmal über dreißig, wurden die guten Gelegenheiten allmählich rar wie Edelweiß.

– Warum, suchst du nach einem Ehemann?

– Meine Güte, Dan, woher soll man wissen, wonach man sucht...!?

Er hat blaue Augen, erzählte sie mir, nachdem wir uns für zwei neapolitanische Aufläufe und einen kleinen Wein aus südlichen Gefilden entschieden hatten, den ich kurz darauf gemächlich pichelte, während sie mir die Größe seines Penis beschrieb. Fast hätte ich meinen Wein verschüttet.

– Ooh, oh, Sarah... Jetzt übertreibst du aber...

– Dan, ich schwör's dir.

Binnen kurzem barg dieser Typ keinerlei Geheimnisse mehr vor mir. Von gewissen Dimensionen abgesehen, die meines Erachtens in den Bereich der puren Phantasie fielen, hatte er nichts Interessantes an sich. Daß sie mir gegenüber derart die Rolle des verliebten Mädchens spielte, sagte mir mehr als genug. Der gute Dr. Dan kannte sämtliche Symptome der geistigen Mattscheibe, er diagnostizierte jeden Weltschmerz auf den ersten Blick, sämtliche Stadien der Verzweiflung waren ihm vertraut, er hatte sie am eigenen Leibe exerziert, er war der lebende Beweis, daß man darüber hinwegkommen konnte. Leider.

Mat Bartholomi war vielleicht die Ausnahme, die die Regel bestätigte. Wer wußte schon, was wirklich auf diesem Mast passiert war? Ein entsetzlicher Unfall, eines Abends, sie war ausgegangen, und sie hatten kein einziges Wort gewechselt.

– Dan, wir waren uns fremd geworden...

Und einige Stunden darauf wurde Mat geröstet wie eine Mandel, einige Typen wollten gesehen haben, wie ihm die Flammen eine ganze Weile aus dem Mund – und aus den Augen – schlugen. Ein entsetzlicher Unfall, *nicht wahr*...? Seit zwei Jahren trichterte sie sich das praktisch Tag für Tag ein und mied den Blick ihres Sohnes. Das war wahrhaftig Grund genug, von Zeit zu Zeit an Weltschmerz zu leiden.

Dr. Dan war der Ansicht, daß es unter diesen Umständen besser war, über Pimmelwuchs und Arschfick zu reden. Er hatte nichts gegen ein wenig Sand in den Augen, wenn man damit eine Krise lindern konnte.

– Dan, ich bin im Grunde ein Klitoris-Typ, wie du weißt...

– Soso...? Keine Ahnung.

– Jedenfalls, Typen, die sich ein wenig Mühe geben, die findet man nicht an jeder Ecke, das kannst du dir ja vorstellen. Er dagegen, ungelogen, er rührt mich zu Tränen, es kommt mir vor, als wüßte er ganz genau, was ich will...

– Hm, ich muß zugeben, ein starker Typ.

– Verdammt nochmal, ich hab mich in ihn verliebt. Ich kann mich nicht rühren, wenn er sich wieder anzieht, ich komm nicht mehr auf die Beine.

– Ja, klar, das ist schon allerhand. Nun denn, ich freu mich für dich.

– Ich bin verliebt, und das macht mich ganz traurig, das ist wirklich zum Verrücktwerden... Ich hab Lust, ihn anzurufen, nur um seine Stimme zu hören, was hältst du davon...?

– Jaja, ich hab gehört, daß das bei einigen auf diese Tour funktioniert, das könnte 'nen Versuch wert sein.

– Weißt du, wir haben es erst gestern getan, und ich hab das Gefühl, das ist ewig her.

– Ja, ich versteh dich nur zu gut. Elsie ist heute morgen erst zurückgekehrt, das nur nebenbei, naja, du weißt schon, was ich meine... Wir sitzen im gleichen Boot. Hm, nur daß das bei mir etwas länger her ist.

– Dan, wir haben wirklich kein Glück mit unseren Liebesgeschichten, da vergeht einem jede Lust. Manchmal wünsch ich mir, ich hätte kein Geschlecht mehr, verstehst du, ich wollte, das Loch meiner Scheide würde verschwinden!

– Hoppla, du gehst aber ran...

– Doch, das ist mein Ernst. Das Leben ist ohnehin kompliziert genug. Ah, Herr im Himmel, warum reizen mich die Männer, warum hast Du mir das angetan...?!

Als wir das Lokal verließen, hatte es aufgehört zu regnen, und wir waren entschlossen, das Leben beherzt von vorne anzugehen. Reichte es nicht in den meisten Fällen, ein offenes Ohr zu finden, um unsere kleinen Nöte aufzulösen? Oder auch eine freundschaftliche Schulter, wenn der Wagen drei Häuserblocks weiter steht und in unseren Adern ein unreines, chiantiverseuchtes Blut pfeift?

Während der gesamten Strecke schielte ich grinsend nach ihren Beinen.

– Ah, was bist du nur für ein Idiot..., sagte sie zu mir.

Ich hatte mein Fenster heruntergekurbelt, und die frische Nachtluft strömte ins Wageninnere. Als wir in Höhe des Sportplatzes anlangten, atmete ich tief durch, sättigte mich mit dem Geruch der feuchten Erde, auf der eine Mischung aus Gras und Rinde gor, dann, während in mir die Erinnerung an einige Haiku wach wurde, atmete ich wollüstig aus, sofern ich nicht doch vor Wohlbehagen seufzte.

Die welken Blätter
ruhen eins über dem andern.
Regen fällt auf Regen.

Du kannst mich ruhig bei dir rauslassen..., sagte ich gähnend zu ihr. Es wird mir guttun, ein wenig zu laufen.

Wenn mich Gin oder Bourbon an meinen Platz fesselten und mich drängten, die Vorhänge zuzuziehen, so drängte mich der Wein, frische Luft zu schnappen. Von Sarah bis zu mir war es gut ein Kilometer, und ich freute mich schon im voraus darauf. Ah, mich schlaftrunken auf mein Bett werfen, mich mit vereister Nase und heißem Atem auf meinen Laken ausstrecken, die Beine schlaff auf dem Boden, unsicher, ob ich noch die Kraft hatte, mich auszuziehen und mir die Zähne zu putzen, war das nicht eine angenehme Aussicht, hätte ich einen schöneren Wunsch äußern können?

Sarah fuhr den Wagen direkt in die Garage. Es war noch nicht sehr spät, im Wohnzimmer brannte noch Licht.

– Natürlich, die hocken noch vor dieser verflixten Glotze, murrte sie.

Ich war dabei, mich aus meinem Sitz zu schälen, als Gladys erschien. Sie war in Tränen aufgelöst, was nichts Gutes verhieß.

– Oh! Mama...! wimmerte sie und stürzte sich ohne Umschweife in die Arme ihrer Mutter, was meinen ersten Eindruck vollkommen bestätigte.

– Mein Schatz, was ist denn...? Na komm, Gladys, mein Schatz...?!

Ich verstand auch nichts. Oh, und wie sie weinte, ganz niedergeschlagen war sie! Sarah konnte ihr noch so sehr über die Haare streichen und sie an sich drücken, es schien nichts zu helfen. Ich für mein Teil hatte Blei in den Schuhen.

– He, stimmt was nicht...? fragte ich sie, um nicht zurückzustehen.

Ich erhielt ebenfalls keine Antwort, und jetzt wurde sie auch noch von einem gewaltigen Schluchzen geschüttelt.

Sarah führte sie ins Haus. Als sie an mir vorbeikam, warf sie mir einen besorgten Blick zu, also stapfte ich hinterdrein, in der Hoffnung, daß nicht der Speicher in Brand stand, denn ich fühlte mich nicht imstande, Wunder zu vollbringen. Mehr denn je merkte ich, wie sehr ich frischer Luft bedurfte.

Wir landeten gemeinsam im Wohnzimmer, Gladys hauchte weiterhin ihre Seele aus. Der Fernseher war tatsächlich eingeschaltet. Richard saß auf dem Boden, das Kinn auf den Knien, ungefähr einen Meter vor dem Apparat, den er unverwandt anschaute. Er wandte nicht einmal den Kopf. Dabei war das weiß Gott alles andere als spannend. Das war eine dieser schwachsinnigen Serien, die ich höchstpersönlich geschrieben hatte.

– Richard . . .! fuhr ihn Sarah an.

Die Szene, die gerade lief, hatte mir ziemlich zu schaffen gemacht, und zu guter Letzt hatte ich sie völlig vermasselt. Ganz davon zu schweigen, daß die Schauspieler wie Zinnsoldaten agierten. Wollte Richard uns weismachen, daß man sich so etwas angucken konnte, wen glaubte er mit seiner ungemein faszinierten Miene hinters Licht zu führen?

– Sag schon! SAG SCHON, W'S DE G'TAN HAS' . . .! fauchte Gladys, vor Aufregung einige Vokale verschluckend, plötzlich los. Mit einemmal, die Wangen noch tropfnaß vor Tränen, spie sie Feuer. Doch ihr Bruder blieb ungerührt, wie aus Stein, höchstens seine Kinnbacken zogen sich leicht zusammen, so sehr war er in die Betrachtung von *Playboys sterben einsam* vertieft, dieser elenden und bedauerlichen Serie.

– Richard, mach sofort diesen Fernseher aus! herrschte ihn Sarah in einem Ton an, der vermuten ließ, daß es widrigenfalls schlecht um ihn stünde. Er rührte sich nicht. Er schien durch eine unsichtbare Mauer geschützt. Die Starrheit seines Gesichts, auf das mit voller Wucht der helle Schein des Bildschirms fiel, wurde von einer bezaubernden Leichenblässe noch betont.

– Richard, ich sag's dir nicht noch einmal, hörst du . . .?!

Ein Glück, daß niemand außer mir auf das Fernsehen achtete, ich schämte mich zu Tode. Ich war fast erleichtert, als Gladys einen Satz nach vorne machte und ein Stück Stoff vom Boden aufhob. Ich war sicher, daß niemand zuhörte.

– ACH, MAMA . .! GUCK DIR DAS AN . . .!! GUCK MAL, WAS ER MIT MEINEM NEUEN KLEID GEMACHT HAT . . .!! DIESER GEMEINE DRECKSKERL . . .!!

Man hätte schon früh aufstehen müssen, um zu erraten, was

das war, was sie da mit den Fingerspitzen wie einen noch dampfenden Klumpen Gedärme festhielt. Jedenfalls hätte ich es nicht haben mögen, um mir damit die Stiefel zu wichsen, und Sarah hob eine Hand vor den Mund, und Gladys wurde erneut von einem Schluchzen erfaßt. Technisch gesehen, war die Exekution einwandfrei. Durchlöchert, zerrissen, zerschnitten und, als wäre ein solch erbittertes Vorgehen nicht vollauf genug, obendrein von A bis Z angesengt, das arme Kleid war nur noch ein häßlicher Putzlappen, ein langer widerwärtiger Schrei.

– OH, MAMA . . . !!! BITTE, MACH ETWAS . . . !!

Sarah nahm ihr das Kleid aus der Hand und ging auf Richard zu. Zuallererst schaltete sie den Fernseher aus. Ich hätte als letzter dagegen protestiert, aber auch Richard sagte nichts, er stierte weiter geradeaus, als wäre nichts passiert. Sie beugte sich über ihn und packte ihn am Kinn, um seinen Kopf hochzuklappen.

– Richard, das wirst du mir erklären . . ., sagte sie zu ihm.

Er stieß sie zurück. Ich hätte nicht an Sarahs Stelle sein mögen, sie tat mir leid. Alles war dermaßen schwierig zwischen ihr und ihrem Sohn, dermaßen gespannt, dermaßen kompliziert. Kaum standen sie einander gegenüber, verfinsterte sich der Himmel.

– Richard, ich warte . . .

Da war sie nicht die einzige. Gladys wischte ihre Tränen ab und hielt den Atem an. Ich setzte eine Hinterbacke auf die Armlehne des Sofas, als ob nichts wäre, denn mich überkam eine entsetzliche Müdigkeit, und die Stille im Zimmer war fast schon ohrenbetäubend.

Langsam wandte er sich ihr zu. Für den Bruchteil einer Sekunde glaubte ich, Mat säße da, aber der Blick, den er seiner Mutter zuwarf, brachte sogleich Ordnung in meine fehlgeleiteten Sinne.

– Sprichst du von diesem *Nuttenkleid?* Darüber willst du mit mir sprechen . . . ?

– DU BIST DOCH EIN ARMER IRRER!! schrie Gladys.

Sarah senkte ihren Blick auf das Kleid, das sie mit Kennerhand abzuwiegen schien.

– Und du, Richard, wenn ich recht verstanden hab, du kennst dich da aus . . ., nicht wahr?

– Ja, ich weiß, was ich sage.

– Nein, du weißt überhaupt nichts. Halt dich mit deinen fünfzehn Jahren nicht für den lieben Gott, was weißt du schon . . .

– Das wirst du mir büßen, das versprech ich dir . . .!! zischte Gladys durch die Zähne.

– Richard, du bestimmst hier nicht, wie sich deine Schwester kleidet. Merk dir das. Verlaß dich drauf, ich meine es ernst.

Ich konnte die beiden verstehen, aber ich konnte mir auch vorstellen, was er empfand. Ich hatte nur die eine Angst, daß mich einer von ihnen zum Zeugen nahm. Ich hatte nur einen Wunsch, nämlich diese peinliche Geschichte zu vergessen. Hätte ich nichts getrunken, wäre ich abgehauen. Statt dessen beobachtete ich die Szene, ohne einen Ton zu sagen, leicht verwirrt und zutiefst enttäuscht, wie dieser Abend endete, den ich kurz zuvor noch gepriesen hatte.

– Für heute hab ich genug von dir, sagte sie zu ihm. Ich geh schlafen. Gladys, komm mit . . .

Ich blickte ihnen nach, wie sie Arm in Arm die Treppe hochstiegen.

Richard hatte sich nicht bewegt, außer daß sein Hals zwischen seinen Schultern verschwunden war. Ich hatte ihm nichts Besonderes zu sagen, aber ich entschloß mich, noch nicht sofort zu gehen. Es war nicht nötig, daß er mich gleich ins gegnerische Lager einordnete.

Um uns herum rauschte die Stille.

– Mat, ging es mir durch den Kopf. Wenn du das mit Absicht getan hast, dann wünsch ich dir, daß du in der Hölle brätst.

Schließlich wandte sich Richard an mich. Er war nicht mehr der gleiche.

– Hast du das Ding gesehn? Es war durchsichtig!

– Hmm . . .

– Dermaßen mini, daß man ihren Hintern sehen konnte . . .

– Oh . . .

– Scheiße, hab ich denn nicht recht?

– Ich weiß es nicht, Richard.
Wahrhaftig, ich wußte es nicht.

Endlich kam der Abend meiner Verabredung mit Elsie. Ich war
kaputt, dennoch schlüpfte ich in das Leopardenhöschen, das sie
mir zu meinem vierzigsten Geburtstag geschenkt hatte. Mein
Magen ragte leicht darüber hinaus. Zum Glück hatte ich genug
Haare auf dem Bauch, um anderen etwas vorzugaukeln und den
Tribut der Jahre als Schatten durchgehen zu lassen, zumindest
machte ich mir das gerne vor, und hieß es nicht in den Zeitungen,
die Frauen fänden das beruhigend, ich meine natürlich nicht die
Haare, sondern diese paar mißlichen Kilo, mit denen, was mich
betraf, keinerlei Gymnastik, keine noch so schweißtreibende
Übung fertig wurde. Max zufolge mußte ich aufhören zu trinken, sonst kriegte ich das nie hin, das sei sonnenklar. Sicher, das
war alles ganz gut und schön, nur daß mein Körper nicht das
Wichtigste auf der Erde war, so weit war ich noch nicht. Ich war
gern bereit, den Schaden in Grenzen zu halten, ich hatte mir
Shorts und ein Paar Basketballschuhe gekauft, und ich wollte
durchaus ein paar Stunden pro Woche den Hampelmann spielen,
mehr durfte man aber nicht von mir verlangen. Die Hauptsache
war, daß ich mich auf den Beinen hielt und imstande war, an
Hermanns Seite einen Sprint hinzulegen, ohne mich zu blamie-
ren, oder einen Berg hochzukommen, ohne mit umgedrehtem
Magen gegen einen Baum zu sinken, ohne ihm zurufen zu müssen, er solle auf mich warten. Und was die Mädchen anging, ich
konnte mich schon noch nackt sehen lassen, und was ich an
Schönheit verloren, hatte ich an Erfahrung gewonnen. Wenn ich
ihnen auch nicht die Schönheit des Himmels bot, war ich nicht
voller Geduld und Aufmerksamkeit, war ich nicht dafür um so
sanfter? Konnte man mir vorwerfen, daß ich keinen ordentlichen
Ständer mehr bekam, daß ich mir nicht den Kopf zerbrach...?
Ich hatte die ganze Woche ausgesprochen schlecht geschlafen.
Es hatte einige Gewitter gegeben, und wie aus purer Bosheit war
die letzte Nacht die allerschlimmste gewesen, ich war sogar stöhnend aus meinem Bett gefallen. In die Bettdecke gehüllt, hatte ich

mich vor dem Fenster aufgebaut und dem Unwetter mit stierem Blick zugeschaut, das war beinahe ebenso erholsam wie liegenzubleiben.

Im Laufe des Tages hatte ich dermaßen viel Kaffee getrunken, daß meine Kiefer wie verschraubt waren, ich hatte steife Beine, und meine Augen waren knallrot. Überflüssig, zu betonen, daß meine Sitzung mit Marianne Bergen stürmisch verlaufen war. Ich sah noch all diese Blätter vor mir, die in den Papierkorb geflogen waren, ich hörte mich noch seufzen, daß wir niemals etwas erreichen würden, daß einem bei dieser oder jener Passage schwindlig werde, daß wir besser alles auf morgen verschöben. Aber sie wollte weitermachen, trotz allem, vor allem, lieber als alles, denn ihrer Meinung nach schaffte man am meisten, wenn man am Ende seiner Kräfte war. Herrgott nochmal, was mußte man sich nicht alles anhören, was glaubte die eigentlich, wo sie war, ehrlich, bildete die sich etwa ein, wir schrieben irgendein unvergängliches Ding...?! Ständig kam es ihr über die Lippen: »Ich will mein Bestes geben«, und das zu einem Zeitpunkt, wo ich mich kaum noch auf den Beinen halten konnte, wo ich mit meinen gereizten Augen keine drei Zeilen lesen konnte, ohne daß mir die Tränen kamen, wo mir jedes Nachdenken unerträglich war, wo mir alles auf die Eier ging.

– Hören Sie, Marianne, ich bin müde...

– Oh! Weiter! Weiter!! WEITER...!!

Sie war leicht bescheuert, das war ihr Problem. Ich war ihren Eltern noch nicht begegnet, aber mir schwante mühelos Übles, man brauchte bloß einen Blick auf ihre Bude zu werfen, sich einen Moment in den Salon zu setzen, um sich die Häßlichkeit der Leute auszumalen, die in so etwas wohnten, und dabei bin ich gar nicht mal ein boshafter Typ. Man brauchte sich bloß anzusehen, was sie aus ihrer Tochter gemacht hatten.

Sie war überzeugt, in ihr, *Marianne Bergen*, schlummere ein Talent. Sie hatte es mit Klavierspielen versucht, dann mit der Malerei und der Literatur, aber die Ergebnisse entsprachen nicht ihren Erwartungen. Jetzt war das Kino an der Reihe. Man durfte sich fragen, was als nächstes kommen würde, für sie jedoch, wenn man sie hörte, galt nur: entweder das oder der Tod. So wie es einst die Malerei oder der Tod geheißen hatte, die Literatur oder der Tod, und wer weiß, wenn man sie wie im Wahn über ihr verflixtes Drehbuch reden hörte, wahrscheinlich hatte sie im ersten Moment aufrichtig daran geglaubt. Ihr Feuereifer, ihr ständiges Anrennen machten sie mir irgendwie sympathisch. Man mußte die Hast, die Blindwütigkeit erleben, die sie zu beherrschen schien, wenn wir uns an die Arbeit machten. Aber für wie lange? Das war die große Frage. Vielleicht würde ich eines Tages antanzen und einen Klarinettenlehrer auf meinem Platz vorfinden. Leute ihres Schlages gab es zuhauf, Leute, die sich sechs Monate oder ein Jahr einer Sache hingaben, naja, zwei Jahre, *im Höchstfall.* Ich hingegen, hätte ich nicht aufgehört zu schreiben, ich hätte mein Lebtag nicht genug davon bekommen.

– Alles klar? fragte mich Paul. Kommt ihr gut zu Rande, ihr beiden . . . ?

– Mmm . . ., göttlich!

– Dan, wenn du wüßtest, was ich mir für Vorwürfe mache . . .

– Brauchst du nicht. Das ist ein wahres Zuckerschlecken . . . !

So daß ich, als ich bei Elsie aufkreuzte, nicht gerade Funken sprühte.

– He, woran denkst du . . . ? stieß sie unwirsch hervor.

Ich zuckte zusammen. Wir waren gerade fertiggeworden, und ich vergnügte mich damit, meine Handkante zwischen ihre Beine zu schieben, mein Kopf ruhte auf ihrem Bauch, das Ohr auf das sanfte und geheimnisvolle Kullern in ihr gepreßt, das wie eine Lawine in den Bergen dröhnte. Nanu, was war passiert? Wichste ich sie verkehrt, war es nicht drin, eine Sekunde zu verschnaufen . . . ?

– Dan, du bist doch nicht etwa eingeschlafen . . . ?

Ich wollte sie gerade fragen, ob sie Witze mache, als ich spürte, daß meine Hand in ihrer Spalte *festklebte* und ein wenig getrockneter Speichel auf ihrer rasierten Möse schimmerte.

– Meine Güte, Elsie, entschuldige . . . Glaub mir, ich hab nicht geschlafen, wo denkst du hin, aber stell dir vor, ich hab angefangen zu träumen, das ist nicht ausgeschlossen . . .

– Trotzdem, du wirkst ein bißchen außer Form.

Ich setzte ein lüsternes Lächeln auf und goß ihr im nächsten Moment eine halbe Flasche wohlriechendes Öl über den Bauch und verteilte es im Handumdrehen unter ihrem Jöppchen.

– Weißt du, wenn du keine rechte Lust hast..., spreizte sie sich.

– AH, AH...!!!

– Oh Dan, mach schon! Mach schon!! MACH SCHON...!!

Warum nur hatten sie sich nicht um mich geschlagen, als ich zwanzig war, als mein Körper Feuer und Flamme war, als mein unbefleckter Geist schnurrte?

4

Mitte November erfaßte ein Kälteeinbruch das ganze Land. Die Leute auf der Straße redeten von ihrer Gasrechnung und vom Ende der Welt. Wenn ich mit dem Motorrad losfuhr, wurde ich ganz blau, meine Gelenke waren wie versteinert, und kaum kam ich irgendwo hin, flitzte ich zum erstbesten Heizkörper. Am liebsten war mir jener in Andréas Büro, ein altes gußeisernes Modell mit kunstvoll gearbeiteten Rippen, von dem ich nicht mehr abrückte. Ich ließ mich von den jungen Schriftstellern, die vorbeikamen und zwei, drei Worte mit mir wechselten, mit Kaffee versorgen, Typen, denen ich gerade durch meinen Opfergang das Leben rettete, die Wert darauf legten, sich bei mir zu bedanken und mich anzuspornen, und denen ich entgegnete, das sei nicht der Rede wert.

Jedermann wußte, der gute Dan mußte bluten. Andréa hatte sie allesamt eingeweiht, und ich hatte keine Hemmungen, die Sache unauffällig aufzubauschen, indem ich einige Seufzer ins Gespräch einfließen ließ und auf die bloße Erwähnung des Namens Marianne Bergen lediglich mit einem desillusionierten Lächeln reagierte.

– Meine Güte, das muß ja grausam sein, sagten sie zu mir. Sag mal, Alter, ich hoffe, du hast mein letztes Buch gelesen...?!

Nein, aber ich hoffte, daß sie sich vollverausgabten und meine Anstrengungen nicht vergeblich waren. Ich hoffte aufrichtig, daß sie nicht alle verwelkten und daß wenigstens einer von ihnen ein Schriftsteller wurde. Was ich an ihnen mochte, das war die phantastische Hoffnung, die sie darstellten, und ich war der Ansicht, wenn man, wie es mir passiert war, auf halbem Weg zu Fall kam, dann mußte man zusehen, daß man die Fackel weiterreichte. Sicher, meine Hingabe gründete sich nicht ausschließlich auf ein solch lauteres Motiv, aber etwas von dem war trotz allem vorhanden, und ich bezog daraus einigen Trost.

Als ich eines schönen Morgens von Paul kam, geriet ich in eine

lausige Kälte, und während ich auf die Zufahrt zur Umgehungsstraße einbog, dachte ich daran zurück, was er mir eröffnet hatte. Es
handelte sich um eine Idee, die ihn schon seit langem verfolgte, ein
geheimes Verlangen, und er meinte, der Moment sei gekommen.

– Dan, jetzt oder nie. Solange ich noch Kraft habe. Ich werde
diese letzte Patrone abfeuern.

– Hör mal, ich weiß nicht, ob das eine besonders tolle Idee ist…

– Ah, wie soll ich's dir sagen… Ich *weiß*, daß ich es tun muß.

– Na schön. Aber auf mich brauchst du nicht zu zählen.

Ich hatte die Szene noch vor Augen. Er hatte eine Flasche hervorgeholt, um die Sache eingehend mit mir zu besprechen, dieser
Schweinehund kannte mich. Plötzlich spürte ich, daß ich in der
Kurve von der Fahrbahn abkam, und auf solch grausame Art in
die Wirklichkeit zurückgeholt, stellte ich fest, daß die Straße
ungewöhnlich glänzte und daß ich wahrhaftig dabei war, auf die
Fresse zu segeln.

Der Sturz war nicht schlimm. Ich ließ das Motorrad los und
sauste, auf dem Rücken liegend, davon, dabei kreiselte ich wie ein
Weltmeister im Eiskunstlauf. Ich mußte mich bloß in Geduld
fassen und abwarten, daß diese ärgerliche Rutschpartie ein Ende
nahm. Zum Glück war die Auffahrt wie ausgestorben, und wäre
nicht das leise Zirpen meines Blousons auf dem vereisten Asphalt
gewesen, ich hätte glauben können, seelenruhig in meinem Bett zu
liegen, die Augen zur Decke gerichtet und eingeladen zu irgendeiner Reise, deren ohnmächtiger Zuschauer ich war.

Gott sei Dank rutschte mein Kopf zwei Zentimeter an der Leit-
planke vorbei. Lediglich mein Bein ging in die Brüche.

An diesem Tag stürzte jener Wall ein, den ich mühselig um mich
herum errichtet hatte, der mich so viele Opfer gekostet hatte und
dessen Geschichte nur der Widerhall herzzerreißender Trennun-
gen und Entsagungen war. In Nullkommanichts wurde meine
Bude gestürmt, ich hatte den Eindruck, sie kamen von allen Seiten
zugleich. Männer, Frauen, Kinder. *Frauen*, ja, haargenau, mein
Schwur wurde verspottet, lächerlich gemacht, zerstampft, weggefegt, bevor ich auch nur dazu kam den Mund aufzumachen.

Daran gewohnt, immer nur eine auf einmal abzuweisen, wurde ich von der Vielzahl glatt überrannt, und mit entsetztem Blick öffnete ich einer von ihnen die Tür, während eine andere in meiner Küche trällerte.

Als hätte sich die ganze Welt abgesprochen. Je öfter ich ihnen sagte, ich bräuchte nichts, um so idiotischer fanden sie mich, und sie wetteiferten darin, wer meine Kissen richtete, seinen Grips bemühte, um mich zu zerstreuen. Alle Welt fühlte sich verpflichtet, den guten alten Dan aufzurichten, der durch einen finsteren Unfall in seinen vier Wänden festgehalten wurde.

Sarah schaute beinahe täglich vorbei, na gut, Sarah, das war was anderes, Sarah, nichts gegen. Aber Elsie, Marianne Bergen, Andréa, wenn sie einmal nicht mit einer ihrer Freundinnen antanzten, was sollte ich dazu sagen, was sollte ich zu all diesen Mädchen sagen, die mir am Arm ihres Freundes ins Haus schneiten? Meine Güte, ich wiederhole mich, hatte ich nicht geschworen, *nie wieder* werde eine Frau den Fuß über meine Schwelle setzen...?! Ah, und seien sie noch so alt oder zum Kotzen oder häßlich, so daß nicht die geringste Gefahr bestand, darum ging's nicht, ein Schwur war schließlich ein Schwur. Was indes war jäh aus ihm geworden, sah ich sie nicht seelenruhig in meinen Sesseln Platz nehmen und die Beine übereinanderschlagen, war nicht mein Wohnzimmer von ihrem Parfüm erfüllt, faßten sie nicht alles an, konnte ich nach ihrem Aufbruch nicht feststellen, daß ein unsichtbares Chaos im Zimmer herrschte, daß selbst die Stille ob ihrer Spuren erzitterte...?

Also war mein Schmerz doppelt, mit meinem Bein war auch mein Schwur in die Brüche gegangen. Wenn man mich allein ließ, starrte ich auf meinen Gips, aber im Grunde fühlte ich mich an meinen Stuhl gefesselt, ein für allemal verraten, und das Gewicht meines Beins war nichts, verglichen mit dieser fürchterlichen Invasion. Sollte doch gleich eine ganze Busladung kommen, wenn sie schon dabei waren, samt Zahnbürsten und Schlafsäcken, dann könnte ich wenigstens mal anständig lachen, bevor ich mich einsperren ließ.

– Du bist lächerlich, sagte Sarah zu mir.

– Ja. Abgrundtief.

Einen jedoch amüsierte dieser ganze Aufmarsch, einen, der mit einem Lächeln auf den Lippen aus der Schule kam. Wenn er sich auf meine Seite geschlagen hätte, wenn er nur die geringste Verstimmung angesichts dieses ganzen Trubels gezeigt hätte, ich hätte Mittel und Wege gefunden, dieses ganze Volk rauszuwerfen, ich hätte meine Tür verriegelt, und mein Schwur wäre ungebrochen geblieben.

– Du weißt, Hermann, du brauchst nur ein Wort zu sagen. Vergiß nicht, du bist hier zu Hause. Wenn du mich fragst, dieses ständige Kommen und Gehen...

– O nein, das ist nicht dein Ernst! Jetzt ist wenigstens was los hier...

– Hmm, sicher... Aber ein bißchen Ruhe hat noch niemand geschadet, das kannst du mir glauben.

– Pah, es schadet auch niemand, ein paar Menschen zu sehen...

Ich wußte sehr wohl, wo das Problem lag, ich wußte, früher oder später würde es sich stellen, oder vielmehr, es hatte schon immer existiert, und es würde sich nur ausweiten. Offen gestanden, ich hatte die Nase voll, und ich verspürte seit einigen Jahren eine ernsthafte Neigung zu einer einsamen Insel, ich glaube, ich hätte nichts vermißt, oder nur sehr wenig, wenn ich's mir recht überlegte, ich hatte keine extravaganten Bedürfnisse mehr. Doch da war ein wunder Punkt, denn in dem Maße, wie ich mich der Welt verschloß, öffnete sich ihr Hermann. Und ich hatte nicht die Absicht, mich dem zu widersetzen oder ihn zu verlassen, um meines Weges zu ziehen. Spaß machte mir das allerdings nicht.

Diesen Gips mit mir rumzuschleppen machte mir auch keinen Spaß. Als Gladys' nächstes Match anstand, schwitzte ich Blut und Wasser, während ich auf die oberen Ränge klomm. Ohne Richard und Hermann, die mich links und rechts packten und ihre Kräfte nicht schonten, hätte ich es nicht geschafft. Es war ein herrlicher Tag, frisch, aber voller Licht, und für ein Viertelfinale war einiges los. Kaum hatten wir Platz genommen, kaufte ich mehrere Flaschen Bier sowie Orangensaft für Sarah, und wir grüßten Max, indem wir sie in den Himmel reckten, als er uns endlich erblickte, als er uns zuwinkte. Marianne Bergen war mit uns gekommen.

Ich hatte sie angerufen, um sie davon in Kenntnis zu setzen, daß ich heute nicht auf der Matte stehen würde, ich hatte ihr von Gladys' Spiel erzählt, das ich auf keinen Fall verpassen dürfe, aber sie solle sich nicht aufregen, dafür würden wir uns am nächsten Tag doppelt ins Zeug legen.

– Ach du je, jetzt ist mein Tag im Eimer..., hatte sie geseufzt. Könnte ich nicht mitkommen?

Ich wußte beim besten Willen nicht, weshalb sie nicht hätte mitkommen können.

Sie saß neben den beiden Jungen, und im Sonnenlicht wirkte ihre Haut noch heller als sonst. Hermann und Richard verschlangen sie mit Blicken, und ich erinnerte mich bei dieser Gelegenheit, daß mich, als ich ungefähr in ihrem Alter war, diese kränklich aussehenden Mädchen ebenfalls angezogen hatten, weshalb, hätte ich jedoch nicht erklären können. Ich flüsterte Sarah diesen Gedanken ins Ohr, und sie anwortete mir, das sei ganz simpel, ich hätte Lust gehabt, eine Tote zu besteigen.

– Für einen jungen Kerl, der noch nie eine Frau geliebt hat, dürfte das wohl das Einfachste sein, oder täusche ich mich...? Zum Ausprobieren ist das schließlich gar nicht so schlecht...

Ich nickte bedächtig, bevor ich mich voll und ganz auf mein Bier konzentrierte, das schlicht und einfach schäumte.

Unten rückte Max seine Hose zurecht, das Spiel mußte bald beginnen, überdies schwenkten die größten Vollidioten bereits ihre Fähnchen mit den Farben der beiden Teams. Kaum betraten die Mädchen das Spielfeld, stand Marianne auf und fragte, wo das stille Örtchen sei. Es gibt Leute, die sind so. Es gibt Mädchen, die gehen einem mitten auf einer Beerdigung pinkeln, um nur ja nicht so zu sein wie alle anderen. Im allgemeinen sind das solche, deren Eltern Geld haben, solche, die ein leichtes Leben haben und aus diesem Grund hartnäckig bemüht sind, es sich zu komplizieren.

Der Weg war nicht ganz eindeutig zu beschreiben, man mußte erst wieder runter und dann durch eine ganze Reihe von Gängen. Ich fragte sie, ob das nicht warten könne, aber Richard bot an, sie zu begleiten. Sie hatte Glück. Sie stieg mit einer Entschuldigung über meinen Gips hinweg, während unten das Spiel begann.

– Komisches Mädchen..., murmelte Sarah.

– Hmm... Ich hab's dir ja gesagt. Ich glaube, alles in allem kotzt sie mich an.

– Ach, du übertreibst, ich find sie nett..., entrüstete sich Hermann.

– Na klar ist sie nett, aber wir beide, wir sehen sie nicht mit gleichen Augen. Ich bin für ihre Reize nicht empfänglich...

Ich wußte haargenau, daß er erröten würde. Jedesmal, wenn ich den kleinen Jungen wachkitzelte, der noch in ihm steckte, erinnerte mich das daran, daß ich mit einer Frau zusammengelebt hatte, doch ich empfand bei diesen Anlässen keinerlei Bitterkeit, sondern im Gegenteil ein ganz besonderes, einfach undefinierbares Glück, das ich keineswegs zu zerrupfen suchte. Doch je mehr die Tage vergingen, um so seltener wurden diese Augenblicke, deshalb kostete ich sie unendlich behutsam mit einem seligen Lächeln aus, um auch das geringste Tröpfchen in mich aufzunehmen. Ah, und er wurde größer und größer, und wenn die Erinnerung an seine Mutter nachts an mir nagte und ich sein Zimmer betrat, um ihn im Schlaf zu betrachten, wurde mir klar, wie sehr uns alles zwischen den Fingern zerrann, wie sehr sein Körper in die Länge geschossen war, sich sein Geruch verändert hatte, und die Mähne, die er sich gegenwärtig leistete, die erstaunte mich am allermeisten, dichte und kräftige Haare, dick wie Eisendrähte, und sie wurden von Tag zu Tag dunkler, ich merkte, bald würde mich Franck endgültig verlassen haben.

Ich hatte gerade aufgehört zu strahlen, als Richard und Marianne zurückkamen. Ich nutzte die Gelegenheit, um mit zusammengekniffenen Augen einen Blick auf die Anzeigetafel zu werfen, denn auf die merkwürdigste Weise der Welt, schlimmer denn ein Spritzer Frühling, rieselte die Sonne auf uns herab, es war kaum zu glauben, daß ich ein paar Tage zuvor noch eine Eisplatte hatte finden können. Gladys' Team hatte drei Körbe Vorsprung. Nanu, sagte ich mir, für 'nen simplen Toilettengang waren die aber lange unterwegs, ich fragte mich, was sie noch alles ausgeheckt haben mochte, vielleicht hatte sie sich nicht entscheiden können...?

– Wir sind in die Stadt gefahren, um Champagner zu kaufen, verkündete Richard, während er seine Sonnenbrille polierte. Ihr müßt euch bei Marianne bedanken.

Ich beugte mich vor, um sie mir anzusehen, aber sie schien ganz und gar in das Match vertieft. Sie umklammerte eines ihrer Beine, und ihr Kinn ruhte auf ihrem Knie. Im Grunde konnte ich mich dazu beglückwünschen, daß ich sie mitgebracht hatte, den beiden Jungen gefiel sie, und sie machte den Eindruck, als bliebe sie ruhig. Überdies sah ich sie zum erstenmal außerhalb der Arbeit, und seit einigen Tagen, seit sie zum Schuften bei mir vorbeikam und all meinen Bekannten begegnete, hatte ich das Gefühl, sie war neugierig, wenn nicht gar interessiert, und sobald sie den Kopf hob, um sich diesen oder jenen Neuankömmling anzusehen, nutzte ich die Gelegenheit, unauffällig ein paar dunkle Streichungen an ihrem Manuskript vorzunehmen, was ihr in der Regel ein paar spitze Schreie entlockte und uns in eine endlose Diskussion verstrickte, etwas, das ich mehr als alles fürchtete.

Schwärmte sie für Künstler, Musiker, Schriftsteller, geriet sie beim Anblick dieser ganzen Bande von Bekloppten in Wallung...? In dem Fall hatte sie ihr Fett weg, und ausgeknockt hielt es sie nicht mehr auf ihrem Stuhl, sie setzte nur mehr ein Knie darauf und warf sich in Pose.

– Oh, Marianne, darf ich Ihnen vorstellen..., und während sie sich miteinander abgaben, legte ich los wie eine Rakete, ich strich durch, kritzelte, verbreitete Schrecken auf meinem Weg, ersparte mir in wenigen Minuten stundenlange Reibereien.

Ich muß zugeben, ein solches Ambiente hatte schon etwas an sich, das sie verblüffen konnte, doch mein Fall war allseits bekannt, man wußte, daß ich auf die Nase gefallen war und daß ich praktisch niemand mehr bei mir reinließ, das war meine persönliche Marotte, es ging das Gerücht, ich sei vor Kummer halb übergeschnappt, und so bestürmte man mich nicht. Was Wunder also, daß manch einer bei mir auftauchte, hatte ich doch meine Tür beinahe fünf Jahre lang verbarrikadiert und nun endlich geöffnet. Weiß Gott, in diesem Milieu liebt man einen jeden, der noch grün hinter den Ohren war. Und für halb ausgeklinkt galt, wer noch nicht in das Heiligtum des kleinen Dan gestiefelt war.

Marianne war platt. Ich hoffte, sie würde es bleiben, zumindest, bis wir mit unserer Sache durch waren, und noch strahlte ich nicht, aber das nahm Gestalt an, fast konnte ich den Geruch des Stalles riechen.

Gladys ohne jeden Zweifel auch. Die gesamte Equipe strahlte um die Wette, und die letzten Minuten des Spiels verliefen derart spannungslos, daß ich mich beim Gähnen ertappte. Zum Glück war noch eine Flasche Bier übrig, genau das Richtige, um sich in Geduld zu fassen und besserer Dinge zu harren.

Wir gingen zu Max, um die Champagnerflaschen zu köpfen, denn er wohnte am nächsten, und es war noch schön genug, daß wir ein wenig laufen wollten, schön genug, daß selbst ein Typ mit Krücken Lust dazu haben konnte. Max hatte noch nichts getrunken, aber er tänzelte buchstäblich an meiner Seite.

– Herrgottsackerment, der stellvertretende Bürgermeister hat mir die Hand gedrückt, platzte er heraus. So ein Arsch, letztes Jahr war ich angeblich zu alt, aber haste den soeben gesehn, haste diese Gönnerfresse gesehn...?!

Ich entgegnete ihm, mir sei kein Jota entgangen, woraufhin er mir den Arm um die Schulter legte.

– Danny, ich muß den kassieren, diesen Pokal, verstehst du, ich will den haben! Also ehrlich, haste den gesehn, diesen armen alten Schwachkopf...?!

Es roch ständig nach Schweiß bei Max, nach kaltem Schweiß, und die Kissen waren voller Katzenhaare, und jeder noch so kleine Gegenstand wirkte müde, wenn nicht gar im tiefsten Schlaf versunken, aber es herrschte eine gewisse Ordnung. Max lebte allein, aber er versuchte sich nicht unterkriegen zu lassen.

– Eins wirst du bald merken, meinte er manchmal zu mir, je älter man wird, um so mehr fängt der Körper an zu stinken ...!

In der Tat hatte ich das bereits festgestellt, der Geruch meiner Achselhöhlen beispielsweise war stärker geworden.

– Klar, aber nicht nur die Achselhöhlen, Danny ... Du wirst schon sehn ...

Ihm zufolge konnte man nichts dagegen machen, er konnte sich noch so oft waschen oder die Fenster aufreißen, wenn er seine Morgengymnastik trieb, der Geruch hielt an.

– Scheiße, und gegen diese ganzen Spraydinger bin ich allergisch, ungelogen ...

Mir persönlich war das im Grunde piepegal, es störte mich nicht besonders. Allerdings konnte es durchaus sein, und das war Sarahs Ansicht, daß ich keinen sehr ausgeprägten Geruchssinn hatte. Was ich eben dazu sagte, das war für ihn bestimmt, wenn wir miteinander quatschten und er über seine Einsamkeit klagte.

– Ach was, erzähl mir nichts, das muß er sein, der Geruch des Todes. Den wird man nicht los ...

Ich hatte ihm eines Tages gesagt, daß er uns mit seinem Alter auf die Nerven gehe, daß er so alt gar nicht sei.

– Ach nein ...? Dann sag mir doch mal, mein lieber Dan, was du über diese Dinge weißt ... Haste nicht Lust, mit mir zu tauschen, nur um zu wissen, was ich empfinde ...?

Nun denn, jedenfalls war er so sehr entzückt, uns zu Gast zu haben, daß er über eine Minute mit den Schlüsseln hantierte, bis er endlich das Schloß aufbekam.

– Hoppla, Kinder! Macht mal schnell die Fenster auf, damit wir ein wenig Luft kriegen ...! rief er sogleich, bevor wir auch nur einen Fuß in die Stube gesetzt hatten. Riechen Sie nichts, Mademoiselle ...? fügte er ängstlich an Marianne Bergens Adresse gewandt hinzu.

– Nein, ich bin verschnupft.

– Bestens. Na denn, haut euch jeder in eine Ecke, ich kümmer mich in der Zeit um die Gläser ... Ich glaub, das haben wir uns verdient.

Ich hatte an jenem Nachmittag ziemlich einen sitzen, so daß ich mich an nichts Großes erinnere. Es gehört nicht zu meinen Gepflogenheiten, mich am hellichten Tag zu besaufen, und ich hüte mich davor, es öffentlich zu tun, aber ich war zu lange in der Sonne geblieben, ich vermute, das war wie ein Dolchstoß in den Rücken.

Den Bullen und ihrem Vater habe ich später erzählt, wir hätten ein paar tolle Stunden verbracht, wir hätten miteinander gequatscht und gelacht, wir hätten Gladys' Sieg praktisch bis Einbruch der Dunkelheit gefeiert, ja, und sie habe fröhlich gewirkt, statt uns die Hand zu geben, habe sie uns zum Abschied geküßt.

Apropos, auch wenn ich völlig besoffen war: diese Szene seh ich noch haargenau vor mir, und ich erinnere mich, daß ich zurückzuckte, als sie sich zu mir rüberbeugte, daß ich mich auf meinen Krücken total versteifte, nicht daß mir die Berührung ihrer Lippen unangenehm war, aber ich fand, sie war ein wenig vorschnell. Natürlich behielt ich diesen Gedanken für mich, trotzdem, die Sache hatte mich aufgeregt.

– Warte, ich helf dir rauf . . ., schlug mir Hermann vor.

– Nein, nicht nötig.

Ich weiß nicht, wie das bei anderen vor sich geht, mir geht es jedenfalls so, daß ich außergewöhnlich klarsichtig bleibe, wenn ich zuviel getrunken habe. Lediglich mein Körper will nichts davon wissen, und stoße ich mich zufällig an einem Möbelstück, habe ich den Eindruck, es sei über mich hergefallen. Es mißfiel mir, daß mich Hermann in einem solchen Zustand sah, mir wäre lieber gewesen, er hätte sich schlafen gelegt, statt dessen machte er mich freundlich darauf aufmerksam, daß wir noch nichts gegessen hätten, er wisse ja nicht, wie ich dazu stehe, er zumindest habe Hunger.

Ich peilte einen Sessel an, ließ meine Krücken rechts und links fallen und stieß ein leises Ächzen aus, während Hermann in die Küche abzweigte. Ich gab sogleich jeglichen Vorsatz auf, mein Schlafzimmer noch zu erreichen, ich kannte den Weg, die beiden Kurven und die siebzehn Stufen, und was tagsüber ein gelinder Witz war, konnte sich nächtens in einen fürchterlichen Parcours

verwandeln, auf dem ich mir mehr als einmal fast die Gräten gebrochen hatte. Es kam überhaupt nicht in Frage, daß ich mich
mit meinem eingegipsten Bein auf ein solch wahnwitziges Abenteuer einließ, zumal es reichte, daß mir Hermann eine Decke
überlegte und mich von dem Schein der Deckenleuchte befreite,
fast hörte ich sie kichern und ihre Stufen blank putzen, diese
Teufelstreppe.

– Willst du auch was?

– Nein, mein Sohn. Es ist alles gut.

Er hatte sich ein Sandwich zubereitet, aus dem ich nur ein wel-
kes Salatblatt hervorgucken sah, was nicht dazu angetan war,
mich anderen Sinnes werden zu lassen. Er hatte sich vor mir aufgebaut und guckte mich lächelnd an.

– Ich weiß nicht, wie du darüber denkst, sagte ich zu ihm.
Naja, ich geb zu, ich hab mich ein wenig verausgabt...

Für einen kurzen Moment war ich versucht, ihm Gott weiß
was zu erklären, aber es gab nichts zu erklären, und ich beendete
meinen Satz mit einer müden Geste, worauf er geradeheraus
anfing zu lachen.

– Scheiße, Hermann..., wenn deine Mutter da wär...! Herrgott, weißt du, daß ich unfähig bin, einen Finger zu rühren...?!

– Ja, ich seh's...

– Hör mal... Ich weiß, daß ich mich zuweilen nicht besonders
geschickt anstelle, das darfst du mir nicht übelnehmen...

Normalerweise haßte ich ein derartiges Lamentieren.

– Jaja..., fügte ich hinzu, ich muß aber auch sagen, daß das
hart ist.

Er hörte umgehend auf, mich zu betrachten, und biß kräftig
in sein Sandwich. Es gab ein bestimmtes Terrain, auf das ließ er
sich nur ungern zerren, und ich hatte Glück, daß ich mit ihm zusammenlebte, er wußte meinem Gejammer ein Ende zu machen.
Tatsächlich verdanke ich es ihm, daß ich gelernt habe, die Zähne
zusammenzubeißen. Unter anderem. Es ist unglaublich, was
ein Vater alles von seinem Sohn lernen kann.

Er blieb nicht allzulange bei mir. Wahrscheinlich sah er die
Mühe, die es mich kostete, ihm ein angenehmer Gesellschafter zu

sein, und schließlich hatte er ein Einsehen, erbarmte er sich meiner immer mühsameren Aussprache, meines stumpfsinnigen Gesichtsausdrucks, meiner großen glasigen Augen. Er hüllte mich in eine Decke, gab sich Mühe, sie festzuklemmen, damit sie nicht zu Boden fallen konnte, aber ich gebot ihm Einhalt, ich sagte ihm, es sei schon gut so, ich käme schon klar. Ich bräuchte niemanden, der sich um mich kümmere. Er richtete sich sogleich wieder auf, und ich merkte, daß ich ihn verletzt hatte. Aber ich war nicht in der Lage, irgend etwas zu reparieren. Ich war nichts wert.

Also trank ich noch ein, zwei Gläser, nachdem er mich alleingelassen hatte. Um mich zu strafen. Um zu sehen, wie erbärmlich ich war. Am liebsten wäre ich von meinem Sessel gerutscht und auf den Boden gefallen, aber ich lag wie angewurzelt in meinen Kissen, lachte vor mich hin, schüttelte den Kopf wie ein Esel. Ich konnte mir nichts vormachen.

Wie ich später erfahren sollte, geschah es ungefähr zur gleichen Stunde, da ich mich in aller Ruhe diesen trübseligen Gedanken hinsichtlich meiner wahren Natur überließ, daß Marianne Bergen irgendwo hinter dem Sportplatz, in dieser von Ginstersträuchern überwucherten Ecke, in der Max und ich bisweilen unsere Dauerläufe machten, eins übergezogen bekam und vergewaltigt wurde. Dabei spitzte ich wie gewohnt die Ohren, und ich darf behaupten, nie zuvor war die Stille so brutal wie zu dieser nächtlichen Stunde, nie zuvor hatte sie eine solche Eindringlichkeit gekannt.

– Das war bestimmt ein Schwarzer oder ein Araber, vertraute mir der Inspektor an.

– Womöglich eine Mischung von beiden...? schlug ich ihm vor.

Fast wäre mir mein Kaffee hochgekommen. Aber ich erwischte ihn in meinem Mund und schluckte ihn wieder hinunter.

Kaum war er fort, klingelte jemand an der Tür, und ich begriff augenblicklich, daß ich niemanden sehen wollte. Ich reagierte nicht. Es klingelte Sturm. Es gibt Leute, die lassen nicht locker.

Ich stellte mich unauffällig ans Fenster und erkannte vage einen Schriftsteller, sofern es nicht einer von Elsies Musikern war oder der Freund eines Freundes, der sich vielleicht mit der Malerei oder was weiß ich befaßte, kurz und gut, genau die Sorte von Kerl, auf die ich keine Lust hatte, ich fühlte mich nicht in der Stimmung, mir von jemandem auf die Schulter klopfen zu lassen oder mir die jüngste Story, die im Umlauf war, anzuhören. Es interessierte mich nicht, etwas über die neue Richtung der Avantgarde zu erfahren. Das erheiterte mich nicht mehr wie einst.

Als die Luft rein war, schwang ich mich auf meine Krücken und ging raus. Ich hatte das Bedürfnis, Luft zu schnappen und meinen Geist in Ruhestellung zu belassen, ihm zumindest diese sinnlosen Diskussionen zu ersparen, denen ich kein Interesse mehr entgegenbringen konnte, besonders, wenn ich mich müde fühlte. Und ich war ausgelaugt, schlug mich mit ernstzunehmenden Kopfschmerzen herum, schleppte mich schweren Schrittes in einem ekelerregenden Brodem voran. Ich mußte eine ganze Weile gehen, bis mir die frische Luft gut tat, bis meine Migräne unter der Wirkung von etwas eisigem Schweiß fast gänzlich verflog.

Ich erinnerte mich nicht, daß ich beschlossen hatte, den Weg zum Gymnasium einzuschlagen, aber ich geriet mitten darauf. Manchmal habe ich den Eindruck, ganz gleich, wo ich bin, und ohne überhaupt zu wissen, wo er ist, könnte ich aufstehen und schnurstracks Richtung Hermann gehen, das ist eine Sache, die ist mir unerklärlich, aber es ist so. Das ist komisch, und keiner wundert sich darüber mehr als ich. Es bedarf bloß einer Kleinigkeit, schon erwacht in mir dieser tierische Reflex. Meistens weiß ich nicht einmal, was ihn ausgelöst hat.

Ich erblickte Max, als ich am Gitterzaun des Sportplatzes vorbeikam. Er hatte eine ganze Klasse auf den Rücken gelegt, und die Ärmsten radelten in der Luft, die Hände hinter dem Kopf. Man sah nichts als rote Backen, Fratzen und heraushängende Zungen, ich hörte Max fragen, was sie eigentlich für Schlappschwänze seien, zumal sie noch gut fünf Minuten durchhalten müßten, aber mindestens. Trockene Blätter flogen auf und wirbelten um sie herum.

Ich rief ihn, er machte sie darauf aufmerksam, daß er seine Uhr beobachten und weiter ein wachsames Auge auf sie haben werde, selbst wenn es nicht den Anschein hatte. Dann trabte er auf mich zu.

– Du solltest halblang machen, sagte er zu mir. Ich weiß nicht, ob du dich im Spiegel betrachtet hast, aber du siehst aus, als pfiffste aus dem letzten Loch...

– Jaja, aber anders, als du denkst. Marianne Bergen, du weißt schon, das Mädchen, das gestern bei uns war, stell dir vor, die liegt im Krankenhaus. Sie ist vergewaltigt worden, man hat sie halbtot aufgefunden!

Er sperrte den Mund auf, ohne einen Ton zu sagen, dann packte er langsam die Gitterstäbe.

– Tja, jetzt siehst du auch nicht gerade gesund aus...

– Mach keinen Quatsch...

– Nein. Nicht bei solchen Dingen.

– Verdammt nochmal... Ich kann's kaum glauben... Wie das denn...?

– Keine Ahnung. Der Typ hat ihr dermaßen eins über den Kopf gezogen, daß er sie fast umgebracht hätte.

– Ach du Scheiße...

Hinter ihm hatten seine Schüler aufgehört zu radeln, und die letzten kippten röchelnd um wie die Fliegen. Ich wollte Hermann auf keinen Fall verpassen und hatte auch nicht viel hinzuzufügen, außer daß wir uns später sähen und daß er sämtliche Einzelheiten bestimmt aus der Zeitung erfahren werde. Er nickte und warf mir einen langen, leeren Blick zu, dann wankte er wortlos zu seinem Spielfeld zurück, wo die Gymnastik in vollendeter Eintracht im gleichen Moment wieder aufgenommen wurde.

Hermann wirkte überrascht, wenn nicht gar verärgert, mich zu sehen, und er hatte guten Grund dazu. Wir standen uns unverhofft genau an der Straßenecke gegenüber, Auge in Auge, und ich war mir fast sicher, daß er im gleichen Moment Gladys' Hand losgelassen hatte, aber ich hätte es nicht beschwören können, naja, jedenfalls waren sie zusammen, und zusammen kehrten sie zurück, und weit und breit kein Richard zu sehen. In puncto Reaktion sind die Mädchen stets eine Nasenlänge voraus, und in puncto Ablenkungsmanöver fiel mir Gladys um den Hals.

– Oh! Tag, Dan!

– Nanu, was machst du denn hier...?

– Och, nichts Besonderes. Ich bin spazieren gegangen, und ich hab mir gedacht, du gehst bestimmt vor Freude in die Luft, wenn dich dein Vater abholt... Täusche ich mich etwa?

Er entschloß sich zu lächeln. Ich hätte das gern bis zum Schluß mitbekommen, aber ich paßte auf, daß mein Blick nicht allzu eindringlich wurde.

– Sollen wir hier stehenbleiben? fragte er.

– Nein, aber versucht nicht, mich abzuhängen, sagte ich.

Offiziell hatte Franck mich verlassen, weil ich angefangen hatte zu trinken, sie behauptete, ich sei nicht mehr der Typ, den sie geheiratet habe, und in gewisser Weise hatte sie recht. Ich hatte mich für einen Schriftsteller gehalten, und der Erfolg tat ein übriges, ich glaubte wahrhaftig daran, bis zu dem Tag, an dem ich nicht mehr in der Lage war, auch nur eine Zeile zu schreiben, und ich brauchte eine Weile, um zu begreifen, was mit mir geschehen war.

Im Grunde war es so entsetzlich nicht, kein wahrer Schriftsteller zu sein, es gibt wichtigere Dinge im Leben, aber zu jener Zeit faßte ich das sehr übel auf, ich hatte Lust, ihn gegen die Mauern zu schmettern, diesen Schädel, aus dem nichts mehr herauskommen wollte, ich heulte vor Wut und verfluchte das ganze Universum, doch ich ereiferte mich umsonst, kein Engel stieg vom Himmel herab, und meine Leser schrieben mir Briefe, um zu erfahren, was mit mir los sei.

Der Alkohol half mir zwar nicht, meine Inspiration wiederzuerlangen, aber er erlaubte es mir, mich so zu sehen, wie ich wirklich war, und Franck hatte meinen Anblick weidlich ausgenutzt.

– Wie ein Verrückter, der in einen Käfig gesperrt ist! meinte sie zu mir. Offen gestanden, du tust mir leid, du tust mir aufrichtig leid...

Das kam erst gegen Ende, daß ich ihr leid tat, als sie diesen Schwachkopf von Abel gefunden hatte, von dem sie sich trösten ließ, und wir anscheinend unsere letzten Kräfte damit aufgezehrt hatten, uns anzubrüllen.

Es war nicht ihre Schuld, niemand konnte wissen, was ich empfand, oftmals war das schlimmer noch als sterben, naja, zumindest glaubte ich das, und wer weiß, ob ich nicht doch einige Male gestorben bin, nichts spricht dagegen, ich haßte mich in einem Maße, daß ich mir ausmalte, ich würde mir den Leib aufreißen, um ihn mit Erde zu füllen.

– Du übertreibst! unterbrach mich Sarah.

– Nein, verlaß dich drauf, ich bin sogar meilenweit von der Wahrheit entfernt. Sie hatte recht, ich war vollkommen verrückt geworden. In meinen Augen mußte die Frau eines Schriftstellers imstande sein, alles zu ertragen, das Problem war nur, daß ich kein Schriftsteller mehr war, doch bis ich das erst mal kapiert hatte, das dauerte, das dauerte viel zu lang. Ganz davon zu schweigen, daß ich nicht irgendein kleines, anspruchsloses Büchlein zu schreiben gedachte, das kannst du mir glauben... Nur da, da hatte ich die Meßlatte ein wenig zu hoch angelegt. Weißt du, das Schlimmste, was einem passieren kann, ist, seine Grenzen nicht zu erkennen.

– Ja, aber mittlerweile sträubst du dich mit Händen und Füßen.

– Nein. Vielleicht fang ich in zwanzig oder dreißig Jahren wieder an. Vorher bestimmt nicht. Ich fühl mich ein wenig wie einer, der seine Frau bei einem Verkehrsunfall getötet hat. Ich werde das Steuer nicht von heute auf morgen wieder in die Hand nehmen. Ich werde warten, bis ich nichts mehr zu verlieren habe.

– Sagst du das wegen Hermann?

– Natürlich. Ich will nicht, daß er mich ein zweites Mal absinken sieht, sei unbesorgt... Vergiß nicht, ich bin sein Vater, er hat schon genug Kummer mit mir... Nein, weißt du, ich habe lange geglaubt, die Dinge könnten nicht warten, aber darüber bin ich hinweg.

– Hör mal... Paul scheint wirklich vollkommen hin und weg. Ich an deiner Stelle würde es mir überlegen.

– Jaja. Das ist alles wohlüberlegt.

– Ich versteh dich nicht. Ich find das einfach toll!

– Pfff... Wenn ich bedenke, mit dem ganzen Geld hätte man ein Bordell in Hongkong aufmachen können...

Sarah parkte den Wagen genau vor dem Gebäude, aber es regnete, und es war dunkel, man lief also nicht Gefahr, draußen sonderlich viel zu erkennen. Die Fenster unten waren erleuchtet. Ich hoffte, Paul hatte ein wenig Vorsorge getroffen, ich bekam allmählich Hunger.

– Ah, Sarah, Dan, altes Haus, DU...??!

Er war auf der Freitreppe erschienen, mit ausgebreiteten Armen, einen weißen Schal um den Hals, die Haare vom Wind zerzaust, das Gesicht erleuchtet. Er stürzte die Stufen hinab. Kaum hielt ich meinen Gips aus dem Wagen heraus, klammerte er sich mit Verschwörermiene an meinen Arm.

– Na...? Sag schon, was hältst du davon...?!

– Keine Ahnung..., munkelte ich.

– Großartig, nicht wahr? Und du hast ja keine Ahnung...!

– Jaja, das sagte ich gerade.

Er hörte mir nicht nur nicht zu, er scherte sich auch nicht um den Regen, und statt mir die Treppe hinaufzuhelfen, packte er mich an den Schultern, daß ich auf meinen Krücken schwankte. Sein Blick krallte sich in meine Augen, während die Tropfen über unsere Lider kullerten.

– Dan, wir werden verdammt was auf die Beine stellen, wir zwei!

– Nein, Paul, das sollte mich wundern...

– Ach, halt den Mund. Du bist doch noch ein Kind...

Er blickte mich so eindringlich an, daß ich Mitleid mit ihm bekam und schwieg.

– Du bist doch gekommen, hakte er nach.

– Ich bin gekommen, weil du mich darum gebeten hast, einzig und allein, um dir eine Freude zu machen. Fang nicht wieder an zu träumen. Bitte.

Sein Gesicht erschlaffte. Er knetete mir einen Moment lang die Schultern, dann seufzte er inbrünstig, aber auch voller Milde und Nachsicht, als wäre meine Sturheit vollkommen lächerlich und eigentlich nur Zeitverschwendung, mit der er sich eben abfinden mußte.

– Na komm, sagte er zu mir. Gehen wir rein.

Andréa wartete drinnen auf uns. Auch sie wirkte aufgeregt. Ich küßte sie, dann machten wir uns unverzüglich an die Besichtigung, ohne auch nur einen Augenblick zu verschnaufen, ohne einen Happen zu essen oder wenigstens einen Schluck zu trinken. Paul rannte kreuz und quer, er hetzte die Treppen rauf und wieder runter, um mich zu holen, er fand, ich ginge nicht schnell genug, und jedesmal, wenn er eine Tür aufmachte, meinte er, hier kommt das rein, und das da, das ist ein Büroraum, komm schon, Dan, und die Mauern hier, die reißen wir raus, das da ist auch ein Büro, wenn ich mich recht entsinne, hm, stimmt's, Andréa?, naja, jedenfalls haben wir das vor, und erneut düste er mit Volldampf durch die Flure, verschwand, tauchte wieder auf, atemlos, mit roten Ohren und glückselig verklärtem Gesicht, Dan, kannst du dir das vorstellen, meinte er zu mir, bist du nicht auch vom Zauber dieser Räume überwältigt...?

In Wirklichkeit fühlte ich mich eher *niedergeschmettert* durch diesen Eindruck der Leere und Verlassenheit, und die staubige Luft griff meine Nasenlöcher an.

– Ehrlich gesagt, Paul, ich glaube, du bist dir nicht ganz im klaren... Allein die Bauarbeiten dürften ein Vermögen kosten.

Er erstarrte mitten auf der Treppe, die in den letzten Stock führte, und nach einem sekundenlangen Zögern stieg er langsam zu mir zurück. In diesem Moment kapierte ich, nichts würde ihn mehr aufhalten.

– Hör mir zu, Danny... Als ich zum erstenmal hier war, hatte ich nicht einmal Geld, um den Teppichboden zu ersetzen, und trotzdem ist mir dieser Gedanke nicht eine Sekunde lang gekommen, nein, ich wußte, hörst du, ich *wußte*, daß das klappen würde, das war eine Art Rendezvous mit dem Schicksal. Als ich dir davon erzählt hab, hatte ich keinen blassen Schimmer, wie man eine solche Summe zusammenkratzen sollte, ich wollte nicht einmal darüber nachdenken. Dan, noch vor ein paar Tagen hättest du denken können, ich sei verrückt, aber heute sieht die Sache anders aus, wer von uns beiden ist hier der Narr...? Wenn du mir nicht glaubst, frag doch Andréa, sie hat die Verträge in meinem Schreibtisch gesehen...!

– Es stimmt, Dan. Und die Arbeiten werden nächste Woche losgehen, Monsieur Bergen hat grünes Licht gegeben.

– Hörst du...? In einigen Monaten öffnet die Marianne-Bergen-Stiftung ihre Pforten, also frag mich nicht, was das wohl kosten wird, denn das kratzt niemanden. Wenn die Ärmste durchkommt, ist sie bestimmt für den Rest ihres Lebens gelähmt, versetz dich mal in die Lage ihres Vaters. Anscheinend war das das letzte, worüber sie mit ihm gesprochen hat... Herrgott nochmal, Dan, raff dich auf, oder machst du das mit Absicht, kapierst du denn nicht, was vorgeht...?! Wir können uns wahrhaftig *nützlich* machen...!!

Ich bin kein zynischer Kerl, also sah ich sie alle drei an, ohne ihnen zu sagen, was ich wirklich davon hielt, dann eröffnete ich den Rückzug in den großen Saal im Parterre, während Paul hinter mir palaverte, von wegen wir hätten ein unvergleichliches Glück, absolut, eine neue Herausforderung sei das, er werde mich, solange er lebe, nicht mehr in Ruhe lassen.

Wir teilten uns zwei Flaschen Bier und ein Päckchen Kekse, die er bei einer früheren Visite liegengelassen hatte und die nichts Knuspriges mehr an sich hatten.

– Das Beste ist, verriet er mir, daß ich Marianne Bergen nur ein einziges Mal von diesem Projekt erzählt habe, und ich hatte den Eindruck, sie hört mir gar nicht richtig zu...

– Aber der Himmel, er hat dich gehört, willst du mir das damit verklickern...?

– Naja, du mußt zugeben, das grenzt an ein Wunder!

– Und daß dieser Typ über sie herfiel, ist das auch wundersam...?

Sein Blick schweifte über meine Schulter in die Ferne. Lautlos trank ich meine Flasche aus.

– Alles fügt sich, verkündete er mir schließlich. Jedes Ding hat seinen Platz.

Ich erschauderte in meiner Ecke.

Die Arbeiten begannen tatsächlich eine Woche darauf. Die Kälte war unmerklich zurückgekommen und erstreckte sich wie ein unsichtbarer Fluch über das ganze Land, der Himmel war grau, und der Leib schmerzte, wenn man nur versuchte, die Nase zur Tür raus zu halten.

Paul verbrachte ganze Tage auf der Baustelle, und wie man hörte, fiel er dabei allen auf den Wecker, die Jungs beklagten sich, daß er ihnen ständig zwischen den Beinen rumtanze, zumal er von nichts 'ne Ahnung habe, der habe sein Lebtag noch keinen Zementsack gesehn. Es war ein Glücksfall, wenn man ihn in seinem Büro antraf, ich zeigte ihm dann die Gipsspuren auf seiner Jacke, wenn er nicht gerade einen hübschen Riß in der Hose hatte. Aber er blickte kaum hoch, ob er nun über den Plänen der Stiftung hing oder dabei war, irgendein Schreiben in dieser Richtung abzufassen, das keinerlei Aufschub duldete. Die Welt um ihn herum existierte nicht mehr. Konnte man ihn nicht sogar in einem dünnen Pulli bei eisigem Wind auf die Straße treten sehen, Andréa im Schlepptau, die ihm seinen Mantel nachtrug?

Es stand inzwischen fest, daß Marianne gelähmt bleiben würde, und einige Baumaßnahmen waren entsprechend geplant worden, besonders was die Treppen betraf, damit sie sich ohne fremde Hilfe in ihrem neuen Palast bewegen konnte. Sie lehnte jeglichen Besuch ab. Dieser Entschluß war mir ganz recht, denn ich haßte es, den Fuß über die Schwelle eines Krankenhauses zu setzen. Hermann und ich hatten ihr ein paar Zeilen geschrieben, und ihre Mutter hatte uns angerufen, um uns zu danken, und wir hatten sie am anderen Ende der Leitung weinen hören, das hatte uns den Appetit verschlagen.

Die Ermittlungen hatten nichts ergeben. Den Tag, da Gladys' Team den Sieg im Halbfinale errang, feierten wir ganz und gar nicht. Sarah war nicht mehr verliebt, sie hatte einen fürchterlichen Krach mit dem erwähnten Typen gehabt und war in einer abscheulichen Laune, so daß sich Hermann und ich schleunigst von dannen machten. Am Abend rief mich Marianne zum erstenmal seit ihrer Einlieferung ins Krankenhaus an, sie wollte das Ergebnis des Spiels erfahren. Ich fragte sie nicht, wie es ihr gehe.

Es gab Tage, da schlug die Kälte sämtliche Rekorde. Die platzenden Rohrleitungen waren nicht mehr zu zählen, die Bäume, die bis in die Wurzeln erfroren, die Vögel, die von den Ästen fielen, die gebrochenen Beine. Was letzteres anging, war ich keineswegs böse, als man mich eines schönen Tages von meinem Gips befreite, denn auch wenn Elsie und ich eine gewisse, leicht an den Haaren herbeigezogene Bumstechnik entwickelt hatten, mußten wir doch feststellen, daß unsere Beziehung stark verkümmert war, zumindest fehlte es ihr mehr und mehr an Inspiration. Unfähig, mein Bein zu knicken, und in Anbetracht der Gefahr, die so manche Position in sich barg, hatten wir uns auf schmale Kost gesetzt.

– Na, das wurde aber auch langsam Zeit! meinte Elsie zu mir, ohne sich jedoch überwinden zu können, es zu streicheln, dieses Bein, das in der Tat mager und entsetzlich weiß und düster behaart aussah.

Man konnte Elsie wahrlich nicht nachsagen, daß sie eine Klette war, aber seit ich meine Pforten der Außenwelt wieder geöffnet hatte, blieb sie manchmal zum Abendessen bei uns, und ich beobachtete Hermann aus dem Augenwinkel, um zu sehen, was er davon hielt. Daß er sich darüber gar keine Gedanken machte, erschien mir äußerst unwahrscheinlich. Und doch, ich konnte noch so oft gewisse Anspielungen machen oder hinter der Tür versteckt die Ohren spitzen, wenn ich es so eingerichtet hatte, daß sie für einige Minuten allein waren, es gelang mir nicht, mir ein klares Bild zu machen, ich wußte nicht, was er *wirklich* empfand. Es gab eine beträchtliche Schattenseite in ihm, die mir vollkommen schleierhaft blieb, ein Hang, der sich mir nie erhellte, aber das war ohne Zweifel der Grund, weshalb ich ihn so innig liebte.

Eines Morgens lud ich ihn auf mein Motorrad, und wir rauschten unter dem Vorwand, daß endlich ein fahler Sonnenstrahl vom Himmel auf uns fiel, durch die vereiste Landschaft. Nach einer Stunde hielten wir am Straßenrand an und gingen ein Stück spazieren, und ich sagte zu ihm, du verstehst schon, Elsie und ich haben das Verlangen, uns von Zeit zu Zeit zu sehen, ich nehm an, ich brauch dir nicht zu erklären, warum, trotzdem, ich möchte, daß du eins weißt, ich bin nicht gezwungen, sie zu uns kommen zu lassen, wir können uns auch anders behelfen, nichts einfacher als das, du hast selbstverständlich das Recht, nicht damit einverstanden zu sein, du brauchst es mir nur zu sagen, verdammt, wir beide leben zusammen, also, wenn du meinst, ich bau Scheiß, dann sag es mir, ich schaff's nicht, mich in dich hineinzuversetzen, und ich möchte auch, daß du weißt, daß ich nicht einfach dein Kumpel bin, Hermann, so ein Spiel wollen wir gar nicht erst anfangen.

– Ich weiß, sagte er.

In einem Moment purer Ungezwungenheit ließ ich mich dazu hinreißen, ihm einen Arm um die Schultern zu legen, und er murrte keine Sekunde, und wir marschierten Seite an Seite weiter, ohne daß ich ein Wort hinzufügen konnte, denn für mich ging nichts mehr darüber.

Ein wenig später erst fiel mir auf, daß er, was Elsie betraf, seine Meinung überhaupt nicht geäußert hatte. Ich dachte darüber nach, in meinem Bett oder morgens beim Aufstehen oder wenn ich eine Runde mit dem Motorrad drehte und die Straße frei war, aber das brachte mich nicht viel weiter. Sarah fand, ich hätte eher Glück, zudem sollte ich es nicht übertreiben und von Hermann verlangen, daß er mir seinen Segen gab. Diese Bemerkung ging mir ganz schön an die Nieren, denn unter diesem Gesichtspunkt hatte ich die Sache noch gar nicht ergründet, und wenn man sie sich von nahem ansah, war es nicht ausgeschlossen, daß ich in dieser Geschichte nicht einzig danach strebte, Hermann zu schützen, sondern daß sich ein Körnchen Hinterfotzigkeit in meinem Busen eingenistet hatte.

Ich nahm mein Training mit Max wieder auf und versuchte

meinen Alkoholkonsum einzuschränken, der jäh angestiegen war, seit wieder Leute bei mir einkehrten, ganz zu schweigen von meinem Gips und den Tagen, an denen ich mit einer Flasche in Reichweite wie angewurzelt in meinem Sessel sitzen blieb, denn das war nicht immer ganz einfach. Ich zwang mich also dazu, vor sechs, sieben Uhr abends keinen Tropfen anzurühren, und hatte das Gefühl, einen riesigen Schritt nach vorn getan zu haben. Oh, nichts ist besser, als von Zeit zu Zeit einen kleinen Sieg über sich selbst zu erringen.

5

In weniger als einem Jahr kam die Marianne-Bergen-Stiftung auf die Beine. Ich habe widerstanden. Monatelang rutschte Paul vor mir auf den Knien, aber solange er mir Arbeit besorgte, konnte ich ihn zappeln lassen, ich hörte nur noch mein lieber Dan hier, du störrischer Esel da, du hast es nicht anders gewollt, du verdammter Idiot. Ich lachte ihnen ins Gesicht, allen, die da kamen, und geleitete sie höflich zur Tür, dankte ihnen gleichwohl, daß sie an mich gedacht hatten.

Ich wußte nicht genau, was ihnen Paul über mich erzählt hatte, aber sie tauchten stets in Grüppchen bei mir auf oder drängten sich um meinen Tisch, wenn ich auf einen Schluck im *Durango* eingekehrt war, und dann war es aus damit, Musik zu hören, aus damit, etwas anderes zu bereden als diese verfluchte Stiftung, und das in einem Maße, daß mich Elsie nach einer Weile sitzenließ und sich in eine ruhigere Ecke verzog und mich mit Blicken tötete. Ich würde nie so weit gehen, zu behaupten, daß es mir vollkommen mißfiel, soviel Interesse zu erwecken, im Gegenteil, ich hatte kein reines Herz, und so genoß ich es von Zeit zu Zeit, das erinnerte mich an die Zeit, wo meine Bücher weggingen wie Toilettenseife und unbekannte Verehrerinnen Pullover für mich strickten, die mir bis zu den Knien reichten.

– *No sea pendejo*..., flüsterte mir Enrique zu. Auch er war der Meinung, ich müßte einwilligen. Alle waren sich einig. Aber ich hielt stand.

– Ja, Herrgott nochmal...! japste Paul. Wem willst du eigentlich weismachen, daß es dir Spaß macht, diese mickrigen, beschissenen Drehbücher zu schreiben und dich in dieser Art von Literatur zu suhlen...??!!

– Werd nicht ordinär, Paul.

– WAS IST IN DICH GEFAHREN...?! Versuchst du dich zu kasteien...? Dauert das noch *lange*?

– Klar. Demut lernt sich nicht von heute auf morgen.

– AH! Mach dich bitte nicht über mich lustig! Schon gut, sag mir wenigstens, was dir daran nicht gefällt ...

– Puh, ich hab keine Lust ... Das ist alles.

– Wie bitte, du hast keine Lust ...?! Ja, *träum* ich denn ...?! Wir geben Bücher raus, wir verteilen Stipendien, wir organisieren Ausstellungen, wir beherbergen Künstler, die aus allen Ecken der Welt anreisen, es wird Aufführungen geben, Begegnungen, Seminare ...

– Mamma mia, mir dreht sich alles.

– Dan ... Du bräuchtest dich nur um das kümmern, was dich interessiert.

– Das einzige, was mich interessiert, ist mein Seelenfrieden.

Ich wollte mich mit diesem ganzen Zinnober nicht abgeben. In puncto Demut hatte ich die ganz große Klasse noch nicht erreicht, und ich konnte mir nur schwer vorstellen, daß ich mir den Kopf zerbrach, um die Bücher anderer Leute herauszugeben. Daß ich unfähig war, wieder in den Ring zu steigen, hieß noch lange nicht, daß ich als nächstes einen Trainerjob übernahm. Zudem, was wäre wohl, wenn ich diese jungen Künstler in meinem Büro empfing und tröpfchenweise, nach Lust und Laune, einige dieser erbärmlichen Stipendien verteilte, um die sie mich in aller Bescheidenheit ersuchten? Wo bliebe auch nur der Anschein von Gerechtigkeit, wenn ein Mädchen in schwarzen Strümpfen, um nicht zu sagen, ohne Höschen, in der Lage wäre, mir zwei auf einmal abzuluchsen ...?

Es war ratsam, daß ich mich von all dem fernhielt, das war besser für alle Beteiligten.

Was mich nicht daran hinderte, regelmäßig vorbeizugehen, um zu gucken, was sich da zusammenbraute, um einen Hauch vom Geist der Zeit mitzukriegen und nebenbei ein paar Freikarten einzustreichen, wenn mir eine Aufführung zupaß kam. Mit einer besonderen Vorliebe fürs Theater, seit Hermann damit angefangen hatte, eine Sache, die er offenbar sehr ernst nahm.

– Und ...? Wie kommt er zurecht? fragte mich Andréa.

– Bestens! Morgens übt er ganze Serien von Grimassen vor

dem Spiegel. Mit Kieselsteinen im Mund habe ich ihn allerdings noch nicht gesehn ...

– Ah, ich bewundere ihn! Ich bin überzeugt, er hat Talent ...!

– Soso. Das muß er von seiner Mutter haben.

– Und Sie, Dan ...? Immer noch unentschlossen ...?

Es war Usus in der Stiftung, mich jedesmal zu fragen, ob ich meine Meinung noch nicht geändert hätte, als sei das bloß eine Frage der Zeit, als müßte ich ihnen über kurz oder lang wie eine überreife Frucht in den Schoß fallen. Anscheinend war Marianne entschlossen, uns alle beieinander zu haben, woraus sie überdies kein Hehl machte, sie behauptete, die Stiftung sei eine große Familie, und das sei der Grund, weshalb alles so gut klappte.

Nach Paul und Andréa war Max als nächster in ihr Lager übergewechselt. Naja, man muß zugeben, im Grunde hatte er keine Wahl. Als Gladys' Team zum drittenmal nacheinander im Finale Prügel bezog, hatte man ihn schleunigst in die Wüste geschickt, man wollte nichts mehr davon hören, und die angewiderte Miene, mit der ihn der stellvertretende Bürgermeister bedacht hatte, davon hatte er sich nicht erholt.

– Auf mir liegt ein Fluch, Dan. So ein Pech hat noch keiner gehabt. Ich tauge höchstens noch dazu, durch die Bude zu tigern und zu beten, daß man mich vergißt.

Vormittags fuhr ich bei ihm vorbei, um ihn aufzurütteln, damit er mit mir eine Runde lief, aber er knurrte bloß, er frage sich, was er davon habe, aufzustehen, ob es etwas Sinnloseres gebe, als in seiner Situation in Form bleiben zu wollen. Ich sah schwarz für ihn. Eines Morgens jedoch fand ich ihn hellwach vor, er hatte sich in Schale geworfen und verkündete mir, man habe ihm einen Job bei der Stiftung angeboten.

– Eine Art Mädchen für alles, verriet er mir lächelnd. Wenn ich bedenke, daß man mich gefeuert hat, weil man meinte, ich tauge nichts mehr ...!

Sarah war die nächste. Pauls Angebot war finanziell so attraktiv, daß sie keine Sekunde zögerte. Bei all den Aufführungen fand sich immer ein Gesicht, das zu schminken war.

– Um so mehr, fügte Paul hinzu, als wir eine Frau wie Sie brauchen können, die darauf achtet, daß in dieser Richtung ein wenig Ordnung herrscht, das vor allen Dingen.

Und Sarah machte ihre Sache großartig.

Paul sagte mir ein ums andere Mal, nur ich fehle noch. Gab es denn keine einzige Person, die sich nicht der gängigen Meinung anschloß und mir recht gab? Daß das Leben in erster Linie eine lange, einsame Reise und schier zum Verzweifeln ist, nun ja, das war nichts Neues.

Ich ahnte, worauf Marianne hinauswollte, doch nicht, um ihr die Stirn zu bieten, weigerte ich mich, der Stiftung beizutreten. Sie hatte ihre Gründe und ich die meinen. Wir sahen uns regelmäßig, es kam sogar vor, daß ich sie in ihrem Rollstuhl schob, wenn wir uns in der Eingangshalle begegneten oder in den gleichen Flur einbogen, aber es ereignete sich nichts Neues zwischen uns, unsere Beziehungen waren total eingefroren, und wir hatten uns nichts zu sagen. Sie hatte nie wieder mit mir über ihr Drehbuch gesprochen. Ich hatte es nicht mehr angerührt, es war noch so, wie wir es bei unserer letzten Sitzung belassen hatten, und faulte nun seelenruhig in einer meiner Schubladen vor sich hin. Es störte mich nicht. Und wenn sie schon kein Wort darüber verlor, war es nicht mein Bier, mich damit zu beschäftigen.

Ich hatte andere Sorgen. Da war vor allem diese Geschichte mit Hermann und Gladys, die sich im Laufe der Monate immer deutlicher abzeichnete und die durch Richards Gegenwart getrübt wurde. Im Gegensatz zu der weitverbreiteten Vorstellung, daß ein Vater einigen Stolz, zumindest einige Erleichterung verspürt, wenn sein Sohn flügge wird, fühlte ich überhaupt nichts. Ich wollte gar nicht wissen, was sie trieben, wenn sie sich in seinem Zimmer einschlossen, ich quetschte mich nicht hinter die Tür, ich stellte keine Fragen, ich erlaubte mir lediglich, das obere Stockwerk aufzusuchen, auch wenn sie sich dort befanden, das schien mir nun doch das mindeste.

Es hatte mich erheblich mehr berührt, als Hermann seinen ersten Zahn bekommen hatte oder als er zum erstenmal seinen Namen hatte schreiben können.

Weniger gefiel mir da schon, daß ich Richard ständig irgendwelche Märchen erzählen mußte, ebenso das unglückliche Gesicht, das er machte, wenn er bei uns vorbeikam und ich ihm antwortete, ich wisse nicht, wo Hermann sei, wo er doch, zusammen mit Gladys, genau über meiner Rübe steckte. Ich war mir nie ganz sicher, ob er wirklich nach Hermann fragte, obwohl sie die meiste Zeit zusammenhockten und man, je größer sie wurden, mehr und mehr hätte meinen können, einer halte es ohne den anderen nicht aus.

– Ich *kann* es ihm aber nicht erzählen...! erklärte mir Hermann. Sobald ich nur Gladys' Namen erwähne, seh ich, wie sich sein Gesicht verfärbt, das ist kein Witz. Er guckt mich auf eine Weise an, daß ich mich frage, ob er mich überhaupt erkennt...!

– Paß auf... Weißt du, was passieren wird? Halt ihn nicht für einen Trottel, früher oder später wird er etwas merken, und dann fällt er ohne Vorwarnung über euch her. Merk dir, jedesmal, wenn du dich heimlich mit Gladys triffst, sinken eure Chancen, ungeschoren davonzukommen.

– Ja, aber was soll ich tun...?

– Ich weiß nicht... Ich hab das Gefühl, gar so viele Lösungen gibt es da nicht. Wenn du mich fragst, du hättest dir für den Anfang ruhig eine etwas weniger komplizierte Geschichte aussuchen können.

Letztlich beschränkte sich meine Rolle darauf, die Augen zu verschließen und mich um Richard zu kümmern, und besonders stolz war ich darauf nicht. Ich verspürte ein Unbehagen, für das ich bislang noch keine Muße gehabt hatte und das ich mir gern erspart hätte, aber noch war mir nicht eingefallen, wie ich anders hätte handeln können, dabei grübelte ich unentwegt darüber nach. Wenn ich mich auf meine eigene Erfahrung verließ oder mich objektiv umsah, konnte ich mich des sehr klaren Eindrucks nicht erwehren, daß die Dinge so etwas wie eine natürliche Neigung hatten, langsam zu verfallen, langsam im Chaos zu versinken. Und im Innersten meiner finstersten Gedanken fand ich, daß wir diesen Weg einschlugen, und das nicht nur, was die Episode Hermann-Gladys betraf. Das war eher ein Gesamtbild, gegen das schwer anzukämpfen war.

Davon abgesehen waren da die kleinen Scherereien des Alltags, die mich aufrüttelten, und obwohl wir von der Strömung eines breiten Flußes fortgetragen wurden, hörten wir nicht auf zu zappeln.

Sarah faßte mich an der Hand, und wir gingen nach oben in Richards Zimmer. Die Tür war abgeschlossen, aber sie zog einen Schlüssel aus der Tasche und machte mich darauf aufmerksam, im ganzen Haus funktioniere kein einziges Schloß, er aber habe es geschafft, seines wieder in Ordnung zu bringen.

– Guck dir das an...! meinte sie zu mir. Es kommt mir vor, als hätte ich einem Fremden ein Zimmer vermietet.

– Mmm... Wehe, er merkt, daß du einen Schlüssel hast...

– Na, ich werd ihm schon klarmachen, warum ich einen hab...

Ich kannte Richards Zimmer. Es unterschied sich nicht wesentlich von Hermanns Bude, höchstens der Geruch war anders, nichts weiter als ein ganz normales Jungenzimmer, die persönliche Note war noch unterentwickelt. Sarah zog eine Schublade auf und entnahm ihr eine Schuhschachtel. Wir setzten uns auf das Bett.

– Ich hab in meinem Leben schon angenehmere Dinge gefunden..., seufzte sie und hob den Deckel hoch.

Das wollte ich ihr gern glauben. Es handelte sich um einen Stoß Fotos, auf denen Mat Bartholomi zu sehen war, allein oder mit seinen Kindern, und auf einigen Bildern war eine Person entfernt worden, fein säuberlich mit der Schere ausgeschnitten.

– Dan, ich nehme an, ich brauche mich nicht zu wundern, nicht wahr...?

Mir war, als starrten uns die Mauern an.

– Vermutlich muß ich das mit vergnügtem Gesicht wegstecken und mir eintrichtern, daß ich nichts Besseres verdient habe...?! Nun ja, ich kann dir trotzdem sagen, da hat man schwer dran zu knabbern... Weißt du, ich hab schon noch das Gefühl, ich bin seine Mutter...

Auch für Sarah wußte ich keine Lösung. Ich begnügte mich damit, die Schachtel schweigend wieder zu schließen, und erhob mich, um sie an ihren Platz zurückzulegen.

Zum Glück war das ein wundervoller Tag, und wir hatten jede Arbeit. Jetzt war nicht der Augenblick, sich gehen zu lassen und mit den Zähnen zu knirschen, wir konnten den alten Fotos nicht viel Zeit widmen. Es war dermaßen heiß an diesem Spätnachmittag, daß selbst die Trauer einen beinahe zuckersüßen Geschmack hatte. Ich schloß sie eine Sekunde in meine Arme, bevor ich wieder hinunterging, ich sagte ihr, wir müßten uns beeilen.

Es ging darum, einen alten Kühlschrank aus der Garage zu holen. Sarah zufolge war er noch funktionstüchtig, aber im Laufe der Jahre hatte er sich in eine Art Rumpelschrank verwandelt, und mittlerweile war er gerammelt voll mit irgendwelchem Kram, so daß niemand mehr auf die Idee kam, ihn zu öffnen. Also hatte sich mit der Zeit ein ganzer Berg von Sachen vor seiner Tür aufgetürmt, Kisten, Kartons, Farbtöpfe, und ihn da rauszuholen war bestimmt alles andere als ein Klacks. Aber das war noch nicht alles. Das Ding gehörte darüber hinaus zu einem besonders fein ausgetüftelten Regalsystem, dessen wesentliches Element – um nicht zu sagen einziger Halt – er selbstverständlich war, und der ganze Klumpatsch rankte sich Schulter an Schulter bis zur Decke und grinste einen herausfordernd an. Ich trat zögerlich näher, ich blinzelte.

– Bist du sicher, daß du ihn *wirklich* loswerden willst...? Es ginge fixer, wenn wir ihm 'nen gebrauchten kaufen würden...

– Nein, auf keinen Fall. Ich will schon seit langem ein wenig Ordnung in der Garage schaffen, und wenn ich's jetzt nicht tu, dann nie.

Jedesmal, wenn ich mit einem Karton in den Armen auf den Bürgersteig trat, bemerkte ich, daß der Himmel die Farbe gewechselt hatte. Vom Zartrosa waren wir inzwischen zu einem ungemein leuchtenden Rotorange übergegangen, und ich hatte den Eindruck, vor der sperrangelweit offenen Tür eines Backofens vorbeizugehen, es war praktisch niemand mehr auf der

Straße, zumindest niemand, der sich noch körperlich ertüchtigte. Man fragte sich glatt, ob die Nacht je kommen würde, ob es irgendeine Möglichkeit gab, das da auszulöschen.

Sarah hörte drinnen in der Garage nicht auf, Sachen auszusortieren. Ich war zusätzlich damit betraut, ihr die dicken Pakete, die Koffer, die unten aufgeplatzten Kartons und alles, was ihr zu schwer war, herunterzuholen, das ganze Zeug, das Mat in all den Jahren herbeigeschafft und abgestellt und gestapelt hatte, lauter Dinge, deren Nützlichkeit einer Frau entgehen mochte. Sie war fähig, sich mit einer Handbewegung einer Kiste voller Kugellager zu entledigen oder den Programmregler einer Waschmaschine über ihre Schulter fortzuwerfen. Versuchte ich sie daran zu hindern, meinte sie nur, ich solle mir keinen Zwang antun, ich bräuchte alles nur mit nach Hause zu nehmen, sie jedenfalls wolle von diesem ganzen Kram nichts mehr wissen, der *immer mal zu gebrauchen* sei und nie wieder gebraucht würde, allein der Gedanke sei bedrückend. Manchmal hob ich die Sachen auf und drehte sie zwischen meinen Händen, dann ließ ich sie wieder fallen.

Schließlich war es uns gelungen, den Kühlschrank vollkommen freizulegen, und im Gedenken an all die Mühe, die er uns gekostet hatte, kippte ich ihn brutal um und leerte ihn auf den Boden und rüttelte ihn ordentlich durch.

– He, mach ihn nicht kaputt...! sorgte sich Sarah.

Das war nicht ihr Ernst, die Kiste war ein echtes Museumsstück. Wenn dieses Ding da noch am Leben war, würde es uns alle unter die Erde bringen, das war meine Meinung. Ich zog mir das T-Shirt aus der Hose, um mir das Gesicht abzuwischen, dann machte ich mich auf in die Küche, Bier holen.

Gerade schleppte ich meine letzte Kiste voll Schrott auf den Bürgersteig und stellte sie ordentlich zu den anderen, als ein Kleinbus, der mit Volldampf von der Straßenecke angeschossen kam, neben mir anhielt. Elsie stieg als erste aus, während der Typ am Steuer seine Sonnenbrille ins Handschuhfach räumte.

– Oh, Dan...! Ich hatte nicht erwartet, dich hier zu treffen...! verkündete sie mir mit einem solch strahlenden Lächeln, daß ich für den Bruchteil einer Sekunde das Gefühl hatte, sie trage zu dick auf. Sie küßte mich auf die Wange.

– Darf ich dir Marc vorstellen, meinen neuen Bassisten... Marc, das ist Dan...

Sie gab ein leises, dämliches Kichern von sich, was nur zu verständlich war.

Ich drückte die Hand des Bassisten, der überdies keinen schlechten Eindruck auf mich machte. Er wirkte wie einer, der sich recht wohl in seiner Haut fühlt, ein Typ um die dreißig, dunkelhaarig mit interessantem Blick.

– Ich glaub, wir sind ein bißchen spät dran, meinte er zu mir.

– Ach... Das macht nichts.

Sarah wischte ein letztes Mal mit dem Lappen über den Kühlschrank, sie wollte auf gar keinen Fall, daß sich jemand bei ihr bedankte, schließlich habe sie auf die Tour mehr Raum, und wenn ich recht verstand, hatte sie es nur ihnen zu verdanken, daß sie all diesen Platz gewonnen hatte, ich fand das großartig. Im übrigen war sie dermaßen entzückt, daß sie besagten Marc am Arm packte und mit dem Bescheid, es sei Zeit, einen Schluck zu trinken, ins Haus schleppte.

Ich nahm die Gelegenheit wahr, Elsie in eine Ecke zu zwängen und ihr voller Neugier einen Zungenschlag zu verpassen, indes – gebrach es mir an Schwung, waren meine Sinne nicht hinreichend geschärft, griff sie auf irgendwelche ungeahnten Reserven an Raffinesse zurück, um mich hinters Licht zu führen...? Wie dem auch sei, ich entdeckte nichts, was faul war, alles schien in bester Ordnung. Nun ja, ich mochte mich täuschen. Alles in allem machte mich dieser Kuß ratlos.

– Ich verlang ja nur, daß er Eiswürfel produziert, mehr nicht, sagte Marc, als wir reinkamen. Er hatte sich in dem Sessel breitgemacht, den ich sonst bevorzugte, aber das war nicht weiter schlimm, ich stützte mich mit den Ellbogen auf die Kante des Kamins. Es wurde Abend und die Temperatur ein wenig milder. Marc erklärte uns, er sei von einem langen Auslandsaufenthalt zurück und habe den Fehler begangen, seine Wohnung einem Freund zu überlassen.

– Das einzige, was er nicht mitgenommen hat, ist der Sicherungskasten! machte er uns lachend klar.

Die Mädchen fühlten mit ihm. Sie hatten nur noch Augen für ihn, aber ich war groß genug, das nachzuvollziehen. Niemand konnte leugnen, daß der Kerl Charme hatte.

Kurz darauf trafen die Kinder ein. Sie traten auf eine etwas merkwürdige Weise ins Haus, Hermann und Gladys vornweg, Schulter an Schulter, Richard hingegen versuchte sich, quasi in ihrem Windschatten, Richtung Treppe zu verdrücken, nachdem er ein kaum vernehmbares ›'n Abend zusammen‹ hervorgebracht hatte, was sonst nicht seine Art war, wenn ein Fremder im Haus war. Die beiden anderen rückten im gleichen Moment ins Wohnzimmer vor und beeilten sich, mit allen möglichen Faxen unsere Aufmerksamkeit auf sich zu lenken. Doch Sarahs Blick hatte alles registriert.

– He, Richard, komm doch mal her...! rief sie ihm nach.

Er erstarrte auf der Treppe.

– Hörst du, du sollst herkommen...

– Du bist geliefert! sagte ich.

Die beiden anderen blickten sich mit betrübter Miene an, während ein zartes Schweigen das Haus erfüllte. Richard senkte den Kopf. Dann entschloß er sich, in unsere Richtung zu schwenken.

– Herr im Himmel! Was ist das denn...?! rief Sarah aus.

– Naja, das ist eine kleine Katze..., sagte er und hob sie vorsichtig in Augenhöhe. Das heißt, *ich glaube nicht*, daß das eine Katze ist...

– Meine Güte, das sieht doch jeder, daß das 'ne Katze ist...!

– Ich meine, es ist wahrscheinlich ein Kater.

– Gib mal her, sagte Marc. Das ist leicht festzustellen.

– Wir haben sie auf der Straße gefunden, erklärte Richard, während er die Treppe hinunterstieg. Sie ist uns den ganzen Weg gefolgt.

– Soso, ich hoffe, du hast nicht vor, sie hierzubehalten...

– Och, Mama...! meinte Gladys.

– O nein, kommt nicht in Frage.

– Er hat recht, das ist ein Kater.

– Ich kümmere mich um ihn, Mama. Gladys und ich, wir kümmern uns beide um ihn...

– Ja, ein paar Tage lang... Ich weiß, was danach kommt.

– Aber nein, ich verspreche es dir.

– Hör mal, mir wäre lieb, ihr würdet *vorher* mit mir darüber sprechen, wenn ihr auf solche Ideen kommt...! Findet ihr nicht, ich hab dabei auch ein Wörtchen mitzureden?

Die Katze sprang von Marcs Knien und rannte durch das Zimmer, doch Richard und Sarah ließen sich keine Sekunde aus den Augen.

– Glaubst du, die ist herrenlos? fragte Elsie.

– Puh, naja, ich kann nur sagen, sie stand mitten auf der Straße, anwortete Gladys. Und wir haben mit einer Frau in einem Garten gequatscht, und die hatte sie noch nie in ihrem Leben gesehn, sie hatte noch nie was von ihr gehört...

– Na klar ist die herrenlos... Das sieht man doch, fügte Hermann hinzu.

– Bitte, ich möchte sie behalten...

Sarah schüttelte den Kopf, ohne die Augen von ihrem Sohn abzuwenden.

– Ich hatte die gleiche, als ich in New York war, meinte Marc. Sie war ganz genauso, pechschwarz, bloß ein wenig älter...

– Wir können sie doch nicht einfach wegschicken...! sorgte sich Gladys.

– Das Lustigste ist, sie ist uns einfach gefolgt, den ganzen Weg. Richard hat sie bloß hochgehoben, als sie vor dem Garten anfing zu miauen, oh, Scheiße, ihr hättet sie hören sollen...!

– Bei mir ist eine, die spaziert übers Dach und guckt zum Badezimmerfenster rein, erklärte Elsie.

Richard gab zuerst nach. Er schlug die Augen nieder und steckte die Hände in die Taschen, so daß sich sein Rücken rundete und sein Hals zwischen den beiden Schultern verschwand. Ich verstand nur zu gut, daß sich Sarah nicht mit einem Tier im Haus herumärgern wollte, trotzdem war ich überzeugt, daß sie einen Fehler machte, wahrscheinlich hatte sie das Für und Wider nicht abgewogen. Während die anderen mit ihren Geschichten weitermachten, drehte sich Richard wortlos um und ging los, die Katze einzufangen, die sich unter dem Tisch vergnügte. Eine Mischung aus Stille und Geräuschen erfüllte das Zimmer, wie ein Löffel voll Öl in einem Glas Wasser.

Sarah saß in einem Sessel, beide Arme der Länge nach auf den Lehnen, und sie klammerte sich fest, als wollte sie aufspringen. Vielleicht kämpfte sie auch gegen eine Kraft, die sie in die Polster drückte, oder dieser Sessel war dabei, sie zu verschlingen. Ihre Augen waren auf den Rücken ihres Sohnes gerichtet, man hätte meinen können, sie sitze einer Brillenschlange gegenüber.

Als Richard die Tür öffnete, stieß sie einen tiefen Seufzer aus, und eine ihrer Hände flog in die Luft.

– Na schön... Einverstanden, Richard... Du darfst sie behalten...

Später half ich Marc dabei, den Kühlschrank in den Kleinbus zu verladen. Ich stellte mich dabei so geschickt an, daß mir plötzlich ein Blitz in den Rücken fuhr. Herrgott! Ein Anflug von Panik schoß mir durch den Kopf. Ich richtete mich langsam wieder auf, *sehr* langsam, mit offenem Mund horchte ich in meinen Körper, regelrecht in Furcht und Schrecken bei dem Gedanken an den Dolchstoß, der nicht säumen würde, mich von einer Sekunde auf die andere an Ort und Stelle festzunageln, sollten sich meine Wirbel verklemmen.

– He, stimmt was nicht? erkundigte sich Marc.

Zum Glück schaffte ich es, in die Vertikale zu kommen, ohne daß die Hölle über mich hereinbrach. Ich war derart glücklich darüber, daß ich vor Vergnügen laut quiekte.

– Ich glaube, ich bin haarscharf einem Hexenschuß entgangen, anwortete ich ihm. Du bist noch zu jung, um zu verstehen, was das heißt.

Ich war dermaßen froh, noch einmal davongekommen zu sein, daß mir für den Rest des Abends nichts mehr etwas anhaben konnte. Meist müssen erst solche Sachen passieren, damit einem dieses absolute Wunder bewußt wird, dieses Wunder, einen völlig intakten Körper zu haben, nicht leiden zu müssen, laufen, springen, tanzen zu können, imstande zu sein, auf einen Baum zu klettern, seine Schnürsenkel zuzubinden, vor Vergnügen zu kreischen, wenn man einen Hügel hinunterstürmt. Daß Elsie neben ihm Platz nahm, während er den Zündschlüssel suchte, ließ mich kalt. Sie sah mich verärgert an, aber ich ging sogar so weit, ihr mit einem großartigen Lächeln um die Lippen freundlich die Tür zu schließen. Ich hatte Lust, ihr zu sagen, es sei mir völlig schnurz, was in ihrem Kopf vorgehe, ich wolle es gar nicht wissen, so sehr war ich von dem unendlich sanften Gefühl erfüllt, am Leben zu sein. Kein Wässerchen konnte in diesem Augenblick meine Freude trüben, einen strahlenden Körper mein eigen zu nennen.

Ich wußte nicht, ob die Luft so mild war oder ich. Ich wartete eine Weile auf dem Bürgersteig, nachdem die Lichter des Busses um die Straßenecke verschwunden waren, ich spürte, daß sich eine Flut von Bildern über meinen Kopf ergoß. Ich lächelte, als ich Richards Gesichtsausdruck wieder vor mir sah, wie er sich zu seiner Mutter umgedreht hatte, ich hob ein Kugellager auf und ließ es geschickt den ganzen Bürgersteig entlang flitzen. Wie ihm die kleine Katze aus den Händen gefallen war. Und Sarah, die den Schlüssel aus der Tasche genommen hatte und ihn ihm gereicht hatte:

– Hier, Richard... Ich nehme an, sie wird sich *in allen Räumen des Hauses* tummeln wollen...! Ich hörte das Lager über den Asphalt sausen, doch ich sah es nicht mehr. Ich sah ohnehin nicht viel, das war kein sehr hell erleuchtetes Viertel.

Ich schickte noch einige hinterher, um das Maß voll zu machen, dann raffte ich mich auf und ging ins Haus zurück. Es hatte nicht viel gefehlt, und ich wäre in eben diesem Moment ein armer Elender gewesen, vornübergebeugt, das Gesicht schmerzverzerrt und die Stirn bleich wie im Todeskampf, wem also hatte ich zu danken, wohin mußte ich mich wenden, auf daß ihm der gebührende Dank zuteil wurde, auf daß man mir die Füße reichte, die ich küssen mußte, denn alles hienieden war wunderbar.

Sarah war allein, als ich wieder im Wohnzimmer aufkreuzte.

Sie hatte sich nicht von ihrem Sessel gerührt, und sie wirkte ein wenig müde. Sie starrte ins Leere, während sie die Spangen zurechtrückte, die in ihren Haaren steckten.

– Du hast dich achtbar geschlagen, sagte ich ihr, nachdem ich mich über eine Armlehne des Sofas geschwungen hatte. Klar, wenn sie anfängt, in alle Ecken zu pissen... Aber das Risiko mußtest du eingehen.

– Hmm... Weißt du, ich verlang ja nicht wer weiß was von ihm... Auch wenn wir nicht einer Meinung sind, sollten wir doch einen Weg finden, daß wir miteinander reden, daß wir uns nicht vollkommen gleichgültig sind. Es ist schrecklich, sich einzugestehen, daß man es nicht einmal geschafft hat, von seinem eigenen Sohn geliebt zu werden.

– Tja, das ist gar nicht so einfach, meine Liebe. Ein Erwachsener hat immer etwas Verachtenswertes an sich, und meistens kriegen sie es mit der Zeit heraus. Das bringt uns in eine heikle Lage.

Über uns hörten wir sie rumoren und reden, ohne jedoch zu wissen, was genau los war.

Die Katze wurde Gandalf getauft, und ihr Einzug in das Haus der Bartholomis bewirkte eine Verbesserung der Beziehungen zwischen Mutter und Sohn. Es bestand sicher kein Anlaß, in lauten Jubel auszubrechen, aber wenn man bedenkt, meinte Sarah zu mir, daß er mir neuerdings guten Morgen wünscht, wenn er aufsteht, naja, glaub mir, das ändert alles für mich, selbst wenn er für den Rest des Tages keinen Ton mehr sagt. Es verstand sich, daß ich den feinen Unterschied haargenau erfaßte. Hätte sie mir nichts davon erzählt, eine gewisse Mäßigung in Richards Betragen wäre mir trotz allem aufgefallen, und das war der helle Wahn. Zum Beispiel konnte er Hermann und Gladys allein lassen, zumindest für ein paar Minuten, und sich wieder zu ihnen gesellen, ohne wie ein Inquisitor dreinzuschauen. Hin und wieder gelang es ihm sogar, ein Lächeln aufzusetzen, an einem Gesprächsfetzen teilzunehmen oder drei Schritte neben einem her zu gehen. Das sah nach nichts aus, zumal er sich das Vergnügen, derart aufzublühen, keineswegs tagtäglich gönnte, aber wer ihn kannte, wer sich die Mühe machte, ihn zu beobachten und gewisse Kleinigkeiten zu registrieren, dem war klar, daß es sich um eine kleine Revolution handelte.

Sarah behauptete, inzwischen könne sie abends ausgehen, ohne daß er ihr einen dieser zornigen Blicke zuwarf oder irgendeine kränkende Bemerkung fallenließ, wenn sie gerade zur Tür hinaus ging.

– Naja, ich hab nicht den Eindruck, daß es ihm egal ist, weißt du, wir wollen es nicht übertreiben... Trotzdem, letztens, als er mich aufbrechen sah, hat er lediglich gefragt, ob ich daran gedacht hätte, Dosenfutter für seine Katze zu kaufen.

Seine Katze! Ah, daß man sich nur ja vorsah, sie nicht von den Polstern zu scheuchen, daß nur ja kein unvorsichtiger Schritt einen der Gefahr aussetzte, ihr auf den Schwanz zu treten! Keine Katze war je in so gute Hände gefallen. Er streichelte sie wieder und wieder, er küßte sie und herzte sie und spielte mit ihr, stundenlang, und dann nahm er sie mit in sein Heiabett, um ihr Märchen zu erzählen und seine kleinen Sorgen. Gladys fand, er werde noch total blöd mit seiner Katze, worauf ich ihr geantwortet hatte, wenn ich sie wäre, würde mich das eher kaltlassen, es sei denn, ihr wäre lieber, er kümmere sich wieder mehr um sie.

Sie verstand sehr gut, was ich meinte. Eines Morgens stürzte sie sich in Unkosten und stiftete Gandalf sein erstes Halsband. Wie es schien, ließ Richard seitdem, wenn er aus der Schule kam und die beiden allein im Wohnzimmer vorfand –

– Äh, weißt du, Hermann ist zum Glück da, um mir die Matheaufgaben zu erklären...! –,

nur noch ein undeutliches Knurren vernehmen und begnügte sich damit, den Kopf zu schütteln, um anschließend in die Küche zu flitzen und sich eine Tüte Milch zu schnappen.

Ob er sich über die Art der Beziehungen, die Hermann und Gladys klammheimlich unterhielten, ganz im klaren war, wußte niemand zu sagen. Dabei ging das jetzt schon eine ganze Weile so, aber man mußte den beiden lassen, daß so gut wie nichts in ihrem Verhalten ihr kleines Geheimnis verriet. Keine Aussicht, sie engumschlungen in der Küche oder mit unter dem Tisch verhakten Füßen zu erwischen, keine Aussicht, sie dabei zu ertappen, daß sie zärtliche Blicke austauschten, sich in einer Ecke flüchtig berührten, das Essen stehenließen oder seufzten oder tuschelten oder die Hände rangen. Was nicht hieß, daß sie so taten, als ignorierten sie einander, im Gegenteil, sie lachten zusammen, amüsierten sich königlich, schmissen sich irgendwelches Zeug ins Gesicht und schnauzten sich auf die natürlichste Weise der Welt an, aber man spürte gar wohl, daß zwischen ihnen ein tiefes geheimes Einverständnis war, daß sie sich zumindest seit vielen Jahren kannten, wenn nicht gar gemeinsam aufgewachsen waren.

Mit der Zeit machte ich es mir zur Gewohnheit, vor die Tür zu gehen, wenn sie sich in unserem Haus trafen. Ich glaubte nicht, daß Richard noch eine ernsthafte Gefahr darstellte, und ich war es leid, ihn anzulügen, zumal ich ständig das Gefühl hatte, meine Stimme versage und die Wahrheit stehe mir im Gesicht geschrieben. Also düste ich auf ein Glas ins *Durango* und hörte mir eine Stunde lang den neusten Tratsch an, ehe ich mich wieder auf den Heimweg machte. Enrique informierte mich regelmäßig über die Liebesaffären, die sich querbeet in unseren Kreisen zutrugen, und es kam selten vor, daß er mir von einem Besuch zum andern nicht irgendeinen neuen Klatsch unter die Nase zu reiben hatte.

– *Ay Dios mío!* lamentierte er. Ja, weißt du denn nicht, daß die beiden nicht mehr zusammen sind ...?!!

Meistens wußte ich nicht so genau, von wem die Rede war, aber ich ließ mir kein Fitzchen entgehen, jedes noch so geringe Detail fand ich spannend.

– *Amigo*, zur Zeit zieht sie mit seinem besten Kumpel los, aber nur, um ihn eifersüchtig zu machen. *Si hombre,* das scheint aber nicht ganz zu klappen ...

Es bereitete mir wahrlich Vergnügen, ihm zuzuhören. Seit Marc in der Gegend war, lief es nicht besonders mit Elsie und mir, aber dank Enrique hatte ich nicht die Absicht, mir sämtliche Haare auszuraufen. Geschichten wie meine hätte er mir drei Tage lang ohne Unterbrechung auftischen können. Ich kam mir ziemlich blöd vor.

In meiner Vorstellung bumste sie mal mit diesem, mal mit jenem, doch als ich ihr den Kern meiner Gedanken enthüllte, schwor sie, das stimme nicht, und schmollte einige Minuten lang. Als ich damals den Verdacht hatte, Franck betrüge mich, hatte ich zugesehen, daß ich mir schleunigst Gewißheit verschaffte, und wenn man sich Mühe gibt, ist das so schwer auch wieder nicht. Bei Elsie hingegen versuchte ich gar nicht, mehr zu erfahren. Vielleicht war ich mit der Zeit lahmer geworden, oder ich hatte ein wenig Weisheit erlangt. Ich beschränkte mich darauf, Enrique von Zeit zu Zeit ein wenig auszuquetschen, aber seine Antworten waren recht vage, und ich gab mich damit auch gern zufrieden. In jener Nacht, in der ich Franck und Abel im gleichen Bett erwischt hatte, da hatte ich Abel quer durch die Glastür geschmissen und alles demoliert, was mir in die Finger kam. Ich war weit davon entfernt, mich erneut in dieser Richtung zu betätigen.

Mehrere Tage lang haben wir uns gefragt, Hermann und ich, was wohl im Haus nebenan vorging. Man hörte Lärm, Türenschlagen, Möbelrücken, Nägel, die in die Wand geklopft wurden. Dann eines Morgens klingelte der Typ, um sich einen Vierkantschlüssel zu leihen, und teilte uns mit, er ziehe um. Ich hatte ihn so gut wie nie gesehen, und in all der Zeit, die wir Nachbarn waren, hatten wir höchstens drei Worte gewechselt, mehr auf keinen Fall. Meistens ging ich gerade hinaus, wenn er mit seinem Hund zurückkehrte.

– Hermann, alter Junge, ich hoffe, die vermieten das nicht irgendwem...! Was hieltest du von *ein paar Studentinnen*...?

Er fing an zu lachen, dann vergrub er seine Nase seelenruhig wieder in seiner Kaffeetasse. Offensichtlich war das seine geringste Sorge. Ich fragte mich, ob er sich ab und an auch umsah, ob er im Bilde war, daß es auf der Welt noch andere Mädchen gab.

Ich hatte mich mit Paul für den Vormittag verabredet. Ich setzte Hermann vor dem Gymnasium ab, dann rauschte ich in einem herbstlichen Licht zur Stiftung, ich nutzte die Pause vor einer roten Ampel, um mir Handschuhe anzuziehen.

Im Eingang stieß ich auf Max.

– Sehen wir den Dingen ins Gesicht, sagte ich zu ihm. Nach all der Zeit, die deine lymphatische Drainage nun schon dauert, ist mein Kreuz noch genauso anfällig wie früher. Beim ersten Kälteeinbruch bin ich wieder reif, das spür ich schon...!

– Meine Güte...! Du hast *Knoten*, das ganze Rückenmark entlang, was soll ich noch dazu sagen...?!

– Ach, Scheiße, soll ich dir mal was sagen... Ich glaub, ich hab kein Vertrauen mehr zu deinen Behandlungen. Wir sollten besser damit aufhören.

– Ach! Du hast doch keine Ahnung...!

In eben diesem Moment fuhr Marianne Bergens Wagen vor. Max' Gesicht verkrampfte sich. Ohne zu zögern, packte er das Vehikel mit den Rollen und stürmte auf den Bürgersteig, während der Chauffeur die Beifahrertür öffnete. Max beugte sich in den Wagen, hob Marianne hoch und setzte sie in ihren Rollstuhl. Danach stellte er sich hinter sie, und nachdem er kurz mit einer Hand an seinen Gürtel gefaßt hatte, um zu prüfen, ob sein Hemd an Ort und Stelle war, schob er sie zum Eingang.

– Hallo, Dan..., meinte sie zu mir und winkte mir mit den Fingerspitzen zu, während ein kleiner Elektromotor sie gemächlich durch die Halle trieb.

– Ah! Herrgott nochmal! murmelte er. Ich kann mich einfach nicht daran gewöhnen. Ich krieg 'ne Gänsehaut, wenn ich dieses Mädchen seh.

Ich gab keine Antwort, aber ich war nicht seiner Meinung, ich fand, Marianne war eher angenehm anzuschauen. Sie kleidete sich einfallsreich, schminkte sich dezent und hatte stets ein Lächeln um die Lippen. Daß sie ständig eine Sonnenbrille trug, wirkte für meinen Geschmack gar nicht einmal zu finster, zumal das obendrein in Mode war und ein Schuß Rätselhaftigkeit noch keinem geschadet hat. Ihre Gegenwart löste in mir keinerlei Unbehagen aus, sie redete, sie rührte sich auf ihrem Stuhl, und sie steckte überall ihre Nase rein, sie war stets emsig zugange, sie machte die Fenster auf und zu, und abgesehen von Max kannte ich niemanden, der nicht im Laufe der Zeit vergessen hatte, daß sie nicht mehr in der Lage war, auf ihren Beinen zu stehen. Und das in einem Maße, daß manche Neuankömmlinge sich zunächst gefragt hatten, ob die Sache mit dem Rollstuhl womöglich nur ein geschmackloser Auswuchs eines exzentrischen Geistes war.

Niemand vermochte zu sagen, was sie wirklich empfand, und wenngleich man sich darauf einigen konnte, daß sie nicht jeden Tag lachte – wer da behaupten wollte, er habe Marianne über ihr Los jammern hören, mußte schon böswillig sein.

– Setz dich..., sagte Paul zu mir. Eins solltest du trotz allem begreifen, vertraute er mir mit sanfter Stimme an. Diesmal geht es nicht um die Stiftung, es geht um dich, um deinen Job. Kannst du mir folgen...?

– Nur schwer.

– Natürlich... Also, ich werde versuchen, dir zu erklären, was los ist, denn ich möchte nicht, daß du dich der Vorstellung hingibst, es stünde alles zum besten.

Nach dieser Einleitung zog er eine der Schubladen seines Schreibtischs auf. Er holte ein Bündel zusammengehefteter Blätter hervor und schob es bedächtig vor mich hin. Dann blickte er melancholisch zum Fenster hinaus.

– Es gab eine Zeit, da war ich mitten in der Szene, fuhr er in müdem Tonfall fort. Du brauchtest bloß zur Tür reinzukommen und konntest dir von all den Projekten, die uns angeboten wurden, eines aussuchen, und weißt du, warum...? Weil ich damals *wirklich mittendrin* war, ich kannte weiß Gott jede Menge Leute, weiß Gott, wenn ich nur in die Stadt fuhr, um zu Abend zu essen, mit leeren Händen kam ich nie zurück...

Er faltete die Hände auf seinem Schreibtisch und beugte sich zu mir herüber, dabei schaute er mich zärtlich an. Zuweilen mußte er sich einbilden, ich sei sein Sohn. Dank ihm hatte ich mein erstes Buch publiziert, und es gab gewisse Dinge, die selbst ein Exschriftsteller wie ich nicht vergessen konnte.

– Dan... Du sollst wissen, diese Zeiten sind vorbei. Hörst du? Ich hab hier viel zuviel Arbeit, als daß ich meine Beziehungen zu all diesen Leuten aufrechterhalten könnte, ich hoffe, du verstehst das, und je mehr die Zeit vergeht, um so mehr Kontakte verliere ich, weißt du, die warten nicht auf mich, das kannst du mir glauben. Das sind Kreise, da kann man es sich nicht leisten, hinterdreinzuzockeln. Danny, da bist du schneller wieder draußen als du reinkommst, da kannst du Gift drauf nehmen ...!

Er sagte mir nichts Neues. Meine Illusionen über die Welt im allgemeinen, die hatte ich samt und sonders schon lange verloren. Ich wußte, was den Schwächsten unter uns blühte, all denen, die nicht mitkamen. Darauf brauchten wir nicht näher einzugehen. Im übrigen war ich aus dem Alter heraus, mich mit Typen herumzuschlagen, die halb so alt waren wie ich und nur einen einzigen Gedanken im Kopf hatten. Nein, nicht dafür.

Ich gab keine Antwort. Ich überlegte, warum er mich so anglotzte.

– Weißt du, was das ist ...? fragte er mich und faßte mit spitzen Fingern nach den Blättern, um sie mir wie einen Stoß Damenunterwäsche unter die Nase zu halten. Nein ...? Nun denn ... Das ist alles, was ich anzubieten habe, mehr gibt's nicht, und ich hab auch seit vierzehn Tagen nichts Neues reinbekommen. Ich glaube, es geht darum, noch eine Folge an *Ich folge dir bis ins Grab* dranzuhängen, ich glaub, die haben keine Lust, den Kerl am Ende sterben zu lassen ...

– Das dürfte schwierig sein ..., antwortete ich, nachdem ich einige Sekunden überlegt hatte.

Paul schrumpfte auf seinem Stuhl zusammen und musterte mich durchdringend.

– Oh ...! Und ob ...! zischte er. Das ist ein Problem allerersten Ranges! Wie kriegt man eine dämliche Geschichte noch dämlicher hin, ich kann mir vorstellen, das ist bestimmt nicht einfach ...

Er pfefferte die Blätter quer durch sein Büro. Ich blickte ihnen nach und dachte mir, das ist mein Job, der da davonfliegt. Er sprang auf und flitzte zum Fenster, um sich dort aufzubauen. Ich hatte bereits festgestellt, ein Typ, der in einem Büro lebt, wird magisch vom Tageslicht angezogen.

– Tja, kurz und gut ... Ich glaub nicht, daß du mir vorwerfen kannst, ich hätte dich nicht früh genug darauf hingewiesen, seufzte er. Dan, ich kann dir gar nicht sagen, wie sehr es mich betrübt, daß du dich auf diesem Weg derart sperrst, aber glaub mir, wenn ich könnte, ich würde dir weiterhin helfen, trotz allem, ich würde dich diese Dinger da bis ans Ende deiner Tage schreiben lassen. Jedenfalls, das Ganze ist ein heilloser Schlamassel.

Sie waren nur mehr eine ganz kleine Handvoll, die da dachten, ich hätte noch Talent, aber wenn einer wußte, daß sie im Irrtum waren, dann ich. Leider finden sich immer Leute, die alles besser wissen als man selbst und die einem das Leben schwer machen. War das denn so schwer vorstellbar, daß ein Typ mitten in seinen besten Jahren zu schreiben aufhörte, ohne daß er einen besonderen Grund dafür hatte? Würde man mich noch lange damit anöden? Durfte ich hoffen, mich eines Tages dieser stupiden Last entledigen zu können...?

Paul kehrte mir den Rücken zu. Da ich nichts zu sagen hatte, stand ich schließlich auf und ging zur Tür.

– Dan... Weißt du, daß du noch fünfundzwanzig, dreißig Jahre vor dir hast?

– Verdammt, das will ich hoffen.

– Nun denn, merk dir eins...

– Schieß los, hier zieht's.

– Wenn du soweit bist, dich arbeitslos zu melden, dann bin ich da und warte auf dich.

Es war lange her, daß eine so dunkle Wolke über meinem Haupt geschwebt hatte. Das erinnerte mich an so manche Episode, an ganze Abschnitte meines Lebens, wo ich hatte lernen müssen, den Gürtel enger zu schnallen, aber mittlerweile blickte ich mit einer gewissen Melancholie auf das zurück, was John Fante den *Wein* der Jugend nennt.

Aus einer Distanz von gut zwanzig Jahren betrachtete ich amüsiert die Vielzahl von Jobs, die ich ausgeübt hatte, ehe ich zu schreiben begann. Ich glaube felsenfest, zu dieser Zeit strich der Wind der Freiheit über mein Leben. Sobald mir ein Chef mit der Hand über den Rücken fuhr und anbot, mein Gehalt aufzubessern, rannte ich Hals über Kopf davon, manchmal sogar in eine andere Stadt. Wenn ich diese Typen sah, die von der Schulbank hüpften, um sich im nächsten Augenblick mit einem Seufzer der Erleichterung in irgendeinem Laden einsperren zu lassen, brach mir der kalte Schweiß aus, und ich betete zum Himmel, daß mir das so spät wie möglich passieren möge.

Einen Moment lang versuchte ich mir vorzustellen, ob ich erneut als Kellner, Nachtwächter oder Hilfsdocker arbeiten könnte, und ich kam zu dem Schluß, daß mich nicht mehr der gleiche Mut wie einst beseelte und daß mich, der ich stramm auf die Vierzig und ein paar Zerquetschte zuging, eine solche Aussicht nicht verlocken konnte.

Auf dem Nachhauseweg machte ich eine Bestandsaufnahme dessen, was mir blieb. Ich hatte noch eine ganze Serie zu verfassen sowie einen Fernsehfilm und ein wenig Kleinkram, der meines großen Genies unwürdig war. Alles in allem, wenn in der Zwischenzeit nichts Neues dazukam, hatte ich also noch ein paar Monate zu tun, bevor ich am Rande des Abgrunds stand. Das war zum Glück weit genug entfernt, um mich daran zu hindern, gleich wie Espenlaub zu zittern. Ich kippte ein Glas und nahm mir fest vor, wachsam zu bleiben und mir all diese Fragen im Schutze meiner weiterhin schlaflosen Nächte durch den Kopf gehen zu lassen.

Ich beschloß, Hermann nichts davon zu erzählen. Ich wußte ohnehin nicht, was ihn, abgesehen von Gladys und seinen Theaterkursen, hätte bekümmern können. Mitunter war es an mir, ihn zu fragen, ob er Geld brauche. So wie ich ihn von Zeit zu Zeit losschicken mußte, damit er sich was kaufte, wenn Sarah mal wieder meinte, ich glaub, er braucht ein Paar Schuhe, du solltest ihm eine Hose kaufen, seine Jacke taugt nur noch für die Mülltonne... Ich geb zu, daß mir diese Dinge zuweilen überhaupt nicht auffielen, ich guckte nicht nach, was sich in seinem Schrank tat, und er half mir seinerseits auch nicht sonderlich. Wenn man ihn hörte, brauchte er nie etwas, oder aber er wußte nicht genau, was eigentlich.

– Ich hab 'nen Horror vor neuen Klamotten..., sagte er zu mir. Ich fühl mich da drin nicht wohl.

Meine Aufgabe war alles andere als einfach. Ist ein Vater gehalten, regelmäßig den Zustand der Schuhsohlen seines Sohnes zu kontrollieren? Wie lange hatte ich gebraucht, um festzustellen, daß er mit zwei Paar Socken herumlief, hatte er mir nur ein Sterbenswörtchen gesagt...?

Wenn er sich feinmachen wollte, lieh er sich eins meiner Hemden, und damit war die Sache für ihn erledigt. Er brauchte sich bloß noch mit ein wenig Wasser übers Gesicht zu gehen und mit dem Kamm durch die Haare. Das hatte er allerdings, glaube ich, von mir, von seiner Mutter konnte er das nicht haben. Ich hatte eines Abends mit Gladys darüber gesprochen, ich hatte sie ein wenig zur Seite gezerrt und einen Ton angeschlagen, der klipp und klar war.

– Hör mal, du müßtest doch als erste mitbekommen, wenn mit seinen Klamotten etwas nicht stimmt, nicht wahr...? Nun ja, ich weiß nicht, du bräuchtest mich bloß unauffällig zu warnen, bevor die Dinge ausarten, du weißt doch, auf ihn kann man sich da nicht verlassen, und ich, ich schaffe es nicht immer, nachzusehen, ob seine Sachen bereits völlig verschlissen sind... Du kennst ihn, ihn kratzt das nicht... Kurz und gut, ich brauche einen Beobachter, der immer in vorderster Front steht.

– Na schön, einverstanden. Wenn du willst. Aber weißt du, mich stört das nicht, ich finde, er sieht ganz gut aus...

– Soso... Das ist nicht das Problem. Versuch ihn mit anderen Augen zu sehen, bitte, tu mir den Gefallen... Ich muß gestehen, daß mir einige Kleinigkeiten vollkommen entgehen.

– Oh... Naja, dann kann das so schlimm auch nicht sein.

– Nein, das habe ich auch nicht behauptet... Ich sprech dich nur darauf an, weil ich das Gefühl hab, Frauen haben für so etwas einen Blick. Das heißt, wer weiß, vielleicht ist dir das ja ganz egal...

– Eh... Jetzt übertreibste aber, sehr nett...

Ich prostete ihr lächelnd zu und kippte meinen Martini-Gin zum Zeichen der Reue. Nichts zu machen, sie ließ den bösen Dan in seiner Ecke stehen und gesellte sich wieder zu den anderen.

6

Im Frühsommer hatte Hermann seinen ersten öffentlichen Auftritt. Als ich ihn über die Bühne schreiten sah, sämtliche Blicke auf ihn gerichtet, spürte ich schlagartig, daß er in ein Alter gekommen war, wo sich das Leben um ihn kümmern würde, ohne mich um meine Meinung zu fragen, und ich hatte Lust, ihm zuzurufen: NIMM DICH IN ACHT, HERMANN, PASS JETZT SCHWER AUF...!

Ich ließ meine Hand auf Elsies Knie zurückfallen. Sie tuschelte mir gerade ins Ohr:

– Sag mal, das macht ihn aber ganz schön alt, wie wird er erst mit zwanzig aussehen...!

Ich antwortete ihr mit leiser Stimme, sie solle sich deswegen keine grauen Haare wachsen lassen, in der Zwischenzeit könne sie sich ja um mich kümmern.

Wir waren allesamt gekommen, um ihn zu sehen. Marc war auch da, doch als es darum ging, Platz zu nehmen, hatte sich Elsie entschlossen, an meine Seite zu kommen. Auch wenn sie es abstritt, war ich doch überzeugt, daß sie sich im Grunde nicht entscheiden konnte. Zuweilen ertappte ich sie dabei, daß sie uns beide mit einer kleinen Sorgenfalte und einem starren Lächeln betrachtete. Das schien alles andere als leicht zu sein.

Ich nahm meine Hand von ihrem Knie, um mich auf Hermann konzentrieren zu können. Er war nicht besonders gut, aber man spürte, er war mit dem Herzen dabei, naja, ich als sein Vater, ich hätte ihm 'ne Drei bis Vier gegeben, zumal sein Spiel an Geschmeidigkeit gewann, je mehr das Stück fortschritt. Elsie reichte mir ihr Kaugummipäckchen, dabei schenkte sie mir einen liebevollen Blick, der mir kundtat, daß sich ihre Gefühle für den Moment, vielleicht sogar für den Rest des Abends, zu meinen Gunsten neigten. Na schön, bestens.

Die letzte große Feier in meinem Hause war, mehrere Monate bevor mich Franck sitzengelassen hatte, über die Bühne gegangen. Ich erinnerte mich noch vage an das Ende, an den letzten Händedruck auf dem Bürgersteig, als der Morgen bereits graute, und an Franck, die stumm hinter mir stand. Zu diesem Zeitpunkt gelang es mir schon nicht mehr, zu schreiben, nur hatte ich mich noch nicht damit abgefunden und durchlief gerade meine schmerzlichste Entzugsphase überhaupt. Ich war darüber hinweg, mich mit Krämpfen im Bauch auf dem Boden zu wälzen, doch ich war völlig niedergeschmettert, und ich trank, um nicht mehr daran zu denken. Das klappte nicht immer, aber ich hatte zumindest den Eindruck, es handele sich nur um einen Alptraum und ich könne mich, wenn ich aufwachte, wieder an meine Schreibmaschine setzen und weiterarbeiten.

Franck war wortlos nach oben gegangen, aber ich wußte sehr gut, was los war. Ich hatte mich einmal mehr vollaufen lassen, und ich war an eine Frau geraten, die das nicht ertrug. Dabei hatte ich sie niemals geschlagen oder verprügelt, nie hatte ich ihr auch nur ein Haar gekrümmt, ich liebte sie abgöttisch. Nur daß sie mir nicht mehr glaubte, sie behauptete, ich würde mich anders benehmen, wenn ich sie wirklich liebte, und es war mir nicht gelungen, sie vom Gegenteil zu überzeugen. Damals zerrann mir alles zwischen den Fingern.

Das war ungefähr sieben, acht Jahre her. Ich glaube, das war eine der schlimmsten Szenen, die wir je hatten. Wir schrien beide dermaßen laut, daß Hermann schließlich aufwachte. Er stand weinend vor der Tür seines Zimmers. Auch Franck weinte. Ich hab gedacht, ich werd verrückt. Wer weiß, vielleicht war ich auf dem besten Wege dazu. Im Grunde kam ich erst viele Monate später wieder zu mir, als alles vorbei war und ich mich allein um Hermann zu kümmern hatte.

Sowie das Stück zu Ende war, versammelten wir uns in der Halle. Wir hatten vereinbart, zu warten, bis sich Hermann und seine Mitspieler umgezogen hatten, und uns dann auf die Wagen zu verteilen, doch da ich mit dem Motorrad gekommen war, beschloß ich, vorauszufahren und Hausherrin zu spielen. Elsie bestand darauf, mich zu begleiten. Diesen Abend war sie in mich verliebt, daran bestand kein Zweifel mehr.

Ich hielt unterwegs an, um Zigaretten und ein paar Extra-flaschen zu kaufen, für den Fall, daß ich ein wenig knapp kalkuliert hatte. Die Nacht war mild und leicht klebrig. In Anbetracht der Größe meines Gartens würden längst nicht alle etwas davon haben, und ich befürchtete ein gewisses Gedränge um meine Liegestühle.

Ich kurvte über die Umgehungsstraße, um uns ein wenig frische Luft zu gönnen. Elsie hatte eine Hand zwischen zwei meiner Hemdenknöpfe geschoben und streichelte mir über den Bauch. Ihr Kopf ruhte an meinem Rücken. Ich bedauerte es, daß Franck so etwas nie kennengelernt hatte, ich war sicher, es hätte ihr gefallen. Den meisten Mädchen gefällt es, rittlings auf einem Sattel zu sitzen, zumindest bilde ich mir das gern ein.

Für den Anfang hängte sie sich um meinen Hals, als ich versuchte, den Schlüssel ins Schloß zu stecken. Das machte mir die Sache nicht gerade leichter, sie wog gut und gern sechzig Kilo. Da sie, wie ich merkte, nicht gewillt war, ihre Füße wieder auf den Boden zu setzen, drückte ich die Tür auf und transportierte uns mit einem etwas steifen Gang ins Haus.

Ich riskierte es, sie mit einem Fußtritt wieder zuzuschlagen, so daß wir für den Zeitraum von einer Sekunde auf einer Haxe balancierten. Ich machte kein Licht. Die Straßenbeleuchtung bewahrte uns netterweise vor völliger Dunkelheit.

Obwohl sie im Begriff war, mein Gesicht mit feurigen Küssen zu bedecken, schaffte ich es, ein Lächeln aufzusetzen. Was war in sie gefahren, was für Pillen hatte sie geschluckt, um in einen solchen Zustand zu geraten? Ihre Hände flogen durch meine Haare, zerzausten mich schonungslos, ihre Lippen hielten nicht still, ihr ganzer Körper stöhnte, und das in einem Maße, daß mich, wäre ich nicht mit der Natur dieser Dinge vertraut gewesen, durchaus eine gewisse Unruhe hätte beschleichen können, um so mehr, als sie heftig atmete und mir zwischen zwei Quiektönen schwor, sie werde in Nullkommanichts Hackfleisch aus mir machen.

Ich setzte sie vor meinen Knien ab. Mit einer präzisen Handbewegung ließ sie die Schnalle meines Ledergürtels aufspringen. Ich guckte trotzdem auf die Uhr. Jedes noch so simple Kalkül war unter diesen Umständen alles andere als einfach, dennoch schätzte ich, wir hatten kaum mehr als zehn Minuten. Das war knapp. Womöglich hatten sich die anderen schon auf den Weg gemacht, und viel Verkehr hatte ich unterwegs nicht bemerkt. Ich schob die Haare zur Seite, die ihr ins Gesicht fielen, um einen Moment zu sehen, was sie da trieb. Ich spürte, wie mich eine Aufwallung von Zärtlichkeit überkam.

– Was für eine Unbekümmertheit..., sagte ich mir. Von einer Minute auf die andere können vierzig Personen hier aufkreuzen, und sie, sie läßt sich Zeit, sie hat sie vollkommen aus ihrem Gedächtnis gestrichen...!

Ich löste mich ganz behutsam von ihr und reckte meinen nackten Hintern nach hinten. Frohen Herzens tat ich das nicht.

– Dan...!? murmelte sie und blickte zu mir auf. Ich hielt den Zeigefinger vor den Mund, denn diesmal konnten Worte nur schaden, wir hatten keine Sekunde zu verlieren.

Ich streckte eine Hand nach ihr aus, um ihr hochzuhelfen. In meinem Kopf hatte der Countdown begonnen. Kaum auf den Beinen, machte sie Anstalten, sich meiner Lippen zu bemächtigen und nach meinem Ding zu packen, doch ich wich aus und hob sie auf die Arme. Zum Glück war meine Hose nur halb heruntergezogen, ich konnte noch gehen, und das Sofa war nicht meilenweit weg. Auf dem Weg knabberte ich an einer ihrer Brustwarzen.

Ihr Geruch betäubte mich so sehr, daß ich beinahe alles zum Teufel gejagt und mich mit ihr in der Bude verbarrikadiert hätte. Ich biß die Zähne zusammen, wir saßen auf einem Pulverfaß. Ich setzte sie schnell ab. Ihre Strümpfe schimmerten im Halbdunkel, ihre Augen leuchteten, ihr Hände waren wunderbar. Die Vernunft hätte geraten, sie auf der Stelle zu nehmen, aber ich konnte mich nicht dazu entschließen.

Da die Zeit drängte, beschränkte ich mich darauf, ihr Röckchen hochzuschürzen und oben aufzuhaken.

– Dan, Liebling...! stieß sie hervor und richtete sich auf, denn sie wollte noch mehr von meinen Lippen.

Ich regelte das in aller Eile, dann schaffte ich es, daß sie stillhielt. Ich konnte nicht umhin, sie eine Weile zu betrachten, ich stand vor einem Glutofen.

Ein Wagen fuhr am Haus vorbei, er ließ mir das Blut erstarren. Es war nicht der rechte Augenblick, vor mich hin zu dösen. Der Abend hatte noch nicht begonnen, es kam also nicht in Frage, daß ich ihre Strumpfhose in tausend Stücke zerfetzte. Dennoch, wenn man die Sache nüchtern anging, durfte man nicht außer acht lassen, daß ich nicht gerade jünger wurde, da brauchte ich mir nichts vorzumachen, und mir war vollkommen klar, daß ich mich auf solche Gelegenheiten stürzen und soviel wie möglich dabei herausholen mußte, denn, naja, ewig würde das nicht währen, und wer würde nicht mit dem Kopf gegen Mauern rennen, wer würde sich nicht verfluchen, wenn man es nicht verstanden hat, sich um seine Seele zu kümmern, als noch Zeit dazu war?

Ich beschloß, nicht länger zu trödeln, weigerte mich aber, sämtliche Etappen zu überspringen. Ihre Brust reizte mich. Ich leistete mir einen kurzen Abstecher, der ihr ein Stöhnen entlockte, das einem durch Mark und Bein gehen konnte.

– Donnerwetter!, dachte ich, denn ich kannte sie gut genug, um zu merken, daß sie wirklich *sehr* erregt war. Die Sache stellte sich noch schlimmer dar, als ich ohnehin dachte. Schlagartig verlor ich jegliche Hoffnung, das Ganze in ein paar Minuten zu regeln, es sei denn, ich hätte verdammtes Schwein. Ich spürte Schweißperlen auf meiner Stirn.

Ich spitzte ein letztes Mal die Ohren. Das ganze Viertel, von Elsie abgesehen, schien wie geknebelt, es gab kein einziges Lebenszeichen jenseits meiner Tür.

– Komm, Danny . . ., wir haben keine Zeit! wimmerte sie.

Ja, was dachte sie denn? Daß ich Maulaffen feilhielt . . .? Sie stützte sich leicht ab, und ich rollte ihre Strumpfhose über ihre Knöchel. Ich war heilfroh, als ich sah, daß sie keinen Slip anhatte, immerhin etwas.

Ich wollte ihre Knie auseinanderziehen, aber sie hatte bereits einen höheren Gang eingelegt und spreizte die Beine, ohne daß ich sie darum gebeten hatte. Meine Ohren, bislang lauwarm, wurden brennend heiß. Sie wartete nicht auf mich, um mit ihren Brüsten zu spielen.

– Wenn's dich nicht stört, sagte ich, könntest du mir ruhig eine überlassen...!

Sie fügte sich bereitwillig. Ich legte meine Hand darauf und spürte ihre Brustwarze, die mir den Handteller kitzelte. Ich fragte mich beiläufig, wie lange ich die anderen auf dem Bürgersteig stehen lassen konnte, bis sie mir die Tür eintraten, dann fiel mir ein, daß Hermann einen Schlüssel hatte. Beklommen stieg ich zwischen ihre Beine herab, die sich sogleich noch ein wenig mehr öffneten. Klarer ging's nicht. Die Botschaft lautete, ich solle nicht lang fackeln, sie habe nicht die Absicht, sich den sonstigen Spielchen zu widmen oder sich mit einer ganzen Batterie von Nebensächlichkeiten aufzuhalten. Mußte man mir das lang und breit erklären?

– Sehr gut, Dan...! bedeutete sie mir mit den Augen, als sei ich ein Kind, das verloren am Straßenrand steht, sie fuhr mit beiden Händen zwischen ihre Beine hinab und wies mir den Weg, indem sie ihre Spalte mit den Fingerspitzen auseinanderzog.

Bevor ich zur Sache kam, legte ich einen Moment meine Wange auf die Innenseite ihres Oberschenkels. Das war eine Art Ritual, diese kurze Rast, und ich gab mich dem, wenn ich dort anlangte, mit schöner Regelmäßigkeit hin. Ich kannte nichts Feineres, die Zartheit ihrer Haut an eben dieser Stelle fesselte mich buchstäblich, und normalerweise hatte ich alle Mühe der Welt, mich davon zu lösen. Meines Wissens gab es keinen angenehmeren Kontakt, und gegen Ende schloß ich stets die Augen, um, den Verstand abgeschaltet und die Nasenlöcher weit offen, diese reine Freude voll in mich aufzunehmen, während ich mich damit vergnügte, mit einer Hand an ihrer Muschi zu spielen, und sie ein »Ah, Dan«, »Oh, mein lieber Dan« nach dem andern ausstieß.

Leider begnügte ich mich diesmal nicht mit einem symbolischen Halt an ihrem Oberschenkel. Das machte mich halb krank, ich verspürte eine Art Haß auf die ganze Welt. Kurzum, es ging darum, zu retten, was noch zu retten war, aber schnell...!

Sie stützte sich auf die Ellbogen.

– Mensch, Dan, was treibst du da...?

Ich gab keine Antwort. Natürlich, für sie war das nicht das-selbe. In ihrem Alter zog man nicht einmal in Betracht, daß man nicht bis an sein Lebensende bumsen kann. Ich sagte mir, es führt zu nichts, ihr zu erklären, wie es da um mich stand. In diesem Moment interessierte sie nur eins, ihr Becken zu schwingen und mir das Lied ihrer Hinterbacken auf dem alten Leder meines Sofas vorzuspielen.

Ich war dafür nicht unempfänglich. Meine Bedenken über-windend, pflanzte ich ihr meine Zunge unten gegen das Steißbein und erkundete das Gelände bis zu ihrem Bauchnabel. Halb er-stickt, bäumte sie sich auf, so daß wir um ein Haar zu Boden ge-gangen wären. Sie machte sich steif und packte mich kräftig an den Ohren.

– Weiter...! knurrte sie.

Alles andere hätte mich überrascht. Im übrigen war ich durch-aus bereit, weiterzumachen, aber nur unter der Bedingung, daß sie endlich aufhörte, mich so zu packen.

– Oh, Danny...! Hab ich dir weh getan...?

Dannys Ohren waren Matsch, aber er schenkte ihr ein wohl-wollendes Lächeln. Daß in der Bude immer noch eine tiefe Stille herrschte, grenzte dermaßen an ein Wunder, daß mich nichts wirklich bekümmern konnte.

– Wer weiß, vielleicht bleibt dir noch ein halbes Stündchen..., neckte ich mich übermütig, von verrücktem Optimismus erfüllt. Wer weiß, vielleicht quatschen sie noch ein wenig auf der Straße, während du hier Blut und Wasser schwitzt...?

Allzu fest glaubte ich nicht daran, dennoch nahm ich mir die Zeit, ihr die Strumpfhose ganz auszuziehen und sie zärtlich um ihren Schenkel zu knoten. Nicht daß diese Sitzung irgendwelche Chancen hatte, sich meinem Gedächtnis bleibend einzuprägen, aber ich hoffte trotz allem, ein Detail in Erinnerung zu behalten, das meinem Herzen teuer war.

Elsie seufzte beinahe gequält, als ich ihr ein Bein über die Rük-kenlehne des Sofas legte. Ich wunderte mich, daß sie ansonsten stumm blieb, sie, die gewöhnlich nicht mit freimütigen Obszönitäten geizte, aber im Grunde stimmte so gut wie nichts bei dieser ganzen Geschichte. Das war sicher gar nicht so einfach, zwei Typen im Kopf zu haben und den Geschmack am Spaß zu behalten. Ganz davon zu schweigen, daß – wenn ich mich nicht irre – die Aussicht, ruckzuck bumsen zu müssen, nicht dazu angetan war, ein Mädchen sonderlich gesprächig zu machen. Ich beugte mich erneut zwischen ihre Beine.

– Ich wichs dich durch und durch...! warnte ich sie mit dumpfer Stimme.

Ich, ich konnte es anstellen, wie ich wollte, ich hatte keinen Funken Phantasie auf diesem Gebiet, meine Worte klangen zumeist recht lächerlich. Elsie machte mir immer wieder Mut, aber ich fand mich nicht sehr überzeugend. Ich fragte mich sogar, ob ich das jemals hinkriegen würde. Ich glaube, selbst in sexueller Hinsicht hatten die Worte ihren Reiz für mich verloren.

– Hör mal, sagte ich zu ihr, dir ist doch klar, daß ich mich nicht ewig dranhalten kann... Also tu mir die Liebe und bummel nicht rum...!

Sie klimperte mit den Wimpern. Es ging los. Jetzt blieb einem nur noch zu beten.

Nach meinem Dafürhalten war die Enthaarung, die Elsie vornahm, eine ständige Wonne. Überdies war das meine erste Erfahrung auf diesem Gebiet, und ich war sehr schnell ein begeisterter Anhänger der Sache geworden. Ich klatschte in beide Hände angesichts dieser Mischung aus Unschuld und Verkommenheit, das Schamhaar hatte jedweden Reiz für mich verloren. Bei Elsie konnte man beherzt rangehen, man lief nicht Gefahr, an einem Härchen tief in der Kehle zu ersticken.

Man mußte sie während der gesamten Übung kräftig packen, nur ja nicht glauben, sie werde sich damit begnügen, friedlich zu strampeln oder mit den Hüften zu wackeln wie die meisten andern. Es hätte mich interessiert, wie sich Marc beim erstenmal aus der Affäre gezogen hatte, ich für mein Teil hatte mich nur ein paar mickrige Sekunden gehalten, ehe ich auf dem Bettvorleger gelandet war, ohne zu wissen, wie mir geschah. Ah, Elsie...! Kaum war man mit der Nase voraus zwischen ihren Beinen niedergegangen, setzte auch schon ein starkes Wogen ein, und wenn man das Pech hatte, mit einem seiner Finger ihren Anus zu streifen, brach der Sturm brutal los, und man hätte meinen können, der ganze Himmel versuche einen über Bord zu schmeißen.

Inzwischen hatte ich jedoch einige Erfahrung in der Sache. Und wenn sie noch so bockte, ich ließ nicht los, und wären wir mitten auf die Straße gerollt. In diesem Moment hatte ich ihren Kopf gegen die Armlehne des Sofas gepreßt, und ich drückte sie nieder, aber nicht ohne eine relative Elastizität, was mir erlaubte, manch hinterhältigen Hüftschwung abzuschwächen und zu vermeiden, daß mir die Lippen an ihren Beckenknochen aufplatzten.

Sie hatte mich an den Haaren gepackt, aber das war ihr gutes Recht, und ich war da auch nicht sehr empfindlich. Ich hoffte, sie würde mir nur die grauen ausreißen. Ich kämpfte lautlos, während sie zappelte und mich mit tonloser Stimme beschwor, um Himmels willen nicht aufzuhören. Ich fühlte mich in diesen Augenblicken stets sehr bedeutsam, als wäre ich dabei, ein Stück Feuerstein aus den Flammen hervorschnellen zu lassen. Ich war selbst schrecklich erregt und wartete stets voller Ungeduld, daß ich an die Reihe kam, aber deshalb rührte ich mich trotzdem nicht von der Stelle, ich ließ nicht davon ab, artig ihr Döschen zu wienern.

– O ja, ich fleh dich an…! wimmerte sie. O Gott, ich *fleh* dich an…!!

Sie erzitterte von Kopf bis Fuß. Von neuen Kräften beseelt, steckte ich einen Finger in ihren Mund und schob ihn ihr anschließend in den Hintern. Sie stützte sich auf den Ellbogen, um mir zu schwören, sie liebe mich. Das machte mir Freude, und ich lächelte sie an, aber ich glaubte ihr kein Wort. Ich nutzte die Gelegenheit, um ein wenig zu verschnaufen und ein Bein aus meiner Hose zu schälen.

– Das ist mein Ernst, weißt du das…

Ich gab keine Antwort. Ich wischte mir ein wenig das Kinn ab und schickte mich an, zwischen ihre Beine zurückzukehren, aber sie zog mich an sich und verpaßte mir einen dieser Wahnsinnsküsse, bei denen kein Ende abzusehen war. Ich fand mich auf allen vieren über ihr wieder. Ihre Arme hatten sich um meinen Hals geschlossen, ihre Beine um meine Lenden verknotet, mit anderen Worten: sie hing an mir wie eine Klette, und das Ganze drohte sich in die Länge zu ziehen. Sie war im Begriff, jeden Quadratzentimeter meines Gesichts abzuküssen, besonders lästig war mir das nicht, aber ich verlor auch nicht aus den Augen, daß wir mit dem Feuer spielten und das Schlimmste jeden Moment eintreffen konnte. Bislang hatten wir sagenhaftes Glück gehabt, ich war mir des Geschenks, das uns zuteil wurde, voll bewußt, und ich hatte nicht die Absicht, mehr zu verlangen, es widerstrebte mir, den Bogen zu überspannen.

Also drang ich blindlings in sie ein, was sie mit einem entzükkenden Fauchen aufnahm, bei dem sie mir die Fersen gegen den Hintern rammte.

– Ah, komm näher, steck ihn rein, steck ihn tief rein, Danny . . .!

Ich beruhigte sie, indem ich die Hüfte schwang, damit sie merkte, daß ich in Fahrt war und bestimmt nicht vorhatte zu knausern. Ich küßte sie auf den Hals.

– *E non ho amato mai tanto la vita, tanto la vita!* summte ich, die Augen halb geschlossen.

– Du, mein Danny . . ., gurrte sie. Ich bin sicher, wir haben noch Zeit . . .!

Grinsend reichte ich ihr eine Rolle Küchenpapier.

– Elsie . . . Sei vernünftig. Die können jeden Moment aufkreuzen.

Sie seufzte und schnappte sich die Rolle, während ich meine Hose hochzog. Ich beugte mich lächelnd über sie, um ihr Haar zu küssen. Ich wußte, sie war ahnungslos. Mochte ich auch in einer für mein Alter relativ akzeptablen Form sein, war ich doch nicht mehr in der Lage, Schlag auf Schlag zu bumsen wie einst, als ich zwanzig Jahre jünger war, als es mir vergönnt war, die halbe Nacht einen stehen zu haben. Mittlerweile mußte ich kleine Pausen einlegen. Ich wurde deswegen nicht rot, aber eines meiner Lieblingsthemen war das auch wieder nicht.

– Führe mich nicht in Versuchung, murmelte ich. Ich bitte dich, rück diesen Rock zurecht, oder wir sind erledigt...

Sie zögerte eine Sekunde, mit gespreizten Beinen und leuchtender Möse. In diesem Augenblick habe ich geglaubt, vielleicht schaffe ich es. Ich war mir nicht hundertprozentig sicher. Ich senkte die Augen und ich trat zur Seite, um die Fenster ein wenig aufzureißen, um zu lüften. Die Straße war leer, der Himmel sternklar. Wenn man sich fragt, ob man es schafft, braucht man es gar nicht erst zu versuchen. Ich goß mir ein Glas voll, ohne mich umzuwenden, während sie sich abwischte, dann hörte ich sie ins Bad rennen, und ich blieb eine Weile reglos stehen, in Erinnerung an alte Zeiten.

Als wir den Wagenzug vor der Bude bremsen hörten, warf mir Elsie einen herben Blick zu. Wir hatten gut eine Viertelstunde auf dem Sofa herumgesessen, und aus ihrer Sicht verstand es sich von selbst, daß ich nur Schiß gehabt hatte und daß wir diese kostbaren Minuten anders als sinnlos schwafelnd hätten verbringen können, und ich glaube schon, daß sie mir böse war. Ich zwinkerte ihr für alle Fälle zu, dann stand ich auf, während draußen die Wagentüren knallten und sie sich wortlos eine Handvoll Erdnüsse krallte.

Ich riß die Tür sperrangelweit auf und trat zurück, darauf bedacht, mein Glas gegen die Brust zu pressen. Die erste Welle strömte herein, buntgescheckt und lärmend, während die alten Hasen besonnen und mit amüsiertem Gesicht draußen auf dem Bürgersteig warteten. Diejenigen, die die Arme voll hatten, schickte ich direkt in die Küche. Berge von Klamotten stapelten sich am Fuß der Treppe. Auf einmal wurde es unbestreitbar wärmer. Jemand kümmerte sich um die Musik, während draußen immer noch Leute standen. Paul steckte mir im Vorbeigehen eine Handvoll *Monte Christo No. 3* in die Brusttasche. Ich kannte bei weitem nicht alle. Manche legten mir die Hand auf die Schulter, andere umarmten mich, etliche warfen mir einen entsetzlich leeren Blick zu. Insgesamt zählte ich fünfundsechzig Personen. Ich fragte mich, ob ich noch zu retten war.

Wie gesagt, es war ewig her, daß ich im Haus ein Fest gegeben hatte, und einige Minuten lang stand ich wie angewurzelt im Eingang und trat von einem Bein aufs andere, käute alte Erinnerungen wieder, fragte mich, welchem Zweck das Ganze wohl diente und ob ich es womöglich verlernt hatte, mich zu amüsieren. Ich beschloß, mein Glas nachzufüllen und mich näher mit dieser Frage zu befassen.

Hermann hatte sich bereits seines Hemds entledigt und stolz eines seiner eleganten, so sorgsam aufbewahrten T-Shirts mit den verschlissenen Fasern übergestreift. Seine Augen funkelten, er schien in Hochform, er redete lautstark und vergewisserte sich, daß jeder zu trinken hatte und es niemandem an etwas fehlte. Auch ich hatte mir diese Sorte von Veranstaltungen gefallen lassen, ich hatte einen Großteil meiner Jugend in überfüllten Räumen verbracht und das gleiche Gesicht gemacht wie er, es hatte mir Spaß gemacht, unter Leuten zu sein, sie zu beobachten, ihnen zuzuhören und mit ihnen zu diskutieren und mit den ersten Strahlen der Sonne auf der Straße zu stehen, mit vielleicht einer Unbekannten am Arm und vor Zigaretten heiserer Stimme und die Sinne von einem letzten Glas aufgepeitscht. Was Hermann gerade entdeckte, hatte ich zwanzig Jahre hindurch praktiziert, und ich wußte nicht, was es mir gebracht hatte, aber ich bereute nichts. Ich hob mein Glas über meine Nase und trank heimlich auf das Wohl meines Sohnes, ehe ich auf ihn zutrat.

– Überlaß sie ruhig sich selbst..., raunte ich ihm ins Ohr. Sonst tust du den ganzen Abend nichts anderes.

– Jaja, keine Bange.

Ein Mädchen von der dreisten Sorte schlängelte sich zwischen uns und fragte ihn, wo in dieser verflixten Bude das stille Örtchen sei, sie müsse nämlich ihren Tampon wechseln, und zwar auf der Stelle. Hermann wies ihr freundlich den Weg.

– Sag mal, kennst du die...? erkundigte ich mich.

– Hmm..., die macht auch Theater.

– Die hält sich aber mächtig ran, finde ich...

Ich bereitete mich vor, ihn daran zu erinnern, daß dieses Fest ein wenig ihm zu Ehren stattfand und daß er und seine Freunde dies, ehrlich gesagt, nur verdient hatten, aber leider wurden wir getrennt, und so sparte ich mir meinen süßen Senf und schnalzte nur mit der Zunge. Aus dem Augenwinkel machte ich Marc und Elsie ausfindig, sie unterhielten sich, und wenn man mich fragte, redeten sie nicht über die Musik, sie standen in einer Ecke und schauten sich in die Augen. Im allgemeinen interessiere ich mich für die Veränderungen, die in meinem Verhalten vorgehen, und ich stellte fest, daß die Irrwege meiner Freundin, die mir zu anderen Zeiten überaus mißfallen hätten, nicht mehr viel in mir auslösten. Es war mir zwar nicht egal, aber ich zeigte keinerlei Reaktion und empfand nicht die geringste Wut. Ich fragte mich gerade, ob ich meine Haltung als einen Schritt auf eine größere Einsamkeit hin ansehen sollte, als mich Sarah an der Hüfte schnappte und mir einen Typ in den Vierzigern vorstellte, der mir sehr männlich die Hand drückte und mir versicherte, er sei erfreut, mich kennenzulernen. Seine Hand war feucht, seine Zähne zu weiß, perfekt ausgerichtet. Der da, dachte ich bei mir, der macht's nicht lang.

Ich sah zu, daß ich wegkam. Sarah stöberte mich bei den harten Getränken wieder auf, vor denen ich auf die Knie gesunken war, und kauerte sich neben mich.

– Und...? Was hältst du von ihm...?

– Hör zu, Sarah... Ich möchte, daß du diese Manie ablegst. Ich brauch nicht mit denen schlafen, ich mach mir keine Gedanken über diese Knacker, das solltest du ein für allemal begreifen...

Ich angelte mir eine Flasche aus dem Fundus und hielt sie mit beiden Händen fest. Obwohl ich es auswendig kannte, las ich mir das Etikett durch.

– Soll ich dir mal was sagen...? Daß dich dieser Typ mit seinen Händen anfaßt, da möchte ich lieber nicht dran denken. Aber im Grunde, was macht das schon...? Ich hab das Gefühl, du bist alt genug...

– Meine Güte, du mußt auch alles komplizieren...!

– Mag sein. Wenn du unbedingt meine Meinung wissen willst: ich finde, seine Nase ist zu groß.

Sie richtete sich seufzend auf. Ich goß mir vergnügt ein Glas voll, dann schlenderte ich umher, um da und dort ein wenig zu quatschen und sämtliche Frauen anzustieren, die meinen Weg kreuzten, denn das Geheimnis blieb unergründlich.

Hermann hatte weiterhin alles im Griff. Gladys assistierte ihm tatkräftig, und von Zeit zu Zeit stakste Richard mit einem Tablett auf den Armen und Gandalf auf der Schulter aus der Küche. Irgendein Typ kümmerte sich um die Musik, ein Bärtiger, der, wenn ich mich nicht täuschte, Bücher schrieb, aber solange er die Finger von meinen Klassikplatten ließ, hatte er meinen Segen. Im Garten wurde getanzt, sie lümmelten sich zu zweit in meinen Liegestühlen, streckten sich im Gras aus und guckten zum Himmel, andere wieder grölten, palaverten, zerflossen über den Appetithäppchen. Drinnen herrschte ebenfalls eine angenehme Atmosphäre, die Gesichter wirkten erleuchtet, die Augen funkelten, die Frauen warfen ihre Köpfe zurück, und die Typen hielten sich bereit, sie im Flug zu fangen. Die Nacht nistete sich seelenruhig auf ihrem Platz ein und ließ sich sanft gehen. Es war wie eines dieser mit Wasser und künstlichem Schnee gefüllten Spielzeuge, die man schütteln kann. Man mußte noch ein wenig warten, bevor man klar sehen konnte.

Um Punkt drei Uhr morgens dann, obwohl meine Sinne leicht benebelt waren, zuckte ich einigermaßen zusammen, als ich Kiri Te Kanawa *Ruhe sanft, mein holdes Leben* ... anstimmen hörte, und die Härchen sträubten sich mir auf den Unterarmen. Zutiefst verärgert verfluchte ich diesen Hurensohn, ich stand auf und schritt mit finsterer Miene auf ihn zu.

Er stand mit dem Rücken zu mir. Ich packte ihn an der Schulter.

– Paß mal auf, mein Junge ..., schnauzte ich ihn an. Er drehte sich mit geschlossenen Augen um, einen Finger quer über die Lippen, das Cover gegen die Brust gepreßt. Sein Gesicht war von einer solchen Glückseligkeit durchdrungen, daß jeglicher Zorn jäh in mir erlosch und ich meinerseits die Luft anhielt.

Im großen und ganzen hatten alle leicht einen in der Krone, und die Gespräche, die da und dort noch abliefen, hatten einiges an Verve verloren, so daß man durchaus ein wenig Musik hören konnte.

Ich ließ den Bärtigen erst am Ende des Stückes los, aber ich hatte meinen Griff gelockert und meine Hand ruhte freundschaftlich auf seiner Schulter. Das ist eine ganz merkwürdige Sache, sich einer Person verbunden zu fühlen, die man so gut wie überhaupt nicht kennt. Besonders in meinem Fall, wenn es sich obendrein um einen Schriftsteller handelt, und männlichen Geschlechts, und mit einem Bart von zwanzig Zentimetern. Als er die Augen aufschlug, begrüßte ich ihn mit einer Art Lächeln.

– Laß mir aber niemand anders daran . . ., murmelte ich.

Ich wandte mich ab und setzte mich neben Paul, der mir den Unterschied zwischen einem Typen mit einem aufgeschlossenen Geist und einem Sturkopf zu erklären versuchte. Ich hörte ihm nur mit halbem Ohr zu, ich guckte mir Hermann und seine Freunde an, die in einer Ecke beieinander hockten, und ich fragte mich, was sie trieben, ohne mich deshalb mit dem Gedanken zu tragen, wieder aufzustehen. Elsie saß seit einer Weile neben mir, seit sich Marc seine Gitarre geschnappt und mit einem ganzen Schwarm von Mädchen in den Garten verdrückt hatte. Ab und zu schmiegte sie sich an mich, und ich fuhr ihr mit der Hand durch die Haare, ohne mich zu bemühen, irgend etwas zu verstehen. Sie beklagte sich bei Sarah, ihre Platte werde schlecht vertrieben und die Rundfunksender seien in der Hand einiger Schwachköpfe, genauer gesagt, wenn man sie so hörte, einer Bande von mongoloiden Idioten, die angeblich ihre Mütter fickten. Andréa, meine holde kleine Sekretärin, beugte sich zu ihr hinüber und nickte verständnisvoll, sie saß auf spitzem Hintern, die Knie zusammengepreßt, und verkündete, bei den Verlagen sei das ganz genauso, die seien alle gleich. Sie klagten einmütig, daß die Zügel unweigerlich in die Hände einer kleinen Schar von Saukerlen gelangten, meinten aber, dies sei unvermeidlich.

Der Typ, den mir Sarah vorgestellt hatte, war schließlich in einem Stuhl eingenickt. Sie hatte ihn, ohne ausgesprochen abweisend zu sein, im Laufe des Abends alles andere als ermutigt, und der Typ war mit unglücklicher Miene um sie herumscharwenzelt. Ich wußte nicht, ob mein Gespräch mit Sarah etwas damit zu tun hatte, aber wenn dem so war, taten mir meine Worte leid. Ich ärgerte mich, daß ich es nicht verstanden hatte, meine Zunge im Zaum zu halten. Wenn ich Sarah nur eine einzige Minute ihres Lebens verdorben hatte, wenn ich ihr nur einen winzigen Augenblick ihres Glücks geraubt hatte, war ich eine Art Mörder, und noch dazu einer ohne wirkliches Motiv. Eigentlich glaubte ich mich zu kennen, aber man hört nie auf, die Abgründe seiner Seele zu entdecken.

Gut die Hälfte der Anwesenden hatte uns nach und nach verlassen. Nur mehr die Jüngeren, die Schlaflosen, die Sitzengelassenen hielten die Stellung. Die Callas, *Norma* von Bellini, aufgenommen 1957 in der Mailänder Scala. Ich blieb auf dem Pfad des Jack Daniel's, unter reichlicher Zuhilfenahme von Eisstückchen in Form eines Herzens oder Weihnachtsbaums.

Ich kümmerte mich um Pauls Glas. Alle halbe Stunde befiel ihn ein Anflug von Nostalgie, er faßte nach meiner Hand und fragte mich, ob ich mich noch an die Zeit erinnerte, wo es nur uns beide gab, wo wir nichts als die Literatur hatten und gerade soviel, um uns ein paar Sandwichs zu kaufen. Im allgemeinen dachte ich nicht so gern daran. Aber er ließ nicht locker, und als Andréa zufällig zwei, drei Fetzen unserer Unterhaltung mitbekam, war sie auf ihrem Stuhl einer Ohnmacht nahe, ihre Wangen röteten sich, und sie blickte uns aus zärtlichen Augen an, als wären wir ihre lieben Kinder. Ich ließ sie spinnen. Ich war mittlerweile in einem Zustand, in dem mich nichts mehr treffen konnte.

Mitunter brach aus einer Gruppe, die man eingeschlafen glaubte, ein Lachen hervor, oder irgendein Arsch zerbrach mir ein Glas, oder ein Mädchen kam vom Lokus und zog die Spülung. Eine Gruppe Ausgehungerter hatte sich in der Küche verschanzt und mopste die Ladenhüter und meine letzten Flaschen Wein. Ich konnte am Geräusch erkennen, was sie trieben, welche Schublade sie öffneten, welchen Schrank sie belagerten und ob sie kaltes oder warmes Wasser laufen ließen und wie oft sie den Griff des Kühlschranks betätigten. Wenn ich mich trotz allem recht wohl fühlte, dann lag das zum großen Teil daran, daß ich bei mir zu Hause war und fast das Empfinden hatte, überall auf einmal zu sein, ich kannte den Geruch des Gartens, ich wußte, wie es war, dort nächtens in den Armen eines Liegestuhls zu träumen, es gab in dieser Bude keinen Winkel, den ich nicht kannte, und ich brauchte nicht umherzuwandern, um das alles zu genießen.

Ich strich mit einer Hand über den Teppichboden. Ich hatte mich mit dem Rücken gegen die Wand gelehnt und die Beine ausgestreckt. In dieser angenehmen Haltung konnte ich zwei, drei Mädchenschlüpfer erspähen, und ich weidete mich an ihrem Anblick, ohne jedoch Arges zu denken. Tatsächlich nahm ich nur Anschauungsunterricht, ich stellte fest, daß die Mode wieder auf Weiß zurückgekommen war und daß es einen Durchbruch in puncto Spitze und Satinhöschen gegeben hatte. Ein leichter Stich brach mir das Herz, als eine von ihnen die Beine übereinanderschlug, doch sogleich vollführte sie die gleiche Bewegung in Gegenrichtung, und alles fügte sich wie von Zauberhand wieder zusammen.

Leider versteckte sich Elsie hinter meinem Hals, um ein Gähnen zu unterdrücken, und sie nahm die Gelegenheit wahr, mich zu fragen, ob ich ein Schatz sein wolle, was ich ihr selbstredend nicht abschlagen konnte, ob ich so lieb sein wolle, ihr ein Glas kaltes Wasser zu holen, das wäre unheimlich nett von mir. Ich dachte lieber nicht darüber nach, und ich sagte mir, daß ich in weniger als dreißig Sekunden meinen Platz wieder einnehmen könnte, vielleicht würde ich nicht einmal etwas merken.

Im nächsten Moment schnellte ich vom Boden hoch, überrascht, daß ich zu einer solchen Übung noch fähig war. So viel war es eigentlich noch gar nicht, worum ich einen zwanzigjährigen Knaben zu beneiden brauchte, nur sehr wenig, aber das war schon Haarspalterei. Im Grunde war das keine üble Idee, sich die Beine zu vertreten, auch andere als ich schienen daran gedacht zu haben, und ich begegnete einigen, die sich noch aufrecht hielten und von einem Zimmer ins andere irrten, und wir lächelten uns im Vorbeigehen an oder erkundigten uns gegenseitig, was es Neues gebe.

Über den Daumen gepeilt, schätzte ich, blieb mir noch ein Spielraum von zwei, drei Gläsern, dann würde sich die Lage ernstlich zuspitzen, vielleicht noch ein paar mehr, wenn ich mich dazu durchrang, einen Happen zu essen, aber da war nichts, was mich wirklich reizte. Der kümmerliche Rest, der einem noch zwischen die Finger geraten konnte, zog traurige Grimassen oder starb auf dem Sonnenuntergang, der meine Pappteller zierte, schlicht und ergreifend vor sich hin. Ein paar junge Schriftsteller standen in der Küche beisammen, ein kleiner Teil des frischen Blutes der Literatur meines Landes. Es herrschte eine recht aufgeräumte Stimmung, denn diese Leute haben die Angewohnheit, alle zugleich zu reden. Und es war abzusehen, daß das bis zum frühen Morgen dauern würde, denn nichts ist widerstandsfähiger als ein unruhiger Geist und nichts beruhigender, als sich in Worten zu wiegen.

– Na, alles klar, Jungs...? fragte ich sie in jovialem Ton, doch keiner von ihnen drehte die Nasenspitze in meine Richtung. Sie hatten mich sicher nicht gehört, aber es war auch möglich, daß der Klang meiner Stimme schwächer geworden war, seit ich kein Schriftsteller mehr war. Die Schuld mußte bei mir liegen.

Also durchquerte ich inkognito die Küche, füllte mein Wasserglas und ging wieder hinaus, ohne ein Spur zu hinterlassen. Gelegentlich trauerte ich den Zeiten meines Erfolgs nach, ich hätte mir gewünscht, er liege mir wieder zu Füßen, und sei es nur für einige Minuten, nur um ihn noch einmal zu kosten und zu prüfen, ob meine Erinnerungen stimmten. Während ich durchs Wohnzimmer schritt, hätte ich die Hälfte dessen, was ich besaß, für eine Handvoll Mädchen gegeben, die, hochrot bei meinem Anblick, im Chor mit leiser, zittriger Stimme gemurmelt hätten:

– Dan... Du bis' uns'r Guru...!

Leicht benebelt ob dieses hübschen Traums, reichte ich Elsie ihr Glas, verzichtete jedoch darauf, mich neben sie zu setzen. Paul war eingeschlafen, und die drei anderen diskutierten über eine neue Methode, sich die Falten innerhalb von zwei Injektionssitzungen glätten zu lassen. Ich wollte nichts darüber wissen, zumal der Alkohol ohnehin die Tendenz hat, einem die

Gesichtszüge aufzuschwemmen. Ich ließ in Ruhe meinen Blick durchs Zimmer schweifen, dann räkelte ich mich unauffällig, um mir einen neuen Standort zu überlegen. Sollte ich mich unter jene mischen, die begonnen hatten, Karten zu spielen, war mir danach zumute, im Garten frische Luft zu schnappen und gemeinsam mit Marcs Chor *Return to sender* anzustimmen?

Schließlich trat ich zu der dicht gedrängten Gruppe um Hermann und seine Freunde. Ich fragte mich schon seit einiger Zeit, was sie da trieben, aber so viel Lust, mir die Sache näher anzusehen, hatte ich auch wieder nicht. Alles in allem fand ich die Gesellschaft der Jugend nicht interessanter als jede andere auch, und einem bartlosen Gesicht mißtraute ich ebenso wie dem Rest. Im Grunde zog es mich nur zu ihnen hin, weil sie zahlreich genug waren, daß man sich zwischen die Reihen schlängeln konnte, ohne allzusehr aufzufallen, und auch wieder hinaus, wenn man Lust dazu hatte, und ohne jemanden zu verletzen.

Ich stellte mich hinter einen Typen, der Coca-Cola trank und sich an der Taille seiner Freundin festhielt, für den Fall, daß Wind aufkommen sollte. Über seine Schulter hinweg erblickte ich Hermann, er saß auf dem Boden inmitten einiger anderer, und neben ihm stapelten sich unsere sämtlichen Fotoalben, abgesehen von einem, das weit aufgeklappt zwischen seinen Beinen lag. Das war mein Lieblingsalbum, das, das ich mir am häufigsten ansah. Ein komischer Augenblick, Fotos auszupacken, dachte ich bei mir, aber die Bilder schienen sie zu amüsieren, besonders jenes, wo ich mir den Schädel rasiert hatte. Hatte er ihnen auch das eine gezeigt, auf dem mein linkes Auge infolge eines Mückenstichs auf doppelte Größe angeschwollen war, damals, als wir am Rande eines Sumpfs kampierten?

Er blätterte die Seite um und geriet an ein Foto von Franck, das ich ganz besonders liebte. Ich hatte es ungefähr sechzehn Jahre zuvor aufgenommen, kurz vor Hermanns Geburt, und ich war verrückt nach dem Blick, den seine Mutter auf diesem Bild hatte, ich hatte ein Dutzend Abzüge davon machen lassen und aus Angst vor Einbrechern kreuz und quer im Haus verteilt.

Das Mädchen, das neben Hermann saß, faßte ihn seufzend am

Arm. Ich erkannte sie und fragte mich, ob sie womöglich wieder Unannehmlichkeiten mit ihrem Tampon hatte.

– Meine Güte, sieht die gut aus...! erklärte sie Hermann. Schrecklich, diese Geschichte mit dem Fallschirm...

Er begnügte sich damit, leicht zu nicken und das Foto anzulächeln.

Ich machte mich schleunigst von dannen. Ich durchquerte den ganzen Raum und flitzte in den Garten, ohne mich aufhalten zu lassen, aber leider war es genau so, wie ich befürchtet hatte, ich erfaßte mit einem Blick, daß sämtliche Liegestühle besetzt waren. Ich tobte innerlich, mußte ich doch gar feststellen, daß einige bereits den ganzen Abend auf ihrem Arsch saßen und keine Anstalten machten, sich zu erheben. Weiter hinten, den Rücken gegen den Maschendraht gelehnt, quatschte Marc mit Elsies Musikern, Typen, die einen auf Kadaver machten, mit geschminkten Augen und Hinterbacken wie Äpfelchen. Er winkte mir zu, ich solle kommen, aber ich schaute weg und rührte mich nicht von der Stelle.

Wie durch ein Wunder erblickte ich, halb verdeckt von einem Grasbüschel, eine Flasche. Ich hatte nicht das geringste Verlangen mehr, mit jemandem zu reden oder jemandem zuzuhören, ganz gleich, wem.

Einige Tage danach zogen zwei Neuankömmlinge in dem Haus ein, das neben unserem lag und das sich kurz zuvor geleert hatte. Ich saß im Garten und las wieder einmal die letzten Seiten von *Moby Dick*, als ich sie kommen hörte. Sie waren zu zweit, ein blonder Athlet um die dreißig, und ein anderer mit einem Schädel, glatt wie Ebenholz, und einem kurzen, sorgfältig gestutzten Bart. Ich blickte ihnen durch die lichte Hecke nach, die unsere Grundstücke trennte, und dachte bei mir, daß ich meine Studentinnenhöhle wohl abhaken konnte. Das ist auch ein Elend dieser Erde, daß man sich seine Nachbarn nicht aussuchen kann.

Als ich Hermann davon erzählte, zeigte er sich überaus interessiert und wollte sogleich mehr darüber wissen.

– Ja, Herr im Himmel..., was zum Henker soll ich dir darauf antworten...?!

– WAS...? stieß er hervor und guckte mich an, als betriebe ich Okkultismus. Sag bloß, du hast sie dir nicht näher angeguckt...!?

– Hör mal, ich bin doch nicht der Volkszähler des Viertels... Außerdem war ich gerade bei Ahabs letzten Worten, du weißt doch, wenn er verkündet: *Nun wend ich mich ab von der Sonne.*

Das schien ihn nicht zu beeindrucken. Er wiegte den Kopf hin und her und blickte zur Decke, was ihn nicht daran hinderte, sich ein Butterbrot von der Größe eines mittleren Surfbretts zu schmieren.

– Ach verflixt...! erkannte er. Ein bißchen neugieriger könnteste schon sein...!

Es herrschte eine fürchterliche Hitze, und der Himmel war so hell, daß wir von morgens bis abends unsere Sonnenbrillen aufhatten. Ich verzichtete sogar darauf, sie abzusetzen, wenn ich durchs Haus schlenderte, und die Zunge hing mir drei Meter zum Hals heraus, wenn ich vor dem Thermometer stehenblieb. Draußen auf der Straße ließen sich die Leute auf eine Bank fallen und warfen, die Hand über der Stirn, besorgte Blicke gen Himmel.

– Ich muß gestehen, daß ich ein wenig enttäuscht war, vertraute ich ihm an. Stell dir nur den hinreißenden Anblick einer jungen Frau vor, die morgens ihre Fensterläden öffnet, bereit, dir ihr erstes Lächeln zu schenken...

Er machte sich über sein Sandwich her und postierte sich damit am Fenster, beide Augen auf die Bude nebenan gerichtet. Er war im Laufe des Jahres ganz schön gewachsen, er war genauso groß wie Richard, sogar breiter in den Schultern, aber weniger muskulös, und seine Wangen waren noch glatt. Es war mir ein Rätsel, wie man den lieben langen Tag essen und dabei so dünn bleiben konnte.

Ich shakete mir einen Eiscafé, dann kehrte ich unter meinen Sonnenschirm zurück, um die Ruhe auszunutzen und ein wenig zu meditieren. Man kann sagen, was man will, das Schriftstellerdasein hat doch einiges Gute an sich, und ich konnte mir noch so den Kopf zerbrechen, ich wußte keine andere Branche, in der ich eine solche Freiheit genießen konnte, falls ich zu meinem Leidwesen eines Tages dazu gezwungen sein sollte, umzuschulen. Ich versuchte nicht allzusehr daran zu denken, ich wußte, es würde mich *umbringen*, hinter einem Schreibtisch zu hocken. Ich betete Tag für Tag zum Himmel, daß mir eine Erbschaft oder sonstwas in den Schoß fiel, und nachts warf ich heimlich ein Geldstück aus dem Fenster.

Hermann machte es sich neben mir bequem. Er zog einen Liegestuhl in die pralle Sonne und streckte sich, den Walkman über den Ohren, darauf aus. Das Schuljahr näherte sich seinem Ende, also legte er sich auf die faule Haut, sobald er nach Hause kam. Er ruhte sich auf seinem Schnitt von 11,5 aus, der ihn in die nächste Klasse versetzte, er fand, damit hatte er genug getan. Ich schenkte ihm gern Glauben, wenn er das sagte, mich interessierte ohnehin nur, ihn lesen zu sehen. Es war mir gelungen, ihm im Laufe des Frühjahrs den gesamten Hemingway sowie den ersten Band der gesammelten Werke von Blaise Cendrars unterzujubeln, und ich war der Ansicht, damit hatte ich einiges erreicht, das waren Dinge, die würde er sein Leben lang behalten, und sie würden ihm auf die eine oder andere Art helfen. Wenn alles glatt ging, hoffte ich ihm mit den ersten Sommertagen den großen Jack vorlegen zu können.

Richard war sitzengeblieben, so daß sie sich nach den Ferien alle drei in der gleichen Klasse wiederfinden würden. Dieser kleine Betriebsunfall schien ihn jedoch nicht zu berühren, im übrigen fanden wir alle, seine Ergebnisse seien gut genug, man brauchte bloß ein paar Monate zurückzugehen, zu jener Zeit, als er allen auf die Nerven gegangen war, um sich über die Fortschritte zu wundern, die er gemacht hatte. Auch wenn sich dies Herz voll Zorn sicher nicht in ein Lamm verwandelt hatte, so konnte man sich dennoch freuen, daß Richard ein gewisses Gleichgewicht gefunden hatte. Sarah bebte immer noch vor Rührung, wenn sie bedachte, daß sie beinahe nein gesagt hätte.

– Meine Güte, Dan, erinnere dich... Ich war kurz davor, seine

Katze rauszuschmeißen!! Ah, Herr im Himmel, ich muß eine Erleuchtung gehabt haben...! Konnte ich denn ahnen, daß da solch ein Sonnenschein in unser Haus kam...?

Sie war völlig aus dem Häuschen, und manchmal stieß sie mich mit dem Ellbogen in die Seite, wenn wir ausgingen und Richard vor dem Fernseher sitzen sahen, mit entspanntem Gesicht, eine Hand auf Gandalfs Kopf, der zwischen seinen Knien schnurrte.

Hermann und Gladys waren zwar noch auf der Hut, wenn er zugegen war, aber ich hatte das Gefühl, es war ihnen gelungen, ihn davon zu überzeugen, daß sie letztlich nur eine platonische Liebe verband, was natürlich halb so schlimm war. Gladys hatte mir anvertraut, daß sie ihre Pille unter einer Parkettleiste versteckte, die sie mit dem Bettpfosten festklemmte.

– Sicher, das ist nicht gerade praktisch, aber ich hab keine Lust, daß er sie in die Finger bekommt. Ich glaub, je weniger er davon weiß, um so besser für alle Beteiligten, findest du nicht...?

O la la, und ob ich das fand, und alle lasen wir Gandalf jeden Wunsch von den Augen ab, alle bedachten wir ihn mit zärtlichen Blicken, und in einem Schrank des Hauses Bartholomi fand sich ein wahres Arsenal von Katzenplätzchen.

Wir waren Gefangene der Hitze, die in den Garten sank, wir lagen reglos da und träumten hinter unseren Sonnenbrillen. Hermann fing sich langsam einen Brand auf der Nase und auf den Armen, was ich unter meinem Sonnenschirm mit einem leisen Kichern quittierte. Bei dem Geld, das mich meine Ginseng-Lotion gekostet hatte, hätte es mich gefuchst, wenn meine Gesichtshaut in Fetzen gegangen wäre.

Nach einer Weile kreuzten Richard und Gladys auf. Man hätte glatt glauben können, dieser Sonnenschirm habe die Seuche oder der Schatten habe etwas Altbackenes an sich. Ah, zuweilen wünscht man sich, diese vermessene Jugend möge sich pellen, man möchte ihre Knochen knirschen hören, möchte, daß sie ein wenig in unsere kleinen Sorgen hineinschnuppern. Hermann hatte seinen Kopfhörer abgenommen, und sie beratschlagten zu dritt, ob es sich in Anbetracht der Uhrzeit noch lohnte, etwas zu unternehmen. Der Himmel rötete sich langsam. Ich persönlich,

ich liebte diese Abende voller Ruhe und Hitze, aber ich mußte zugeben, daß sie ein der Apathie recht nahes Gefühl der Unentschlossenheit hervorriefen und einen durch die schlichte Frage: Ist es zu früh oder zu spät...? zur Untätigkeit verurteilten. Gladys meinte, was sie davon hielten, ein Stündchen ins Schwimmbad zu gehen, aber die beiden verzogen nur stöhnend das Gesicht. Gladys war der Typ Mädchen, einem vorzuschlagen, mit bloßen Händen durch eine Felswand zu kraxeln. Mit ihren sechzehn Jahren schlang sie bereits jede Menge Vitamine in sich hinein, um ihre Energie zu erhöhen, und man mußte sie laufen sehen, man mußte die Beine sehen, die sie hatte, und diese schlanke Figur, die sich praktisch nur noch von Mineralwasser ernährte. Neben ihr schienen die beiden direkt aus einem Sanatorium zu kommen.

– Scheiße, ihr seid langweilig...

Sie riß ein Grasbüschel aus meinem Rasen und schleuderte es in die Luft, na klar hätte ihr das nicht gefallen, wenn man dasselbe mit ihren Haaren angestellt hätte, dachte ich mir.

In diesem Moment ertönte ein entsetzlicher Schrei. Das kam aus dem Garten nebenan:

– AAAHH...!!, gefolgt von einem langgezogenen Wimmern. Das waren unsere neuen Nachbarn. Wir sprangen auf, während eine Stimme hinter der Hecke wimmerte:

– Meine Finger, o wei o wei... Mein lieber Freund, was kannst du brutal sein...!

Ich blickte in Richtung Hermann.

– Das fängt ja gut an..., sagte ich zu ihm, dann schritten wir auf die Umzäunung zu und spähten durch die Zweige.

Ich hatte meine Mütze abgenommen, um mir Luft zuzufächeln. Der Kahle mit dem zentimeterkurzen Bart blies sich gerade auf die Finger. In der Eingangshalle stand, halb hineinmanövriert und auf zwei Beinen abgesetzt, ein großer Tisch, und dahinter ereiferte sich der Blonde, wir sahen, wie er den Kopf senkte und fluchend sein güldenes Haar schüttelte.

– Bitte, Harold, zwing mich nicht..., verteidigte sich der andere. Du weißt genau, ich habe nicht soviel Kraft wie du, ich schaff das nicht...! Merkst du das denn nicht, ich hab mir die ganze Hand kaputtgemacht...

– Na fein!! tobte Harold. Wunderbar! Mir macht das nichts. Du kannst ja durchs Fenster einsteigen...

– Harold...!

– Herrgott nochmal, Bernie...! Du hast wirklich nichts in den Armen. Das ist doch nur ein armseliger Tisch, Alterchen. Ungelogen, ich hab noch nie jemand gesehen, der so ungeschickt ist. Ich sag dir, mir wäre lieber, du machtest das mit Absicht, denn wenn nicht, würdest du in meiner Achtung noch tiefer sinken, willst du das...? Bernie, was ist...??!

Bernie erstarrte buchstäblich. Dann zog er ein Tuch aus der Gesäßtasche seiner Jeans und wickelte es sich wortlos um die Hand. Harold schien ihn zutiefst getroffen zu haben. Mit seinen Dockerschuhen wirkte er wie ein Universitätsprofessor, der sich ein sportives Wochenende gönnt. Harold hätte sein Schüler sein können, einer, der es sich erlaubte, die Vorlesungen im Jogginganzug zu hören, und ihn zwang, die Augen niederzuschlagen. Obwohl der Himmel rot war, wurde Bernie kreidebleich. Plötzlich packte er den Tisch, er biß sich auf die Lippen und stieß ihn mit dem Becken an.

– Puh, so schaffen die das nie! murmelte Richard.

Ich habe in meinem Leben bei so vielen Umzügen geholfen, daß ich mich schon gefragt habe, ob ich sie nicht magisch anziehe und ob dem womöglich eine tiefere Bedeutung zugrunde liegt. Sollten wir hienieden vielleicht nur auf Durchreise sein?

Als wir hinter ihnen auftauchten, verzog Bernie vor Anstrengung das Gesicht, doch der Tisch bewegte sich keinen Millimeter. Immerhin war das ein ziemlich schweres Exemplar aus massiver Eiche, ein Tisch, den man aus einer Burg hätte klauen können. Harold traten die Augen aus dem Kopf.

– Los, streng dich an, *Bernie, um Himmels willen*...!! kreischte er.

7

– Also nein, Max...! Fühlst du dich hier wohl...?! knurrte ich eines frühen Sonntagmorgens, als ich im Gleichschritt neben ihm her trabte. Findst du das nicht vollkommen lachhaft? HMM...?!!

Der Bürgersteig, auf den wir abgebogen waren, stieg ein wenig an. Auf der einen Seite engte uns eine lange Backsteinmauer ein, auf der anderen eine Reihe von parkenden Autos, und jedesmal, wenn wir an einem Laternenpfahl vorbeikamen, mußte ich zur Seite springen und aufpassen, daß ich mich nicht an einem Rückspiegel aufspießte.

Statt mir zu antworten, blickte er stur geradeaus, mit verschlossenem Gesicht, und ein azurnes Licht schimmerte in seinen weißen Haaren.

Ich zwang ihn stehenzubleiben.

– He, wart mal 'ne Sekunde, sagte ich zu ihm.

Ich lehnte mich mit dem Rücken gegen die Mauer und nestelte an dem Handtuch, das um meinen Hals hing, um mir das Gesicht abzuwischen. Er nutzte die Pause, um seine Hose hochzuziehen, dann atmete er, die Fäuste in die Seiten gestemmt, tief durch.

– Max, sag ehrlich... Bist du sicher, daß sie in dieser Straße noch niemandem die Kehle durchgeschnitten haben...? Spürst du keine bösen Schwingungen...? fragte ich ihn in bissigem Ton.

Er setzte eine ärgerliche Miene auf und fixierte einen Punkt am Horizont.

– Weißt du, wenn nicht, dann sag's mir, dann können wir immer noch die Route wechseln...!

Weiter unten waren der Sportplatz und das große Brachgelände zu erkennen, das direkt dahinter lag, die einzige Stelle, wo sich's noch laufen ließ, wo man noch ein wenig Gras entlang der Pfade vorfand, und Bäume und riesige, schweigsame Ginster, die einen starken Duft unter den Strahlen der aufgehenden Sonne verströmten. Max' neuste Errungenschaft machte mich wütend.

– Scheiße, das ist 'ne Gegend wie jede andere...! fügte ich hinzu. Was haben wir hier zu suchen...?! Findest du das etwa angenehm, mitten auf der Straße zu laufen, findest du, hier riecht's gut...?! Meine Güte, du bist ja schlimmer als ein kleines Kind...!

– Jaja, aber das verstehst du nicht, seufzte er. Für mich ist das was anderes... Ich seh das *Tag für Tag*.

– Ich weiß... Ich weiß, daß du das Tag für Tag siehst! Aber Herrgott nochmal, wenn man sie in der Metro überfallen hätte, *würdest du dann auch nicht mehr Metro fahren...??!*

Er sah ganz danach aus, als ließe er sich das durch den Kopf gehen, und ich bin nicht da, um Witze zu erzählen. Schließlich schüttelte er den Kopf.

– Bitte mich nie mehr, da unten zu laufen, Danny... Ich will da nicht mehr hin... Tut mir leid. Versuch nicht, mir irgendwelche Dinge einzureden... Das läßt sich nicht erzwingen, weißt du.

Auf dem Rückweg machten wir einen Abstecher in den Massageraum. Wir hatten die Strecke Seite an Seite zurückgelegt, ohne ein Wort zu wechseln. Auch unter der Dusche blieben wir stumm, und wir trockneten uns in einem eisigen Schweigen ab. Er machte ein mürrisches Gesicht, und ich war nicht imstande, gegen Dinge anzukämpfen, die sich nicht erzwingen ließen.

Erst als ich mich auf dem Tisch ausstreckte, blickte er wieder normal drein.

– Probieren wir's mal mit Zypresse..., schlug er mir vor, und schon bald verspürte ich im Lendenbereich ein heftiges Stechen, als mir sein ätherisches Öl mehr und mehr in die Haut drang. Aber deswegen brauchte ich mir keine Sorgen zu machen, im Gegenteil, das sei eher ein gutes Zeichen, meinte er.

– Das zeigt nur, daß das wirkt, versicherte er mir. Daß dein Körper das nötig hat.

Ich freute mich, zu hören, daß mein Körper mit einem Baum harmonierte, es hätte mich gewurmt, wenn es sich um ein x-beliebiges Gemüse gehandelt hätte, aber im Grunde wunderte mich das nicht. Der Anblick eines sich im Winde biegenden Baumes hatte mir stets eine Grimasse entlockt und mich dazu animiert, mir das Kreuz abzutasten. Sobald die erste Kälte kam, wickelte ich mir einen roten Flanellschal um die Nieren, und je tiefer die Temperaturen sanken, um so nervöser wurde ich. Während der warmen Jahreszeit dachte ich weniger daran, ich führte das Leben eines ganz normalen Typen, vergaß, daß bei Werten um den Gefrierpunkt meine Wirbelsäule jeden Moment zu Matsch werden konnte, daß ich mich mitten in einem Minenfeld befand. Max behauptete, Zwillinge hätten oft ein schwaches Kreuz, sie neigten dazu, auseinanderzubrechen.

– Ja sag mal . . . Hast du etwa zugenommen?

– Hmm . . . Vielleicht ein klein wenig. Weißt du, zur Zeit fällt es mir schwer, meinen Bierkonsum zu drosseln.

Tatsache war, daß ich seit gut einem Monat jeden Morgen meinen Rasen sprengte und meine Hauspflanzen besprühte. Die Tage waren so heiß, daß man erst in den frühen Abendstunden auflebte, so als hätte sich die Zeit verschoben. Kaum war die Sonne verschwunden, sprang ich unter meinem Sonnenschirm hervor und sammelte die leeren Flaschen ein. Danach sprang ich als erstes unter die kalte Dusche.

Wenn ich wieder hinunterkam, war ich topfit, die Haare noch feucht und sorgfältig zurückgekämmt.

– Du ruinierst deine Gesundheit . . ., seufzte Max, während er die Punkte längs meines Rückenmarks suchte.

– Mach mir bitte keine Angst . . ., feixte ich.

Er konnte nicht wissen, daß mich Bernie Goldstein, unser neuer Nachbar, mit mexikanischem Bier vertraut gemacht hatte und daß man mir gerade gut hundert Flaschen *Corona Extra* geliefert hatte. Naja, für den Anfang.

Bernie wartete, bis der Tag zu Ende war, bevor er sich nach draußen wagte. Er machte die Tür auf und sah nach, ob das Licht nach seinem Geschmack war, und wenn nicht, machte er auf dem Absatz kehrt und versuchte kurz darauf sein Glück noch einmal. Wenn er alles für gut befand, setzte er sich mit einem Bier, das er in kleinen Schlucken trank, in den Garten und lungerte herum, bis Harold heimkam. Ich hatte mich unverzüglich und brennend für die erwähnte Flasche interessiert, denn sie war von einer Form, die mir gänzlich unbekannt war. In dem Verlangen, mehr darüber zu erfahren, war ich als erster auf ihn zugegangen. Wenn man den Funken benennen wollte, der die Freundschaft entfachte, die uns in der Folge verband, drängte sich der Name *Corona* geradezu auf, *Corona Extra, la cerveza más fina.*

Max ließ von meinen Lenden ab. Er packte mich behutsam am Kopf und fing an, ihn mir abzureißen, während ich mich auf sein Geheiß am Tisch festklammerte und in die entgegengesetzte Richtung zog.

– Ich weiß, das tut gut, aber man muß sachte vorgehen. Das bricht sonst wie Glas, erklärte er mit vor Anstrengung entstellter Stimme.

Bernie Goldstein war sechs Monate älter als ich. Ich merkte schnell, wie sehr mir Mat Bartholomi gefehlt hatte. Seit seinem Tod hatte ich keine Gelegenheit gehabt, mit einem Typ meines Alters anzubändeln, und Bernies Ankunft wirkte irgendwie seltsam auf mich, mir war, als wäre ich in einer der abgeschiedensten Gegenden der Welt einem Landsmann begegnet.

Während ich mich wieder anzog, hörte ich ein langgezogenes Zischen, und ich dachte sogleich, irgendwo ströme fürchterlich Gas aus. Ich hob den Kopf und runzelte die Stirn:

– He, Max . . . Hörste das . . .?

Er trat hinter der Tür seines Spinds hervor, ein Deospray in der Hand.

– Was soll ich hören? murmelte er.

Ein Geruch wie von grünen Zitronen stieg mir in die Gurgel.

– Verdammt . . .! Ich dachte, du bist allergisch gegen dieses Zeug . . .!

– Jaja, wie ich schon sagte . . ., stieß er mit finsterer Miene hervor. Ich krieg davon rote Flecken auf der Brust . . .

Sowie er aufstand, streifte Bernie einen seidenen Morgenmantel über und setzte sich an seinen Arbeitstisch. Er hatte mir erklärt, daß das vor allem morgens kam, daß er morgens die originellsten

Formen fand. Dann fing er an zu zeichnen, was ihm durch den Kopf ging, Tische, Stühle, Lampen, Parfümfläschchen, Garderobenständer.

Leider war ich Meilen davon entfernt, mir je einen Sessel mit der Signatur Bernie Goldstein leisten zu können.

– Ich hatte ein wunderschönes Appartement in der Stadt, aber nichts, was diese Ruhe und dieses Fleckchen Garten aufwiegt..., sagte er unermüdlich, wenn wir draußen saßen und sich die Hitze im letzten Tageslicht verflüchtigte.

– Hmm... Du sagst es...!

Und ob ich ihm beipflichtete.

– Bernie, weißt du, daß dieses Bier Tote aufweckt...?!

Manchmal machten wir die Augen zu. Ein junger Typ hätte mit den Armen in der Luft herumgefuchtelt, er hätte *irgend etwas* ausgeheckt, irgendeinen Unsinn, und ein Kerl wie Paul oder auch Max wäre eingeschlafen, und ich hätte seinen armen Körper *klagen* hören können.

– Bernie...

– Hmmm...?

– Man kommt sich vor wie in Mexiko.

– Stimmt, Dan... In einem verlassenen Dorf.

Gegen acht Uhr kehrte dann Harold von seinem Muskeltraining zurück und zog sich einen Karton Pampelmusensaft rein, während wir wie nach einem Gleitflug aus unseren Liegestühlen auftauchten. Harold war sechsundzwanzig. Er zog es vor, auf seinen Fersen zu sitzen und sich zu erkundigen, was Bernie fürs Abendessen geplant hatte. Wenn die Sache dauerte, zog er los, um Hermann zu einem Tischtennismatch zu überreden, es war, als werde er niemals müde, als könne ihn nichts auf seinem Platz halten.

– Ich glaube, er ist noch mitten im Wachstum..., vertraute mir Bernie an.

– Ich sag dir, der macht jeden Morgen 'ne Flasche Milch leer und fast 'ne große Packung Müsli...!

Wenn er über Harold sprach, hatte ich zuweilen den Eindruck, er rede von seinem Sohn, und dann verstand ich nur zu gut, was er mir erzählte, ich hörte ihm kollegial zu und lächelte verständnisvoll. Wir teilten gewissermaßen die gleiche schmerzliche Freude, wir sahen unsere Kinder aufwachsen.

Den Abend nutzte ich, um zu arbeiten. Selbst wenn ich ausging, hatte ich nachher immer noch ein paar Stunden Zeit. Ich ruhte mich tagsüber genug aus, so daß ich nicht vor drei, vier Uhr morgens vom Schlaf übermannt wurde, bestenfalls. Die Hitze ist ein wahrer Fluch für einen, der an Schlaflosigkeit leidet, und es passierte weitaus öfter, daß ich noch an Deck war, wenn der Tag aufkreuzte. Mir blieb dann nur noch, das Licht auszumachen und in den Garten zu gehen und den Sonnenschirm so auszurichten, daß mir kein allzu grelles Licht die Augen verdarb, sobald ich sie schloß und meine Schäfchen zu zählen begann, und mir einen Liegestuhl zu schnappen und die erste Zigarette des Morgens zu rauchen mit einem Mund wie Pappmaché.

Ich hielt mich noch über Wasser, aber nur dank des Helden aus *Ich folge dir bis ins Grab*, den der Produzent nicht sterben lassen wollte. Jedesmal, wenn ich eine Folge hinzudichtete, spürte ich, daß der Titel ein wenig schwerer auf uns lastete, aber man meinte, ich solle mich nicht darum kümmern, wen kratze es schon, ob er ihr nun folge oder nicht, die Leute verlangten nach Abenteuern und nicht nach diesen unsinnigen Gelübden, die einen nur lähmen, und ich bräuchte nur einen Blick auf die Post zu werfen, wenn ich ihnen nicht glaubte, die Leute wollten, daß das *weiterging* und daß der Bursche jedesmal wieder auf die Beine kam, daß er sich höchstens ein wenig den Staub abklopfte und sich seine Grimasse in ein Lächeln verwandelte. Hatten denn alle vergessen, daß Christus siebenmal gefallen war, überspannte man den Bogen nicht ein wenig, wenn man seelenruhig die dreiundvierzigste Folge anging...?

– Pah, sei doch nicht päpstlicher als der Papst, redete ich mir gut zu. Verfall bloß nicht auf den Gedanken, die Hand zu beißen, die dich streichelt, vor allem, da es die letzte ist, die sich nach dir ausstreckt...!

Ich war mir des Problems voll und ganz bewußt, und ich hatte verdammt eingesehen, daß an dem Tag, an dem mein Typ stürbe, ich der nächste wäre, der ihm ins Grab folgte, der unversehens in der Scheiße säße. Unter diesen Umständen entwickelten sich gewisse Bande zwischen meinem Helden und mir. Ich haßte ihn, doch durch die Macht der Dinge war ich zu seinem Schutzengel geworden, und ich war grün im Gesicht, wenn dieser Schwachkopf bei Rot über die Straße ging. Ich hielt mich bereit, ihm ein künstliches Herz zu transplantieren oder sogar eine Mund-zu-Mund-Beatmung vorzunehmen.

Wenn ich Paul begegnete, strich er sich lächelnd übers Kinn und musterte mich in aller Ruhe.

– Na... Alles klar...? fragte er mich ungerührt. Ist *er* immer noch nicht tot...?

Allabendlich, außer am Wochenende, neigte ich mich über meine Kreatur und hauchte ihr ein wenig Leben ein, was mir erlaubte, tagsüber aufzuatmen und meinen Scheck einzulösen. Ich bedauerte bitter, daß ich nicht Klavierspielen gelernt hatte. Ich hätte alles zum Teufel jagen und mir meinen Lebensunterhalt in den Bars verdienen können wie sonst einer, der mehrere Pfeile im Köcher hat. Oder Saxophon.

– Also ehrlich, du spinnst..., unterbrach mich Sarah um ein Uhr morgens, eines Nachts, als ich ihr von meiner Unfähigkeit bezüglich der Musikinstrumente erzählte. Ich finde, du hast das richtige Gesicht, um Saxophon zu spielen... Nein, Dan, ich wette, du hättest eine irre Ausstrahlung...

– Jaja... Vor allem zögert man weniger, sich in die Tiefe zu stürzen, wenn man weiß, daß man auf beiden Beinen landet. Fürs erste werde ich mich mit dem Akkordeon begnügen...

Sie hatte einen Typen im Restaurant sitzenlassen und keine Lust zu schlafen. Auch nicht, sich auf meinen Schoß zu setzen, wie ich ihr vorgeschlagen hatte. Der Länge nach auf dem Sofa, einen Arm im Nacken, rauchte sie eine Zigarette, und sie hatte die Beine übereinandergeschlagen, um meinen schlechten Gedanken ein Ende zu machen, naja, zumindest glaubte sie das.

Hermann, Gladys und Richard waren seit vierzehn Tagen gemeinsam auf Campingtour, und Sarah haßte es, allein in einem leeren Haus zu sein. Kaum hatte sie die Stiftung verlassen, kreuzte sie bei mir auf, küßte mich auf die Nasenspitze und flitzte in die obere Etage, um sich ein kaltes Bad einlaufen zu lassen, ansonsten würde sie sterben, behauptete sie. Manchmal hörte ich sie nach einer Zeit trällern, und ich legte den Kopf zurück, um einen Blick zur Decke zu werfen.

Wenn sie nichts vorhatte, verbrachte sie den Abend bei mir, und wir aßen zu zweit in der Küche, sie erzählte mir ihre sämtlichen Geschichten, und ich nickte vergnügt, wenn sich wie durch ein Wunder ihr Bademantel öffnete und sie dann meinen Blick bemerkte und sich mit einer Hand bis zum Hals zuknöpfte und zu mir sagte, du hörst überhaupt nicht zu, hör endlich auf, nur *da dran* zu denken! Doch zärtlich leuchtend fügten ihre Augen hinzu: *Um Himmels willen...*, so daß ich mit dem verklärten Lächeln eines Buddha, der über Rosenblüten schwebt, auf meinem Stuhl wippte.

– Das ist doch was ganz anderes, als wenn du sie bumsen würdest, trichterte ich mir ein. Aber garantiert.

Sicherheitshalber ging sie zum Schlafen nach Hause. Ich fand diese Marotte total lächerlich, zumal sie mitunter auf dem Sofa einnickte, während ich arbeitete, aber sie hatte sich den Floh ins Ohr gesetzt, das sei etwas anderes, solange ich noch auf sei und ich hatte darauf verzichtet, sie zu fragen, warum.

– Weißt du, langsam fehlen sie mir wirklich..., seufzte sie. Ich komme mir vor wie eine alte Jungfer, die zu nichts mehr taugt...

– Hm... Du wirst noch gut eine Woche aushalten müssen...

Sie hatte sich aufgerichtet und sich mit einem Kissen im Kreuz gegen die Armlehne gedrückt, und das ist eine der angenehmsten Haltungen, die man auf einem Sofa einnehmen kann, ich hatte lange sämtliche anderen ausprobiert, aber auf die da kam man immer wieder zurück, unermüdlich und ohne den geringsten Vorbehalt, so daß mir schon der Gedanke gekommen war, das könne die ideale Haltung sein, um auf den Tod zu warten, aber ja, vielleicht, indem man noch einmal *Schall und Wahn* liest oder etwas in der Art.

– Und du... Macht dir das nichts aus...?

– Was . . .? fragte ich.

– Naja, ganz allein zu sein, ohne Hermann . . .

– Och . . . Ich glaub, es ist besser, man gewöhnt sich daran, dann haben wir schon ein wenig Übung . . .

Sie preßte die Knie gegen die Brust, ließ sie jedoch gleich wieder sinken, als sie meine Blickrichtung merkte. Ich glaube, dieser Vorsatz, nicht miteinander zu schlafen, hatte nicht nur positive Seiten, vor allem, was mich betraf, manchmal hätte man mit dem Finger auf mich zeigen und mich mit Fug und Recht als Sexbesessenen bezeichnen können. Aber ich konnte nicht anders. Es fiel mir schon schwer genug, auf meinem Platz sitzen zu bleiben, viel mehr durfte man nicht von mir verlangen. Und so hatte ich, wenn ich mit Sarah zusammen war, keinerlei Hemmungen, mich so zu geben, wie ich wirklich war, sie kam mich schon teuer genug, unsere Freundschaft.

Die Nacht war so warm, daß ich aufstand, um mir ein Glas zu kredenzen. Eines zumindest war klar: Die Temperatur kam der Fixiertheit meines Verstands entgegen, ebenso der Schnitt ihres Minirocks oder die feinen Trägerchen ihres mauvefarbenen Oberteils, und wenn ich's recht bedenke, wüßte ich nicht, wie ich mich anders hätte verhalten können, wenn man, Jessesmaria, diesen unaufhörlichen Ansturm über sich ergehen lassen und auch noch die linke Wange hinhalten muß.

– Du . . . Richard hat mir geschrieben . . .! meinte sie, als ich die Kniekehlen anwinkelte und mit dem Glas in der Hand in einen Sessel kippte. Meine Güte, ich hab seine Karte heute morgen gelesen, kurz nach dem Aufstehn, und danach ging alles schief, was ich auch anfing, ich schwör dir, ich wußte nicht, was ich anstellte, ich hab's nicht mal geschafft, mich vernünftig zurechtzumachen . . . Ich weiß nicht, ob du dir das vorstellen kannst, *eine Karte von Richard* . . . Draußen hätte es schneien können, es hätte mich nicht gewundert . . .! Herr im Himmel, es ist wirklich zu dumm, aber wenn du wüßtest, was ich empfunden habe, es war wunderbar . . .!

– Aha . . . Und was schreibt er?

– Naja, ich weiß nicht, nichts Besonderes . . . Er schreibt, daß

138

es ihnen gut geht und daß er mir einen Kuß gibt. Wahrhaftig, Richard schreibt mir: »Ich geb dir einen Kuß«.

– Hoppla, aber sag doch mal...

– Meine Güte, ich glaub's dir... Warte, ich zeig sie dir.

Sie hüpfte ans andere Ende des Sofas, um in ihrer Tasche zu kramen, und ich bewunderte die Krümmung ihrer Lenden und den feinen blonden Flaum ihrer Schenkel, während ihr Duft zu mir herüberströmte.

– Sarah, murmelte ich, wenn du eines Tages deine Meinung änderst, du weißt, auf mich kannst du zählen...

Sie tat so, als hätte sie mich nicht gehört, und haute sich mit der erwähnten Karte neben mich. Ich packte sie an einem Schenkel und drückte meinen Kopf gegen ihre Hüfte.

– Donnerwetter, die sind ja am Meer...! sagte ich und zitterte bei der Vorstellung, sie könnte davonfliegen. Die Karte zeigte eine Reihe von Dünen mit dem Meer und ein paar Vögeln im Hintergrund. Sie drehte die Karte um, damit ich die erwähnten, von Richard vollkommen eigenhändig geschriebenen Zeilen lesen konnte. Ich wußte, daß ich einen schweren Fehler begangen hätte, hätte ich versucht, auch nur einen Finger in Richtung ihres Slips zu bewegen, und ich hütete mich wohl, ein Rehkitz hätte sich mir nähern, eine Libelle auf meiner Hand landen können, reglos, wie ich war.

Ich hielt mich dennoch sprungbereit, für den Fall, daß sie unmerklich die Beine auseinandergenommen hätte, aber Träumen war verboten, und ich beschied mich mit dem, was sie mir gewährte. Das war in diesem Fall bereits einiges. Ihre Hüfte war ein Federkissen, die Zartheit ihres Oberschenkels eine Wohltat.

– Ja, *ich* geb dir einen Kuß, hat er geschrieben. Kein Zweifel möglich...

– Dan..., seufzte sie. Ich merke, darauf habe ich seit Jahren gewartet.

Um ein Haar hätte ich sie im Laufschritt in mein Schlafzimmer getragen, aber ich kapierte schnell, daß wir nicht über dasselbe redeten.

– Meine Güte, ich sag dir, dieser Schuft hat mir vielleicht zu schaffen gemacht...! Und weißt du, das stell ich heute erst fest, guck dir an, in was für einem Zustand ich bin, nur weil er mir eine Postkarte geschickt hat. Dan, vielleicht war ich nicht die Mutter, die er brauchte, aber dafür hab ich schwer gebüßt, das kannst du mir glauben...!

Das war mir alles nicht neu. Aber es störte mich nicht im geringsten, solange ich nur an ihrem Oberschenkel gefesselt war. Ich überlegte, ob sie mich meine Lippen darauf drücken lassen würde, nur so lange, wie es eine Hand über einer Kerze aushielte, oder ob sie mit einem meiner Ohren einverstanden wäre.

– Endlich...! fuhr sie in müdem Ton fort und wedelte mit der Karte. Ich möchte zu gern wissen, was ich hätte tun sollen... Sollte ich mich einsperren und einen Schleier auf dem Kopf tragen, sollte ich einfach nur arbeiten und abends zurückkehren, um mich um sie zu kümmern...? Wer würde es denn wagen, so etwas von einer Frau zu verlangen, sag schon...

Ich sagte keinen Ton, ganz träge vom Geruch ihres Körpers. Mit den Jahren erlangt man eine bessere Selbstbeherrschung, und mein Geist konnte noch so sehr Feuer fangen, ich zuckte nicht mit der Wimper. Als handele es sich um eine unendlich rare Essenz, berauschte ich mich bedächtig an dem gleichsam inzestuösen Gefühl, das mich bei dem Kontakt mit ihrem Körper erfaßte, und sie hatte bestimmt recht in dem Sinne, daß keine andere eine solche Wirkung auf mich ausübte und daß ein ungestilltes Verlangen im Grund gar nicht so übel war.

War es ein Risiko oder nicht, mit seiner besten Freundin zu bumsen...? Ich wußte gar nichts mehr. Ist der sexuelle Akt dazu angetan, alles über den Haufen zu werfen...? Wenn dem so war, zog ich es doch vor, mich zu fügen, mir hier und da ein paar schöne Momente zu grapschen und in meinem Herzen weiterhin den süßen Pfeffer des Unerreichbaren anzubauen, der dem versierten Gaumen reiner Samt ist.

Nach einer Weile entließ ich sie wohl oder übel wieder auf ihr Sofa, und ich sah, sie schwankte wie eine ihres Staubs entleerte Blüte, aber das lag nicht an mir, das lag an ihrem Absatz, der abbrach, und nicht an mir und meinem Sex-Appeal.

– Ah! Scheiße... VERFLIXT...!!

– Halb so schlimm. Zeig her...

– Herrgott, ich hab's satt... Das ist schon das zweite Paar in diesem Jahr, es ist nicht zu glauben...!

Ich wollte mich gerade unter die Lampe beugen, um ihren Absatz zu untersuchen, als wir nebenan Lärm hörten. Lautes Schreien, Geschirr, das zu Bruch ging, und das gegen zwei Uhr, in einer stillen und mondbeschienenen Nacht, die zu Ruhe und Andacht einlud, zu leisen Tönen und nicht zum Gebrüll, nun denn, wie dem auch sei, es ging hoch her bei Bernie Goldstein, und Sarah und ich, wir blickten uns an, und unterdessen wurde der Umgangston noch eine Spur rauher, und auf sämtlichen Etagen der Bude ging das Licht an, und im Treppenhaus ertönte Getrampel, sie rasten die Stufen rauf und runter, aber es war schwer zu sagen, wer da wen verfolgte, wir wußten nicht, wer von beiden schrie und wer wimmerte, denn wir waren zu weit weg.

– Die beiden... Sonst sind so ruhig...! sagte ich, nachdem ich einen langen Pfiff ausgestoßen hatte.

– Mmm... Mich wundert das nicht..., erklärte Sarah, während sie ihren zweiten Schuh abstreifte.

Ich stand auf und ging in den Garten. Es war nicht viel zu sehen, denn ich hatte die einzige Laterne, die in der Gegend brannte, kaputtgeworfen, um ein wenig von der Nacht zu haben und mich des Halbdunkels zu erfreuen, wenn mir danach zumute war. An einer bestimmten Stelle war die Hecke, die unsere Gärten trennte, licht genug, um einen Mann durchzulassen und ihm den Umweg über die Straße zu ersparen, das war auf den Frost zurückzuführen, und Bernie und ich hatten beschlossen, nichts nachzupflanzen, das war eine Tür zwischen uns, die stets offen blieb, eine Fügung des Himmels. Ich näherte mich der Stelle, durchschritt sie jedoch nicht, ich stellte fest, daß ich ohne mein Glas hinausgegangen war.

Eine leichte Veränderung in der Luft teilte mir mit, daß Sarah nachgekommen war und hinter mir stand.

– Mein Gott... Hör dir das an...! murmelte ich, während von vorne das wenn auch gedämpfte Echo des Streits zu uns herüberdrang. Meine Liebe, die haben Doppelglas... Sonst hätten sie längst die ganze Stadt aufgeweckt.

Ich war hin und her gerissen zwischen dem Verlangen, mein Glas zu holen, und der Furcht, eine Schlüsselszene des Matches zu verpassen.

Plötzlich ging die Haustür auf, und Harold erschien in einem Würfel gelben Lichts. Er schien außer sich vor Zorn, es sah so aus, als wollte er einen Koffer aus dem Haus schleppen, aber anscheinend klammerte sich jemand am anderen Ende fest.

– WIRST DU JETZT LOSLASSEN...!! knurrte er. DU HAST WOHL GEDACHT, ICH SCHERZE, WAS...? STIMMT'S...?!!

Er war rot vor Wut, eine lange blonde Haarsträhne hing ihm zwischen den Augen. Er erstarrte für eine Sekunde. Dann brach er in ein regelrechtes Brüllen aus und zog mit einem gewaltigen Ruck an dem Koffer.

Bernie wurde zur Tür hinaus katapultiert. Er hielt sich mit Mühe und Not an dem kleinen Holzgeländer der Freitreppe fest.

– Bitte, Harold... Sei doch nicht dumm..., stammelte er und wappnete sich mit einer schmerzlichen Grimasse.

Ich war verblüfft, wie sehr er gealtert war, und beinahe hätte ich seine Stimme nicht wiedererkannt. Er streckte die Hand aus, aber Harold sprang behend zur Seite und hüpfte geschmeidig wie eine Katze in den Garten. Bernie blubberte ein paar unverständliche Worte.

– SCHEISSE...! rief Harold zurück. DU HAST WOHL GEGLAUBT, WIR SEIEN MITEINANDER VERHEIRATET...!!

Sarah faßte mich um die Taille. Ich fragte mich, wie sie es schaffte, der – überdies unschuldigen – Maschinerie jener Gefühlsaufwallungen zu widerstehen, die uns einander nahebrachten. Selbst wenn ich nicht ihr männliches Ideal war, ich sah die Typen, von denen sie sich rumkriegen ließ, und ehrlich gesagt war es lächerlich zu denken, ich ließe sie kalt, diese dumme Eventualität mußte man von vornherein ausschließen, wenn man ernsthaft diskutieren wollte. Wer weiß, ob sich ihre Brustwarzen nicht aufrichteten, wenn sie mir mit einer Hand durch die Haare fuhr. Also, wo war ihr Geheimnis, mit welchen Wunderwaffen war die Willenskraft einer Frau ausgestattet? Während Harold durch den Garten lief, erkannte ich bitterlich, daß Sarah nur die Beine übereinanderzuschlagen brauchte und die Sache war gegessen.

Harold pfefferte seinen Koffer auf den Rücksitz und stieg über die Fahrertür des MG, wie es etliche bei einem Cabrio zu tun pflegen. Parallel dazu sank Bernie auf die Fersen, und indem er sich am Geländer festhielt, drückte er seine Stirn gegen eine der Stangen.

– Harold... Ich kann nicht mehr brüllen... Bitte... Ich geb zu, ich war im Unrecht... Ich fleh dich an, vergiß, was ich gesagt hab... Harold, tu das nicht...

– Verdammt, weshalb rappelt er sich nicht wieder auf...?! murmelte ich.

– Hmm... Er steht kurz vor dem K.o., nehme ich an.

Plötzlich heulte der Motor des MG auf, er zerriß die Nacht auf eine verächtliche und grausame Weise, geradezu sadistisch gegen Bernies Flehen. Bernie rappelte sich auf, kreidebleich und steif wie ein Stativ. Ich drückte Sarahs Arm.

– WEISST DU, ES GIBT NICHT NUR DICH AUF DER WELT...!! rief Harold, ohne sich umzudrehen. MEIN LEBEN BEGINNT ERST...!!

Im nächsten Moment, als wollte er dies umgehend illustrieren, brauste er davon.

Bernie geriet ins Wanken. Er klammerte sich mit beiden Händen an das Geländer und senkte den Kopf.

– So... Ich glaube, jetzt können wir das Handtuch werfen..., murmelte Sarah, die bereits den Rückzug antrat, ehe das Dröhnen des Motors verklungen war.

Aber ich betrachtete Bernie, und ich konnte mich nicht dazu entschließen, ihr zu folgen. Ich winkte ihr zu, ich käme gleich nach, ich hatte den Eindruck, sie hatte nicht ganz kapiert, was geschehen war, oder es juckte sie nicht, schwer zu sagen.

Ich schlüpfte durch die Hecke und setzte meinen Fuß in Bernies Garten. Er hatte sich immer noch nicht gerührt. Die Augen fest auf seine Füße gerichtet, bot er mir die Oberseite seines Schädels dar, die glatt und blank war wie eine Kristallkugel. Und ebenso zerbrechlich, wenn man mich fragt. Ich ging zu ihm. Ich fühlte mich beschissen, seinetwegen.

Ich machte mir eine Zigarette an. Ich wußte nicht, ob er meine Anwesenheit wahrgenommen hatte. Ich inhalierte einen tiefen Zug, und ich blies ihn in die Stille, die wieder eingekehrt war, wollte ihm damit bedeuten, daß wir hier unten alle nur elende, im Winde wirbelnde Blätter sind und einem gemeinsamen Schicksal unterworfen. Bloß, machte ich mich recht verständlich...?

Ich lehnte mich mit einer Hinterbacke auf das Geländer. Persönlich hätte ich am liebsten geschwiegen, aber wir waren noch nicht vertraut genug, um uns Worte zu ersparen, und ich suchte nach einigen, die meine Gedanken nicht verrieten, sofern das möglich war. Während ich auf die Erleuchtung wartete, betrachtete ich sein Profil, und ich sagte mir, daß ihm seine Kahlheit gut stand. Die wenigen Haare, die er noch hatte, waren kurz geschnitten, höchstens einen Zentimeter lang, ebenso sein leicht ergrauter Bart, der als Ersatz fungierte und demzufolge auch sein Gesicht nicht verunstaltete. In diesem Punkt hatte uns Sarah Gleichstand zugebilligt, denn wenn meine Stoppeln nur dunkel schimmerten, schien es doch, daß mein Gesicht markanter war. Obwohl sich darüber diskutieren ließ, sah ich für Hermann gut und gern ein, zwei Jährchen jünger aus. Ich beobachtete Bernie, ich beobachtete in aller Ruhe einen Typ im besten Mannesalter, und wenn man von diesem Schlag absah, der ihm ganz offensichtlich zusetzte, mußte man sagen, daß er noch gut in Schuß war, und in gewisser Weise war ich ihm dafür dankbar.

Plötzlich richtete er sich auf und legte die Hände auf den Kopf. Er starrte geradeaus und biß sich auf die Lippen. Er atmete einige Male tief durch.

– Sag nichts..., meinte er mit schwacher Stimme zu mir.

– Überhaupt nichts...? unterstand ich mich und wedelte mir unauffällig mit meinem T-Shirt Luft zu.

– Oh, Herrgott nochmal, dieser kleine Drecksack...! ächzte er.

– Komm, Alter, denk nicht mehr dran...

– *Dieser kleine Drecksack*...!!

– Faß dich, Bernie... Sie ist zwar warm, diese Nacht, aber doch mild, es besteht kein Grund, den Kopf zu verlieren.

– AAaahh...! meinte er und warf wie von Sinnen den Kopf zurück. AAaahh, ich hasse ihn, ich hasse ihn, ich *hasse* ihn...!!

– Jaja... Was willst du, es gibt Tage, da haben wir nichts zu lachen, da sag ich dir nichts Neues... Manchmal muß man auch einstecken können.

– Stell dir vor, fast hätte ich ihn geohrfeigt... Ah, warum habe ich mich nur zurückgehalten, *warum halte ich mich immer noch zurück*...?!!

– Oh, naja, wahrscheinlich wegen dieser famosen *Erfahrung*, ich glaube, man ist sich über den Wert der Dinge eher im klaren. Man überlegt es sich zweimal, bevor man alles sausen läßt. Ich weiß, was das kostet...

– Ach, Herrgott nochmal, Dan...! Er bricht mir jedesmal das Herz...!

Er drehte sich um, und für einen Moment hatte ich Angst, er breche in Tränen aus. Seine Lippe zitterte ein wenig, und der Glanz seiner Augen ließ das Schlimmste befürchten, gleichwohl, es gelang ihm, sich zu beherrschen, er nahm die Hände von seinem Schädel und steckte sie in die Tasche.

– Meine Güte... Ich bin am Boden zerstört..., sagte er und zog den Nacken zwischen die Schultern. Tut mir leid, daß ich dich da hineinziehe...

Ich packte ihn an beiden Armen und schaute ihm ins Gesicht.

– Hör zu, Bernie... Mir braucht niemand zu erzählen, daß das weh tut... Aber glaub mir, ich bin der lebende Beweis, daß das nur 'ne miese Zeit ist, die vorübergeht, und ich hab keine Lust, dir was vorzulügen, weißt du, bei sowas mache ich keinen Spaß...

Er versuchte vergebens, ein Lächeln aufzusetzen, fast so, als trampelte ich ihm auf den Füßen herum.

– Ach, Dan... Es ist vollkommen idiotisch, aber ich spür meine Beine nicht mehr... Ich bin gelähmt...

– Mmm... Bernie... Weißt du, als meine Frau mich verlassen hat, habe ich drei Tage lang kein Bein mehr auf die Erde bekommen...

Allein bei dem Gedanken spannte sich die Haut auf meiner Stirn. Fast meinte ich, das Phantom meiner Wehklagen um den Garten streichen zu hören, und sogleich drückte ich Bernies Arme ein wenig fester, denn nichts ist so entsetzlich wie ein blutendes Herz, im Ernst, das war etwas, darüber konnte ich wahrhaftig nicht lachen.

– Dan, hör mal..., stieß er hervor. Ich glaub, ich fall um, wenn ich mich nicht setze...!

Ich sah nur zu gut, daß das kein Witz war. Ich spürte, daß er von einer Sekunde auf die andere zusammenbrechen konnte und daß keine Zeit mehr war, einen Stuhl zu holen. Er nahm die Hände aus der Tasche und tastete ins Leere, ob sich zufällig hinter seinem Rücken eine Sitzgelegenheit materialisiert hatte. Wäre ich nicht da gewesen, er wäre hingeflogen.

– Hoppla, Bernie, wo willst du hin...? fragte ich ihn und fing ihn im letzten Moment auf. Ich hob ihn hoch und verpaßte der Tür, die sich halb geschlossen hatte, einen Tritt.

– Ich kenne jemanden, der wäre jetzt besser in seinem Bett mit 'ner Handvoll Schlaftabletten..., fügte ich in scherzhaftem Ton hinzu. Und er, indem er einen Arm um meinen Hals schlang: Dan, ich schäme mich, daß du mich in einem solchen Zustand erlebst... Und ich: Ich hoffe, das ist nicht dein Ernst... Und er: Plötzlich hatte ich so'ne Art schwarzes Loch...

Immerhin, Bernie wog bestimmt seine siebzig Kilo. Mich ergriff eine sekundenkurze Unschlüssigkeit, bevor ich die Treppe in Angriff nahm, aber sein anderer Arm baumelte ins Leere, und ich schloß daraus, daß ihm die Kraft fehlte. Jetzt war nicht der rechte Moment, an mein Kreuz zu denken.

– Na schön, halt dich fest, sagte ich zu ihm. Aber wehe, du legst den Kopf auf meine Schulter...

Als ich zu Sarah zurückkam, sagte sie, sie wolle mir ein Aquarium schenken, der Typ, den sie im Restaurant habe sitzenlassen, habe eines zu Hause und das sei faszinierend und man könne stundenlang davorsitzen und zugucken, sie wisse selbst nicht, warum, aber sie habe plötzlich Lust, mir etwas zu schenken. Ich lächelte sie an.

– Nun denn... Es ist in erster Linie der gute Wille, der zählt... Aber mach dir keine Kopfschmerzen, du bist und bleibst die erste in meinem Herzen, wenn's dich beruhigt...

– O Herr im Himmel..., seufzte sie. Was kannst du manchmal bekloppt sein...!

– Ah, ah... Ich kenne dich, als hätte ich dich *gemacht*... Du weißt, es gibt einige Dinge, die kannst du dir bei mir nicht erlauben. Denk dran, vor mir bist du *splitternackt*...!

In ihrer Wut zischte sie mein Glas hinunter, aber als sie es absetzte, fand sie ihr Lächeln wieder.

– Scheiße, was sagt man dazu...?! Ich wollte ihm bloß ein Aquarium schenken...

Ich schnippte mit dem Daumen den Korken von einer Cognacflasche, denn ich spürte noch Bernies Gewicht in den Armen, und ich hatte ihn mir lang genug angesehen, als er auf dem Bett lag und bäuchlings gegen eine unsichtbare Kraft ankämpfte und schwach wimmerte inmitten des Kissens, in dem er seinen Kopf vergraben hatte.

– Ich frage mich, ob er gemerkt hat, daß Harold seinen Wagen hat mitgehen lassen..., erklärte ich versonnen. Es ist hart, morgens wach zu werden und festzustellen, daß alles noch schlimmer ist, als man dachte.

Als ich sie später zu ihrem Wagen brachte, bat sie mich, über ihr Angebot mit dem Aquarium nachzudenken, letztlich sei ihr meine *kränkende* und *lachhafte* Interpretation der Sache schnurzegal, sie habe Lust, mir ein Geschenk zu machen, und ich könne darüber denken, was immer ich wolle.

Ich blieb mit einem sanften Lächeln um die Lippen auf dem Bürgersteig stehen, während sie ihre Schlüssel suchte. Kaum verhüllt durch die schwachen Bemühungen ihres Minirocks, glänzten ihre langen Beine auf dem Sitz wie in einem Bild des Gartens Eden.

– Na schön, einverstanden..., meinte sie und warf mir einen Blick von schräg unten zu. In zwanzig Jahren gebe ich mich dir hin... Tag für Tag!

Ich beugte mich ein wenig vor, damit sie nur ja mein Lächeln sehen konnte.

– Ciao! Bleib keusch und rein..., sagte ich.

Harold tauchte fünf Tage später wieder auf. Die Versöhnung dauerte einen Großteil des Nachmittags, und als ich Bernie abends traf, hatte seine Haut wieder Farbe angenommen, und er war ein anderer Mensch.

– Ehrlich, Dan, man fragt sich glatt, ob die Wiedersehensfreude nicht hundertmal den Schmerz einer Trennung aufwiegt...!

Ich persönlich kannte dieses Problem nicht, aber ich fand, er hatte ein etwas kurzes Gedächtnis.

Obwohl er sich drei Tage lang dahingeschleppt hatte. Nicht mal mehr ein Ei runterbekommen hatte. Mir ein ums andere Mal versichert hatte, lieber wolle er sterben, sollte Harold nicht zurückkommen. Ich hatte die meiste Zeit bei ihm verbracht, und mir dröhnten noch die Ohren von seinen Seufzern und seinem ständigen Harold hier und Harold da. Nicht einmal die Fensterläden hatte er aufgemacht. Er hockte im Halbdunkel auf dem Bett, und ich hatte darauf verzichten müssen, ihn da rauszuholen, solange es draußen noch hell war, und auch nach Einbruch der Dunkelheit gestattete er sich gerade mal ein paar Schritte im Garten. Und er weigerte sich, vom Telefon fortzugehen, für den Fall, daß Harold anrief.

– Worauf wartet der denn...?!! Er *weiß* doch, daß ich ihm verzeihe... Ich habe ihm noch *jedesmal* verziehen...!!

Mittlerweile kannte ich die ganze Geschichte:

– Dan, ich pfeif drauf, wenn er von Zeit zu Zeit mit 'nem Mädchen pennt, *aber doch nicht eine Woche lang*...!

Oder auch:

– Dan, ich weiß, daß ich niemals das Glück finden werde, denn alle Typen, die ich geliebt habe, waren echte Männer, Dan, mein Leben ist eine unmögliche Geschichte ...!

Da stimmte ich ihm gern zu. Ich hatte immer schon gedacht, daß man es nicht leicht hat. Ich war bereit zuzugeben, daß seine Neigung die Sache nicht einfacher machte, aber ich konnte ihm versichern, daß sie auch für mich kompliziert war, um nicht zu sagen unmöglich, und dabei knöpfte ich mir nur Frauen vor.

Er weigerte sich, mir zu glauben. Er war überzeugt, sein Fall sei die schwerste Prüfung, die man sich nur vorstellen könne, denn jede Partie sei von vornherein verloren.

– Was würdest du von einem Spiel halten, meinte er zu mir, bei dem du nicht den Hauch einer Chance hast, was hältst du davon, jemanden zu lieben, eben weil er dich nicht lieben *kann* ...? Dan, kannst du dir die Qualen vorstellen, die man ertragen muß, wenn man zu so etwas verdammt ist ...? Meine Güte, wie soll ich bloß gegen eine Frau ankommen, miß du dich mal mit einer Göre von zwanzig Jahren mit einem Paar Titten ...! Dan, all meine Liebhaber haben mich wegen einer Frau verlassen, und Harold wird wie die andern zur Herde zurückkehren, denn über kurz oder lang kommt alles wieder ins Lot. Das ist eine Welt, in der ist kein Platz für mich.

Es lief einem kalt den Rücken hinunter, wenn man ihn so reden hörte. Ich stand dann meist auf und stellte mich ans Fenster, um mich in dem Licht, das durch die Fensterläden drang, zu amüsieren. Ich tat alles, um vom Thema abzulenken, und ergötzte mich an dem Schattenspiel an der gegenüberliegenden Wand, während er zur Decke starrte.

Als Harold endlich zurückkam, fiel mir ein Stein vom Herzen, und ich atmete erleichtert auf. Nicht daß im Laufe dieser schmerzlichen Tage das Band, das Bernie und mich vereinte, verschlissen oder auch nur ausgeleiert gewesen wäre, aber allmählich hatte ich die Nase voll, ich konnte von Glück reden, wenn er einmal nicht Trübsal blies.

Ich lehnte es ab, an jenem Abend mit ihnen zu essen. Ich erfand eine Ausrede, von wegen Sarah erwarte mich in der Stadt, und im nächsten Moment saß ich schon auf meinem Motorrad und raste in die untergehende Sonne, und nur ja kein Blick in den Rückspiegel.

In der sicheren Annahme, dem Schlimmsten entronnen zu sein, kreuzte ich vor der Stiftung auf. Ich grüßte ein paar junge, mir bekannte Schriftsteller, als ich durch die Halle schritt, und erneut konnte ich feststellen, daß meine Popularität langsam, aber stetig sank, daß die Zeit, da ich mich für sie geopfert und mir diesen Job mit Marianne Bergen aufgehalst hatte, bereits weit zurücklag und daß ich mich wahrscheinlich erst mit Paul zusammentun, ein wenig der große Manitu sein mußte, der all diese Scheißstipendien verteilte, wenn ich in ihrem Ansehen wieder steigen wollte. Aber ich nahm es ihnen nicht krumm, diesen dummen kleinen Ärschen. Ich ging ins Zwischengeschoß hinunter, ich wählte den Gang, der hinter den Theatersaal führte, und ich betrat Sarahs Büro. Sie unterhielt sich gerade mit Elsie.

– Also nein, kaum dreht man euch den Rücken zu, sagte ich.

Zwei Lächeln auf einmal, wie man sie sich nicht ausmalt, wenn man gerade das Tal der Schatten verlassen hat, und ich stieß ein zufriedenes Knurren aus.

Wir gingen zu dritt in einem mexikanischen Restaurant essen, das gerade aufgemacht hatte. Das Ambiente war zwar nicht schlecht, das Chili hingegen schlicht seelenlos. Die Mädchen fanden es gut, aber ich misch mich ja auch nicht ein, wenn's um eine Creme zur Straffung der Büste geht. Ansonsten, was die Musik und den Tequila anging, waren wir uns einig, *Los Lobos* bzw. *Herradura*. Klar diente das dazu, einem ein X für ein U vorzumachen und einem eine Handvoll roter Bohnen für obengenanntes Gericht zu verkaufen, nur daß das bei mir nicht zog, ich verstand zwar bei 'ner Menge von Dingen Spaß, aber niemals, wenn ich nach meiner Meinung über ein Chili gefragt wurde.

– Hör mal, fall uns damit nicht auf den Wecker..., mahnte mich Sarah. Du bist die reinste Nervensäge...!

Ich schlang also meine Bohnen hinunter, ohne weiter zu motzen. Ehrlich gesagt, Harolds Rückkehr stimmte mich milde, ich fühlte mich von einer Last befreit und war bereit, diesem Schundkoch zu verzeihen, vielleicht war er ja verliebt. Der

Laden war voll. Aber ich scherte mich wenig um die neidischen Blicke, die auf mir ruhten, denn ich vergaß nicht, daß die Wahrheit weniger rosig war und daß es nicht reichte, zwei hübsche Mädchen auszuführen. Nehmen Sie die zu meiner Linken, die lehnt es ab, sich mir hinzugeben, das ist sonnenklar. Und was die zu meiner Rechten betrifft, bei deren Brust einem die Spucke wegbleibt, naja, die entzieht sich mir allmählich, und verdammt, ich hab keinen blassen Schimmer, wie ich das Steuer rumreißen soll. Ich verspürte einen leichten Stich, als ich die beiden miteinander quatschen sah. Manchmal ist es schwer zu sagen, ob man froh ist oder nicht. Ob es sein kann, nicht wahr, traurig und vergnügt auf einmal zu sein.

Wir waren gerade bei den flambierten Bananen angelangt, als mir auffiel, daß ich während des gesamten Essens geistesabwesend war, oder nur halb präsent, wenn man unbedingt Worte klauben will, wenn ein Nicken oder Kopfschütteln oder hier und da ein Ja oder Nein als Beweis für was weiß ich herhalten können. Ich wußte nicht, ob es den Mädchen aufgefallen war, ob sie meinen Körper vergeblich gerüttelt hatten, während ich woanders war, oder ob ich sie mit einem rätselhaften Lächeln beruhigt hatte. Ich erwachte in dem Augenblick aus meiner Entrückung, als ich wahrnahm, daß die Flammen nicht die meines Scheiterhaufens waren, und im gleichen Moment hörte ich Elsie sagen:

– Tja, das wird vierzehn Tage dauern. Hoffentlich werd ich nicht seekrank...!

Ich blickte auf.

Ihre Worte galten nicht mir. Wahrscheinlich hatten mich die beiden seit einer Weile vergessen, und ob ich ihnen gefehlt hatte oder nicht, konnte ich ihnen nicht am Gesicht ablesen.

– Naja, mal sehen..., fuhr sie fort. Aber weißt du, ich habe keine Sekunde gezögert, ich glaube, ich hätte es umsonst gemacht... Sarah, du kannst dir gar nicht vorstellen, wie sehr es mir ein *Bedürfnis* ist, zu singen...!

Sarah stemmte den Ellbogen auf den Tisch und stieß einen jener wundervollen Frauenseufzer aus, dabei klemmte sie ihr Kinn in eine Hand.

– Ehrlich, mein Schatz, ich sag dir, mir käme das gerade recht... Mich vierzehn Tage an Deck in der Sonne zu aalen, ich glaub, das wär ganz nach meinem Geschmack...!

Ich schüttelte mich innerlich. Plötzlich verlockte mich meine Banane überhaupt nicht mehr, und ich fischte eine No. 3 aus meiner Hemdentasche und steckte sie an.

– Entschuldigung, sagte ich, wovon redet ihr eigentlich...?

Sie wandten sich mir zu und schauten mich an, mich, auf den mit einemmal ein Anflug von Verärgerung seinen Schatten warf, der ich jedoch versuchte, helle zu bleiben. Elsie ergriff die Flucht nach vorn:

– Oh, das ist mal wieder sehr angenehm, weißt du... Vielen herzlichen Dank für deine Aufmerksamkeit... Hast du mir überhaupt ein einziges Mal *wirklich* zugehört, glaub mir, langsam frag ich mich das...!

Elsie gehörte zu denen, die instinktiv wissen, daß Angriff die beste Verteidigung ist. Aber ich bewahrte meinen ganzen Gleichmut:

– Ich glaubte etwas von einem Schiff gehört zu haben..., sagte ich.

– Meine Güte, es ist wahr, nie hörst du mir zu...

– He, Moment mal... Wirf nicht alles durcheinander. Von dieser Sache mit dem Schiff hast du mir keinen Ton erzählt...

Sie senkte den Kopf und fing an, in ihrer Tasche zu wühlen.

– Na klar, ob ich singe oder nicht, o verdammt, das ist dir doch völlig egal...! Meinst du, ich bin blind...?!

Es war das ewige Problem. Ein besonders heikles Thema, wie eine kranke Leber, die mit äußerster Vorsicht abzutasten ist, wenn man weiß, daß einem schon die leiseste Berührung eine leichte Grimasse entlockt. Während Elsie weiter in ihrer Tasche kramte, warf ich einen Blick in Richtung Sarah. Und sie blickte mich an. Und die Bananen wurden kalt. Und ich spürte, daß ich mich gegen meinen Willen auf eine gefährliche Bahn zerren ließ.

– Hmm... Ich glaube zu wissen, woran es hapert, erklärte ich. Wir reden über verschiedene Dinge...

Sie verlor postwendend jedes Interesse am Inhalt ihrer Tasche und hob den Kopf. Wenn man von mir verlangt hätte, den Grad ihrer Selbstsicherheit in diesem Augenblick zu bewerten, ich hätte ihr 8,5 von 10 Punkten gegeben. Man ist nie in Bestform, wenn man kein reines Gewissen hat, und es ist noch ein Glück, daß es auf Erden wenigstens den Anschein von Gerechtigkeit gibt, daß der Schatten nicht ständig die Oberhand gewinnt.

– Ich sag dir, was los ist, du interessierst dich nicht *wirklich* für mich! fauchte sie wie ein angeschossenes Tier. Sonst wüßtest du, was das für mich bedeutet. Ah, verdammt, ich hab das im *Blut*...! Kapierst du das nicht?!

– Doch, doch, ich versteh schon. Ich bin der, der immer in der ersten Reihe sitzt, wenn du auf die Bühne steigst, falls du es noch nicht gemerkt hast.

– Herrgott! Und du findest, das reicht...?!

Ich drückte meine Zigarre aus. Und so weiter. Und so weiter.

– Reden wir ruhig von dieser Kreuzfahrt..., belferte ich. Weißt du, Elsie, das scheint mir 'ne ganz tolle Idee...!

– Stell dir vor, ich weiß *genau*, woran du denkst...! flötete sie.

– Um so besser! zischte ich durch die Zähne.

– Na fein, es ist soweit, ich wußte es! Mir war klar, was du dir wieder denken würdest...!

Ich verstand nicht so recht, was in mich gefahren war. Ich hatte Lust, ihr an die Gurgel zu springen. Das letzte Mal, daß mich eine Frau wütend gemacht hatte, war so lange her, daß ich ganz baff war. Dabei hätte ich weiß Gott keine großen Wetten auf Elsies Treue abgeschlossen, Gott weiß, daß ich mich nicht täuschte und daß ich wußte, woran ich mich bei der Vergänglichkeit meiner Liebesabenteuer zu halten hatte. Und doch, ich, der ich für gewöhnlich all diese Dinge mit philosophischem Gleichmut aufnahm, ich, der ich mich insgeheim beglückwünschte, aus dem Alter heraus zu sein, ich stand haarscharf vor einem Schlaganfall.

– Scheiße..., sagte ich und bohrte meinen Blick in ihre Augen. Und wenn du mir mal ein paar Einzelheiten nennen würdest, wenn du für einen Moment die Musik beiseite ließest...?!

Natürlich wirkte das unmittelbare Bevorstehen eines Krachs elektrisierend auf sie, sie hielt meinem Blick stand, und ich fand sie schöner denn je. Was soll man über die Schönheit einer Frau sagen, die einem entgleitet...? Kann man der Welt ein Lächeln schenken, das nicht bitter erscheint, wenn man Zeuge einer solchen Ungerechtigkeit wird...?

– Ich weiß, was dir im Magen liegt...! meinte sie.

– Ach nein! Das sollte mich wundern...

Ich wußte es selbst nicht. Ich hatte all diese Dinge vergessen.

– Wenn es um Marc geht, dann laß mich dir sagen...

– Ja, es geht um Marc...! knurrte ich. Du hast den Finger mitten auf die Wunde gelegt...!

Sarah beobachtete uns gelassen. Erkannte sie mich wenigstens noch? War ich nicht völlig entstellt durch eine gräßliche Fratze, war ich noch ich, war das noch der Dan, der gelernt hatte, sich über solche Klamotten nie mehr den Kopf zu zerbrechen? Im Grunde braucht man nur die *Liebesbriefe an Brenda Venus* zu lesen, um zu wissen, daß man damit nie fertig ist. Ich reckte einen Arm in die Luft, damit mir der Typ was zu trinken brachte, während Elsie ihre Serviette auf den Tisch warf.

– Verflixt nochmal! Ich wüßte nicht, was es da Neues gibt...! Ich brauche meine Musiker, wenn ich irgendwo singe...!

– Scheiße..., seufzte ich. Was für ein Spiel treibst du eigentlich...?

Sie gab keine Antwort. Wahrscheinlich empfand sie noch genug für mich, um einen winzigen Gewissensbiß zu verspüren, der ihr ein wenig das Herz zerriß. Wie dem auch sei, sie senkte erneut den Kopf und fing wieder an, in ihrer Tasche zu wühlen.

– Suchst du die Schiffskarten...? fragte ich sie.

Sie erstarrte. Sarah bedeutete mir, ich solle es aufgeben, aber ich fand, sie konnte sich um ihren eigenen Kram kümmern, was auch für einige Leute an den Nachbartischen galt, die anhuben, uns anzustarren.

Ich hatte Elsie wirklich gern. Ohne die große Liebe auszupacken, war es uns doch gelungen, ein paar Dinge zu teilen, und ich war mir vollkommen im klaren, daß das kein Klacks war und daß man das nicht alle Tage fand. Ich hatte schon ein gehöriges Stückchen hinter mir, ich war wie eine alte Hand, die sich am Geländer entlang hangelt, ich brauchte meine Augen nicht, um zu wissen, wann ich mich an etwas Solides klammerte.

– Elsie... Ich glaub, du gehst mir wirklich auf die Eier, schloß ich mit tonloser Stimme.

Sie warf mir einen Blick zu, der mich total kalt gelassen hat, obwohl er eine Menge Botschaften enthielt, aber wie man so schön sagt, niemand ist tauber denn der, der nichts hören will. Für den Bruchteil eines Augenblicks fragte ich mich, wer von uns beiden mehr litt. Und sei es nur in sexueller Hinsicht, ich war dabei, Selbstmord zu begehen.

– Schatz, ich erkenn dich nicht wieder..., säuselte ich und kniff melancholisch die Augen zusammen.

Sie sprang auf, zögerte einen Moment, dann sauste sie zur Tür. Ich zwinkerte den Gaffern zu, die die Szene beobachtet hatten.

– O naja, ich glaub, das ging übel aus...! eröffnete mir Sarah.

– *Kann man Feuer in seinem Busen bergen, ohne daß die Kleider sich entzünden?* habe ich ihr geantwortet.

8

Ich bin nach dieser Geschichte dermaßen lang nicht zum Bumsen gekommen, daß ich darin eine Art Strafe gesehen habe, fast so, als hätte mich Elsie mit einem bösen Blick verhext, bevor sie samt einem Koffer voll Höschen, wie ich mir ausmalte, an Deck ihres Schiffes gestiegen war. Oder ich hatte all meinen Charme verloren, denn sobald ich einem Mädchen nur nähertrat, war es schon ein Schlag ins Wasser. Das Leben ist so, daß man an einem Tag eine überschwemmte Erde ist, und am nächsten, da latscht man durch die große Wüste und kein Tröpfchen weit und breit.

Manchmal, wenn ich mich mutterseelenallein auf die Terrasse eines Cafés setzte, sah ich welche vorübergehen, die einfach wunderbar waren, und abends, wenn ich mir ein wenig zu essen machte, dachte ich daran zurück, ich fragte mich, wohin sie gingen und weshalb sich unsere Wege nicht kreuzten.

Ich dachte darüber nach, auf meinem Bett hingestreckt. Oder ich hockte mich vor das Aquarium, das mir Sarah geschenkt hatte, und beobachtete, die Nase an der Scheibe plattgedrückt, meine Blauen Chirurgenfische, ich betrachtete die Welt des Schweigens, und der Typ hatte ein Schildchen auf den Rand geklebt »ACHTEN SIE STETS AUF REINES WASSER«, und ich sah darin einen tieferen Sinn, etwa in der Art: »ACHTEN SIE STETS AUF DIE REINHEIT IHRES HERZENS.« Kurz und gut, ich versuchte mich nicht verrücktzumachen, aber es kam vor, daß ich morgens anfing zu nörgeln, und wenn mich die Sache zu sehr quälte, joggte ich ein Stündchen durch die Gegend, um mich zu beruhigen und in Form zu halten für den Fall, daß sich die Gelegenheit bot.

Einmal, auf einer Abendveranstaltung, die in der Stiftung ablief, dachte ich, ich stünde kurz davor. Es handelte sich um eine Malerin. Um Punkt drei Uhr morgens war es mir gelungen, sie gegen eine Wand zu drücken, und ich küßte sie auf den Hals, ohne daß sie sich sträubte, was ich als gutes Omen wertete.

Sie war Italienerin. Ich verstand kein Wort von dem, was sie mir erzählte, aber jedesmal, wenn ich auf unsere leeren Gläser zeigte, nickte sie. Sie war zwar nicht umwerfend schön, aber doch hübsch genug, und ich hatte sofort bemerkt, daß sie gelangweilt dreinschaute.

Mitten im schönsten Schäkern, ich fing gerade an, Luftschlösser zu bauen, tauchte Hermann auf und fragte, ob ich einen Moment kommen könne. Ich antwortete ihm, das erscheine mir schwierig. Er ließ nicht locker. Das wunderte mich nicht. Woher sollte er auch wissen, daß einem so ein Mädchen nicht einfach in den Schoß fällt, wo für ihn doch alles eitel Sonnenschein war und er logischerweise keinen blassen Schimmer hatte von dem schmerzlichen Gürtel, den enger zu schnallen uns ein mißgünstiges Schicksal zwingt?

– Meine Güte... Hm, hör mal..., meinte ich mit sorgenvoller Miene. Kann das nicht warten?

Er gab keine Antwort, sondern schlug die Augen nieder.

– *Ah, Jessesmaria...!* sagte ich mir, als ich das Unheil ermaß, denn ich gab mich keinen Illusionen hin, ich wußte nur zu gut, wenn ich das Mädchen in dem Zustand verließ, in dem es gerade war, würde ein anderer ernten, was ich geduldig gesät hatte, das war sonnenklar. Allein, gab es etwas, das mich hätte aufhalten können, wenn mich Hermann bat, ihm zu folgen, war ich nicht ein Gefangener dieser vielzitierten Blutsbande und bereit, mein Herz von allem anderen zu reinigen? Ich hoffte trotz allem, daß er mich nicht wegen einer Lappalie störte und daß er sich des üblen Streichs bewußt war, den er seinem Vater spielte, wo jener praktisch am Ziel seiner Wünsche war.

– Gladys hat sich in der Toilette eingeschlossen..., eröffnete er mir mit einem Gesicht wie ein Mondkalb, nachdem er mich aus dem Saal geführt hatte. Dann verstummte er. Wahrscheinlich bildete er sich ein, mir würde ganz schlecht oder ich wisse genug über die Sache, um seine Befürchtungen zu teilen, dabei war ich, um ehrlich zu sein, meilenweit davon entfernt und mit den Gedanken ganz bei meiner süßen Italienerin, meinem exotischen Vöglein, das davonflatterte.

– Hm... Schon lange...? fragte ich ihn, als müßte ich Bade-
wasser kosten. Er wirkte verstimmt und nervös, und seine Wangen waren rot, und ich fragte mich, ob er womöglich von einem
Fuß auf den andern hüpfte, der Dummkopf.

– Scheiße, sie ist sauer auf mich...! knurrte er.

– Paß auf, Hermann, ich will mich nicht in eure Angelegenheiten mischen... Außerdem glaub ich nicht, daß sie ihr Leben lang
da drin bleiben wird.

– Doch! Sie ist *eingesperrt*...! Ich wollte die Klinke runter-
drücken, und jetzt ist sie verklemmt..., seufzte er.

Ich schüttelte den Kopf, die Augen gen Himmel verdreht. Ich
murmelte *ciao bambina* und zupfte an meiner Fliege.

Ich klopfte an die Tür.

– Gladys...?

– MACH, DASS DU WEGKOMMST, HERMANN...! ICH
WILL DICH NICHT MEHR SEHN...!

– Nein, ich bin's...

– Dan...? Ah verflixt, ich weiß nicht, was der angestellt hat,
aber jetzt bin ich hier eingeschlossen...!

Ich betätigte den Türdrücker heftig in alle Richtungen, ohne
etwas damit zu erreichen. Ehrlich gesagt sah ich mich außerstande, die Tür einzudrücken, das war nicht dieses Modell aus
Wellpappe mit einem Schloß aus Blech, und das war mein bestes
Stück, ein schwarzer Leinenanzug, den ich bis an mein Lebensende zu bewahren hoffte, der, den ich auf dem Leib hatte, als mir
Franck in die Arme gesunken war.

– Menschenskind, ihr seid lustig..., ächzte ich.

– AH, BITTE, DAN... HOL MICH HIER RAUS...!!

– Hmm, das ist leichter gesagt als getan...

– Also hör mal...! Ich bleib hier nicht drin, in diesem
Ding...!!

– Naja, was soll ich sagen... Wenn du mich fragst: Ich will
dir nicht verhehlen, daß es schwierig sein dürfte, um diese Zeit
einen Schlosser aufzutreiben. Darf ich dich darauf aufmerksam
machen, wir haben vier Uhr morgens...

– O neeeiiinnn...! Scheiße...

– Tja, ich fürchte wirklich...

Ich war nur aufrichtig. Hermann tigerte durch den Flur, grummelnd, die Hände in den Taschen vergraben. Er blieb wie vom Donner gerührt stehen, als Gladys plötzlich anfing zu schreien:

– DU BIST DA, DU BLÖDER HUND...! ICH WEISS, DASS DU DA BIST! ICH RATE DIR BLOSS, SIEH ZU, WIE DU MICH HIER RAUSKRIEGST...!!, dann setzte er sich in Bewegung.

– O Dan, meinte sie nach einer Pause, ich platze vor Wut...!

– Ja, natürlich...

– Ich fleh dich an, besorg mir 'ne Leiter... Ich glaub, langsam hab ich die Nase voll.

– Wie bitte, *besorg mir 'ne Leiter*...?! Du hast Nerven!

– Mann, du willst mich doch nicht im Stich lassen...?!

– Nein... Ich will keinen Streit mit deiner Mutter.

Wir kehrten also ins Erdgeschoß zurück, und ich nutzte die Gelegenheit, um Hermann zu fragen, was eigentlich passiert sei, und er sagte, och, nichts, überhaupt nichts, die übertreibt, ich hab nicht mal begriffen, wie mir geschah. Das war nicht besonders erhellend, aber ich hakte nicht nach, ich wollte bloß diese Sache schleunigst regeln und zu meiner Italienerin zurück, falls sie durch ein Wunder doch nicht verschwunden war.

Ich machte mich auf die Suche nach Max. Wenn es einen gab, der uns zu einer Leiter verhelfen konnte, einen, der die Stiftung vom Speicher bis zum Keller wie seine Westentasche kannte, dann er. Wir hatten ganz zu Anfang ein Glas miteinander getrunken, dann hatte ich ihn in einer von älteren Semestern bevorzugten Ecke zurückgelassen, und dort fand ich ihn auch wieder, er diskutierte mit einem jungen, pickeligen Typen, der mit offenem Mund nickte, über Basketball.

Wenn ich Max sah, machte mir das Alter mitunter angst. Ich sagte ihm, wir bräuchten ihn, und zog ihn ein wenig zur Seite, um ihm von unseren Unannehmlichkeiten zu berichten und daß wir um jeden Preis eine Leiter finden müßten.

– Also sowas! Was treibt die sich auch im ersten Stock rum, diese Idiotin...! Warum nicht gleich unterm Dach...?!

– Puh... Das darfst du mich nicht fragen...! bremste ich ihn.

– Ist doch wahr...!

– Schon gut, gehn wir... Beeilt euch...! verlor Hermann die Geduld.

Ich war nicht böse, daß Max wie selbstverständlich das Kommando übernahm, und als er darauf bestand, sich die Leiter ganz allein auf den Buckel zu laden, machte ich keinen Finger krumm, um ihn daran zu hindern. Das hätte noch gefehlt, daß ich mir bei der Geschichte einen Riß im Anzug holte, und im übrigen war mir nicht nach Reden zumute. Eigentlich hätte ich in diesem Moment mit einem Büstenhalter beschäftigt sein müssen, und das, das ging mir nicht aus dem Kopf.

Wir gingen hinten hinaus, in die totale Finsternis. Max machte Licht und deutete mit dem Finger auf die Toiletten im ersten Stock. Hermann legte den Kopf in den Nacken und stieß einen Pfiff aus.

– Der Hof liegt tiefer als die Straße, meinte Max.

In Nullkommanichts hatten Hermann und er die Leiter gegen die Mauer gelehnt.

– Sehr gut. Tadellos, sagte ich.

Eine zweite Leiter glitt knarrend aus der ersten hervor und kämpfte sich stoßweise zu dem Fenster des WCs empor. Ich beobachtete Hermann. Das war nicht das erste Mal, daß er mit Gladys Krach hatte, aber ich verwettete meinen Kopf, daß es noch nie so ernst war. Jaja, das war ein Jahr, in dem sich alle Welt verkrachte, das konnte man sagen.

Als die oberste Sprosse den unteren Rand des Fensters erreichte, hatte mich die Erinnerung an meine einstige Gefährtin völlig aufgewühlt, und wenn man bedachte, wie sehr ich mich inzwischen abrackern mußte, um eine neue zu finden, wie gut es gewesen wäre, sich darüber nicht den Kopf zerbrechen zu müssen und seinen Geist anderen Dingen zuzuwenden... Ah, hätte ich doch die Augen geschlossen! Ah, doch konnte ich das...?!

Hermann wollte als erster raufklettern, aber Max scheuchte

ihn von der Leiter, das sei Männersache, nichts für kleine Jungen, er solle lieber aufpassen, daß die Leiter nicht anfing zu wackeln.

– He, das geht auch zu zweit...! meinte er zu mir, bevor er sich in die Lüfte schwang.

Hermann warf mir einen besorgten Blick zu:

– Das geht nicht gut... Ich sag dir, das geht nicht gut...!

– Abwarten... Er hat sein Leben lang Sport getrieben. Ich wette, er ist besser in Form als du und ich.

– Trotzdem, der ist verdammt alt...

– Du spinnst, der hat noch zig Jahre vor sich...!

– Alles klar! rief er uns zu, während er mit der Faust gegen das Fenster hämmerte. Das Holz hat sich nur ein wenig verzogen...

– Jaja, paß aber trotzdem auf...! rief ich ihm zu.

Er legte sich derart ins Zeug, daß die ganze Leiter anfing zu beben und mir der Schreck in die Glieder fuhr.

– Max...! Verdammt, du rasselst gleich runter...! brüllte Hermann.

– Ehrlich, du bist *bekloppt*, dermaßen rumzufuchteln, sagte ich.

Als das Fenster endlich nachgab, wäre er um ein Haar nach drinnen geflogen, so brutal war er zur Sache gegangen.

– Scheiße, was wolltest du denn damit beweisen...? fragte ich ihn.

– Alles klar! Alles klar...!! beruhigte er uns. Weckt mir nicht das ganze Viertel auf...!

– Meine Güte, ich hatte vielleicht 'nen Schiß...! murmelte Hermann.

– In der Tat, der wird nicht älter, der wird nur bescheuerter...! seufzte ich.

Sterne funkelten am Himmel, und ein leichter Wind fegte das Laub zusammen und pfiff durch die Bäume am Straßenrand, aber kalt war es nicht. Ich sagte mir, in ein paar Minuten kannst du abhauen, vielleicht ist das Glück endlich einmal auf deiner Seite, vielleicht hat sich das Mädchen wider alles Erwarten nicht von der Stelle gerührt und wartet seelenruhig auf dich. Sind es nicht manchmal die verrücktesten Träume, die wahr werden?

Als ich Gladys' Bein über dem Fensterbrett auftauchen sah, war ich fröhlich wie einer, der bald in vertraute Gefilde zurückkehrt. So lang war ich eigentlich nicht weggewesen, noch bestand Hoffnung.

Max kletterte ein paar Sprossen herab, während Gladys' zweites Bein auf der Bildfläche erschien und auf der obersten Sprosse der Leiter Halt suchte. Für einen Moment sperrte ich Mund und Nase auf.

– Es ist nicht alles schlecht an deinem Zeitalter..., sagte ich zu Hermann. Denk dir, ich hab die finsteren Jahre der Nylonstrümpfe miterlebt.

Ein leiser Windhauch lüftete Gladys' Röckchen, das sich wie ein Fallschirm aufblies, bevor es zart auf ein Wirrwarr von seiden glänzendem Flitterkram zurückfiel. Ich war angenehm überrascht, ich sah, daß sie nicht mehr das kleine Mädchen war, das ich gekannt hatte, und ich fragte mich, wie mir dieser Wandel hatte entgehen können, wie ich es hingekriegt hatte, das zu verpassen.

– He, wir wollen hier nicht übernachten...! rief Hermann den beiden zu, obwohl mir schien, daß er vor allem Max meinte, der zur Salzsäule erstarrt war, den Blick auf Gladys' Dessous geheftet.

– Geh ruhig weiter, Max..., sagte sie zu ihm. Mir kann nichts passieren.

Langsam stieg er einige Sprossen herab, doch sein Kopf kippte weiter nach hinten, und Gladys' Schenkel baumelten sanft vor seiner Nase.

– Also, hör mal, du hast wohl keine Hemmungen...! schnauzte ihn Hermann an, dessen Wangen leicht erröteten.

– Würdest du vielleicht ein bißchen schneller gehn...?! ärgerte sich Gladys. Ich hätte dir fast auf die Finger getreten...!

Auf halber Höhe blieb er glattweg stehen.

– Scheiße. Findste das *komisch*...? knurrte Hermann.

– Also nein, was soll das...?! ächzte sie.

Aufreizend langsam stieg er ein, zwei Sprossen tiefer, aber ich hatte Mitleid mit ihm, ich stellte mir vor, was das hieß, wenn man ein für allemal auf der anderen Seite des Gitters steht und sich mit weißen Haaren rumplagen muß.

– Meine Zeit, in knapp 'ner Minute ist das vorbei, sagte ich mir. Wir sollten das als den Lohn seiner Mühe ansehen.

Hermann verpaßte dem Holm der Leiter fluchend einen ordentlichen Faustschlag. Ehrlich gesagt, wir kannten Max schon so lang – ich will des Teufels sein, wenn er sie nicht alle beide auf seinem Schoß hatte hüpfen lassen –, daß es reichlich schwer war, ihn wie einen Dahergelaufenen zu behandeln und ihn da runterzuholen, ohne Samthandschuhe anzuziehen. Trotzdem schickte ich mich an, ihn darauf hinzuweisen, daß ich nicht viel Zeit hätte und daß er mich nicht zwingen solle, bis drei zu zählen. Sicher, das war *eine* Sache, als Freund weiblicher Dessous quasi im Vorbeigehen einen Blick zu riskieren, auch ich hätte mir das keineswegs versagt, und lieber zweimal als einmal, aber jetzt trieb er es zu bunt, jetzt überspannte er den Bogen ein wenig.

In dem Moment, wo ich die Klappe aufmachen wollte, blieb er erneut stehen, so nah über uns, daß ich, wäre ich gesprungen, mit den Fingerspitzen den Umschlag seiner Hose hätte streifen können.

Das Folgende spielte sich so schnell ab, daß ich zunächst gar nicht begriff, was er da fabrizierte. Gladys schrie entsetzt auf, als Max' Kopf unter ihrem Rock verschwand. Im nächsten Augenblick kletterte sie blitzschnell einige Sprossen höher.

– ALSO NEIN, VERDAMMT NOCHMAL, HAST DU DAS GESEHN ...?!! stammelte Hermann.

– MAX ...! BIST DU NOCH BEI TROST ...?! tobte Gladys.

Wir waren alle drei vollkommen verdutzt. Die Szene war so schnell über die Bühne gegangen, daß ich noch wie gelähmt und mit halboffenem Mund dastand. Max lachte laut auf, dann klappte er den Kopf nach vorn und stieg behende die letzten Sprossen hinab.

Eine Handvoll Blätter, vom Wind aufgewirbelt, flog über das Tor und prasselte vor unsere Füße. Die beiden trafen fast gemeinsam, sozusagen Kopf an Kopf, unten ein, und Max lachte immer noch. Er profitierte davon, daß sich Hermann und Gladys unmittelbar gegenüberstanden und ein Mädchen seine Kräfte nicht vergeudet, wenn es darum geht, den Feind zu bekämpfen. Schlagartig zählte nur noch eines für sie. Vielleicht schämte sie sich auch wegen der Sache mit Max und ging lieber darüber hinweg, ohne ein Wort darauf zu verschwenden.

– LASS MICH BLOSS IN RUHE...! schleuderte sie Hermann ins Gesicht. Ich hätte gern Max' Miene gesehen, aber er war bereits zur Seite getreten und kehrte mir den Rücken zu.

– PACK MICH NICHT AN, DU BLÖDER IDIOT!!! fauchte sie, als Hermann vorsichtig eine Hand nach ihrem nackten Arm ausstreckte.

Die Stimmung war äußerst gereizt. Gladys' Blick versprühte reines Gift.

Plötzlich rannte sie los und flitzte in Richtung Eingang, und Hermann stürzte, ohne zu zögern, hinter ihr her. Ich hoffte, daß sie nicht wieder anfangen würden, mit den Türen zu spielen, wenn es sich vermeiden ließ.

In der Stille, die wieder eingekehrt war, fegten ein paar Blätter über die Erde, aber sie schafften es nicht davonzufliegen und gesellten sich zu den anderen am Fuß einer Mauer. Max war damit beschäftigt, die Leiter einzufahren, und die Rollen quietschten leise, als er das Gerät zusammenschob.

– Max... Das hättest du nicht tun sollen, sagte ich zu ihm.

Er vollendete sein kleines Werk, ohne sich um mich zu kümmern, ohne mich anzusehen. Er zog seine Hose zurecht, kippte die Leiter und schulterte sie.

– Ist es soweit? Bist du völlig verblödet? erkundigte ich mich mit erhobener Stimme.

Ein Windstoß ließ Max' Haare zu Berge stehen. Er ging an mir vorüber, ohne zu antworten, aber ich packte ihn am Arm. Ich fühlte mich ungeschickt, denn es war das erste Mal, daß ich seinetwegen in helle Wut geriet, und es war schwierig, gegen diese Art Freundschaft anzukämpfen, die ich seit langem für ihn empfand.

Er warf mir einen schrecklichen Blick zu, der jedoch sogleich erlosch, so daß ich nicht einmal sicher war, richtig gesehen zu haben.

– Also ehrlich, so ein Aufstand um einen kleinen Scherz...! erklärte er hämisch.

Ich zögerte einen Moment, dann ließ ich seinen Arm los.

Es gab rund ein Dutzend Zimmer auf der obersten Etage der Stiftung. Sie waren nicht besonders groß, aber jedes hatte eine Nische, in der man eine Kleinigkeit kochen konnte, ein kleines Bad und ein Bett. Und vor allem einen Schreibtisch mit einer Lampe, denn von den Künstlern, die man hier empfing, wurde erwartet, daß sie arbeiteten oder wenigstens hin und wieder ein paar Notizen niederschrieben.

Stets lagen ein dicker weißer Block und eine Handvoll Stifte in einer der Schubladen, Marianne legte großen Wert darauf, und die Frauen, die mit dem Putzen und Aufräumen betraut waren, mußten jeden Morgen kontrollieren, ob dem Geist, der diesen Räumen innewohnte, genügend Munition verblieb. Was sich auf der obersten Etage der Marianne-Bergen-Stiftung tat, war für viele vom Nimbus der Kreativität umgeben, und so mancher stellte sich vor, der Kessel dampfe die ganze Nacht und die kleinen Engelchen badeten artig in voller Inspiration und lutschten an ihrer Kulimine.

Das war ein Irrtum. Die Geräusche, die man hinter der Tür vernahm, waren keineswegs das Ergebnis geistiger Pein. All diese jungen Menschen waren fern der Heimat, und sie versuchten, ihr Heimweh zu vergessen, indem sie, obwohl es streng verboten war, Alkohol oder irgendwelchen Besuch aufs Zimmer schmuggelten. Sobald die Nacht hereinbrach, herrschte auf dieser obersten Etage eine gewisse Betriebsamkeit, allerdings waren es Federn, die knarrten, oder eine Flasche, die über den Boden kullerte, kein Kopf der gegen die Wand geschmettert wurde, kein Verzweiflungsschrei, sondern Liebesgurren, Wasserspülungen, Plätschern.

Meine Italienerin hatte die Nummer 12, das Fenster lag zur Straße. Als ich sie nach den langen Monaten der Abstinenz (was mich betraf) aufs Bett warf, war ich regelrecht ergriffen, und das hatte nichts mit der sexuellen Komponente der Geschichte zu tun, das war schlicht das Vergnügen, mitten im Leben zu stehen und mich bester Gesundheit zu erfreuen. Ich lächelte zur Decke, heilfroh, sämtliche Prüfungen des Abends glorreich bestanden zu haben, und bereit, den Siegeskranz zu empfangen. Ich bedauerte, daß ich nicht das eine oder andere Wort Italienisch konnte, als sie sich auf mich schwang und in aller Ruhe beide Hände nach den Druckknöpfen meines Hemdes ausstreckte.

Eine ganze Weile lief alles wunderbar, solange wir uns nur amüsierten und es nicht um Geschlechtsverkehr im eigentlichen Sinne ging. Aber so etwas kann nicht ewig dauern, und als ich sah, daß der Tag anbrach, beschloß ich, zur Sache zu kommen. Mein Herz klopfte, denn ich war mir vollauf bewußt, daß dieser Fluch enden würde, der auf mir ruhte, seit Elsie zu ihrer Kreuzfahrt aufgebrochen war. Ich war tatsächlich fast zu dem Schluß gelangt, daß sie mich verhext hatte, und ich mußte zugeben, daß ich mich in letzter Zeit nicht ganz wohl in meiner Haut gefühlt hatte, ich fürchtete, sie werde mich hartnäckig weiter verfolgen und plötzlich in Versuchung geraten, mir eine Schlinge um den Hals zu legen. Ah, hätte sie mich doch nur in diesem Augenblick gesehen, büschelweise hätte sie sich die Haare ausgerauft!

Ich wähnte mich bereits in ihr, als ich meine neue Geliebte bestieg, und wie im Traum bog ich langsam ihre Knie zu ihrer Brust. Doch sie streichelte mir über die Wange und bremste mich mit einem Lächeln.

Ich erstarrte in einem fassungslosen Schweigen, als ich sie aus dem Bett hüpfen sah. Ich blickte ihrem nackten Körper nach, der durch das Halbdunkel huschte, und meine Kehle wurde ganz trocken. Im Ernst, ich spürte, daß das nichts Gutes verhieß.

Sie vollführte ein kurzes Hin und Her im Badezimmer, während ich ernüchtert auf der Bettkante wartete.

Als sie zurückkam, atmete ich auf, ich nahm sie in meine Arme und preßte mein Gesicht gegen ihren Bauch. Sie gab sich dem willig hin, zeigte nicht das geringste Zeichen von Ungeduld und spielte mit meinen Haaren, als ich mich so gehenließ.

Ich für mein Teil hätte noch eine ganze Weile so bleiben können, aber ich wollte es nicht übertreiben und warf sie ein zweites und hoffentlich letztes Mal aufs Bett.

Zu meinem Leidwesen stützte sie sich lachend auf einen Ellbogen und drückte mir zärtlich ein Präservativ in die Hand. Fast hätte ich mich verschluckt.

– Jessesmaria...! sagte ich zu ihr und drehte das Ding zwischen den Fingern. Das ist doch nicht dein Ernst...?!

Sie nickte heftig und preßte nervös die Beine zusammen. Ich schaute sie flehenden Blickes an, aber sie war von einem unbeugsamen Willen beseelt und ließ mich unzweifelhaft spüren, daß es sinnlos war, weiter zu betteln. Entweder oder. Ich überlegte eine Sekunde. Dann setzte ich mich auf die Bettkante und betrachtete das Ding mit angewidertem Gesicht.

Das letzte Mal, daß mir so eine Sache untergekommen war, lag mindestens dreißig Jahre zurück, und ich erinnerte mich, daß ich damals mit einem Blick erkannt hatte, daß dieses Ding nicht mit mir harmonierte, und ich hatte es aus meinem Gedächtnis gestrichen. Es versetzte mir einen leichten Stich, als ich mit einem Ruck die Hülle des Kondoms aufriß, denn ich hatte urplötzlich Angst, daß dies nur das erste einer langen Reihe war. Das war meine erste Begegnung mit der traurigen Realität. Ich ließ die Verpackung fallen. Mir war, als würfe ich einen kleinen Blütenkranz auf den Boden.

Ich verließ sie in aller Frühe. Ich weckte sie nicht, aber ich zog ihr die Decke über die Schultern, und ich klemmte die Vorhänge mit einem Stuhl fest, damit sie ausschlafen konnte. Ich war nicht müde. Ich ging zu meinem Motorrad und fuhr ein wenig durch die Stadt, langsam rollte ich durch die menschenleeren Straßen, ohne an etwas Bestimmtes zu denken, denn sobald mir ein Gedanke kam, verscheuchte ich ihn. Der Wind blies in heftigen Böen und heulte.

Es war niemand da, als ich nach Hause kam. Ich rannte ins Badezimmer und sprang unter die Dusche, um so zu tun, als finge der Tag gerade erst an. Ich fühlte mich leicht benommen.

Eigentlich hätte ich mir die Hände reiben können, weil der Bann gebrochen war, ein kleines fröhliches Liedchen hätte mir über die Lippen kommen müssen ... Aber mir war nicht danach zumute. Im Grunde hatte ich nicht das Gefühl, daß wir miteinander gebumst hatten, dieses Mädchen und ich. Und keine Mauer hatte uns getrennt, nein, nur ein feines Gummihäutchen. Doch das Ergebnis war dasselbe.

Ich hüllte mich in meinen Bademantel und starrte durch das Klappfenster auf die dicken Wolken, die vorbeifegten. Ich spürte, wie mir die Vorboten der ersten herbstlichen Regenfälle den Rücken kitzelten.

Hermann traf ein, als ich mir gerade zwei Eier in die Pfanne schlug. Kaum hörte ich die Tür ins Schloß fallen, machte ich noch zwei mehr.

Ich sah ihm an, daß sich die Sache nicht wieder eingerenkt hatte, aber ich wußte nicht, ob er Lust hatte, darüber zu reden, oder nicht. Ich stellte das Radio an. Ich setzte mich zu ihm, und schweigend aßen wir unsere Eier, denn über den Sender lief wie durch ein Wunder *Diamonds on the soles of her shoes*, und das, das mochten wir beide, unsere Geschmäcker trafen sich, wenn es um das berühmte *Graceland* von Paul Simon ging.

– Scheiße, sie will mich nicht mal anhören ...! seufzte er schließlich. Ich weiß nicht, was ich tun soll ...!

– Hmm ... Ich will dich ja nicht erschrecken, aber ich fürchte, das ist erst der *Anfang* deiner Sorgen ... Und ich spreche nicht nur von Gladys, sondern davon, was dich ganz allgemein erwartet. In diesem Leben ist nichts ganz einfach.

Ich wußte nicht, ob es ihn interessierte, was ich da erzählte, jedenfalls guckte er nach draußen als würde die Lösung, die ihm aus der Patsche half, in den Bäumen aufleuchten. Vielleicht war das als Einstellung nicht schlechter, als alles andere auch, ich kam in ein Alter, wo man nichts mehr mit Sicherheit weiß.

– Ich kenn die nicht mal, diese Tussi, ich schwör's dir ...! stöhnte er und ballte die Faust auf dem Tisch.

Ich kannte die Einzelheiten noch nicht, aber ich merkte schon, woher der Wind wehte. Ich gähnte schon im voraus.

– Wen kennst du nicht...? fragte ich aus reiner Menschenfreundlichkeit.

Der Himmel war nicht sehr dunkel, aber ein feiner Regen prasselte horizontal gegen die Fensterscheibe.

– Keine Ahnung, wie sie darauf kommt, ich hätte die geküßt, fuhr er mit müder Stimme fort. Sowas Beknacktes...! Nie im Leben... Scheiße, sie behauptet auch noch dreist, sie hätte mich *gesehn*...! Was sagt man dazu...?

– Mmm, du hast recht, manchmal sollten sie 'ne Brille aufsetzen... Da kann ich dir nur zustimmen.

– Ah! Die Sache macht mich krank...! Ich kann dir sagen, mir ist das Lachen vergangen...

Er schien am Boden zerstört. Trotz allem, ich wollte mich nicht über ihn lustig machen, denn ich erinnerte mich, daß mich mein erster Liebeskummer über eine Woche lang völlig plemplem gemacht hatte.

– Ach, mach dir keine Sorgen. Morgen hat sie's vergessen...!

– Pffff... Du hast gut reden...! Ich hab die ganze Zeit vor ihrer Tür gestanden, ohne daß sie einen Ton gesagt hat.

– Ja, weißt du, man muß Geduld haben... Ich behaupte ja nicht, daß sie dir gleich um den Hals fallen wird, so glimpflich wirst du nicht davonkommen, ich meine nur, die dicksten Wolken haben sich bis dahin verzogen und du hast das Schlimmste hinter dir. Dann kannst du dir deinen Felsbrocken wieder nehmen und bis zum Gipfel rollen. Tja, dem entgeht keiner...

Er stand auf, um ein Glas Wasser zu trinken, aber kurz darauf hing sein ganzer Kopf unter dem Hahn. Ich hatte niemals behauptet, daß man es leicht hat. Ich reichte ihm das Handtuch, das ich mir um den Hals geschlungen hatte, und warf unser Geschirr in die Spülmaschine.

– Und was sagt Richard dazu?

– Och... Er hat mir wenigstens zugehört... Glaub mir, ich würde dieses Mädchen nicht mal wiedererkennen...!

– Hör mal, mag sein, daß das für ein paar Tage recht hart ist, aber ich glaube, sie hängt wirklich an dir. Du kannst dich beruhigt schlafen legen...

– O la la, ich fürchte, ich mach kein Auge zu, wimmerte er. Mir geht die ganze Geschichte nicht aus dem Kopf...! Verdammt, das ist doch einfach *bekloppt*...!!

– Mmm, so kann man es nennen.

Wir stellten uns ans Fenster und schauten auf die von Wind und Wetter gepeinigte Straße. Der Regen weigerte sich immer noch zu fallen. Ich löffelte bedächtig einen Joghurt und beobachtete aus dem Augenwinkel, wie er in seinem Liebeskummer Grimassen schnitt.

– Andererseits, was ist es schön, verliebt zu sein, sagte ich mir, naja, jedenfalls, soweit ich mich erinnern konnte.

– Herrgott, das ist vielleicht ein Sonntag...! meinte er.

– Mmm, kein Wetter, um einen Hund vor die Tür zu jagen.

– Nein, ein echter *Scheiß*sonntag...! erklärte er kopfschüttelnd. Ich kann es nicht fassen, was mir da passiert ist...

Am nächsten Tag erfuhr ich Gladys' Version. Sie hatte einen Kurs geschwänzt, um ihre Sachen abzuholen, und sie preßte sich in der Küche eine Apfelsine, während ich vor dem Fernseher saß und mir einen Kampf im Frauencatchen ansah und überlegte, daß mir das Schlimmste bislang erspart geblieben war.

– Weißt du, rief sie mir durch die Wand hindurch zu, der hat sich in den Finger geschnitten, wenn er mich für dumm verkaufen will! Ich glaube, der hätte die glatt vor meiner Nase gebumst und immer noch gesagt: *Oh, du irrst dich... Ach, ich bin so unglücklich...*! Herrgott nochmal, ich muß an mich halten, daß ich ihm nicht einfach eine knalle, im Ernst, Dan...!

Ich war nicht gut drauf. Mir lag immer noch diese Sache mit dem Präservativ im Magen, denn während meiner schlaflosen Stunden hatte ich lange über das Problem nachgedacht, und ich hatte gewisse Schwierigkeiten, mich davon zu erholen. Ehrlich gesagt hatte ich mir darüber bis zu diesem Tag keine großen Gedanken gemacht, und jetzt wurde mir mit einem Schlag klar, daß die Gefahr direkt vor meiner Tür lauerte und daß ich sie nicht mehr ignorieren konnte. Ich war also schlechter Laune, und ich fand, in dieser heutigen Zeit taten die beiden auch gut daran, zusammenzubleiben. Das war es nun wirklich nicht wert, daß wir allesamt über die Klinge sprangen.

– Ich sag dir, du hättest dieses Mädchen mal sehn sollen . . .!

Sie hatte sich vor mir aufgebaut und guckte kopfschüttelnd an die Decke.

– Das Parfüm, das sie hatte, war auf hundert Meter Entfernung zu riechen, ungelogen . . .!

Sie trug einen Trainingsanzug statt ihres Strumpfhaltergürtels, und ihre Haare waren brav zu einem Pferdeschwanz zusammengebunden. Sie wirkte dermaßen jugendlich, daß ich es nicht schaffte, sie ernst zu nehmen, sie mir mit den Problemen einer Frau vorzustellen. Ich wußte zwar, daß ich mich täuschte, aber ich konnte nichts dafür, ich verdrehte unauffällig den Hals, um das Ende des Kampfes mitzubekommen.

– Oh, du kannst mir glauben, das wird er bereuen . . .! zischte sie durch die Zähne. Außerdem red ich sowieso kein Wort mehr mit ihm.

– Naja, weißt du, er ist wirklich nicht ganz auf der Höhe. Heute morgen ist er losgezogen, ohne einen Bissen zu sich zu nehmen.

– Ach du je, wenn du wüßtest, wie egal mir das ist . . .! Ich werd ihn bestimmt nicht bedauern!

– Jaja, das merke ich schon. Aber ihr solltet euch beide 'ne gute Erklärung ausdenken, dann könntet ihr Zeit sparen.

– Ah, misch du dich bloß nicht ein! Und behalt deine dummen Ratschläge für dich, tu mir den Gefallen.

– Puh, das war doch nur Spaß, sagte ich.

Sie verstand keinen Spaß. Die Tage vergingen, doch sie ließ ihn weiter zappeln und weigerte sich, auch nur ein Wort mit ihm zu wechseln, während er im Haus herumlungerte wie einer, der aus einem Sanatorium ausgebrochen war. Und niemand wußte, was in ihrem Schädel vorging, niemand durfte sich in ihre Angelegenheiten mischen, ich nicht, Richard nicht, Sarah nicht.

– Schließlich ist sie deine Tochter . . . Du müßtest doch was wissen . . .!

– Hör mal . . . Ich kann es schlecht aus ihr rausprügeln . . .! Was soll ich dir sagen . . .? Sie weigert sich, darüber zu reden, Punkt, Schluß aus. Dan, ich kann es nicht ändern . . .!

– Jaja, dir kann es schließlich egal sein . . .! Du hast ja auch nicht so eine Art Zombie im Haus. Zerbrich dir bloß nicht den Kopf . . .

Hermann und ich waren sämtliche Techniken durchgegangen, wie man eine Frau zurückerobert, aber es nutzte alles nichts, all unsere Pläne fielen regelmäßig ins Wasser und ich war alles andere als stolz auf meine Unfähigkeit, den Weg zu finden, der zum Herzen einer Sechzehnjährigen führte, ich fragte mich, wozu das alles gut war, was ich gelernt hatte.

Die Sache zog sich schon vierzehn Tage hin, und Hermann schien entschlossen, sein Kreuz bis zum bitteren Ende zu tragen. Im Gegensatz zu dem, was Gladys behauptete, hatte er mir hundertmal geschworen, er habe dieses Mädchen nicht geküßt, aber ich war mir nicht sicher, ob er mir die Wahrheit sagte, außerdem weiß man nie so genau, was man anstellt, wenn man zu vorgerückter Stunde tief in der Nacht versinkt. Eine Sekunde der Verwirrung, und schon steckt man bis zum Hals in Schwierigkeiten. Kaum wird man von einem etwas überspannten Mädchen ein wenig geknufft, ist man reif, und irgendwas zu erklären, dazu kommt man nicht. Ich hatte bei diesem Thema eine ganz präzise Erinnerung, ich wußte, im Grunde interessiert sie die Wahrheit nicht, es zählt einzig und allein, was sie *glauben* gesehen zu haben. Bei Lichte besehen hatte ich keinen Anlaß, mich zu wundern, es gab nicht den geringsten Grund, warum sich die Dinge geändert haben sollten. Vielleicht hatte sie sich vorgenommen, ihn bis zu den ersten Wintertagen im Regen stehen zu lassen. Ich selbst hatte wegen einer ähnlichen Sache kurz vor Hermanns Geburt eine Woche lang auf dem Sofa geschlafen. Eine Woche, das war damals schon eine ganze Menge. Ich hatte den Eindruck, daß die Preise mittlerweile ganz schön geklettert waren.

Wenn sie sich zufällig trafen, ignorierte ihn Gladys völlig. Sarah war der Meinung, wir sollten uns nicht darum kümmern, und ich mußte zugeben, daß Hermann trotz allem nicht soweit war, den Geist aufzugeben. Was nicht hieß, daß er fröhlich dreinschaute oder alle zwei Minuten lachte, aber wie es aussah, steckte er den Schlag gut weg und nahm seine Strafe mit einer gewissen Härte hin. Irgendwie mußte ich ihm Bewunderung zollen.

Natürlich ging sie nach Schulschluß nicht mehr mit ihm nach Hause, sie schritt mit einer kleinen Gruppe von Freundinnen voraus, und Richard beteuerte, sie habe sich noch kein einziges Mal umgesehen, und selbst er fand, daß sie ein wenig übertrieb.

– Tja, ich weiß nicht, was für ein Spiel sie da treibt... Dan, ich sag dir, ich möchte nicht an Hermanns Stelle sein.

– Ihr habt noch nichts erlebt. Ihr seid noch zu jung, um euch von der entsetzlichen Komplexität des Lebens einen Begriff zu machen. Das ist doch gar nichts, was er zur Zeit durchmacht! Auch du wirst bald merken, daß man sein Leben nicht mit einer Katze verbringen kann. Warte ab, bis dir ein Mädchen richtig ins Auge sticht, und du wirst verstehen, was ich dir sage...!

– Naja, da steht mir gar nicht der Sinn nach...!

– Sei unbesorgt... Das braucht er auch nicht...!

Manchmal sah ich den beiden zu, wenn sie sich ohne eine Gladys, die ihnen Beine machte, vor dem Fernseher lümmelten. Ich sagte ihnen, sie sollten es mit dem *Corona* nicht zu bunt treiben, schließlich seien sie noch mitten im Wachstum, aber von Zeit zu Zeit drückte ich ein Auge zu, um sie nicht zu verscheuchen, denn ihre Gegenwart war mir wirklich angenehm, vor allem, wenn ich zu tun hatte und mich ein in vollem Flug aufgeschnappter Gesprächsfetzen aus meiner Drecksarbeit riß.

Wenn Harold zur Tür hereinschneite, mußte ich als vierter Mann beim Pingpong herhalten, und dann war die Frage, wer mich nicht zum Partner bekam. Dabei gelang es mir mitunter, sie zu verblüffen und Bälle zu fangen, daß man sich fragte, wie. Harold war der beste, und meistens spielte ich an seiner Seite, damit das Kräfteverhältnis ausgeglichen war.

– Dan...! meinte er zu mir, bevor das Spiel begann, Dan, ich verlaß mich auf dich! Wir müssen sie putzen, diese grünen Jungs...!

Meistens kam er gerade von seinem Muskeltraining und strotzte vor Energie. Er spielte gut, aber er ging mir auf die Eier.

Ich verschlug die leichtesten Bälle, um ihm eins auszuwischen, einfach, um ihn auf die Palme zu bringen.

Anschließend, wenn Richard und Harold fort waren, war ich allein mit meinem Sonntagsromeo, und wir vermieden es, uns von Frauen zu erzählen. Obwohl uns das Schicksal hart zusetzte, war das kein Haus, in dem ständig über sie hergezogen wurde.

Wir durchliefen nur eine Durststrecke, davon war ich so gut wie überzeugt, und Tag für Tag rechnete ich damit, endlich das Licht am Ende des Tunnels zu erblicken. Es regnete ziemlich viel. Wir erfuhren, daß in einigen Gebieten die Flüsse über die Ufer traten, und es wurde immer früher dunkel. Und dann eines Morgens eröffneten mir die Typen, die mich bezahlten, das Fest sei vorüber, ich dürfe mich an die *letzte* Episode meiner Serie machen, und ich solle nur ja nicht vergessen, den Kerl diesmal sterben zu lassen.

Zunächst erzählte ich niemand davon. Eine ganze Weile wußte ich nicht zu sagen, welches Gefühl die Oberhand gewann, ob ich lachen oder weinen sollte. So sehr ich vor Vergnügen gluckste, diesen Firlefanz endlich hinter mir zu haben, so sehr packte mich bei dem Gedanken, meinen Scheck nicht mehr zu erhalten, die panische Angst. Eine stumme Freude ergriff mich, während meine Schenkel zitterten wie Espenlaub.

Zwei, drei Tage später rief ich die Typen an und erklärte ihnen, sie sollten sehen, wie sie ohne mich klarkämen. Sie schnaubten vor Wut, wie ich es mir gewünscht hatte, und schworen, jetzt sei ich geliefert. Ich *heulte* vor Lachen, was eine Art Ächzen am anderen Ende zur Folge hatte. Ich legte auf und schnitt vor Schreck beinahe Fratzen.

Insofern befand ich mich keineswegs in der Situation eines Typen, der aus einer Firma gefeuert wird. Ich brauchte keine Sachen zu packen, und ich stand auch nicht auf der Straße, um mir anzuhören, wie hinter mir die Türen zuschlugen. Niemand hatte mir eine Hand auf die Schulter gelegt, niemand hatte sich verpflichtet gefühlt, mir zu sagen, ich würde schon klarkommen, aber sicher. So daß ich gar nicht richtig realisierte, daß ich meinen Job verloren hatte. Nichts um mich herum hatte sich geändert, nichts in meinem Leben war umgestoßen worden, es hatte nur einen simplen Anruf gegeben. Das war, als hätte mich eine Lanze durchbohrt, ohne ein lebenswichtiges Organ zu verletzen oder mich in meiner Bewegungsfreiheit zu stören. Ich nahm die Sache nicht auf die leichte Schulter, doch mein Schmerz war abstrakt, und ich hatte einfach nur ein wenig mehr Zeit.

Zum Glück war gerade der letzte John Fante erschienen, und ich hatte noch zwei Gardners, einen Algren, einen Coover, zwei Updikes und einen Pynchon. Plus ein wenig Geld auf der Bank. Was mir da zustieß, war im Grunde dermaßen scheußlich, daß ich nicht sofort darüber nachdenken wollte. Ich wollte dieses Gefühl der Freiheit ausnutzen, das mich gleichzeitig beseelte, dieses Gefühl, einen neuen Geist zu haben, um nichts in der Welt hätte ich mir das verderben mögen. Ich war in der besten Verfassung, mich auf diese Bücher zu stürzen. Ich wußte, daß nichts die Gesellschaft mancher Schriftsteller aufwiegt, wenn es darum geht, neue Kräfte zu schöpfen, wußte, daß sie einem jederzeit eine freundliche Hand reichen.

Bei dieser Gelegenheit stellte ich dann fest, daß meine Augen nachließen. Seien wir ehrlich, ich hatte immer noch stets Augen wie ein Luchs für alles, was sich zwischen fünfzig Zentimeter und unendlich bewegte, und der Augenarzt hatte mir geschworen, das sei ein Klacks, das habe doch nichts mit einer *Seh*brille zu tun, meine sei einzig zum Lesen da. Um mich herum gab ein jeder seinen doofen Kommentar ab, außer Bernie, der sich diesem Problem schon vor einigen Jahren hatte stellen müssen. Nun denn, es war so, ob es mir nun gefiel oder nicht, und ich brauchte nicht zu hoffen, daß sich das mit der Zeit bessern würde.

– Guck an, wie kurz das Leben ist..., meinte ich zu Gladys, als sie meine Gläser ausprobierte. Aber ich hatte das Gefühl, gegen den Wind zu spucken.

Als es an der Zeit war, klemmte ich mich hinters Telefon und verschickte eine ganze Reihe von Briefen. Ich fragte sie, ob sie sich an mich erinnerten, nun ja, ob ihnen vielleicht der Name Paul

Shelley etwas sage, kurz und gut, ich erklärte ihnen, daß ich für sie gearbeitet hätte, ich zählte ihnen sämtliche Details auf, ich nahm mein Herz in beide Hände und teilte ihnen mit, ich hätte viel Zeit.

Ich war wirklich nicht eingebildet. Ich ließ durchblicken, daß sich der kleine Dan auch mit den hintersten Ecken der Schubladen zufriedengeben würde, und diese Übung machte Durst. Aber ich versagte mir jeden Tropfen Alkohol. Ich wollte bei klarstem Verstand sein, wenn diese Worte über meine Lippen kamen, und wenn meine Hand zitterte, während ich diese erbärmlichen Briefe schrieb, so nicht vor Trunkenheit, sondern vor ohnmächtiger und drolliger Wut auf den Hosenscheißer, der ich war.

Ich spürte schon, daß ich nicht nur wegen Hermann so handelte. Das lag alles ziemlich weit zurück, irgend etwas war zu einem bestimmten Zeitpunkt in mir zerbrochen, ohne daß ich hätte sagen können, was genau – aber *etwas* war entschwunden, *etwas* war plötzlich in mir erloschen. Die Inspiration war nur die Spitze des Eisbergs, in Wirklichkeit hatte ich viel mehr verloren als das. Ich hatte lange nach den Gründen für diese Bestrafung gesucht, hatte mein Leben haarklein durchgekämmt und war schließlich zu der Einsicht gelangt, daß es keinen Grund gab, jedenfalls keinen, den ich zu begreifen vermochte, und daß der Himmel einem ohne Vorwarnung auf den Kopf fallen und einem mit der einen Hand nehmen konnte, was er mit der andern gegeben hatte. Daß ich mich abrackerte, daß ich all diese Arschlöcher anflehte, das lag nicht nur daran, daß es Hermann gab. Das lag daran, daß mir meine Flügel nicht ausreichend nachgewachsen waren.

Und mochte ich auch noch so leiden, wenn ich mich ihnen zu Füßen warf, ich brachte es nicht mehr fertig, den Scherereien des Alltags die Stirn zu bieten, zumindest nicht, solange es eine Chance gab, sie zu vermeiden. Ich hatte nur den Wunsch, weiterhin meine Rechnungen bezahlen zu können, mehr nicht, und ich war bereit, einige Erniedrigungen hinzunehmen, um ohne allzugroße Schäden soweit zu gelangen, ich war bereit, den Weg der

Einfachheit zu gehen, denn wenn ich den Broterwerb auch als notwendiges Übel betrachtete, wollte ich ihm doch nicht mehr als das strikte Minimum widmen. Mich für einen neuen Job zu erwärmen, würde mir schwerfallen, ich konnte es mir nicht einmal vorstellen. Sehnsüchtig dachte ich an all die Jahre zurück, in denen mich das Schicksal verschont hatte, jetzt konnte ich ermessen, wie süß es gewesen war, sich keine Sorgen machen zu müssen, und ich sah mich noch, wie ich mich über Pauls Schreibtisch beugte, wie ich, einzig bedrückt von der Qual der Wahl zwischen alldem, was er mir anbot, die Nase rümpfte und grundlos klagte, statt mich zu freuen.

Doch ganz gleich, was die wahren Motive meiner Arschkrie-cherei waren, leider war die Sache damit nicht geritzt. Bislang hatten meine Bemühungen nichts ergeben, aber ich hoffte weiter, als reichten ein paar Zugeständnisse, um sich materielle Unannehmlichkeiten vom Leibe zu halten, als reiche es, darum zu bitten, damit einem das Minimum gewährt wurde. Ich hatte das Gefühl, einen Preis festgesetzt zu haben, unter den mein Verstand nicht gehen konnte. Alles andere hieße meine Seele dem Teufel verkaufen.

Sarah merkte als erste, daß etwas nicht stimmte. Eines Abends, als wir zu zweit ein letztes Glas im *Durango* tranken, blickte sie mich mit ihren großen Augen durchdringend an und fragte, was los sei. Das war eine der Phasen, wo sie zwischen zwei Liebhabern stand, das heißt, sie hatte dem letzten den Laufpaß gegeben und noch nicht durch einen neuen ersetzt, und so gingen wir jetzt öfter gemeinsam aus, und wahrscheinlich waren wir einander noch näher, was mir mitunter buchstäblich den Atem verschlug. Man konnte die Freundschaft, die mich im Laufe meines Lebens mit einigen Typen verbunden hatte, nicht mit dem vergleichen, was ich für Sarah empfand. Meines Erachtens vermochte sie erheblich besser in mir zu lesen als der teuerste Freund, und egal, was man davon halten mag, in ihrer Gesellschaft mangelte es mir an nichts, ich kam ganz gut ohne diese endlosen Wortgefechte unter Männern aus, und ich brauchte niemanden, um mich zu besaufen. Ich wüßte nicht, wenn mich mein Gedächtnis nicht trügt, daß ich einem von ihnen jemals meinen Kopf auf den Schoß gelegt hätte. Auch nicht, daß ich mich bei ihnen in der nächsten Sekunde dem wahnsinnigen Vergnügen hingegeben hätte, das ein leicht über meine Kopfhaut streichender Fingernagel in mir wachrief.

Ich klärte sie in kurzen Worten über die Situation auf, präzisierte, noch brenne es nicht und ich erwarte eine ganze Reihe von Antwortschreiben und sei guter Dinge. Sie hörte mir aufmerksam zu, dann nickte sie.

– Warum versuchst du nicht wieder mit dem Schreiben anzufangen...? murmelte sie und strich mir über die Hand.

– *Enrique*...! Das gleiche nochmal...! rief ich und machte mich los.

Auf dem Bürgersteig blies ein eisiger Wind, und von wegen zu Sarahs Wagen rennen und die Heizung aufdrehen, nein, Pech für uns, Richard hatte ihn nicht übel demoliert, und wir hatten das Motorrad nehmen müssen. Allein bei dem Gedanken fror mir umgehend der Hintern ab. Sarah hatte sich einen langen Schal um die Nase gewickelt und betrachtete tief betrübt meine an einen Laternenpfahl gekettete *Triumph*.

Ich rieb ihr über den Rücken, während sie mir die Vorteile eines geschlossenen Fahrzeugs aufzählte und der Wind um uns pfiff. Ich wartete nur noch darauf, daß sie mir sagte, ich sei zu alt dafür. Diese Bemerkung blieb mir jedoch erspart, denn urplötzlich standen wir Elsie gegenüber, die in Begleitung von zwei anderen Mädchen im *Durango* aufkreuzte.

Ich fing ihren Blick auf, ohne mich damit aufzuhalten, und bückte mich, um mir das Kettenschloß vorzuknöpfen, während sie Sarah auf die Wangen küßte. Das war das erste Mal, daß ich sie von nahem sah, seit sie von ihrer famosen Kreuzfahrt zurück war. Meistens entfernte ich mich still und leise, wenn ich sie erblickte, und ohne mich umzudrehen, so wie ich auch den Hörer auflegte, wenn es ihr in den Sinn kam, mich anzurufen. Bislang war es mir gelungen, eine gewisse Distanz zwischen ihr und mir zu wahren, eine Distanz von mindestens fünfzig Meter. Ich stand reglos in der Eiseskälte. Ich hörte nichts mehr, aber ich irrte mich nicht, ihr Blick hatte sich in meinen Nacken gekrallt. Ah, ich schäumte vor Wut, daß ich mich derart hatte einkeilen lassen, verdammt, welch Unstern, welch verflixtes Pech!

Ich machte mich steif, als sich eine Hand auf meine Schulter legte. Trotz der Kälte, trotz der Dicke meines Leders – und auch einen warmen Pullover, ein Winterhemd und ein gefüttertes Shirt kann man mir getrost gutschreiben – glaubte ich ein leichtes Brennen auf meiner Haut zu spüren.

– Dan ... Ich muß mit dir reden ...!

Ich richtete mich auf und schwang mich auf meine Maschine, als ob nichts wäre, blinzelnd starrte ich vor mich. Ich ließ den Motor an. Bald schon würde sie sich fragen, ob sie nicht geträumt hatte.

– Na schön, Sarah ... Fahren wir ...?

– Bitte ... Sei doch nicht *dumm* ...! flehte sie mich mit nervtötender Stimme an.

Sie, sie hatte mich verlassen, und jetzt war ich derjenige, der dumm war. Meinetwegen, aber ich betätigte den Gashebel, damit man einander nicht mehr verstand. Sarah setzte sich hinter mich, während mich ein ungeheures Gefühl von Macht erfaßte. Ich hatte nicht mehr Mitleid mit ihr, als sie mit mir gehabt hatte, und ich würde mich vor ihrer Nase in Luft auflösen und sie mitsamt ihrer weißen Fahne auf dem Bürgersteig stehnlassen, sie würde Augen machen.

Tatsächlich hängte sie sich im gleichen Moment buchstäblich an meinen Ärmel.

– HÖRST DU ...?!! schrie sie mir in die Ohren, der ich völlig perplex war, noch da zu sein.

– Ah! Verdammt nochmal ...! knurrte ich.

– Dan ...! Ich will mit dir *reden* ...!

Ich riß brutal meinen Arm los und bedachte sie mit einem finsteren Blick.

– Komm ... Bitte ...! murmelte sie.

Natürlich gefiel sie mir noch genauso, aber man muß sich im Leben einige Dinge versagen können und nicht an jeder Ecke nachgeben.

– Herrgott, Elsie... Zisch ab...!

Ich muß, so wie ich sie kannte, vollkommen blöd gewesen sein, sie aus den Augen zu lassen, und mein Instinkt total eingeschlafen, daß er mich nicht vor der unvermeidlichen Reaktion warnte, die ich mit diesen Worten heraufbeschwor. Immerhin wurde ich meines Fehlers gewahr und wandte mich mit einer Grimasse ab, kurz bevor sie mir ihre Handtasche an den Kopf pfefferte.

Ich kam nicht einmal dazu, den Arm zu heben oder einen Schrei auszustoßen, aber ich bemerkte, daß sie gehörig ausgeholt hatte und nicht mehr wiederzuerkennen war, so sehr zerstörten Anstrengung und Wut die sonstige Harmonie ihrer Züge.

Der Schreck machte mich sprachlos. Ich sah Sternchen und wäre um ein Haar von meinem Sattel gepurzelt, und kurz bevor der Schmerz mein Gehirn durchzuckte, staunte ich über die Heftigkeit des Schlages. Hatte sie ein Hufeisen in ihrer Tasche oder einen kleinen Amboß?

Durch einen leichten Nebel hindurch erblickte ich sie, wie sie ins *Durango* eintrat, und die Lampen, die drinnen flackerten.

– Dan... Wie fühlst du dich...?

– Gut..., sagte ich.

Mir war, als hätte sie mir den Schädel eingeschlagen. Parallel dazu verspürte ich eine unbändige Lust, ihr nachzusetzen, aber ich fühlte mich sehr schwach. Als sich Sarah, die ich gerade beruhigt hatte, die Sache näher ansah, brüllte ich vor Schmerz und stieß ein paar deftige Flüche aus.

– Verflixt nochmal...! räumte sie ein. Das ist so groß wie ein Hühnerei...!

Auf dem Rückweg, als wir in die quasi menschenleeren Straßen einbogen und ein Polarwind über uns herfiel, fuhr mir die Kälte durch Mark und Bein und blies auf die Kohlen, die rotglühend auf meiner Schädeldecke lagen. Sarah hatte vorgeschlagen, eine Münze darauf plattzuschlagen, aber ich hatte nichts davon wissen wollen, ich wollte bloß nach Hause und so schnell wie möglich Arnikapillen in mich hineinschlingen. Ich konnte die ganze Geschichte überhaupt nicht fassen. Das war das erste Mal in meinem Leben, daß mir ein Mädchen eine derartige Beule zufügte.

Es war verdammt spät, als ich meine Maschine vor Sarahs Haus abstellte, aber im Erdgeschoß brannte noch Licht. Die Jungen waren noch auf, sie sahen sich eine Sängerin an, die anstelle der Brüste zwei beängstigende, spitze Granaten hatte.

– Wer ist das denn? fragte ich und ließ mich in einen Sessel fallen, ohne auf die Antwort zu achten. Wenig empfänglich für die Verrenkungen des Mädchens und heilfroh, daß das kein Hard Rock war, schloß ich für einen Moment die Augen.

Sarah brachte mir einen Eiswürfel, dann flitzte sie los, um Salbe zu holen. Es war angenehm in der Bude. Während ich meine Beule kühlte und der Nebel zerriß, wärmte ich mich allmählich auf, und schon bald stand ich auf, um mir ein Glas zu genehmigen. Ich erinnerte mich, daß mir Franck eines Tages einen Teller auf dem Kopf zerschlagen hatte, aber das war kaum mehr, als hätte sie mir die Haare zerzaust, und wir hatten uns weiter gefetzt. Verglichen mit dieser Bekloppten von Elsie war das wie der Fußtritt von einer Fliege. Obendrein hatte Franck wenigstens Grund gehabt, mich zu hassen, doch, inzwischen gab ich das gern zu.

Die Jungen wollten wissen, was los sei, als sie sahen, wie sich Sarah mit ihrer Tube über mich beugte und ich meine Körnchen schluckte.

– Oh... Naja, dein Vater ist Elsie über den Weg gelaufen..., seufzte sie, während sie meine Haare zurückstrich.

– Ach du Schande! Laß hören...!

Richard schnappte sich die Fernbedienung und stellte den Ton leiser, während sich Hermann neugierig rüberschob.

– He, Jungs, ihr amüsiert euch wohl über alles...! knurrte ich.

Hermann baute sich vor mir auf und pfiff durch die Zähne.

– Mannomann! Komm mal her...! meinte er in Richtung Richard. Das mußt du dir ansehn!

Richard sprang auf, seine Katze in den Armen. Etwas so Interessantes durfte Gandalf auf keinen Fall verpassen, die arme kleine Mieze. Daß sie sich nur ja über die Miseren der Spezies Mensch informierte.

– Ach du jemine, guck sich einer an, wie das glänzt...!

– Ja, und sag mal, das ist ja *knallrot*, ogottogott...!

Ich trank mein Glas aus, während Sarah sie aufforderte, ein Stück zur Seite zu treten, wenn es ihnen nichts ausmache, sie brauche nur eine Minute, danach hätten sie soviel Platz, wie sie wollten.

– Wie ist das denn passiert...?

– Nichts ist passiert, sie hat mir ihre Handtasche auf den Schädel geknallt, das ist alles! Ich weiß noch nicht, ob sie versucht hat, mich umzubringen, oder nicht...

– Jaja, aber sie muß doch einen Grund gehabt haben...?!

Ich blickte sie sanft an und konnte mir ein Lächeln nicht verkneifen.

– Ah...! Ihr bringt mich zum Lachen, ihr zwei... Ihr seid kaum auf die Welt gekommen.

Ohne daß ich darauf gefaßt war, brachte die liebevolle Pflege, die Sarah meiner Beule angedeihen ließ, eine weitere zustande, bestimmt ihre mit Salbe eingeschmierten Finger, wähnte ich, zwecklos, mir weiter den Kopf zu zerbrechen. Dann jedoch, als wäre ich plötzlich in eine andere Welt geraten, sah ich mich über Elsies nackten Körper herfallen, und das war so real, daß ich fast ihren Namen gemurmelt hätte.

– He, sachte...! rührte ich mich, frisch aus dem Wunder erwacht. Zum Glück hatte niemand etwas gemerkt. Ich beugte mich nach vorne, im Herzen noch bleich ob der Prägnanz dieser Vision, und schaute nach, wie die Sache stand.

– Beweg dich nicht... Ich bin bald soweit.

– Trotzdem, das ist nicht Elsies Art, behauptete Hermann.

– Ja... Ganz und gar nicht!

– He... Wollt ihr mir mit dieser Geschichte noch lange auf den Wecker fallen, ihr zwei...?

– Na schön, ich glaube, das reicht..., informierte mich Sarah. Willst du die Tube behalten...?

Eine Sekunde später prusteten sie alle drei los. Ich schlug die

Beine übereinander, dann wandte ich den Kopf, um Sarah anzusehen.

– Weißt du, du bist auch nicht besser als die beiden ...

Sie fanden mich nur noch komischer. Aber es störte mich
nicht, daß sie über mich lachten, ich sah ihnen zu, und sie hatten
meinen Segen. Zusammen mit Gladys waren sie alles, was ich
hatte. Die Beule, die da auf meinem Schädel zuckte, erinnerte
mich daran, daß man die guten Momente ergreifen mußte.

Sarah ging hinaus, um sich die Hände zu waschen. Ich nahm
die Gelegenheit wahr, die beiden ein wenig aufzuziehen:

– Überdies ... Ihr habt mir noch gar nichts von eurem Ausflug
heute morgen erzählt ... Ich hatte noch keine Zeit, euch zu beglückwünschen ...!

Nach kurzem Zögern schüttelte Richard mit bekümmerter
Miene den Kopf:

– Scheiße ... Die Tante kam *von links* ...!

– Ach, wirklich ...?!

– Jaja, die ist auf uns zugerast, Richard ist ihr gerade noch aus-
gewichen ...!

– Dan, verdammt, das war haarscharf ... Scheiße, dabei hatten
wir Vorfahrt, das laß dir gesagt sein ...!

Ich beobachtete ihn und grinste von einem Ohr zum anderen.
Ich erinnerte mich daran, wie ich zum erstenmal den Zündschlüssel ins Schloß gesteckt hatte, und an das Gefühl, das mich
erfaßt hatte, als ich die Handbremse löste. Und an das Gesicht
meines Vaters einige Stunden später.

– Hmm, das ist wirklich Pech für 'ne kleine Proberunde,
meinte ich.

– He ... Glaubst du mir nicht ...?

– Hör mal, du bringst mich in Verlegenheit ... Was zählt
schon das Wort von einem, der nicht mal 'nen Führerschein
hat ...?

Seine Augen glänzten, aber er ließ sich nicht auf mein Flachsen
ein. Man spürte, es fehlte nicht viel, und er hätte laut gelacht.

– Ich konnte nichts dafür, stieß er hervor. Die ist wirklich aus
dem Nichts aufgetaucht ... Hör mal, Mann saß neben mir ...

– Stimmt, und die hat kein einziges Mal auf die Bremse getreten, nicht mal umgeguckt hat die sich...

– Ich gebe zu, unter den Frauen ist manche, die enttarnt sich am hellichten Tag, monologisierte ich.

– Nur zu, keine Hemmungen, gib ihnen ruhig deinen Segen, schalt mich Sarah, die mit einem Tablett voll dampfender Schalen antanzte. Mit ein wenig Glück fahren sie beim nächstenmal jemand über den Haufen.

Das roch nach nichts, das mußte Lindenblütentee sein.

– Nein, sie wissen, was ich von dem Ganzen halte, antwortete ich und füllte mein Glas nach.

– Oh... Dann bin ich ja beruhigt...!

Sie setzte das Tablett ab und richtete sich auf wie eine Blüte auf ihrem Stengel. Wir blieben alle drei sitzen und betrachteten sie, während sie die Klammern aus ihren Haaren löste, und der Anblick stopfte uns den Schnabel. Man hörte nur noch den Wind, der hinter der Tür jaulte. Ich fragte mich, wer sich da um die Beleuchtung kümmerte. Dabei war das nur eine Frau, eine simple Sterbliche. Wo hatte sie all diese Bewegungen gelernt...?

– Richard, ich will mich nicht mit dir streiten..., sagte sie freundlich.

Ich trank mein Glas in einem Zug aus. Vielleicht würde ich sie eines schönen Tages doch noch vergewaltigen. Ich dachte immer ernsthafter darüber nach. Zuweilen war meine Prüfung einfach unmenschlich. Zumal sie, ehrlich gesagt, keiner so sehr verdiente wie ich, und bestimmt nicht diese Reihe von Schwachköpfen, die sie mir vor der Nase wegschnappten. Ich könnte sie vergewaltigen und sie bitten, mich zu heiraten.

– Du brauchst nur noch zwei Monate zu warten, fuhr sie fort. Wenn du erst mal diesen verflixten Führerschein hast, sehen wir weiter.

Er nickte. Offenbar war er zufrieden, so billig weggekommen zu sein, und er war gern bereit, alles zu versprechen, was man von ihm wollte. Es herrschte eine solch friedliche Atmosphäre in der Bude – Gladys schlief bei einer Freundin, und eins erklärte das andere –, daß ich meine Beule vergessen hatte. Ich fühlte mich überhaupt nicht wie einer, der keinen Job mehr hat und nicht mal eine Frau zur Hand, damit er die Hoffnung nicht aufgibt. Ich fühlte mich eher wohl. Manchmal kann man über die Wunden lachen, die einem das Leben zufügt. Der Geifer der Kröte kann das Antlitz des Menschen nicht treffen.

9

Am nächsten Morgen zogen Hermann und ich los, um ein paar Einkäufe zu tätigen. Der Himmel war grau. Der Wind hatte aufgehört, aber die ersten Flocken tanzten reichlich früh für die Jahreszeit durch die Lüfte. Nicht daß ich unbedingt Wert darauf legte, ihn zu begleiten, aber meines Wissens führte kein Weg daran vorbei, denn wenn ich ihn allein losschickte, war er glatt fähig, mit leeren Händen zurückzukommen und mir zu verkünden, er habe unterwegs den Dingsda oder die Soundso getroffen oder ihm sei plötzlich irgendeine dringende Sache eingefallen, und im Grunde habe das ja auch keine Eile. Ich fand, es war schon eine Art Wunder, daß er sich morgens überhaupt anzog.

Ich hatte ihn mir während des Frühstücks vorgeknöpft, und es war mir gelungen, mit ihm zusammen eine Liste aufzustellen von allem, was er brauchte. Ich hatte ihn zum Schrank schleifen müssen. Ich hatte ihn zu seiner Kollektion T-Shirts beglückwünscht. Ich hatte wissen wollen, ob er die Absicht habe, sie eins über dem anderen anzuziehen, wenn wir unter Null abdrifteten, ob er es nicht auch bedauerlich finde, daß ich mich um diesen Kram kümmern müsse.

Ich wartete neben der Kasse auf ihn, die Finger krampfhaft um meine Kreditkarte gepreßt und zitternd vor Aufregung, daß nur ja niemand telefonisch um die Bewilligung nachfragte. Ich wußte nicht genau, wie es mit meinem Konto stand, denn ich sah mir meine Auszüge nicht mehr an. Ich wußte, es sah schlecht aus, das auf jeden Fall, ich hatte kein Bedürfnis, mich in die Einzelheiten zu stürzen. Ich hoffte, mein Filialleiter hatte auch Kinder und erinnerte sich an die Zeit, wo er sich auf meine Kosten gemästet hatte, ohne daß ich einen Ton gesagt hatte.

Während sich Hermann eine Jacke aussuchte, konnte ich der Versuchung nicht widerstehen, ein Paar Stiefel aus Straußenleder anzuprobieren, wahre Wunderdinger, unabhängig vom Preis. Der Verkäufer behauptete, sie stünden mir göttlich. Ich war nicht blind, aber das war ein hübsches Sümmchen in meiner Situation. Wir nickten einander zu und bewunderten meine Füße. Ihm zufolge durfte ich nicht länger zögern, aber ich gab keine Antwort. Ich war mir nicht hundertprozentig sicher, ob man den Teufel mit Beelzebub austreiben konnte. Wie dem auch sei, nach kurzer Überlegung war ich in der Stimmung, dem Tiger auf den Schwanz zu treten. Ich hob den Kopf, und indem ich mir eine Zigarette ansteckte, bat ich den Kerl, sie mir einzupacken.

Für einen kurzen Moment zweifelte ich an der Realität meiner finanziellen Schwierigkeiten und scherzte mit dem Typ, der mich hinter seiner Registrierkasse erwartete. Ich war außerordentlich zufrieden, daß ich dieses Problem mit soviel Energie behandelt hatte. Ein leichter und köstlicher Schwindel elektrisierte mich, so daß ich allen Ernstes nach einem Paar Handschuhe aus Pekarileder unter der Scheibe des Ladentischs schielte.

Hermann riß mich aus meinen Träumen, als er mit einem superben, durchgehend gefütterten Lederblouson aufkreuzte. Ich hörte den Verkäufer unauffällig durch die Zähne pfeifen. Ein Anflug von Panik zuckte mir durch den Kopf, während ich über den Kragen der Fütterung strich, eine eiskalte Hand legte sich auf meinen Nacken. Ich erzitterte, wenn auch unmerklich, als ich gleich danach die unübertreffliche Qualität des Leders entdeckte, seine verblüffende Geschmeidigkeit. Ich hatte das Gefühl, mir einen Finger in der Tür zu klemmen.

– Wie findest du die...?

– Schön... Wirklich sehr schön... Großartig..., brachte ich mit mechanischer Stimme hervor.

– Komisch, ich hab gar keinen Preis gesehn...

– Das macht nichts, sagte ich zu ihm. Entspann dich...

Ich blickte den Verkäufer an. Er lächelte mir zärtlich zu. Statt den Preis zu nennen, ganz so, als handele es sich um etwas Schändliches, kritzelte er mir die Summe auf einen Block.

Ich stützte mich mit den Ellbogen auf den Ladentisch, um meine Beine zu entlasten.

– Besser das sehen als blind sein...! sagte ich.

– Aber ja...! gab er mir zur Antwort.

Es herrschte dichtes Schneetreiben, als wir nach Hause fuhren. Die Wagen hatten am hellichten Nachmittag die Scheinwerfer an, und die Straßen waren bereits rutschig. Genauer betrachtet, machte es nicht immer Spaß, ein Motorrad zu haben. Die Gründe, die mich nach Francks Abreise dazu bewogen hatten, den *Aston Martin* zu verkaufen, waren längst nicht mehr so klar. Augenklimpernd und mit der Zunge nach den Schneeflocken schnappend, liebäugelte ich einen Moment mit dem Gedanken, mir einen Kleinwagen zuzulegen, um den Unbilden der Witterung zu entgehen, einen in Richtung *Fiat 500*, und die *Triumph* für die schönen Tage aufzusparen. Ich war hocherfreut, die ideale Lösung gefunden zu haben. Der Schnee fiel wie verrückt und fing an, uns einzudecken, aber ich lachte innerlich, denn das war bestimmt das letzte Mal. Um so mehr, als mich so eine Kiste kein Heidengeld kosten würde.

– Ah, Herrgott nochmal, du armer Irrer... *Armer Irrer*...!! sagte ich mir im nächsten Augenblick. Wie willst du von heute an nur die *geringste* Ausgabe ins Auge fassen...?! Wie kannst du nur entfernt daran denken...?! Bist du *krank*...?!!

Kurzum, ich spürte, wie mein Herz erstarrte.

Es schneite den ganzen Abend so weiter. Von Zeit zu Zeit stand ich auf, um einen Blick darauf zu werfen, im Garten lagen gut und gern vierzig Zentimeter, und Flocken von der Größe einer Pflaume trudelten einem friedlich entgegen. Gegen acht Uhr rief Bernie an, um zu fragen, ob ich ein wenig Oregano hätte.

– Hab ich.

– O.k. Ich schick Harold rüber. Sag mal, hast du gesehn, was da runterkommt...?

– Und ob!

– Ah, meine Güte! Weißt du, ich hab das wirklich gern... Ich komm mir vor wie ein Kind.

– Jaja, so geht's uns allen.

Ich hatte kaum aufgelegt, als ich Harold durch den Garten stapfen sah. Ein Elefant in einem Porzellanladen. Ich brauchte ihm nicht erst ins Gesicht zu sehen, um zu wissen, daß er laut vor sich hin fluchte. Der Schnee reichte ihm bis zu den Knien, und er schwang die Beine in die Höhe, zog sich die Kapuze seines Dufflecoats unters Kinn und dampfte wie eine Lokomotive. Ein luziferischer Mönch, der sich unter einen Hostienregen verirrt hat, so sah er aus.

Fast hätte er meine Terrassentür aus den Angeln gerissen, als er reinkam. Ich hatte ihm schon hundertmal gesagt, daß man eine Tür nicht unbedingt mit der Schulter rammen mußte, aber schließlich hatte ich es aufgegeben, und ich wußte auch nicht, ob er es mit Absicht tat oder nicht.

– Meine Fresse...! motzte er, und ein Schneeklumpen löste sich von seiner Schulter und zerplatzte auf meinem Teppich. Sieht ganz so aus, als ging das noch 'ne Zeitlang so weiter...!

– Jaja... Gehn wir in die Küche...! entschied ich.

– Wo ist denn Mann? Nicht da...?

– Hmm, ich hoffe, er kommt zu Rande... Er räumt gerade seinen Schrank auf...

Harold fühlte sich nie ganz wohl, wenn er allein mit mir war, aber mir war das egal, das war schließlich sein Problem. Dabei hatte ich nichts gegen ihn, wir waren uns nie in die Haare geraten, und ich war sein Doppelpartner im Pingpong, er interessierte mich nur nicht besonders, auch wenn er Bernie Goldsteins Freund war. Er sah auf eine Weise gut aus, die ihn in meinen Augen transparent machte. Nun ja, das hinderte mich nicht daran, ihm von Zeit zu Zeit auf die Schulter zu klopfen, wenn es mir per Zufall gelang, sie zu lokalisieren.

Ich gab ihm seinen Oregano, eine kleine Lache hatte sich zu seinen Füßen gebildet.

– Tja, was sagt man dazu...?! feixte er, als er meinen Blick bemerkte.

– Schicksal..., meinte ich.

Erneut meldete sich das Telefon. Ich ersuchte Harold, sich keine Sorgen zu machen und die Tür in Ruhe zu lassen, ich bräuchte sie noch. Ich blickte ihm nach, als er in den Garten stapfte, dann hob ich ab.

– Dan? Sarah hier...

– Ja, ich bin gerannt, weil ich wußte, daß du es bist.

– Dan, mein Heizkessel ist explodiert...!

– ...*Was ist er*...??!!

– Ach, was weiß ich...! Ich kenn mich da nicht aus...

– *Sarah, sag schon, alles klar*...!??

– *Alles klar*...?! Das Haus ist ein einziger Eisschrank...! Wir sind halb erfroren, kein Witz...!! Ich hab doch nicht gesagt, er ist uns *ins Gesicht* geflogen...

– Ah, sei still...!

– Herrgott, ich klappere mit den Zähnen, kapierst du das nicht...? Kurz und gut, der Typ ist gerade weg. Sieht so aus, als müßten wir drei, vier Tage ohne Heizung auskommen. Herr im Himmel! Hast du gesehn, wie das schneit...?

– Ja, und das ist anscheinend nur der Anfang.

– Dan, hör mal, fühlst du dich imstande, uns ein paar Tage zu beherbergen...?

– Ich weiß nicht. Wir können's versuchen.

– Vielleicht wird's ja lustig, oder?

– Mmm... Abwarten...

Ich machte mir ein Glas, dann ging ich hoch, um Hermann die Neuigkeit zu verkünden. Er nickte, dann äußerte er leichte Bedenken wegen seines Verhältnisses zu Gladys und der Risiken einer solch plötzlichen Intimität, aber ich beruhigte ihn, ich wüßte nicht, was sie ihm noch Schlimmeres antun könne, vielleicht sei das eine gute Gelegenheit, wer weiß? Er seufzte, dann erklärte er, daran glaube er leider nicht so recht.

– Dich erwartet noch so manche Überraschung, spottete ich. Bild dir bei 'ner Frau nie ein, es ist alles vorbei, weder im Guten noch im Schlechten.

– Naja... Hoffentlich hast du recht...

– He, guck mich an... Du kannst dich drauf verlassen, wenn ich dir was sage.

Wir beschlossen, die Mädchen sollten mein Zimmer bekommen und Richard unten das Sofa. Während wir mein Bett frisch bezogen, hörten wir, daß Wind aufkam.

Ah, welch eisige Gleichgültigkeit legte sie an den Tag, wenn zufällig ihr Blick auf ihn fiel! Es lief mir kalt den Rücken hinunter, und ich rutschte unruhig auf meinem Stuhl hin und her. Offenbar war ich der einzige, den das scherte. Vermutlich hatte ich weniger oft Gelegenheit gehabt, sie nebeneinander zu erleben, und ich war noch nicht daran gewöhnt, mir war, als hörte ich eine Peitsche durch das Zimmer knallen, und was sie da traf, war der Rücken meines Sohnes.

Ah, Freunde, wie weh mußte ihm das tun, und welch trauriges und schmerzliches Lächeln setzte er auf, wenn sie ihn derart geißelte...! Ah, hatte sie nicht den geringsten Funken im Herzen...?! Hatte sie gar kein Mitleid mit dem Jungen, der ihr zu Füßen wimmerte, hatte sie sich vorgenommen, einen Engel zu vernichten...?! Hermann war von verblüffender Zurückhaltung. Er mühte sich, den Schlag unauffällig wegzustecken, und es war, als hätte niemand etwas bemerkt. Das Ganze ging in wenigen Sekunden über die Bühne, aber ich schnitt Grimassen um ihn. Das erinnerte mich an den Tag, wo ich ihn in meine Arme geschlossen hatte und Blut aus seinem Mund fließen sah, während man ihm die Polypen herausnahm. Fast hätte ich ihm eine Rippe eingedrückt.

Merkwürdigerweise warf ihr Verhalten nicht alles über den Haufen. Solange sie Hermann nicht mit Blicken niedermachte, legte Gladys eine gute Laune an den Tag, die mir nicht geheuchelt schien. Jeder wußte, daß ihm nur ein einziges Mädchen etwas bedeutete, und vielleicht nur noch mehr, seit sie sich zerstritten hatten, und wenn ich sage jeder, dann meine ich damit, daß auch Gladys bestens Bescheid wußte. Ich sah nicht ein, weshalb sie unter diesen Umständen nicht hätte strahlen sollen, und um der Wahrheit die Ehre zu geben, ich fand sie noch reizender als sonst. Alle drei waren anscheinend begeistert, die Nacht bei uns zu verbringen.

– Ach, ihr Lieben, wir hatten *überhaupt* keine Lust, in einem Hotel zu hocken...! hatte Sarah ausgerufen.

Wir waren es gewohnt, beieinander zu sein, wir waren gut hundertmal so zusammengekommen, und jeder konnte tun, was er wollte, ohne sich um die andern zu scheren, ohne diese Harmonie zu zerstören, die unter uns herrschte. Es hatte lange Jahre gedauert, dorthin zu gelangen, Geduld, viele Stunden, ja ganze Tage gegenseitiger Aufmerksamkeit hatte es erfordert, ohne jetzt in hochtrabende Worte auszubrechen. Und auch wenn zwischen Hermann und Gladys dicke Luft war, das Gebäude hielt stand und der Abend verlief angenehm.

Ich hörte mir über Kopfhörer die *Kindertotenlieder* an, während die andern *Massaker mit der Motorsäge* sahen. Ich guckte nur von Zeit zu Zeit hin, die Stimme K. Ferriers in den Ohren, und nie länger als eine Minute, denn mir stand der Sinn nach ganz anderem. Ich sah viel lieber zu, wie der Schnee fiel, oder Sarah, die sich, das kleine Fläschchen zwischen den Knien, die Nägel lackierte. Ich wußte nicht, ob das am Alter lag, aber mitunter, wenn wir so zusammensaßen, überkam mich ein solch unbändiges Verlangen, eine richtige Familie zu haben, eine Frau und mehrere Kinder, daß mir die Kehle brutal austrocknete und ich krampfhaft anfing zu schlucken. Das war eine miese Viertelstunde für mich. Wie konnte Hermann mir verzeihen, daß er keine Mutter hatte, keinen Bruder, keine Schwester…? Am Ende hatte ich meist Tränen in den Augen und ein Glas in der Hand.

Erst als es an der Zeit war, ins Bett zu gehen, sprang einem das Ungewöhnliche der Situation ins Auge. Eine leichte, eher amüsante Unschlüssigkeit hing in der Luft, bis sich schließlich die beiden Mädchen dazu aufrafften, das Badezimmer aufzusuchen. Wir holten Laken und Decken für Richard, der in der Zeit seinen üblichen Zinnober mit Gandalf abzog und ihm irgendein Zeug in die Ohrmuschel flüsterte. Ich machte mir ein wenig Sorgen wegen meiner Blauen Chirurgenfische, und ich sagte zu ihm:

– Meinst du nicht…? und deutete mit dem Kinn auf mein Aquarium, aber er zuckte nur, wenn man so will, beruhigend mit den Schultern.

Wir klappten das Sofa auseinander. Richard ließ sich mit den Händen im Nacken darauffallen und versicherte uns, das werde gehen. Ich zweifelte keine Sekunde daran. In seinem Alter hätte ich auf einem Steinbett geschlafen.

Gladys erschien oben auf der Treppe, während wir die Laken spannten. Wir richteten uns auf. Sie war spärlich bekleidet und wahrlich entzückend, und ihr Lächeln purzelte freundlich die Stufen herunter und kullerte vor unsere Füße. Sie wollte wissen, ob ich keine Kleenex hatte. Ich bot ihr eine Rolle Zewa an.

– Nee, macht nichts, schon gut...! sagte sie und strich sich über den Nacken.

Sie trödelte ein paar Sekunden auf dem Treppenabsatz, als fragte sie sich, ob sie es sich nicht doch anders überlegen sollte, dann winkte sie uns zu und machte seelenruhig kehrt.

Hermann war bleich geworden. Es gab nichts mehr zu sehen, doch er starrte hartnäckig auf den gleichen Punkt. Ich warf Richard einen enttäuschten Blick zu und half ihm schweigend, sein Bett fertigzumachen.

Ich hörte die beiden ein paar Worte wechseln, als ich mir in der Küche einen Schluck genehmigte. Es war praktisch nicht mehr zu sehen, was sich draußen tat, denn eine Mauer aus Flocken wirbelte vor meinem Fenster, aber das Ganze erschien mir unheimlich weiß und vor allem *verdammt* dicht. Ich konnte mich nicht erinnern, jemals so viel auf einmal gesehen zu haben.

– Na schön... Ich leg mich hin...! erklärte Hermann in müdem Ton.

Fast hätte ich ihn zurückgehalten und ihm gesagt, was ich von Gladys' Nummer hielt, daß einem das ins Auge sprang, aber eine Art Trägheit ließ mich von der Betrachtung dieses Schneegestöbers nicht loskommen, und ich nickte bloß, ohne mich umzudrehen.

Ich folgte ihm kurz darauf. Ich war eigentlich nicht müde, ich fand nur nichts Besseres zu tun, da Richard im Wohnzimmer war, zumal er das Licht ausgemacht hatte. Trotz allem, auch wenn die ganze Sache gewaltig nach Schlaflosigkeit roch, stieg ich die Treppe ohne die geringste Bitterkeit hinauf und keineswegs verärgert ob der Vorstellung, keinen Schlaf zu finden. Es störte mich nicht immer, wachzubleiben und mit offenen Augen in die Dunkelheit zu starren. Das hing davon ab, wie ich es aufnahm.

Ich bog in den Flur ein, um mir die Zähne putzen zu gehen. Ich hatte den Eindruck, alle Welt schlief, doch als ich die Badezimmertür aufmachte, stieß ich auf Sarah. Auch sie war beinahe nackt. Statt einzutreten, schloß ich leise die Tür und entschuldigte mich.

– Komm ruhig rein... Du störst mich nicht...! meinte sie, während ich mich durch den Flur entfernte. Vielleicht hätte ich sonst die Gelegenheit genutzt und mir die Augen ausgeguckt, aber es kam auch vor, daß mir sexuelle Dinge so fern waren, daß sich keiner mehr darüber wunderte als ich.

Am nächsten Morgen hatten wir einen Meter Schnee vor der Tür. Der Himmel war wieder blitzblank, und die Sonne glitzerte auf der makellos weißen Straße. Im Radio hieß es, so etwas habe es seit zweihundert Jahren nicht gegeben, und abgesehen von den großen Straßen sei der Verkehr fast vollständig lahmgelegt.

– Nicht einmal der Vater meines Vater hat so etwas gesehn...! murmelte ich fasziniert.

Es war kaum zu glauben. Keine Autos mehr, keine Bürgersteige, keine Bänke, nur noch ein riesiger glänzender Strom, aus dessen erstarrten Wellen bizarre Formen wie der Bogen einer Straßenlampe oder die vagen Umrisse eines Baumes mit gekrümmten Ästen emporragten.

– Hehe, mit der Schule ist heute Essig...! kicherte Richard.

In der Küche war einiges los. Der Toaster lief auf Hochtouren, die Töpfe drängelten auf dem Ofen, und wenn man wollte, konnte man Eier haben, man brauchte nur zu warten, bis man an der Reihe war. Zum Glück hatten wir es nicht eilig, jetzt jedenfalls nicht mehr, und das Frühstück zog sich in die Länge wegen der Maßnahmen, die danach anstanden.

Ich fand eine Schaufel im Keller, mehrere Paar alte Stiefel und einen Rechen. Nichts Weltbewegendes. Während sich Mutter und Tochter dem Badezimmer widmeten, unternahmen wir einen Ausfall zur Straße, um zu sehen, was dabei herumkam. Nach fünf Minuten war uns klar, daß das nicht einfach sein würde. Zwar hatten wir einen Graben bis zum Gartentor geschaufelt, aber das brachte uns nicht weiter. Ich ließ Hermann auf meine Schultern steigen. Er war so schwer, daß ich die Augen zukniff und schweigend litt, denn das war wahrscheinlich das letzte Mal, daß ich ihn so trug. Es gab bereits so viele Dinge, die ich nie wieder mit ihm tun würde, so viele kleine Flammen, die mit der Zeit erloschen, daß ich fast erschrak.

– Ach du Schande! Da rührt sich überhaupt nichts...! verkündete er uns. Die ganze Gegend ist verschüttet...!

Gegen Mittag hatten wir eine Verbindung zu Harold und Bernie hergestellt, und zwar ohne jedes Hilfsmittel, nur durch einen fairen Nahkampf mit diesen Schneemassen. Die Mädchen waren mit von der Partie. Eine fröhliche Horde, so kämpften wir uns frontal und gegen jede Logik voran, keine sauber freigelegte Passage, zum Teufel mit der öden Langeweile einer professionellen Arbeit, es galt nur: wer marschiert am schnellsten, und niemand dachte daran, sich umzudrehen, um sein Werk zu bewundern, man mußte uns bis zum andern Ende der Straße grölen hören.

– Puh, das ist vielleicht ein Ding...! seufzte Bernie und wischte sich die Stirn ab. Grandios, aber anstrengend...!

– Tag zusammen...! rief Harold. Alles paletti...?

Der Himmel war makellos klar, aber Bernie hatte den Wetterbericht angerufen, und es sollte, wenn man sich darauf verlassen konnte, am Abend erneut schneien, und Besserung war erst in zwei, drei Tagen in Sicht.

– Kinder, wenn wir etwas unternehmen wollen, dann jetzt oder nie, fuhr er fort. Wenn wir warten, sitzen wir erst recht in der Patsche...

– Ja, wir haben keinen einzigen Tropfen Milch mehr...! präzisierte Harold.

Wir waren auch nicht viel besser dran. Sarah indes meinte uns daran erinnern zu müssen, daß wir nicht irgendwo auf freier Strecke festsaßen und daß den letzten Berichten zufolge die Armee die Sache in die Hand genommen hatte, die würden uns in Nullkommanichts freischaufeln.

– Sicher, meine Liebe, ich wünschte, du hättest recht..., erwiderte Bernie. Aber bedenke, die Jungs erwartet 'ne Heidenarbeit, wir dürfen nicht zuviel von denen verlangen...! Außerdem, haben wir im Moment Besseres zu tun...?

Sie gab keine Antwort, sie schloß die Augen und wandte friedlich ihr Gesicht zur Sonne. Es wurde beschlossen, einen Rettungstrupp in Richtung Supermarkt loszuschicken. Bernie wirkte dermaßen zufrieden, daß er uns Crêpes mit Ahornsirup versprach. Ein jeder war bereit, loszugehen. Alle erhoben sich für Bernie Goldsteins Crêpes.

Kurz darauf setzte sich unser kleiner Trupp in Bewegung. Lediglich Sarah ging von der Stange, sie behauptete, sie fühle sich nicht in Form und wolle lieber während unserer Abwesenheit das Lager bewachen, ich solle ihr nur ein paar Päckchen Tee mitbringen, wenn ich daran dächte. Unser Vormarsch, trotz allem ein gutes Dutzend Arme stark, verlief zufriedenstellend, wir kämpften uns unaufhaltsam die Straße entlang, während sich die Sonne, unsere Ängste bestätigend, hinter einem Wolkenschleier verbarg.

Harold legte sich mächtig ins Zeug. Diesmal hatte ich jedoch nichts dagegen einzuwenden, und hätte er doppelt soviel geschaufelt, ich hätte mit beiden Händen Beifall geklatscht. Hermann und Richard, die neben ihm schufteten, hatten Mühe, im Takt zu bleiben, und manchmal warf er seine blonden Haare nach hinten und fing an zu spötteln.

– He, ihr lahmen Krücken...! Wo bleibt ihr denn...?! stichelte er und drehte sich um, um uns zuzuzwinkern, mit Vorliebe in Richtung Gladys. Habt ihr nichts in den Armen...?!

Mit der Zeit hatte ich es aufgegeben, mich zu fragen, was Bernie mit einer solchen Nummer wollte. Ich wußte, daß er ihn liebte, aber ehrlich gesagt, ich konnte ihn nicht verstehen. Jedesmal, wenn er mit mir über Harold redete, hörte ich mit staunendem Gesicht zu. Eine Zeitlang dachte ich, er mache sich über mich lustig, aber es war ihm todernst. Wenn man ihn hörte, war Harold der reine Traumpartner. So daß ich mir, wenn mir das Verhalten seines Schützlings auf die Nerven ging, Mühe gab, im Zweifel für den Angeklagten zu entscheiden. Ich zwang mich, ihn nicht für den Prototyp des totalen Idioten zu halten.

Wir brauchten eine Weile, um aus der Lawine herauszukommen, aber letztlich nicht so lang, wie wir vermutet hatten. An der zweiten Kreuzung gerieten wir auf eine fast gänzlich freigeräumte Straße. Auf dem Bürgersteig lag kaum mehr als eine dünne Schneeschicht, und Typen standen auf Lastwagen und warfen mit Sand um sich. Wir kamen uns ein wenig blöd vor. Um das Maß voll zu machen, forderte man uns auf, zur Seite zu gehen und einem Schneepflug Platz zu machen, der ein Stück vor uns manövrierte und Anstalten machte, die Straße freizuräumen, über die wir gerade gekommen waren.

Unschlüssigkeit machte sich in unseren Reihen breit. Plötzlich verflüchtigte sich der heroische Touch unserer Expedition in alle Winde, und das Blut der Jugend hörte auf zu pulsieren. Wir stampften ein wenig auf der Stelle, es erhob sich die Frage, ob wir wirklich allesamt dorthin mußten und was Bernie und ich davon hielten.

Und so ließen sie uns mit den Einkaufsnetzen in der Wüste stehen. Ich sagte nichts aus einer Art Gerechtigkeitssinn, denn wir hatten beide keinen Finger krummgemacht, als es darum ging, uns einen Weg durch den großen weißen Mantel zu bahnen. Es fiel uns leicht, fair zu bleiben, weil der Laden nicht gerade am Ende der Welt lag und ein beinahe mildes Lüftchen uns hinterlistig zu umgarnen trachtete. Bernie nahm meinen Arm. Es machte mir inzwischen nichts mehr aus, Arm in Arm mit ihm durch die Gegend zu laufen, ich achtete kaum noch darauf, und wenn es mir zu Bewußtsein kam, fand ich, es war gut, einen Freund zu haben, und meine Härchen sträubten sich schon ewig nicht mehr.

Wir erledigten unsere Einkäufe in aller Ruhe, dabei redeten wir über dieses und jenes. Es war nicht viel los. Ich vermied es, mich für die Frauen zu interessieren, denen wir begegneten, denn schon manches Mal hatte ich bemerkt, daß meine Aktien ernstlich sanken, wenn ich mit ihm zusammen war. An dem eisigen Blick, den sie mir zuwarfen, spürte ich, daß sie uns in einen Topf warfen, und ich blickte ihnen nach, wenn sie stocksteif flüchteten.

– Herrje, Dan... Das tut mir wirklich leid...! raunte er mir mit einem breiten Grinsen zu, während ich das Gesicht verzog.

In der Milchabteilung schnappte sich Bernie acht Tüten auf einmal und wuchtete sich das Paket auf die Schulter.

– Scheiße, sowas Lächerliches hat die Welt noch nicht gesehn...! sagte ich.

– Pah, weißt du... So schwer ist das auch nicht.

– Hör mal, warum versuchst du ihn nicht auf Milchpulver umzustellen...?

– Ah, das ist nicht dein Ernst... Ihm graut davor!

– Jaja, aber *acht Tüten*, Bernie...! Was soll das...?! Darf ich dich erinnern, wir sind zu Fuß...!

– Ja, mach dir keine Sorgen...

– Verdammt, ich warne dich, ich will gehängt sein, wenn ich dir dabei helfe.

– Herrgott, ich will *auf keinen Fall*, daß du mir hilfst...! Ich hab *Lust*, sie zu tragen! Ist das so schwer zu verstehn...?

Ich verdrehte die Augen und düste in Richtung Kasse. Es wurmte mich, daß ich mich in Dinge eingemischt hatte, die mich nichts angingen, aber dieser Firlefanz mit der Milch regte mich hochgradig auf, und meine Laune verdüsterte sich wie der Himmel, der nur mehr ein fahles Licht auf die Straße warf.

– Siehst du, es wird bestimmt wieder schneien..., verkündete er mir.

Diesmal stellte ich mit dem vagen Gefühl, die Spuren zu verwischen, einen Scheck aus, statt mich meiner Karte zu bedienen. Ich wußte nicht mehr genau, von welcher Summe an ein Bankier wach wird und wie lange er einem noch vergönnt, durch die Landschaft zu pilgern, bevor er einen harpuniert, aber ich fand sein Schweigen schlimmer als alles andere. Ich hatte viel Geld verdient, damals, als ich Bücher schrieb. Ich war einer seiner liebsten Kunden gewesen. Ah, konnte es sein, daß er diese Hand, die er mir so oft und herzlich gereicht, heute dazu verwandte, mir die Kehle zuzudrücken...?

Dicke, schwarze Wolken überlappten und kugelten sich am Himmel, während der Tag zu Ende ging. Inzwischen wirkte der

Schnee tot und seelenlos. Die Leute zogen den Kopf ein und zischten fluchend ab. Auch wenn sich da einiges zusammenbraute, ich hatte keine Lust, sofort nach Hause zu gehen. Ich hatte vor allem keine Lust, Bernie zuzusehen, wenn er diese Dinger den ganzen Weg schleppte, ich hatte keine Lust, dabeizusein, wenn der andere die Tür aufmachte.

– Bernie, laß dich nicht aufhalten..., erklärte ich ihm. Ich spring kurz bei Max vorbei, vielleicht braucht er auch etwas.

Er warf mir einen Blick zu, dann sagte er:

– Meine Güte, du bist wirklich furchtbar...!

Worauf ich zur Antwort gab, er irre sich gewaltig, von mir aus könne er Tag für Tag Dutzende von Milchtüten nach Hause schleppen, wenn es ihm Spaß mache, ich hätte nichts dagegen, dann versicherte ich ihm, daß ich zum Glück andere Dinge im Kopf hätte, und entfernte mich eilig.

– Du glaubst wohl, ich schaff das nicht...? rief er mir nach. Stimmt's...?!

Ich drehte mich nicht um. Ich ging die Straße in entgegengesetzter Richtung, während die Laternen aufglühten wie durchscheinende Eier und die vereiste Fahrbahn sanft anstrahlten. Es war erst fünf Uhr, trotzdem wurde es bereits dunkel.

Ich war ziemlich schlechter Laune. Ich wußte gar nicht genau, woher das kam. Diese kleine, unbedeutende Auseinandersetzung, die ich mit Bernie gehabt hatte, die konnte ich leicht aus meinem Herzen tilgen, die lastete nicht auf meinen Nerven, hatte ich sie doch praktisch vergessen, ohne daß ich mich besser fühlte. Je mehr ich nach den Ursachen meines Zustands forschte, um so mehr regte mich das Ganze auf.

Ich ging in eine Kneipe, um mich zu beruhigen. Ich wußte selbst nicht, wieso ich plötzlich an Max gedacht hatte, aber jetzt, da ich darüber nachdachte, glaubte ich kein Recht mehr zu haben, mich darum zu drücken. Mir war bewußt, daß auch ich eines Tages an die Reihe kam, daß mich das Alter an meinen Sessel fesseln und ich nicht mehr allein damit fertig werden würde. Ich kippte zwei Bourbon, ohne Luft zu holen, und machte mich schleunigst von dannen, als sei der Ort verwunschen.

Ich klopfte bei ihm. Ich hörte seine Katze im Hintergrund miauen, dann seine Füße, die über den Fußboden schlurften. Als er mir die Tür öffnete, zog ein Schwall verbrauchter Luft ins Treppenhaus und fiel über mich her wie das Gespenst von Monte-Christo. Mir wurde ganz schwindelig.

– Hello...! machte ich und trat einen Schritt zurück.

Dann kam ich wieder zu mir und bemerkte das schreckliche Aussehen, das er sich leistete.

– Ich wollte nur sehn, ob alles klar ist..., fügte ich hinzu, gleichermaßen bestürzt ob der wächsernen Blässe seiner Haut und seiner fiebrig glänzenden Augen.

– Komm rein...! antwortete er mit einer Stimme wie ein Blasebalg.

– Dir geht's aber gar nicht gut...! behauptete ich ohne Umschweife.

Ich stellte mein Einkaufsnetz in den Eingang und drückte die Tür zu, während er zu seinem Bett latschte. Der einzige Lichtschein im Zimmer stammte von einer Nachttischlampe, deren Schirm, aus einer Kamelblase gefertigt, nur ein tristes, gelbliches Licht verbreitete, das den trostlosen Eindruck der Szenerie noch betonte. Ich spürte, wie augenblicklich eine Wolke von Mikroben um mich zerstob, ich *sah* sogar einige von der Größe eines Stecknadelkopfes, die sich gemächlich in dem düsteren Lichthof treiben ließen. Selbst die Katze kam mir krank vor.

– Verdammt...! Wie fühlst du dich denn...? murmelte ich und riß meine Jacke auf, um der feuchten Wärme des Raumes entgegenzuwirken. Er ließ sich auf die Kante seines zerzausten Bettes fallen und klärte mich mit einer vagen Geste auf, alldieweil ich einen Stapel Medikamente in dem Halbdunkel gewahrte.

Ich hatte ihn noch nie krank erlebt, das heißt, bettlägrig mit Fieber, und mit einemmal erschien er mir sehr alt. Seine Haare waren verfilzt, die Schulterknochen ragten durch seinen Trainingsanzug, und er sah leichenblaß aus, auch wenn seine Augen heller leuchteten als sonst und er sich Mühe gab, mich anzulächeln.

– Hast du das schon lange...? fragte ich ihn.

Er zuckte mit den Schultern, keine Ahnung, teilte er mir mit. Vielleicht fünf, sechs Tage, das sei einfach über ihn gekommen, wahrscheinlich eine heftige Grippe, glaubte er, eine, wie er sie noch nie gehabt habe, solange er zurückdenken könne.

– Scheiße, du wirst wach und kommst nicht mehr hoch, du hast nicht mal Kraft, dir 'nen Kaffee zu kochen ...!

Plötzlich, als ich ihn so sah, hatte ich die Vision eines Typen, der sich im letzten Winkel seiner Höhle verschanzt und beim Anblick des Tageslichts tot umfällt. Ich hätte meinen Kopf verwettet, daß er kein einziges Mal die Fenster aufgemacht hatte. Die Luft war so dick, so merkwürdig und intim von seinem Geruch geschwängert, daß ich kaum in der Lage war, sie in mich hinein zu schlingen.

– Menschenskind, sagte ich zu ihm, kannst du denn nicht Bescheid sagen, wenn du sowas hast ...?!

Er verzog das Gesicht und stand auf.

– Scheiße, und wozu ...?!

– Wie bitte, *wozu* ...?! empörte ich mich.

Wir wechselten einen schonungslosen Blick, dann drehte er mir den Rücken zu und beugte sich über seine Medikamente. Ich spürte, daß es immer schwieriger wurde mit ihm. Das war nicht erst seit heute so, sondern mehr oder weniger seitdem man ihn vom Gymnasium gefeuert hatte. Jeder von uns hatte bemerkt, daß er den Schlag arg dramatisiert hatte, und das machte die Sache nur noch schlimmer. Schließlich war ich der einzige, der ihn noch verteidigte. Zwar joggte ich inzwischen nicht mehr so oft mit ihm, ich sah ein, daß es kein reines Vergnügen war, mit ihm zusammen zu sein, aber ich versuchte, nicht allzusehr daran zu denken, oder ich regelte das Problem auf eine alles in allem verdammt ungehörige – wenn auch in meinen Augen endgültige – Weise, indem ich mir sagte, an all dem sei das Alter schuld, zu altern sei nicht unbedingt das Beste, was einem auf Erden zustoßen könne.

– Du kannst dir gar nicht vorstellen, was ich für'n Zeug nehmen muß ...! stöhnte er.

Ich schwieg. Ich beugte mich vor, um das Telefon aufzuheben und ließ die abgetrennte Schnur durch meine Finger gleiten.

– Ich find das nicht besonders schlau ..., erklärte ich.

– Pah ... Wozu soll ich mir was vorspielen ...? stieß er hervor und drehte sich um. Ich bin's leid, ständig ranzugehen und die Leute haben sich verwählt.

Er warf den Kopf zurück, um seine Tabletten zu schlucken. Ich nutzte die Pause zu der Feststellung, daß ich es nicht nötig hatte, mir Extrasorgen aufzuhalsen, und biß mir leicht auf die Lippen.

– Bis jetzt hat sich noch keiner wirklich um mich Sorgen gemacht, fuhr er fort. Daran ändert sich jetzt auch nichts mehr.

Ich zögerte einen Moment, dann machte ich mir eine Zigarette an, ohne ihn aus den Augen zu lassen. Er hielt sich nicht besonders sicher auf den Beinen, schaffte es aber, mich mit einem sardonischen Grinsen einzudecken.

– Max, ich bin nicht gekommen, um mit dir zu jammern und über dein Los zu klagen. Noch bin ich nicht reif für mildtätige Werke ...

– Kruzifix, ich hab dich um nichts gebeten ...! würgte er hervor und ballte die Faust vor seinem Herzen.

– Bitte mich jetzt um was, bitte mich, dir zu holen, was du brauchst ...! Ich bin *extra* deswegen gekommen ...!

Ich drückte meine Zigarette aus, während er in seine Ecke zurückging und an den Ärmeln seines in den Farben der Schule gestreiften Trainingsanzugs zupfte.

– Was hieltest du davon, eine Minute die Fenster zu öffnen?

– Ach, verdammt, mach doch, was du willst ...!

Ich schritt eilends zur Tat und beugte mich gründlich über die Straße. Die Luft war eiskalt und so rein, daß es mir fast den Atem verschlug. Ich war schweißgebadet und zitterte einen Moment. Hier und da fielen erneut ein paar Flocken, aber auf köstliche Weise, mit einer Grazie, die einem das Herz zusammenschnürte. Ich atmete tief durch, dann schloß ich das Fenster und drehte den Espagnoletteverschluß. Aber ich rührte mich nicht von der Stelle und starrte weiter nach draußen.

– Max ... Wie kriegt man das hin, sowas von allein zu sein ...?! murmelte ich.

– Du bist lustig, Danny . . . Nichts einfacher als das . . .! knurrte er hinter meinem Rücken.

Ich schloß die Augen, um den Zorn, der mich plötzlich überkam, zurückzuhalten. Ich war wütend, auf ihn und auf mich, und zugleich unendlich bedrückt, was mein Gesicht kreuz und quer verzerrte. Ich mußte ihm eine schreckliche Fratze darbieten, als ich mich umdrehte, und ich brüllte, bevor meine Lippen anfingen zu beben wie Espenlaub:

– Aber ich kann mich nicht um dich kümmern, du Idiot . . .!! Ich hab nicht die Kraft, sowas zu tun, *verstehst du das nicht . . .?*!!

Er hatte sich aufs Bett gesetzt, und erneut drängte sich mir das Bild mit der Grotte auf. Das Licht schien von einem kleinen Feuer aus Reisig zu kommen, das vor seinen Füßen erstarb, es erhellte nicht einmal die Wände, aber Max' Augen leuchteten darin auf und destillierten ein wildes Licht.

– Ich verlange nichts . . .! Ich hab dich um nichts gebeten . . .! stieß er mit dumpfer Stimme hervor. Ich bitte niemanden um was, geh doch und laß mich in Ruh . . .!!

Ich packte mich mit einer Hand am Nacken und atmete tief durch. Ich lehnte mich mit dem Hintern gegen den Tisch, die Kiefer zusammengepreßt, finsteren Blicks, geistig angespannt. Es folgte ein gräßliches Schweigen, das in regelmäßigen Abständen von seinen Atemzügen, einem höchst unheimlichen Pfeifen, unterbrochen wurde.

– Sehr gut, versuchen wir den Dingen ins Gesicht zu sehen . . .! seufzte ich, aber weiter ging ich nicht, denn die Gedanken schossen mir in höchster Unordnung durch den Schädel.

– Du hast keinen Grund, dich um mich zu sorgen, Danny . . . Glaub mir, ich hatte Zeit genug, mich damit abzufinden, ich bin praktisch mein ganzes Leben lang allein gewesen . . .

Du hast keinen Grund, dich um mich zu sorgen . . ., grummelte er nach einer Weile.

Ich stellte erfreut fest, daß sein Gesichtsausdruck milder geworden war, aber ich kam schnell auf den Boden zurück, denn das zerstreute und traurige Lächeln, das er mir schenkte, war schlimmer als alles andere. So wie er dort saß, den Körper nach vorn gebeugt, die Ellbogen auf die Knie gepflanzt, so als verschleiße er seine letzten Kräfte, bevor er endgültig zusammensank, erschien er mir noch älter, noch deprimierter, noch kränker.

– Herrgott, erzähl mir nichts... Glaubst du, ich bin blind? Soll ich dir sagen, seit wann bei dir 'ne Schraube locker ist...?

Plötzlich wurde sein Blick aufmerksamer, aber ich brachte es nicht übers Herz, Salz in die Wunden zu streuen. Das Regal über seinem Bett war voller Pokale, Fotos, Wimpel, mußte ich noch mehr sagen...?

– Max... Ich werde nicht immer da sein, wenn du ein wenig Gesellschaft brauchst, ich glaube nicht, daß ich das schaffe... Tut mir leid, wenn ich dir das so sage, aber es ist die Wahrheit...

Mir wäre lieber gewesen, er hätte mich als Schweinehund bezeichnet, leider ruhte sein Lächeln weiter auf mir, und ich fand das um so betrüblicher, als darin ein Hauch von Freundschaft schwang. Aber gesagt war gesagt.

– Ich bin heilfroh, daß du mir dein Mitleid ersparst, Danny... Weißt du, ich könnte es nicht ertragen, jemandem zur Last zu fallen, egal wem... Ich hab kein besonders interessantes Leben geführt, ich möchte nicht, daß es lächerlich zu Ende geht. Ich glaube, das wäre ungerecht, ich meine für den, der sich die Mühe macht... Ich glaube, der Himmel würde das nicht zulassen, verstehst du.

Als ich ihn verließ, schneite es unverschämt, die Flocken fielen dichtgedrängt auf die Straße, aber es wehte kein Lüftchen, und ihr langsames Fallen war von unendlicher Zartheit. Erfaßte ich eine von ihnen in dem Moment, wo sie an meinem Gesicht vorbeitrieb, sagen wir eine von mittlerer Größe, und ließ sie dann nicht mehr aus den Augen, hatte ich Zeit genug, langsam bis sechs zu zählen, ehe sie auf der Erde landete. Es war herrlich. Ich war so froh, draußen zu sein, daß ich mich mit einem Hagelsturm abgefunden hätte. Der Bürgersteig sang mir ein Negro-Spiritual.

Ich schritt kräftig aus. Ich hatte einen Teil meiner Einkäufe auf Max' Kühlschrank liegenlassen, und das Netz schnitt mir nicht mehr so in die Hand wie auf dem Hinweg. Nach einigen Minuten fühlte ich mich seltsam wohl. Ich schlenderte, soweit es ging, nur durch die ruhigen Sträßchen und gab mir Mühe, an nichts zu denken, auf dem ganzen Weg begegnete ich keinem Menschen, und ich blieb nur ein einziges Mal stehen, um die Ohren zu spitzen. Ah, dieser Schnee, wie sanft er fiel, das ewige Staunen des Menschen vor der Schönheit dieser Welt.

Vor der Schwelle meiner Tür schüttelte ich mich sanft. Sämtliche Lampen brannten, als ich eintrat, aber weder im Wohnzimmer noch in der Küche war jemand zu sehen. Ich dachte an meine Stromrechnung, schalt mich jedoch sogleich ob einer solchen Kleinlichkeit.

– Komm schon, Danny... Sich um Geld zu sorgen ist schön und gut, aber ist es das wert, sogleich deine Seele zu erniedrigen...?

Mich streng zur Ordnung rufend, griff ich nach einer Flasche und spendierte mir ein Glas, bevor ich die anderen aufsuchte. Ich überlegte gerade, ob ich unter diesen Umständen nicht besser das Licht ausmachen sollte, wenn ich aus dem Haus ging, mein Geist pendelte von einer Lösung zur andern, ohne daß ich, über mein Aquarium gebeugt, sehr darauf achtete, als ich plötzlich Schritte auf der Treppe hörte. Ich drehte mich um und erblickte Sarah.

– Oh, du bist da..., sagte sie, nachdem sie meinen Blick vehement aufgefangen hatte.

Sie flitzte zum Sofa. Ich beugte mich wieder über mein Aquarium.

– Ich frag mich, ob die blau bleiben..., murmelte ich.

Es kam mir vor, als hätten sie ein wenig Farbe verloren, seit sie bei mir waren, naja, ich war mir nicht sicher. Ich hörte Sarah geräuschvoll die Seiten einer Zeitschrift umblättern.

– Wenn sie von den Philippinen kommen, bleiben sie blau..., fügte ich hinzu und klopfte gegen die Scheibe, um ihnen zu zeigen, wer da war. Wenn nicht, werden sie allmählich gelb...

Ich hatte es nicht eilig, zu erfahren, was mit ihr los war. Ich mochte wetten, sie hatte sich während meiner Abwesenheit nicht gerade amüsiert, und wenn ich jetzt ein falsches Wort von mir gab, war ich derjenige, der alles abbekam. Im übrigen war das bestimmt eine Sache, die ich für sie tun konnte, das wäre nicht das erste Mal gewesen, daß ich ihr meinen Rücken zur Verfügung gestellt hätte, damit sie sich abreagieren konnte, aber ehrlich gesagt schien mir, daß ich im Verlauf des Tages genug eingesteckt hatte, und ich war nicht besonders scharf darauf, wieder in den Krieg zu ziehen.

Ich hüllte mich also wohlweislich in Schweigen und tat so, als hätte ich nichts gemerkt. Manchmal legten sich diese kleinen Gewitter von selbst. Das war der einzige Wunsch, der mir in diesem Moment durch den Kopf ging. Anders als man hätte meinen können, hypnotisierte mich das sanfte Auf und Ab meiner Fische keineswegs, aber ich hielt tadellos still.

Nach einer Weile fragte ich mich, was sie da trieb. Langsam hatte ich die Nase voll von diesem Tag, ich hatte gehofft, man werde mich endlich in Ruhe lassen. Nichtsdestotrotz fiel es mir ein, einen Blick auf sie zu werfen.

Ich war überrascht, sie dösend vorzufinden, den Nacken auf die Lehne gelegt, die Augen halb geschlossen und eine Zigarette im Mund, von der ich nichts geschnuppert hatte. Sie interessierte sich offenbar nicht für mich. Das war feige von mir, aber ich atmete auf, ich rieb mir innerlich die Hände. Ich stellte fest, daß sie ein Kleid trug, das ich mochte, schwarz und am Rücken breit ausgeschnitten, und daß sie sich leicht geschminkt hatte. Ich fand, daß das eine feinfühlige Aufmerksamkeit war, selbst wenn es – *vor allem*, wenn es – nur darum ging, bei unserem Freund Crêpes essen zu gehen.

– Na, bist du jetzt beruhigt...? meinte ich zu mir. War das vielleicht doch nur blinder Alarm...?!

Ich schritt zum Fenster, und mit unwiderstehlicher Miene verkündete ich ihr, ich sei bereit, sie auf meinen Armen zu tragen, wenn sie mir nur ein Lächeln schenke.

– Nein... Ich komm nicht mit..., antwortete sie in müdem Ton, ohne den Blick von der Decke zu wenden.

– Na schön, das Lächeln ist keine Pflicht...

– Nein, ich sagte, ich komm nicht mit... Ich werde abgeholt.

Zum erstenmal, und ohne daß ich damit rechnete, empfand ich

eine heftige Abneigung gegen diese Art zweites Leben, das sie führte. Ich hätte nicht sagen können, was auf einmal in mich fuhr, denn ich hatte diese Typen einen nach dem andern vorbeiziehen sehn, ohne dem wirklich Bedeutung beizumessen. Wenn mich das zuweilen gefuchst hatte, dann nur, weil ich gern an ihrer Stelle gewesen wäre, mehr aber auch nicht, und nie hatte ich länger als fünf Minuten darüber nachgedacht.

Erschüttert versuchte ich mich zu fassen, aber vergebens. Ich schloß die Augen und riß sie schnell wieder auf, während sie aufstand und seelenruhig in der Küche verschwand.

– Also nein, was sagt man dazu...?! murmelte ich und preßte die Hände über dem Kopf zusammen. Ist das nicht der schlechteste Witz, den man sich vorstellen kann...?!

Daraufhin setzte ich mich erst einmal, meine Beine ertrugen es nicht mehr. Auf diese Weise von der Last, stehen zu müssen, befreit, packte ich die Armlehnen und schnitt nach Herzenslust Fratzen.

– Also nein, so ein Miststück...! dachte ich bei mir. Ich bereute es umgehend, daß ich ohne mein Glas losgezogen war, aber ich brachte es nicht fertig, wieder aufzustehen. Hätte sie es nicht so deichseln können, daß sie den Abend über bei uns blieb, war das so schwierig, die paar Tage, die sie unter meinem Dach verbrachte, stillzuhalten...?! Und ich, ich hatte mich noch gefragt, was sie hatte...! Jessesmaria, ich legte den Kopf in den Nacken und kicherte lautlos. Jetzt war ich es, der etwas hatte. Aber wer wollte bestreiten, daß das Leben zuweilen durch seine Absurdität glänzt...?

Düster dachte ich an Mat, ihren verstorbenen Gatten und meinen einstigen Freund, an damals, als sie vor seiner Nase ausrückte, um irgendeinen Schwachkopf zu treffen, der um die Ecke parkte. Ich hatte mir stets eingebildet, ich wüßte, was sie empfand, wie ich auch geglaubt hatte, mich in Richard hineinversetzen zu können, als er die Nachfolge angetreten hatte. Jetzt konnte ich das ganze Ausmaß meiner Dummheit auf diesem Gebiet erkennen, mir ging auf, welch lächerlicher kleiner Witzbold ich gewesen war.

Als sie zurückkam, verpaßte ich dem Dimmer meiner Stehlampe einen Tritt mit dem Absatz, allerdings nicht mit der Absicht, ein stimmungsvolles Ambiente zu schaffen – davor graut mir allein bei der Vorstellung –, sondern weil zuviel Licht brannte und weil ich nicht wollte, daß sie mich auf den Kopf zu fragte, was mit mir los war. Ich musterte den Teppich, um sie nicht ansehen zu müssen. Ich war mir nicht sicher, mich beherrschen zu können, wenn mein Blick auf sie fiel.

Sie ging an mir vorbei, um sich wieder auf dem Sofa niederzulassen. Als ich ihrem Duft sinnlos nachschnupperte, versetzte ich mir einen fürchterlichen Schlag, aber ich war derart wütend auf sie, daß ich nicht mit der Wimper zuckte. Einen Moment lang suchte ich nach beleidigenden Worten, nach dem kurzen, tödlichen Satz, der uns alle drei für ihre scheußliche Neigung rächen würde. Leider fiel mir nichts Richtiges ein, nichts, das ich verglichen mit dem, was wir erlitten, für böse genug erachtete, und wäre es mir eingefallen, ich hätte gezögert, es auszusprechen, aus Furcht, die Wut ersticke meine Stimme.

Allmählich wurde mir klar, daß ich ihr nichts zu sagen hatte. Ich stellte mir eher vor, sie am Arm zu fassen, wortlos zur Tür zu führen und ihr auf der Schwelle das verächtliche Lächeln zu schenken, das sie hundertfach verdiente. Ich hätte wer weiß was dafür gegeben, hätte ich gewußt, was sie in diesem Moment dachte. Hatte sie überhaupt gemerkt, welch dumpfe Wut mich befallen hatte? Wäre da nur das eisige Schweigen gewesen, in dem ich mir gefiel, hätte ihr mein Verhalten sogar normal erscheinen können. Aber nein, unmöglich, sie kannte mich zu gut, außerdem war ich mir sicher, daß sie mich ansah, eine ganze Hälfte meines Gesichts kribbelte.

Na schön, sollte sie doch, es machte mir überhaupt nichts. Zudem würde ich gleich aufstehen, um mich zu den anderen zu gesellen, sollte sie ruhig zum Teufel gehen. Ich hatte nicht die Absicht, sie aufzuhalten. Ich konnte ihr bloß ein eiskaltes Bad vorschlagen, mehr nicht. Große Aussichten auf Erfolg hatte das nicht.

Der Typ hupte vergnügt, in kurzen, ungemein spaßigen

Tönen. Ich verfluchte mich einmal mehr, daß ich noch da saß wie ein Schwachkopf und über meiner Enttäuschung brütete, während sie aufstand und erneut an mir vorüberging. Die Ankunft dieses Idioten abzuwarten und mir anzuhören:

– Ich bin weg, Dan, bis später...,

und dann die Haustür, die schwer ins Schloß fiel, hieß das nicht, den Kelch bis zur Neige leeren?

Ich spitzte die Ohren, aber anscheinend hatten sie es nicht eilig, loszufahren. Schön, ich war fünfundvierzig, trotzdem zählte ich jede Sekunde, die verstrich, und wand mich auf meinem Sessel, und natürlich malte ich mir das Schlimmste aus. Ich zündete mir dennoch eine *Hoyo de Monterrey* an. Das war der große Unterschied zwischen einem Bengel von sechzehn Jahren und einem Kerl meines Alters. Das war eine Art Lebensphilosophie.

Als Hermann kurz darauf antanzte, hatte ich mein Glas nachgefüllt und hörte *Schwanenweiß* von Sibelius. Die Kleinheit meines Geistes zerging unter dem Hauch der weiten Landschaften des Nordens, meine Seele hatte sich von ihrem Schmutz gereinigt und nach und nach ihren Flug wieder aufgenommen, so daß ich diese famosen Crêpes vollkommen vergessen hatte. Ich begrüßte ihn und entschuldigte mich. In dem Augenblick, da ich zu ihm sprach, war es mir praktisch gelungen, Sarah aus meinem Weg zu verbannen, indem ich mir gewisse mentale Techniken wie die Miniaturisierung oder das Rezitieren von einigen Haiku auferlegte.

Die lange Nacht
Das Plätschern des Wassers
sagt, was ich denke (Gochiku)

Er enthielt sich jeden Kommentars, als ich ihm mitteilte, sie werde nicht mit uns kommen, und bestimmt überraschte das niemanden. Ich war leicht besoffen. Ich legte für einen Moment meine Hand auf seine Schulter, die Lippen um meine Zigarre gepreßt, die Augen zusammengekniffen, dann nickte ich und schlüpfte in meine Jacke.

– Machen wir das Licht nicht aus ...? fragte er mich, bevor wir gingen.

– Pah, lassen wir heut' abend ruhig ein paar Lichter brennen ... Und da er sich nach mir umdrehte, beeilte ich mich, hinzuzufügen:

– Das hat nichts zu sagen ... Achte nicht drauf.

Als ich anderntags aufstand, war niemand im Haus. Alles lag wild durcheinander, wie nach einem Wirbelsturm, der nur die Bewohner mitnimmt und ein heilloses Tohuwabohu hinterläßt. Anscheinend war ich der einzige, der nichts Bestimmtes zu tun hatte.

Ich brachte eine ganze Weile damit zu, aufzuräumen, ruhig und ohne Bitterkeit, ging sogar so weit, den Staubsauger nach oben zu schleppen und die Betten notdürftig zu machen und die herumfliegenden Kleidungsstücke aufzuheben und zu falten, obwohl alles verquer lief, einfach *alles*, wohin ich mich auch wendete. Es war fast beruhigend, die Bude in Ordnung zu bringen. Wer immer mich am Werk gesehen hätte, er hätte den Hut gezogen angesichts der Quasi-Gelassenheit, die ich daraus schöpfte. *Mein Laden ist ganz und gar ausgebrannt, nichts versperrt mir mehr den Blick auf den Mond, der scheint.* (Masahide)

Es hatte aufgehört zu schneien, die Sonne kam zwar nicht richtig hervor, doch der Himmel war so hell, daß ich beschloß, einen Tannenbaum zu kaufen. Ich war mindestens zwei Wochen zu früh. Als Hermann noch ein kleiner Junge war, hatte ich mich regelmäßig mit Franck über dieses Thema gestritten, da sie stets bis zum letzten Moment warten wollte, sie fand es lächerlich, die Bude von den ersten Dezembertagen an zu schmücken.

– Mir reichen schon diese verdammten Läden! fauchte sie. Findest du nicht, daß die einem alles vermiesen?! Kannst du mir mal sagen, was das soll, diese Weihnachtsdekoration mitten im November?

Und da sie einmal dabei war, kam sie auf die Art zu sprechen, wie ich mich um Hermann kümmerte, nämlich überhaupt nicht, wenn man sie so hörte, oder ich übertrieb es, was auf dasselbe rauskam, was *bewies*, daß ich ein schlechtes Gewissen hatte. Nichts brachte mich mehr auf die Palme als dieses Thema, man hörte mich in der ganzen Bude Türen schlagen und den Himmel zum Zeugen nehmen. Glaube sie, es sei einfach, ein Buch zu schreiben, fehle es ihnen denn an etwas...?!

– Herrgott nochmal...! Der Tag ist für mich im Eimer. So eine Scheiße...!!

Ich biß mir vor Wut in die Faust.

– Was würdest du sagen, wenn ich in einem Büro arbeitete, hm...? Ich würde ihn nur abends sehen, gerade früh genug, um ihm einen Gutenachtkuß zu geben, wäre doch fein, was? Na klar, dann wäre alles bestens, kann ich mir denken...!

Wenn sie einmal aufgebracht war, gab sie keinen Millimeter nach.

– Na und, vielleicht wäre das besser als nichts! entgegnete sie. Du, du bist doch *nie* da, du bist da, *ohne da zu sein*...!

Kurz und gut, ich hatte also beschlossen, einen Weihnachtsbaum zu kaufen. Dieses ganze Theater mit dem Datum scherte mich in diesem Fall wenig. Ich fand das eine ausgezeichnete Reaktion auf all den Ärger, der gegenwärtig über mich hereinbrach, eine Möglichkeit, die linke Wange zu reichen, und zugleich ein Akt der Auflehnung, das Augenzwinkern des Opfers gegenüber dem Henker.

Ich wollte keines dieser mickrigen, bereiften Dinger, ich wollte eine Tanne von mindestens zwei Meter Höhe und einer anständigen Spannweite. Schweren Herzens, denn die Luft schien so rein wie ein Gebirgsbach, verzichtete ich darauf, das Motorrad hervorzuholen, und ließ mich in die Stadt kutschieren. Kleine, zerbeulte Blechschilder an dem Sitz des Fahrers ersuchten einen, nicht das Wort an ihn zu richten, nicht zu rauchen, nicht auf den Boden zu spucken, die Fenster nicht zu öffnen, doch nichts konnte meinen Schwung bremsen, nicht einmal der kalte Blick, den er mir im Rückspiegel zuwarf und der ein Pferd in die Knie gezwungen hätte.

Ich verbrachte ungefähr eine Stunde in der Abteilung für Christbaumschmuck. Ich hatte mir fest vorgenommen, piano vorzugehen, aber schon bald hatte ich meine guten Vorsätze vergessen, denn es gab da eine beträchtliche Auswahl und alles glitzerte einem vor Augen, alles war voll im Licht aufgereiht, daß einem die Ohren sausten. Binnen kurzer Zeit hatte ich mir einen solchen Vorrat an Kugeln zugelegt, eine schöner als die andere, daß zwei Christbäume nicht gereicht hätten. Ich war mir dessen voll und ganz bewußt, aber ich war wie im Rausch. Ich hatte mir eine riesige Garbe von diesen schimmernden, raupenförmigen Girlanden um den Hals geschlungen, und ein Typ in Zivil strich um mich herum und beobachtete mich unauffällig, und ich grinste ihn an. Die Kassiererin brauchte minutenlang, um sämtliche Preise abzulesen, und ich nutzte die Zeit, um beiläufig ein paar Sachen hinzuzufügen, dann zahlte ich mit meiner Karte, hütete mich aber, einen Blick auf die Summe zu werfen, und flitzte ins Erdgeschoß, um mir einen Baum auszusuchen.

Gegen Mittag stand ich mit meiner Tanne und einem großen Karton, dessen Inhalt in der Sonne funkelte, auf dem Bürgersteig. Der Himmel war kaum noch verschleiert, und schöne goldene Strahlen drangen seelenruhig durch die Wolken. Ich war dafür durchaus empfänglich, aber nach fünf Minuten wurde mir die Zeit allmählich zu lang.

Sobald sie an mir vorbeikamen, fuhren die Taxis schneller. Diese Bande von Saukerlen, ich traute meinen Augen nicht. Konnte es sein, daß man mir einen solchen Streich spielte, aufgeschmissen, wie ich es war? Sollte ich hier warten, bis ich schwarz wurde, gab es denn keinen, den mein Martyrium rührte?

Ich schäumte im wahrsten Sinne des Wortes, als eine prächtige Limousine vor mir anhielt, aber ich hatte noch einen ganzen Schwall von Flüchen auf den Lippen und nahm sie ohne große Freude zur Kenntnis. Die Scheiben waren getönt wie die Gläser eines Blinden. Ich setzte ein Gesicht auf, liebenswürdig wie eine Gefängnistür, als sich eine von ihnen mit entwaffnender Sanftmut senkte. Das Mädchen, das ich innendrin erblickte, war Marianne Bergen, und sie sagte zu mir: Oh, guck mal, wer da ist . . .! während ich mich zu einem Lächeln zwang.

– Dan . . . Hast du Schwierigkeiten . . .?

Einige Minuten später war alles geregelt. Und weitaus besser, als ich zu hoffen gewagt hatte, denn nun durchkreuzte ich die Stadt mit einem Glas Bourbon in der Hand, die Beine übereinandergeschlagen, frohgemut und quietschfidel in ein Gespräch mit Marianne Bergen vertieft. Alles lief wie geschmiert. Ich hatte meinen Baum gegen eine Straßenlaterne gelehnt, und Hans, der Chauffeur, sollte ihn abholen, nachdem er uns abgesetzt hatte, was fürwahr die ideale Lösung war, das Leben konnte nicht anders sein, dachte ich.

Als ich ihr erklärt hatte, ich hätte die Absicht, die Bude zu schmücken, war Marianne in helle Begeisterung ausgebrochen und hatte sogleich kundgetan, sie habe nichts Dringendes zu erledigen. Worauf ich ihr erwiderte, der Himmel müsse uns auf den gleichen Weg geschickt haben oder aber ich hätte keine Ahnung von nichts.

Ich beglückwünschte sie zu ihrem Wagen, während wir an den verschneiten Bürgersteigen entlangbrausten und ich meine Schätze zwischen uns auf dem weichen Leder der Rückbank ausbreitete. Marianne ergriff sie und nahm sie einzeln in Augenschein, denn schon der geringste Lampion war, wie gesagt, einen Blick wert.

– Oh, mein Vater hat ihn mir zu meinem zweiunddreißigsten Geburtstag geschenkt, antwortete sie. Was sagst du dazu...?!

Ich fragte mich, was ihr der Kerl wohl zu Weihnachten schenkte.

Kaum vor meinem Haus angekommen, hüpfte Hans aus dem Wagen und flitzte zum Kofferraum, um sich Mariannes Rollstuhl zu schnappen. Wir baten ihn, unterwegs nicht zu bummeln, denn ich konnte es kaum erwarten, den Baum endlich aufzubauen.

Ich schob Marianne ins Wohnzimmer.

– Ich war schon lang nicht mehr hier..., bemerkte sie. Oh, dein Aquarium kenne ich ja noch gar nicht...

Ich erklärte ihr, daß sie mit der Zeit ihre Farbe verlieren konnten, selbst wenn man achtgab, daß der pH-Wert des Wassers nicht zu tief lag. Danach strich ich mir übers Kinn und baute mich mitten im Zimmer auf, ich fragte mich, wo wir anfangen sollten.

– Wenn es dich nicht stört, würde ich mich lieber in einen normalen Sessel setzen..., meinte sie sanft zu mir.

Ich nickte und wappnete mich mit einem hollywoodreifen Lächeln.

– Aber sicher..., sagte ich.

Ich hob sie im Handumdrehen hoch. Sie schlang einen Arm um meinen Hals – was die Verwirrung, die mich sogleich ergriffen hatte, nur verstärkte, eine Verwirrung, die ich auf die große sexuelle Einöde schob, die ich durchquerte und die mich hypersensibel für jeden weiblichen Kontakt machte –, während ich sie fragte, ob sie einen bestimmten wünsche.

Sie wählte den, der in der Nähe des Fensters stand. Das war mein Lieblingssessel, alle Welt suchte ihn sich aus, ohne daß ich so recht verstand, weshalb eigentlich. Ich legte sie also darauf ab, nicht ohne jedoch auf mein Kreuz achtzugeben und auf eine – wie ich einräumen muß – lächerliche Weise in die Hocke zu gehen, aber ich brauchte mir nichts mehr zu beweisen und mied auf diese Art jedweden Fallstrick. Danach fuhr ich schleunigst den Rollstuhl hinaus, ich parkte ihn im Eingang, wo er unseren Blicken entzogen war. Ich sah sie wieder durch dieses Zimmer eilen oder von ihrem Stuhl aufspringen, ich erinnerte mich, als sei es gestern gewesen.

Das war das erste Mal seit ihrem »Unfall«, daß wir unter vier Augen beisammensaßen. Ich war angenehm überrascht, mit welcher Leichtigkeit wir diesen Schritt getan hatten und wieviel Vergnügen es mir bereitete, mit ihr zusammen zu sein. Ich hatte sie weiß Gott zum Kotzen gefunden, als wir gemeinsam an diesem verdammten Drehbuch bosselten, und oft genug schier unerträglich, sie war weiß Gott nicht der Typ Mädchen, um den meine Gedanken Tag und Nacht kreisten. Erst später, als die Monate verstrichen und wir uns hier und dort begegneten, hatte ich allmählich meine Meinung geändert, durch meine Weigerung indes, in der Stiftung zu arbeiten, hatte sich ein Graben zwischen uns aufgetan, und seither begnügte ich mich damit, gewisse

Details zu verzeichnen, die mein Interesse weckten. Überdies war ich nicht der einzige, der fand, sie blühe auf, so unglaublich dies auch erscheinen mag.

Sie hatte begonnen, aus Garn ein System anzufertigen, an dem die Kugeln aufgehängt werden konnten. Ich befestigte einige an der Decke, um mich einzustimmen, dann prüfte ich, ob die elektrischen Kerzen auch alle funktionierten. Während wir miteinander plauderten, hatte ich Gelegenheit, sie nach Belieben zu beobachten. Man konnte sagen, daß sie sich verdammt nochmal gemacht hatte, wenn man das von einem Mädchen sagen kann, das auf immer an einen Rollstuhl gefesselt ist. Diese Stiftung zu leiten, trug bestimmt einiges dazu bei, Paul war voller Bewunderung, ihm zufolge konnte ich mir gar nicht vorstellen, wieviel Arbeit sie sich machte:

– Danny, du wirst es mir nicht glauben, aber dieses Mädchen ist eine *Heilige* . . . !

Ohne gleich soweit gehen zu wollen, räumte ich gern ein, daß sie anziehender geworden war, jedenfalls in gewisser Hinsicht, und ich fand sie durchaus gefällig an diesem Nachmittag und ganz und gar nicht zum Kotzen.

Als wir darauf zu sprechen kamen, womit ich – von Tannenbäumen abgesehen – meine Tage verbrachte, gestand ich ihr, daß ich seit einiger Zeit überhaupt nichts mehr tat, daran aber noch nicht gestorben sei.

– Machst du Witze . . . ?! fragte sie mich.

– Beileibe nicht, ich fürchte, das ist alles andere als ein Witz . . .

Plötzlich fühlte ich mich in einer mitteilsamen Stimmung. Ich setzte sie von meinen Problemen in Kenntnis. Aber das Tageslicht war so weich, daß ich außerstande war, alles in düsteren Farben zu schildern, und sehr schnell beruhigte ich sie, es bestehe kein Anlaß, sich den Kopf zu zermartern.

– Das ist nichts, rein gar nichts, verglichen mit dem großen Geheimnis des Lebens . . . , monologisierte ich.

– Dan . . . Du weißt, ich bin bereit, dir zu helfen . . . Naja, du weißt es sehr gut, und nicht erst seit heute . . .

– Hmm, ich danke dir . . . Ach, ich weiß nicht . . . Ich hab noch keinen Entschluß gefaßt. Und außerdem, als was könnte ich dir schon nutzen...?

– Oh, keine Bange... Ich finde schon etwas.

– Weißt du, Marianne, ich habe nichts Besonderes gelernt...

In diesem Moment klingelte es an der Tür. Es war Hans, mit meinem Tannenbaum. Sein Gesicht war ausdruckslos, aber ich spürte, daß ihm die Spazierfahrt nicht zugesagt hatte.

– *Tränen sind besser als Lachen, denn das Unglück läutert das Herz*, sagte ich ihm, allein er tat, als hätte er nicht verstanden, und kehrte wortlos zu seinem Wagen zurück.

– Dan, ich kann dich nicht zwingen, für mich zu arbeiten..., setzte sie wieder an, als ich mit dem Tannenbaum auf der Schulter durchs Wohnzimmer zog. Aber würdest du mir endlich sagen, *warum nicht*...?

Ich stellte meine Last in eine Ecke und merkte, daß ich mich ein wenig verschätzt hatte: die Spitze schrammte böse gegen die Decke, bildete einen häßlichen Winkel. Während ich dieses Problem zerstreut bedachte, antwortete ich ihr, ich wisse es selbst nicht, dann drehte ich mich um und blickte sie lächelnd, mit ausgebreiteten Armen an.

– Marianne, ich glaub, im Grunde möchte ich für *niemanden* arbeiten...

Ohne mich aus den Augen zu lassen, reichte sie mir eine Traube von Kugeln, die sie am Schwanz hielt, und neigte leicht den Kopf.

– Wenn ich recht verstanden habe, hindert dich nichts daran, mich wieder zu besuchen, sobald du wieder Fuß gefaßt hast...

Ich war bereits wieder losgezogen und fing an, sie da und dort, und zwar nicht ganz geschmacklos, aufzuhängen.

– Täusche ich mich...? drängte es sie nachzufragen.

Ich war nicht in der Lage, sie zum Teufel zu schicken. Ihre Stimme war sanft und freundlich, und das nahende Weihnachtsfest verpflichtete mich zu mehr Liebenswürdigkeit, ebenso die Aussicht auf die fürchterlichen Scherereien, die mich erwarteten, wenn ich nicht bald einen Weg fand, sie zu umgehen.

– Oh, oh...! gurrte ich. Also nein, sollte ich ein unersetzbares Talent haben, eine Fähigkeit, von der ich bislang nichts ahnte...?

– Und warum nicht?

Da ich die letzte der ersten Serie aufgehängt hatte, lockerte ich meine Schultern und drehte mich gelassen einmal um die Achse. Ich war zufrieden, denn der Raum nahm allmählich Gestalt an.

– Ich glaube, du machst dir falsche Vorstellungen über mich..., seufzte ich vergnügt. Weißt du, das einzige, was mich im Leben wirklich gereizt hat, war, Bücher zu schreiben, verglichen damit kommt mir alles andere nur fad vor. Insofern würde es mich wundern, wenn ich für die Stiftung ein wertvoller Zuwachs wäre, soviel solltest du wissen...

– Wer weiß... Vielleicht bitte ich dich, eines zu schreiben...?

Ich lachte mich schief. Ich entschied, der Moment sei gekommen, einen Schluck zu trinken.

– Diese Gnade wird mir schon lange nicht mehr zuteil, feixte ich, während ich nach dem Bourbon griff. Ich fürchte, du mußt dir 'nen anderen Job ausdenken, der meinen Horizont nicht übersteigt...

Sie wirkte nicht gerade überzeugt, aber das war ihre ureigene Sache. Vor ihr hatten sich schon andere damit abfinden müssen, daß mich die Gute Fee ein für allemal verlassen hatte und nichts daran zu ändern war. Ich wäre entzückt gewesen, hätte ich ihr das Gegenteil verkünden können. Am schlimmsten war dieses Gefühl, daß man mir Vorwürfe machte, als nähme man mir übel, daß ich nicht mehr war, was ich einst gewesen. Glaubten sie allen Ernstes, mir mache das Spaß, und ich bräuchte nur mit den Fingern zu schnippen...?!

Ich lachte immer noch, als sie schon längst fort war. Ich hatte die Ausschmückung des Zimmers beendet und überlegte, daß es trotz allem ein Segen war, so etwas erlebt zu haben.

– Schade, daß es so kurz war..., sagte ich mir mit einer Unze Melancholie, schade, daß sie mich so schnell verlassen hat...!

Dabei dachte ich keineswegs an Marianne. Im Grunde war ich nicht verbittert. Hätte ich nur genug Geld für meine alten Tage beiseite gelegt, ich hätte all dem keine Träne nachgeweint.

Ich war mit meiner Arbeit letzten Endes nicht unzufrieden, und ohne mich mit Blumen bestreuen zu wollen, mußte ich mir lassen, daß ich mich gut geschlagen hatte und das Ergebnis sehr überzeugend ausfiel. Ich schaltete im letzten Licht des Tages meine Kerzen an, eine wahre Augenweide, ein echter Glücksfall, wie ich ihn mir erhofft hatte, ein Moment, der wunderbar gewählt war, beispielsweise Skriabin zu hören.

10

Ich wurde buchstäblich mit Komplimenten überschüttet und einhellig für meine Initiative gelobt, mit einer Gegenstimme, der von Harold, der an irgendeiner Kleinigkeit etwas auszusetzen fand, Harold, dieser armselige Nörgler. Mit anderen Worten, so gut wie alle fanden es vollkommen. So daß unsere Abende mit den Bartholomis – trotz aller Veranlassung, die Hermann und ich hatten, uns zu beklagen – ohne den geringsten Zwischenfall verliefen und wie verklärt, beinahe heiter wirkten.

Als der Tag kam, war ich dennoch froh, daß ihr Heizkessel wieder in funktionstüchtigem Zustand war, denn heikel war das Gleichgewicht, schmal und somit gefährlich der Pfad, auf dem wir wandelten, so funkelnd er uns erscheinen mochte. Ich für mein Teil hatte befürchtet, Sarah entfleuche uns ein zweites Mal. Glücklicherweise blieb mir das erspart.

– Aber wie lange noch...?! hatte ich mich unablässig gefragt. Bis morgen abend, vielleicht bis übermorgen...?!

Auf die Dauer war das nicht erträglich.

Danach kamen die Feiertage im Eiltempo näher, und Schnee gab es überhaupt keinen mehr. Dafür purzelten die Temperaturen grausam in den Keller. Jedesmal, wenn wir auf das Motorrad stiegen, dachte ich an den kleinen *Fiat 500* meiner Träume, und Tränen der Rührung gefroren in meinen Augenwinkeln.

Wir sagten uns beide, so eine kleine Mühle wäre wundervoll. Wir lagen jedem damit in den Ohren, der es hören wollte.

Hermann war über unsere finanziellen Schwierigkeiten im Bilde, aber das war seine geringste Sorge. Wenn er Interesse heuchelte, wußte ich nur zu gut, daß er das einzig meinetwegen tat, weil er sah, daß ich aus diesem Anlaß bekümmert war, und so redete er mir sanft zu, er sei überzeugt, das werde sich regeln. Daß ich mir Vorwürfe machte, ihn mit dieser Sache zu behelligen, ist gelinde untertrieben. Ich hatte nicht den Eindruck, viel für die Entfaltung seiner Seele zu bewirken, wenn wir unseligerweise auf dieses leidige Thema zu sprechen kamen. Ich dachte an all die Dinge, die er noch zu entdecken hatte, an die ganze verrückte Schönheit dieser Welt, an die großen Geheimnisse, und ich, sein Vater, in welche Kloake schleifte ich ihn mit meinen schmutzigen Geschichten, mit welch ordinärer Nahrung versah ich ihn! Auch wenn er mir nur mit halbem Ohr zuhörte, ich fand, das war zu viel, und manchmal mußte ich mich zusammennehmen, ihn nicht anzuknurren:

– Hermann ... *Ich will nicht*, daß du dich damit abgibst, hörst du ...?!

Er war recht guter Dinge aufgrund eines Details, das mir während des letzten Abends, den wir mit den Bartholomis verbracht hatten, entgangen war. Anscheinend war sie während einer Runde Karten seine Partnerin gewesen.

– Und halt dich fest ... Sie selbst hat es so gewollt!

Ich pflichtete ihm bei, daß die Sache von Bedeutung war, und ich freute mich, daß sich in dieser Richtung endlich ein Hoffnungsschimmer abzeichnete.

– Ich hab immer gesagt, daß sie dir schließlich verzeiht. Naja, ich geb zu, bisweilen muß dir die Zeit lang vorgekommen sein ...

– Nein ... Das macht nichts. Ich bin ihr nicht böse. Meine Güte, ich hab es schon fast vergessen.

Ich wußte nicht, ob da ein Zusammenhang bestand, jedenfalls frühstückte er morgens für zwei und wurde ein wenig gesprächiger. Wir hatten vereinbart, daß er während der Ferien ins Bett gehen und aufstehen konnte, wann es ihm paßte, und es machte den Eindruck, als wollte er das weidlich ausnutzen. Weiterhin von meiner Schlaflosigkeit verfolgt, traf ich ihn morgens gegen elf am Frühstückstisch an, und ich trank einen Kaffee mit ihm. Nur daß ich bereits lange vor Morgengrauen aufgestanden war. Ich fand, das unterteilte ganz angenehm den Vormittag.

Die Nächte brachen so schnell herein, daß der Tag wie eine kurze Aufhellung erschien. Es kam mir vor, als wäre ich auch in Ferien. Meine Kerzen flackerten vierundzwanzig Stunden am Tag, und es betrübte mich, wenn ich bedachte, daß der Moment kommen würde, wo ich sie ausmachen müßte, denn was würde dann aus der leichten Euphorie, die einen bei ihrem Anblick befiel? Mir war, als hielte ich mir sämtliche Scherereien vom Leib, solange ihr kleines Herz zuckte.

Das hinderte Elsie nicht daran, mich eines schönen Morgens anzurufen und als Hurensohn zu beschimpfen, bevor ich dazu kam, den Hörer aufzulegen. Aber das war nicht weiter schlimm. Ich hatte im Moment andere Sorgen. Und wenn ich auch von Natur aus nicht besonders nachtragend war, konnte ich doch den Keulenschlag nicht vergessen, den sie meinem Kopf verpaßt hatte. Hermann mochte sie, er fand, ich sei ziemlich hart zu ihr. Ich mochte sie auch, aber so einfach war die Sache nicht. Von Zeit zu Zeit passierte es mir, daß ich an die Lächerlichkeit meiner Liebesbeziehungen und meiner Amouren dachte. Im Grunde wollte nichts mehr so recht klappen, seit mich Franck verlassen hatte. Die Fakten waren nicht zu bestreiten. Es blieb einem nur, gute Miene zum bösen Spiel zu machen und die Hoffnung auf das Eldorado fahren zu lassen.

Zum Glück zählten solch bittere Gedanken nicht zu meinen täglichen Gästen, sonst hätte ich gleich das Handtuch werfen können, und noch war ich so gespannt auf das Leben, daß ich einen ganzen Tag lang für nichts und wieder nichts lächeln konnte. Daß mir der totale Absturz erspart blieb, hatte ich Hermann zu verdanken, schlicht und einfach, weil er an meiner Seite war, ein Kinderspiel, das war der Grund, weshalb ich, acht Jahre nachdem sie mich hatte fallenlassen, noch auf den Beinen war, zwar bis zum Hals in der Scheiße, aber nur zu bereit, mich über die geringste Kleinigkeit zu freuen.

– *Sanctuary! Sanctuary* . . .!! hätte ich meinerseits brüllen können, so sehr schützte mich seine Gegenwart vor allem andern. Ich fand, daß er viel zu wenig Ferien bekam an diesem Scheißgymnasium.

Wir schleppten uns einige Nachmittage in die Stadt, um die übliche Geschichte mit den Geschenken zu erledigen. Die Geschäfte platzten aus allen Nähten, und ich war ein wenig beruhigt, ich hatte das Gefühl, mein Bankier hätte Schwierigkeiten, mich in der Menschenmenge ausfindig zu machen, und meine lumpigen Schecks würden in der Lawine unerkannt durchgehen. Hermann zerbrach sich unterdessen den Kopf. Er wiederholte alle naslang, er dürfe sich nicht vertun, gewissermaßen hinge der Endsieg davon ab. Ich hoffte, daß er darüber nicht aus den Augen verlor, daß einzig die Geste zählte.

Heiligabend waren wir bei den Bartholomis zum Essen eingeladen. In der geistigen Verfassung, in der ich mich befand, war ich hocherfreut, daß andere das Heft in die Hand nahmen, ehrlich gesagt hatte ich mir nichts sehnlicher gewünscht. Es war nicht zu bestreiten, daß ich dieses Jahr stehend k.o. beendete und so gut wie unfähig, mich um irgend etwas zu kümmern. Allein der Gedanke an Gladys' Geschenk war eine beschwerliche Last, die ich nicht länger als eine Minute ertrug. Überdies fragte er mich nicht um Rat, er begnügte sich damit, laut nachzudenken. Ich hatte seine Mutter in einem Maße geliebt, daß ich stricken gelernt hatte, um ihr heimlich einen dreifarbigen Pullover anzufertigen, und das zu einer Zeit, da ich ihr ganze Schränke voll hätte kaufen können. Ich kann mir vorstellen, daß so etwas die meisten vom Hocker haut, auch wenn die Ärmel ein wenig zu lang geraten waren. Ich war vielleicht kein besonders umgänglicher Typ, aber deswegen gleich alles hinzuschmeißen, wozu sie sich letztlich entschloß, war doch ein starkes Stück, war das nicht der dickste Schlamassel, in dem ich jemals gesessen hatte?

Eines Nachmittags schneiten wir bei Max herein, aber ich fand, er war nicht so recht in Form, auch wenn ich ihm das Gegenteil versicherte. Wir nutzten trotz allem die Gelegenheit, um die Vorhänge aufzuziehen und ein wenig zu lüften, obwohl er dabei eine Fratze zog wie ein Vampir. Er hatte auch nicht die Absicht, sein Telefon reparieren zu lassen, wozu ich ihm erneut gratulierte, und das Fest mit uns zu verbringen, ob das mein Ernst sei, ob ich ihm vollkommen den Rest geben wolle? Er war so charmanter Stimmung, daß wir schleunigst abzwitscherten, nachdem wir noch ein paar Einkäufe für ihn erledigt hatten, unter anderem einen Miniweihnachtskuchen, den ich in seinen Kühlschrank schob.

Bei den Bartholomis war man nicht übermäßig verstimmt ob

seiner Absage. Allerdings, um die Wahrheit zu sagen, Hermann und mir ging es nicht anders. Gladys war sogar erleichtert. Wahrscheinlich hatte sie ihm noch längst nicht verziehen, daß er sich dazu hatte hinreißen lassen, unter ihrem Rock zu schnüffeln. Ich war wie Hermann, ich fand, sie sah zur Zeit blendend aus, und ich fragte mich, ob das an den Vitaminen lag, die sie schluckte, oder an dem bevorstehenden Fest und dem ganzen Tralala.

Jesses! Was war es kalt, und wie schnell wurde es dunkel...! Kaum heimgekehrt, kippte ich als erstes ein Glas und rieb mir das Kreuz an einem Heizkörper. Ich riß mich zusammen, wenn ich abends mit Hermann allein war, ansonsten ließ ich mich ein wenig gehen, ohne daß man dessen gewahr wurde, da ich es nie zu bunt trieb. Ich hatte an diesem sonderbaren Jahresende ebensoviel Grund, fröhlich zu sein, wie ich Sorgen hatte, es war nicht der rechte Zeitpunkt, mich auf Diät zu setzen. Zudem trank ich nur kleine Gläser. Ich spürte, daß ich mich mit meiner Lesebrille hinters Licht führte. Ich gaukelte mir etwas vor mit meinem Buch auf den Knien. Was ist schon natürlicher als ein Typ, der mit dem Kopf wackelt, wenn er in Gesellschaft von Henry Miller ist, ich meine voller Glück, voller Bewunderung...?

Ich schwebte diese letzten Tage auf einer Wolke, durchquerte eine dunstige und schwer zu fassende Szenerie, mit der ich mich jedoch bestens abfand, muß ich sagen. Diese sanfte Narkose paßte mir blendend, fast hatte ich das Gefühl, ich verdiente sie, eine Gnade werde mir erwiesen.

Am letzten Tag hatte ich glatt den Eindruck, alle Welt wirbele wie wild herum und quer durch die ganze Stadt, ohne daß mir das etwas anhaben konnte. Mit welchem Gleichmut ich mir das ansah, welch angenehme Distanz...! Sarah hatte mich angerufen, danach hatte sie gemeint: oh, und dann: nein, bleib, wo du bist, mir ist lieber, du tanzt mir nicht zwischen den Beinen herum. Sie schien mir mehrere Sachen auf einmal zu machen, und du meine Güte, ich hatte keine Lust, mich daran aufzureiben, man sollte mich vergessen, mehr verlangte ich nicht. Der kleine Danny wollte bloß das Wunder verlängern und weiter mit den Füßen im

Leeren baumeln, sonst nichts. Wenigstens bis ins Neue Jahr, wenn es gestattet war.

Ich zog mich recht früh am Nachmittag um, dann verdrückte ich mich in meinen Sessel. Mit meinem Buch. Ich beobachtete Hermanns ständiges Hin und Her und ging ans Telefon, während die Stunde nahte und die Spannung ihren Höhepunkt erreichte. Bei Bernie brannte Licht, ich sah sie die Treppe rauf und runter flitzen, wie damals, als sie Krach hatten, nur daß man weder ihr Schreien noch sonst was hörte, sondern nur Musik, und hier im Haus zog sich Hermann zum zweitenmal um, ich traute meinen Augen kaum, und ich hoffte, daß Gandalf bei den Bartholomis daran dachte, seine Krallen einzuziehen.

Als sie fertig waren, kamen Bernie und Harold bei uns vorbei, um zu sehen, wie weit wir waren, was mir Gelegenheit gab, mein Lächeln zu testen und mich ein wenig zu schütteln. Als ich sie sah, hatte ich wirklich Angst, mein Jackett sei leicht zerknittert und mein Bart seit dem Morgen verdammt gesprossen, aber Bernie versicherte mir, ich sähe glänzend aus. Befriedigt spendierte ich eine Runde, um mich aufzupeitschen. Worauf wir zum Aufbruch rüsteten.

Auf der Türschwelle erwartete uns ein eiskalter Kuß. Mich dünkte, mit leerem Magen würden wir nicht sonderlich weit kommen, aber ich schlug mir den Gedanken aus dem Kopf, umzukehren und noch einen zu kippen. Ich wäre doch niemals betrunken auf mein Motorrad gestiegen, wenn Hermann hinter mir saß, und Bernie konnte uns in seinem MG nicht mitnehmen, weil da die Geschenke waren. Kurz und gut, die Kälte zernagte uns von allen Seiten. Mir gefiel auch nicht, daß er sich nicht an mir festhielt und die Hände in die Taschen steckte.

– Ach du Schande, wir gäben vielleicht ein Bild ab...! meinte er zu mir. Und er ließ sich auch nicht davon abbringen, zumindest, solange wir in der Stadt waren. Zum Glück hatte ich längst eingesehen, daß in diesem Leben nicht alles so laufen konnte, wie ich es wollte, und so verzichtete ich darauf, mir sinnlos die Zunge abzufrieren.

Wir trafen als letzte ein, halbtot, was mich betraf, aber Gott, was war es angenehm bei Sarah, und wie tröstend, sogleich – nur durch das Wunder seines simplen Erscheinens – auf allen Gesichtern ein Lächeln aufflackern zu lassen. So daß mir husch, husch das Blut wieder durch die Adern schoß. Ich küßte Sarah auf den Hals, flüsterte ihr zu, sie sei die Schönste und ich ein schöner Schweinehund, daß ich nicht gekommen sei, ihr zu helfen.

– Meine Güte, ich hatte kaum Zeit, in mein Kleid zu schlüpfen...! sagte sie, während ich sie bewunderte, aus meinem Mantel stieg und mich fragte, ob sie es noch geschafft hatte, etwas darunter anzuziehen.

Erneut wußte ich, daß es mich umbringen würde, wenn ich nicht eines schönen Tages mit ihr bumste. Ich hatte nicht vergessen, was sie mir versprochen hatte, aber für einen Kerl in meinem Alter war das allmählich ganz schön lang, *in zwanzig Jahren.* Sie lief Gefahr, mich nicht mehr in Hochform zu erleben.

– Ich bedaure, daß ich nicht da war, um mich um den Reißverschluß zu kümmern...! antwortete ich ihr und schenkte ihr einen lüsternen Blick, der sie zumindest so sehr amüsierte, daß sie mich entschlossen um die Taille packte und stante pede ins Wohnzimmer führte.

Eine Menge Leute nahmen am Festmahl der Bartholomis teil. Ein rascher Blick aufs Buffet bestätigte mir, daß ich noch einmal Glück gehabt hatte, zumal in der Küche noch eine gewisse Aktivität zu verzeichnen war. Ich verzichtete darauf, sämtliche Leute zu grüßen, schüttelte lediglich die ersten Hände, die sich mir entgegenstreckten, küßte einige parfümierte Frauen und wartete, daß mir jemand ein Glas brachte. Paul erdrückte mich geradezu an seinem Herzen:

– Danny, meine Güte...! Altes Haus...! gluckste er und guckte mich an, als hätte er mich für tot gehalten. Ah, für ihn würde ich stets ein wenig wie ein Sohn sein, auch wenn das letzte meiner Bücher längst eingestampft wäre.

– Sag ehrlich, Andréa... Wie findest du ihn...?! fuhr er mit vor Freude krauser Stirn fort, ohne meine Arme loszulassen. Wie lang hab ich dich jetzt nicht gesehn...?!?

Ich küßte Andréa, die hinter ihm mit einem Glas für mich aufgetaucht war.

– Oh, naja, vielleicht einen Monat..., sagte ich. Aber lange hätte ich es nicht mehr ausgehalten...

Die Art, wie sie sich beide anguckten, entlockte mir ein richtiges Lächeln. Als ich sie kennengelernt hatte, war ich nur ein junger, etwas nervöser Typ mit einem Manuskript unter dem Arm gewesen, und sie hatten mich auf den Gipfel getragen, sie hatten keine Mühe gescheut. Und als ich Franck geheiratet hatte, war Paul mein Trauzeuge gewesen. Unsere Wege liefen schon seit langem parallel. Mein Leben vom Erfolgsautor zum Serienschmierer barg nicht viel Geheimnisse für sie. Sie waren stets dabeigewesen. Es tat mir aufrichtig leid, daß sich ihr Schützling mitten im schönsten Schwung kaputtgemacht hatte, ich schätzte, das hatten sie nicht verdient.

– Na denn, frohe Weihnachten..., sagte ich und hob mein Glas.

Wir stießen alle drei mit den Gläsern an. Ich wußte nicht, wie lange die beiden schon da waren, aber Paul schien mir bereits recht angeheitert zu sein, da er sein Glas fast an meinem zertrümmert hätte.

– Ach, Danny...!

Dann, plötzlich von einem Schwall von Zuneigung übermannt, legte er mir einen Arm um die Schultern. Ich ließ alles bereitwillig über mich ergehen, dachte jedoch, in dem Trott würde er das Fest auf meinen Knien beenden, bevor es überhaupt begonnen hatte.

Nun, ich hatte noch nicht die Absicht, mich zu setzen. Ich hatte gerade meinen ersten *Tequila Sunrise* ausgetrunken, und an den Boxen schien mir ein fürchterliches Gedränge zu herrschen. Ich hatte bereits einige ernstzunehmende Ellenbogenrempler erblickt, und Herbert Astringart, einer der stellvertretenden Direktoren der Stiftung, hatte das Heft in die Hand genommen, und bei der Geschwindigkeit, mit der er die Gläser füllte, war abzusehen, daß mir keine Zeit zum Luftholen bleiben würde, wenn ich nicht ins Hintertreffen geraten wollte.

– Rühr dich nicht fort, Paul. Ich bin gleich wieder da..., murmelte ich.

Ich versuchte mich zur Bar vorzukämpfen, aber Sarah versperrte mir den Weg und zog mich erbarmungslos auf eine kleine Tuschelrunde zur Seite.

– Ich hoffe, du benimmst dich nicht wie ein Idiot..., sagte sie.

– Hmm, das ist ein immerwährender Kampf...

– Oh, verdirb mir bitte nicht den Abend...! Versuch nur einmal nett zu sein...

– Aber, meine Liebe, ich bin *von Natur aus* nett, was redest du denn für einen Unsinn...?!

Sie konnte mir ruhig in die Augen blicken, ich hatte ein reines Gewissen. Ich war sogar in einer geradezu engelhaften Stimmung, wenn sie es genau wissen wollte, und hegte keinerlei Groll gegen wen auch immer inmitten dieser sympathischen Runde. Natürlich war ich darauf gefaßt, daß sie mir einen dieser Typen hinter einem Schrank hervorzauberte, aber welch Pech, ich hatte mich im Laufe des Nachmittags darauf vorbereitet. Sie regte sich unnötig auf. Es sei denn, der Betreffende wäre schlimmer noch als die anderen, und sie gedächte mich weich zu stimmen, indem sie mich auf diese Weise davon in Kenntnis setzte.

– Beruhige dich..., fügte ich hinzu. Ich habe nicht die Absicht, irgendwem irgend etwas zu verderben, ich habe nicht die geringste Lust dazu.

– Schön, paß auf... Elsie ist da.

– Sehr gut, ich hau ab...!

Tatsächlich hielt ich bereits nach einer Ecke Ausschau, um mein Glas abzustellen, aber ihre Hand schloß sich prompt um meinen Arm. Einige Sekunden lang sahen wir uns stumm an, nur daß ich es mir verkniff, ihr ins Gesicht zu springen. Das Dumme war, daß sie keine Angst vor mir hatte und es vergebliche Liebesmüh war, ihr Blitze entgegenzuschleudern, so daß ich mich doppelt ärgerte.

– Herrgott...! Du bist wirklich der unmöglichste Typ, den ich kenne...!

Als einzige Antwort riß ich meinen Arm los.

– Niemand fällt einem stärker in den Rücken als ein Freund..., bemerkte ich schließlich, denn ich befürchtete, daß mein Schweigen weniger beredt war, als ich mir wünschte.

– Ach, ich bitte dich... Hör auf...! seufzte sie.

Man hätte meinen können, ich sei es, der ihr auf den Senkel ging, ich mochte es kaum glauben.

– Meine Güte, Dan... Sie ist ganz allein...

– Wirklich...!? unterbrach ich sie. Wo steckt denn der Schwachkopf...?!!

Ich hatte natürlich nicht das geringste Verlangen, es zu erfahren, doch so konnte ich mir das verächtliche Lächeln zulegen, das meinem Groll geziemte.

– Sag mal, Sarah... Was für ein Spiel treibst du eigentlich...?!

Als sie sah, daß ich mich versteifte und eine uneinnehmbare Stellung einzunehmen drohte, brach sie gewandt ihren Angriff ab und änderte die Taktik, tauchte auf, wo ich sie nicht erwartete. Sie faßte zärtlich meine Hände. Ehe ich verstand, was vorging, war ihre Klinge bereits in mein tölpelhaftes Herz gedrungen.

– Oh, komm, Dan... Bitte, es ist doch *Weihnachten*...!! wisperte sie in einem Ton, der einem Tränen der Rührung entlocken konnte.

Zudem schien ringsum alle Welt vergnügt, ich war der Floh im Kleid der Prinzessin, wenn ich recht verstand. Ich kniff die Augen zusammen, während ich mich entschloß, meine Wut hinunterzuschlucken.

– Ich hoffe, du wirst mich pflegen, wenn ich mir ein Magengeschwür zuziehe...! murmelte ich.

Sie drückte mir einen raschen Kuß auf die Lippen, einen, bei dem mir nach Gähnen war und den sie gefahrlos einem jungen Priester hätte verabreichen können.

– Ich glaube, sie traut sich nicht aus der Küche..., enthüllte sie mir.

– Wunderbar. Soll sie dort bleiben...!

Ah, aber jetzt schmiegte sie sich an mich. Das war schon besser. Bat mich um einen letzten Ruck. Ich konnte der Verlockung nicht widerstehen, meine Mühe zu versilbern.

– Dann aber keine zwanzig Jahre..., sagte ich.

– Fünfzehn...? schlug sie vor.

– Zehn, und du hast gewonnen...!

Sie biß sich auf die Lippen. Ich hoffte, daß das zum Scherz war. Oder sollte es für sie eine regelrechte Qual sein, mit mir zu schlafen? Es hätte mir einen ungeheuren Schlag versetzt, wenn dem so gewesen wäre, doch ich weigerte mich strikt, dergleichen in Betracht zu ziehen. Außerdem erklärte sie mir, sie sei einverstanden. Ah, mochte Gott mir die Gnade gewähren, in zehn Jahren noch Funken zu sprühen...!

Bevor ich mich in die Küche begab, blieb ich, obwohl Sarah an meinen Fersen klebte, an Herbert Astringarts Box stehen und plauderte eine Weile mit ihm. Ich mußte noch mit einer Menge Leute reden, beschloß jedoch, mir als erstes diesen Dorn aus dem Fuß zu ziehen, da mir ansonsten kein Seelenfrieden möglich war. Alle wirkten so fröhlich, so entspannt, daß ich es kaum erwarten konnte, mich zu ihnen zu gesellen und mir ein Fest mit allem Drum und Dran zu gönnen, das Ganze auszunützen, solange diese unsichere und verblüffende Unbekümmertheit anhielt, die mich in dieser letzten Zeit so schwerelos machte und die ich bis zum Ende genießen wollte.

Also eilte ich mit zwei Schritten dorthin, präsentierte mich mit finsterem Gesicht und erfaßte den ganzen Raum mit einem Blick.

– Hello, Marty...! rief ich dem Kerl zu, der ein ganzes Sortiment Appetithäppchen auf einem Tablett von einem Meter Länge anordnete. Was er schrieb, gefiel mir nicht besonders, aber ich fand, er taugte mehr als seine Romane, und er, er hatte Glück, denn seine Frau fand ihn genial, ein Glück, das mir leider nicht vergönnt gewesen war.

– Hello, Josy...! rief ich sofort hinterher, denn natürlich wich sie ihm keinen Schritt von der Seite, und niemand sonst zählte in ihren Augen.

Ich kann mir vorstellen, daß unsere Geschichte der ganzen Stadt bekannt war, denn erstens verzogen sie sich alle im nächsten Moment mit der Beteuerung, wir würden uns später noch sehen, und zweitens unterstand sich niemand mehr einzutreten.

Der Augenblick war gekommen, mich ihr zuzuwenden. Ich schenkte ihr ein Lächeln, das dazu angetan war, einem Mark und Bein auf der Stelle gefrieren zu lassen:

– Nur kurz... Ich habe Sarah versprochen, dich nicht zu fressen. Du kannst dich frei in der Bude bewegen...

– Oh, Dan...

– Dein ›O Dan‹ kannst du dir sparen.

Jessesmaria, dachte ich. Was mußte man hart sein, einem so hübschen Mädchen eine Abfuhr zu erteilen, vor allem in meiner Lage, wenn ich bedachte, daß mein letztes Abenteuer bis zu meiner Italienerin zurückreichte und sich kein Silberstreif am Horizont abzeichnete, nichts, rein gar nichts...!

Sie machte einen Schritt auf mich zu, aber ich wich einen zurück.

– Daß kein Mißverständnis entsteht. Ich habe nicht die Absicht, mit dir zu reden.

– Aber Dan...

– Nichts da, es hat sich ausge*dant*...!

Und damit ließ ich sie stehen, ohne sie weiter zu beachten. Einmal mehr spendete ich mir bedingungslos Beifall, denn ein attraktiveres Mädchen hätte man in der ganzen Stadt nicht aufstöbern können, und auch keines, das mich derart aufgeilte.

– Ah, Danny...! Mir wird ganz warm ums Herz...! Hast du gesehn, wie du ihr den Schnabel gestopft hast...?!

Und ob, ich hatte mir nichts entgehen lassen, auch nicht das reizende Erglühen ihrer Wangen. Offen gestanden, ich war ziemlich stolz auf mich, ich war sicher, ein anderer an meiner Stelle wäre schwach geworden, zumal ihr Kleid auf die denkbar unredlichste Art bis zum Bauchnabel ausgeschnitten war. Ich war einfach großartig, und ich wußte es. Also flitzte ich schnurstracks zur Bar und bat Herbert Astringart mit strahlendem Lächeln, mich umgehend zu bedienen.

Ein Seitenblick verriet mir, daß sie die Küche verließ. Natürlich hatte mein Panzer eine Schwachstelle, und dieser erbärmliche Fehler verwehrte es mir, meinen Sieg voll auszukosten: In sexueller Hinsicht war Elsie das schönste Geschenk, das mir der

Himmel in meinem Leben je gesandt hatte. Und das, nicht wahr, das ging mir gegen den Strich, vor allem wenn sie in meiner Gegend war, es machte mich nervös. Ich hatte es nie leicht gehabt mit den Frauen, und manchmal fragte ich mich, woran es bei mir haperte und weshalb ich nicht eine fand, die ganz einfach nett war, ein Mädchen, das ich ohne große Scherereien in den Arm nehmen konnte, und es war auch nicht nötig, daß sie eine hinreißende Schönheit war oder über außergewöhnlichen Esprit verfügte, ach, gebt mir doch nur eine mit einem Quentchen Charme und einem angenehmen Lächeln, ich trete auf der Stelle aus dem Glied. Es verging keine Woche, in der mein Blick nicht auf ein, zwei Unbekannte fiel, die mir a prima vista vollkommen genügt hätten, mit anderen Worten: ich verlangte nichts Unmögliches. Was ging eigentlich vor, machte ich ihnen Angst, war es *verboten*, sich ihnen zu nähern, stand geschrieben, daß ich mich damit bis ans Ende meiner Tage rumzuschlagen hatte...?! Manchmal machte mich der bloße Anblick eines turtelnden Paares todunglücklich. Das, und Elsies Brust. Nach der ich unauffällig schielte, wenn sie am anderen Ende des Zimmers stand und mich Marty über sein neustes Buch aufklärte. Ich war fast soweit zu glauben, daß dieser Kerl da im Grunde alles begriffen hatte. Wenn ich mir seine Josy ansah, die wie gebannt an seinen Lippen hing, vor Liebe und Bewunderung erbebte und jedes seiner Worte in sich aufnahm, dann sagte ich mir, sie ist zwar nicht hübsch, aber hat das irgendeine Bedeutung? Ich hörte ihm kaum zu, diesem verdammten Glückspilz, gedankenverloren lotete ich die grausame Unordnung meines Lebens aus. Ich ärgerte mich über mich selbst, daß ich sie beobachtete, ich schämte mich, daß ich mich nach allem, was sie mir angetan hatte, immer noch von ihr angezogen fühlte, und ich senkte den Kopf wie ein Typ in Ketten. Ich konnte nur dem Himmel Preis und Dank sagen, daß er mir ein Minimum an Kraft verlieh, sonst wäre ich ihr zu Füßen gekrochen. Ich bedauerte bereits, daß ich nicht die Tür hinter mir zugeknallt hatte. Wofür hatte ich mich eigentlich gehalten, für eine Art Supermann? Wie hatte ich bei dem Notstand, in dem ich mich befand, nur eine Sekunde lang glauben können, sie sei mir schnurzpiepegal und könne mir nichts anhaben?! Im übrigen gelangte ich allmählich zu der Einsicht, daß ich alles in allem zu hart mit ihr umsprang und ein paar freundliche Worte mich zu nichts verpflichteten, denn obwohl es nichts Wundervolleres gab, was ich mir auf der Welt hätte wünschen können, als die letzten Tage dieses Jahres in ihren Armen zu verbringen, klafften Traum und Wirklichkeit doch weit auseinander, zum Glück war ich noch nicht soweit, mir irgend etwas vorzumachen. Doch als ich den Blick auf Josy richtete, wurde mir jäh bewußt, auf welch gefährliche Bahn ich mich begab.

– Du gehst in den Tod, nicht mehr und nicht weniger, sagte ich mir, du weißt doch, es gibt solche, die einen Mann verhätscheln, und solche, die ihn zertrampeln.

Ich nickte, während ich durch Marty hindurchschaute. Zertrampeln war vielleicht ein wenig stark, ich durfte auch nicht übertreiben. Sie suchte mich schon eine ganze Weile zu erreichen, und sicher nicht, um mich leiden zu lassen. Zumindest nicht am Anfang. Und genau da war der Haken. Wieviel *Zeit* hätte ich, bis mir das Dach über dem Schädel zusammenkrachte...? Welche Frist würde mir gewährt, bis sie abermals dem Drängen eines Typen in ihrem Alter nachgab...? Ein paar Monate, ein paar *Tage* vielleicht? Ah, ich fragte mich, ob sich das lohnte. Darüber mußte man nachdenken. Selbst wenn es sich nur um *ein paar Stunden* handelte... Ah, du widerst mich an, Danny!

– Natürlich, ich weiß, was du wieder sagen wirst..., eröffnete mir Marty und harpunierte mich flugs mit seinem Ellbogen. Ich fuhr beinahe in die Höhe.

– Aber diesmal krieg ich dich...! setzte er mit schalkhafter Miene hinzu.

– Ach was, Marty... Das fiele mir im Traum nicht ein...

– Na gut, ich bin gleich fertig. Ich habe eine Art *Verfremdungseffekt* vorgenommen, der es mir voll und ganz ermöglicht...

– Sicher..., fiel ich ihm mit meinem entwaffnendsten Lächeln ins Wort. Das heißt, mute mir nicht zuviel zu, du weißt, ich bin schon ewig nicht mehr im Rennen...

– Na komm…

– Hmm, das ist kein Witz. Ich hab leider nicht mehr genug Puste, um dir zu folgen. Ach, Marty, seien wir ehrlich, ich bin nur noch der Schatten von einem Schriftsteller, und selbst das… Sei so nett, streu nicht noch Salz in die Wunden…

– Herrjemine, Dan, ich wollte dich nicht…

– Pah, schon vergessen, beruhigte ich ihn. Weißt du, sag dir einfach, *niemand steht aus seinem Bett auf, um auf dem Boden zu schlafen.*

Ich verließ sie mit einem melancholischen Augenzwinkern und kehrte an die Bar zurück. Ich war wild entschlossen, einen angenehmen Abend zu verleben. Im Grunde war das reine Willenssache. Wenn ich es schaffte, mich von einem Schriftsteller loszueisen, konnte ich ohne allzugroße Schwierigkeiten auch mit dem Rest fertigwerden, und darunter fiel auch, daß ich voll und ganz in der Lage war, mir eine Exfreundin vom Leibe zu halten. Trotz aller Vorsichtsmaßnahmen, die ich ergriff, begegneten sich unsere Blicke zuweilen, doch der meine hätte eine Nymphomanin in der Schwüle einer Sommernacht abgeschreckt. Ah, wie wohl tat es der Seele, der Versuchung nicht zu erliegen, und wie freute ich mich, daß ich mich ihr verweigerte, daß ich jemand war, den sie mitsamt all ihren Reizen nicht erweichen konnte. Ich jubelte beinahe. Hätte ich mir ein unglaublicheres Weihnachtsgeschenk ausmalen können als ein so schönes Mädchen, das geil auf mich war?! Mir war, als lächelte mir das Leben wieder zu und heischte nach nichts anderem, als meinem Charme zu erliegen. Ach, wie wenig bedeutete es mir, mein erbärmliches Verlangen zu stillen, jetzt, da ich mir diese Augenblicke reinen Optimismus' gönnte.

– Tanzen wir! sagte ich zu der erstbesten Frau, die mir in die Hände geriet, zufälligerweise Jeanne Flitchet, ein Mädchen, das von Anfang an mit Sarah zusammengearbeitet hatte und das gleiche Studio wie Gladys aufsuchte, ohne deshalb muskulöser zu werden. Ich ergriff ihren schlaffen Körper und enthüllte ihr, sie scheine mir in blendender Verfassung zu sein.

– Oh, ich dachte, du tanzt nicht gern…! rief sie aus.

Das stimmte nicht ganz. *Im allgemeinen* graute mir davor, aber mitunter packte es mich, wenn ich allein zu Hause war, dann hüpfte ich wie ein Bekloppter kreuz und quer durch die Bude, bis mich die Kräfte verließen. Seltsamerweise war mir das stets ein einsames Vergnügen, und auch jetzt brauchte ich dazu keineswegs Jeanne Flitchet, ich wollte lediglich meine Freude nicht vor aller Augen kundtun und konnte somit nicht umhin, mich mit einer Partnerin abzugeben. Ich hatte Lust, an die Decke zu springen, aber ich hielt mich zurück, ich biß mir auf die Lippen, damit mein Lächeln nicht zu sehr auffiel, aber im Innern, da frohlockte ich. Ich pißte auf meine versammelten Widerwärtigkeiten, ein giftiger, glühend heißer Strahl, mit dem ich provozierend meinen Namen und mein Alter schrieb. Zum Glück gelang es mir, meinen Feuereifer zu mäßigen und mithin die Katze nicht aus dem Sack zu lassen. Außerdem waren wir nicht die einzigen, die tanzten, so langsam kam Stimmung auf, und ich hatte den Eindruck, alle Welt lachte sich kaputt. Wow, Jeanne Flitchets Körper war echter lebendiger Nougat!

Als ich sie losließ, waren wir beide schweißgebadet, aber ich hatte es geschafft, die überschüssige Energie zu verbrennen, die mich plötzlich mitgerissen hatte. Völlig außer Atem, dankte ich ihr von ganzem Herzen und ließ sie wissen, wir könnten noch einmal loslegen, wenn sie wolle. Sie konnte es nicht fassen, und auch Elsie nicht, die mich beobachtete, als ich von der Bahn ging.

– Ah, hör auf...! bat ich sie innerlich, fast zitternd vor Wonne. Oder meine Freude wird so, daß ich nicht mehr weiß, was ich mit mir tun soll. Ah, hör auf, das ist wirklich zu schön...! Und ich sagte mir, Alter, ist dir klar, daß das schönste Mädchen der Stadt zu deinen Füßen liegt, begreifst du, was das *heißt*...?! Ich küßte die Füße des Herrn, wieder und wieder, ich benetzte sie mit meinen Tränen, ich wollte, daß er mir meine Undankbarkeit an diesem heiligen Abend verzieh, *oh, ich wälze mich im Staub, schütte Asche auf mein Haupt.*

Ich rieb mir die Hände, als ich mir die ganze Wonne ausmalte, die mich nach diesem Abend erwartete. Würde sie vielleicht damit drohen, sich die Kehle durchzuschneiden, oder würde sie versuchen, mir sämtliche Kleider vom Leib zu reißen, würde man größte Mühe haben, mich aus ihrer Umklammerung zu befreien, wenn sie sich in ihrer Ohnmacht mit einem herzzerreißenden Schrei an meinen Hals warf? Vor Freude schnürte sich mir die Kehle zusammen, ich betrachtete die runden beschlagenen Stellen auf den Fenstern, als wären es große weiße Vögel, die Rücken an Rücken saßen.

Ich winkte Herbert Astringart zu, ich sei unterwegs. Wie zur Zeit meiner Jugend stimmte Roy Orbinson *Pretty Woman* an und übertönte das Stimmengewirr. Ich brauchte mich nicht umzudrehen, um zu wissen, wer das aufgelegt hatte. Als wir zum erstenmal miteinander geschlafen hatten, hatte ich sie bei diesem Stück ausgezogen, und danach hatten wir es beide nicht mehr hören können, ohne daran zu denken. Ich spürte ihren Blick, der sich in meinen Nacken bohrte. Aber ich stockte nicht. Das war nicht schlecht von ihr eingefädelt, und es war ihr gutes Recht, ich war neugierig, was sie sich noch einfallen ließ.

Auf meinem Weg begegnete ich Hermann, der es liebenswürdigerweise übernommen hatte, die Tabletts von einer Gruppe zur nächsten zu reichen. Er machte ein erbärmliches Gesicht.

– Also nein...! sagte ich mir. Was ist denn jetzt schon wieder...?!

Ich stibitzte ein paar Liliputanerpizzen von seinem Tablett und beugte mich unauffällig zu seinem Ohr:

– Sag bloß nicht, bei dir läßt es sich schlecht an, sag das bloß nicht...!

– Nein, nein... Es ist alles in Ordnung..., stammelte er.

– Na prächtig...! atmete ich auf. Was bekümmert dich denn...?

Ich hatte wahrhaftig nicht den Eindruck, daß mir ein Trumpf auf der Hand fehlte, jetzt, da ich auf dem Weg zum Grand Slam war. Er konnte sagen, was er wollte, seine Miene beunruhigte mich. Und auf welche innere Heiterkeit hätte ich unter diesen Umständen pochen können, was für ein Vater wäre ich gewesen, wenn Hermanns Sorgen nicht vollauf gereicht hätten, mir jeglichen Seelenfrieden zu untersagen? Merkte er wenigstens, daß ich an seinen Lippen hing, daß ich ihn mit wahrem Schrecken aushorchte...

– Herrje...! verkündete er schließlich. Ich glaube, es wird ihr nicht gefallen, ah, ich bin mir fast sicher...!

Ich kapierte nicht sofort, daß er von seinem Geschenk redete. Dann plötzlich fühlte ich mich von einem güldenen Licht überflutet. Er konnte sich rühmen, mir Schiß eingejagt zu haben, ich hatte immer noch ganz weiche Knie. Ich hätte ihn küssen können, doch ich wußte, daß er einen solchen Überschwang nicht mehr sonderlich schätzte – vor allem in der Öffentlichkeit, vor allem, wenn es keinen guten Grund gab –, daher begnügte ich mich damit, zu lachen und ihm flüchtig über die Schulter zu streichen:

– Wirklich...? Und deshalb quälst du dich so...?!

– Ach, du weißt ja gar nicht...! ächzte er.

– Menschenskind, Hermann...! Sie wird verrückt sein vor Freude, verdammt, das garantier ich dir...! Sei unbesorgt... Und sonst, wie ist sie, wie sieht's aus...?

– Eben deshalb habe ich Angst, es sieht nämlich gut aus. Vielleicht schmeißt das alles über den Haufen...!

Ich warf einen raschen Blick in die Runde, um mich zu vergewissern, daß kein indiskretes Ohr um uns herumschlich, und fischte mir eine dieser winzigen Pizzen, um keinen Argwohn zu erwecken.

– Paß auf, jetzt ist es zu spät, dir Gedanken zu machen. Du hast getan, was du für das Beste hieltest, laß jetzt den Kopf nicht hängen. Vergiß nicht, du hattest die Neun auf zweitem Platz: *Wenn man wahrhaftig ist, so ist es fördernd, ein kleines Opfer zu bringen. Kein Makel.* Herrgott, was konntest du Besseres erhoffen als »Das Empordringen«...?

– Ach, keine Ahnung... Trotzdem habe ich keine Ruhe...! O Gott... Das wäre wirklich zu dämlich...

Seine Lippen verzogen sich schmerzlich. Er sah aus, als werde er von einer Horrorvision befallen, zum Beispiel der Vorstellung einer Welt ohne Gladys, mit anderen Worten: nichts Besseres, dachte ich, als eine kalte und finstere und stille und von fauligem Wasser zerfressene Zelle.

– An deiner Stelle würde ich dieses verflixte Tablett abstellen und ein wenig um sie herumschwirren, das wäre schlauer, denn im Grunde, überleg doch mal, will sie nichts anderes, und da halte ich jede Wette, Hermann, ich glaube, du bist wirklich *ganz kurz* vor dem Ziel. Denk nur daran, daß das Hexagramm häufig den Begriff der Leistung rückgängig macht, und ich vermag dir nicht zu raten...

– Scheiße, du hast gut reden... Ah, ich möchte dich gern mal sehen, ich weiß wirklich nicht, was ich tun soll...!

– Bald wird es dir leid tun, Blut und Wasser geschwitzt und nicht auf deinen Vater gehört zu haben. Sohn, es ist soweit, du hast das Schlimmste hinter dir..., glaube mir..., aber noch mußt du ein wenig die Augen aufhalten...!

Sicher, ich hoffte nicht, daß er vollkommen überzeugt aus einem so kurzen Gespräch hervorging, aber auch wenn er sich weiterhin sehr ernstlich grämte, stellte ich doch fest, daß ich klammheimlich einen leisen Hoffnungsschimmer in seine finsteren Gedanken gestreut hatte. Ich nahm ihm sanft das Tablett aus den Händen und gebot ihm mit einem Blick, in den Sattel zu springen.

– Jaja, das ist leicht gesagt...! jammerte er und preßte die Fäuste in die Taschen.

– Nur Mut! sagte ich, während er loszog, dann begab ich mich unverzüglich zur Bar.

– Ah...! Wo hast du denn gesteckt...! empfing mich Herbert und streckte die Hand aus, damit ich ihm mein Glas reichte.

– Gott, ich dachte schon, ich schaffe es nie, die Bahn war voller Hindernisse.

Ich mischte mich friedlich in das Gespräch, informierte mich über den neuesten Tratsch, der in der Stadt kursierte, und dämpfte durch mein erschrecktes Rufen die Hast, mit der mir Herbert nachzuschenken suchte. Ich fühlte mich zu gut, als daß ich der Versuchung erlegen wäre, die Dinge zu überstürzen. Ich kratzte ein paar Sachen von den Tellern, um nicht mit leerem

Magen dazustehen, und lachte mit den anderen, gab Kommentare zum besten, wenn es mir gelang, einen anzubringen.

Aus dem Augenwinkel verfolgte ich Elsies Vorgehen, die sich auf Schleichwegen an meine Wenigkeit heranpirschte. Bei dem Tempo, das sie anschlug, hatte ich noch Zeit, bis ich meine Sachen packen mußte, und ich war fest entschlossen, ihr den ganzen Abend durch die Finger zu flutschen, ich war schon im voraus ganz aufgeregt. Im Moment quatschte sie mit Harold und Richard und gab sich derart entspannt, daß ich boshaft gluckste. Ich lachte lauthals, wenn mir jemand einen guten Witz erzählte, denn ich, ich hatte nichts, was mich bedrückte, ich wollte nichts, ich hatte ein ruhiges Gewissen und amüsierte mich königlich, wie sie sehen konnte. Ihrem Gesicht entnahm ich sehr wohl, daß es ihr lieber gewesen wäre, ich hätte in einer Ecke Trübsal geblasen und die Zunge meterweit zum Hals raushängen lassen, aber da konnte ich nur sagen, tut mir leid. Vielleicht war ich die Sorte von Kerl, die man sitzenließ – Elsie war nicht die erste, und Franck war nur die Spitze des Eisbergs –, aber deshalb war ich doch keiner, den man herbeipfiff. Hoffentlich sah sie das allmählich ein. Ich wollte sie nicht entmutigen, aber es stand zu befürchten, daß sie noch einiges vor sich hatte, wenn sie, wie ich vermutete, den Versuch machte, mich zurückzugewinnen. In einem gewissen Sinn bedauerte ich sie, denn im Grunde meines Herzens bin ich trotz allem gut, und ihr verdankte ich, daß ich mich begehrenswert fühlte. Nun ja, ich hätte nicht an ihrer Stelle sein mögen. Wie bitte? Schön, um einen Heiligen rasend zu machen, und dann in einen Typen verknallt sein, der ihr kaum einen Blick schenkt...?!

Ich fühlte mich zwar, als hätte ich ein Kindergemüt, aber es tat mir gut, mich ein wenig zu zerstreuen, meine Sorgen mit dem Schmutz meiner Sohlen an der Tür zurückzulassen und dieses Mädchen ein wenig zu triezen, das meine wilden Blicke, mein frostiges Lächeln wahrlich verdient hatte. Es war wirklich schade, daß Hermann meine Begeisterung nicht teilte, zumal ich für zwei davon hatte, während er so schlecht damit versorgt schien. Ich beobachtete ihn zwischen zwei Glucksern und fragte mich, welche Taktik er wohl bei Gladys anwandte. Ich glaubte nicht, daß sich die Sitten so sehr gewandelt hatten, daß man neuerdings eine Frau verführte, indem man dümmlich hinter ihr rumstand und ein Gesicht machte, als warte man auf den Autobus.

Jeanne Flitchet wollte nochmal.

– Kein Problem...! beruhigte ich sie. Ich unterbrach meinen Gedankenfluß, faßte sie um die Taille und schob sie unkeusch in die Gegend, in der getobt wurde. Aus purer Bosheit ging ich haarscharf an Elsie vorbei, aber so knapp, daß es fast um mich geschehen wäre, denn ich zuckte heftig zusammen, als wir uns wiedersahen, ihr Parfüm und ich. So sehr, daß Jeanne fragte, ob ich mir weh getan hätte, und ich sagte ihr, ich hätte mir auf die Zunge gebissen, ich kam kaum darüber hinweg. Zum Glück hatte Elsie nichts gemerkt. Mein Herz klopfte noch vor Aufregung.

– Selbst schuld, beklag dich nicht...! wies ich mich zurecht, während ich vor J. Flitchet in Stellung ging.

– Puh! Was für eine finstere Miene! bemerkte sie sogleich.

– Ich schag, ich hab mir auf die Schunge gebischen...! antwortete ich ihr, bevor ich losstürzte.

Ich war gerade dabei, mich zu der Melodie von *I want to take my baby now* alle zu machen, als mich Harold aufstöberte.

– He, ich glaube, du wirst draußen verlangt..., sagte er und grinste zufrieden.

Ich hatte so sehr gelernt, mich vor diesem Kerl und seinem merkwürdigen Humor in acht zu nehmen, daß ich meinen Schwung nur wenig zurücknahm.

– Und ich, ich glaube kaum, daß ich draußen verlangt werde...! erwiderte ich und zwinkerte ihm zu.

– Und ob, Dan, ich schwör's dir!

– Komm, komm... Ich versteh nicht, warum du ausgerechnet mich aussuchst. Du weißt doch, daß...

– Scheiße, ich mach keinen Quatsch...!

Ich blickte zur Decke, ohne mich aus dem Takt bringen zu lassen, und faßte gerade den Entschluß, mich hüftwackelnd von ihm zu entfernen, als ich hörte, daß mich jemand rief. Es war Sarah, und das kam von der Haustür. Leicht konsterniert starrte ich Harold an.

– Alter, denkst wohl, ich spinne nur...! seufzte er.

Und so schleppte ich mich schließlich zum Eingang und entdeckte im Türrahmen Hans, den Chauffeur von Marianne Bergen, der in der Tat auf mich wartete, seine Mütze in der Hand und steif wie ein Stock, und der, als er meiner gewahr wurde, zur Seite trat, um wortlos auf die finstere Straße zu weisen, in der ich zuerst rein gar nichts sah. Daraufhin forderte er mich auf, ihm zu folgen, und ging mir in den Garten voraus, ohne daß ich irgend etwas in Erfahrung bringen konnte, zumal ich ihn – bis ins Mark erstarrt, kaum daß ich einen Fuß vor die Tür gesetzt hatte, und insofern unfähig, irgendeinen sinnvollen Gedanken zu fassen – auch nicht fragte. Ich drehte mich nicht um, aber ich spürte, daß uns welche folgten, eine ganze Bande von Neugierigen, die unter dem hübschen Sternenhimmel drängelten, verdammt begierig, des Rätsels Lösung zu erfahren, dachte ich mir, oder auch einfach entzückt, sich aufraffen und bei der Gelegenheit Luft schnappen zu können.

Hans hielt mir das Törchen auf, und als ich hindurchschritt, sah ich *ihn* endlich.

– Madame wünscht Ihnen fröhliche Weihnachten...! sagte er und hielt mir die Schlüssel hin.

Ein paar bewundernde Pfiffe ertönten, während ich, fürwahr verdutzt, aus allen Wolken fiel. War es die bittere Kälte der Nacht, die mich derart lähmte...?

– *Wer zögert, erreicht niemals Jerusalem*, raunte mir Hans mit ungeheucheltem Vergnügen und sichtlicher Freude über meine Ölgötzenmiene ins Ohr, während er darauf wartete, daß ich ihm die erwähnten Schlüssel abnahm.

Ich streckte lasch die Hand aus, ohne nachzudenken. Ringsum waren alle vollkommen aufgekratzt, und ich trieb seit einigen Stunden in einer derart verblüffenden Atmosphäre, daß meine Sinne erschlafft waren und ich ein wenig schwer von Begriff.

– Meinst du, das ist das neuste Modell...? fragte Richard, alldieweil Hans seinen pelzgefütterten Mantel zuknöpfte und mit langen Schritten wortlos von dannen ging.

– Verdammt, was soll das heißen...?! knurrte ich außer mir, denn endlich hatte ich erfaßt, was vorging.

Und das gefiel mir ganz und gar nicht, nein, das gefiel mir immer weniger. Man hätte meinen können, sie hätten noch nie einen *Fiat 500* gesehen, alle, die sie da waren, man hätte meinen können, sie beugten sich über das Jesuskind.

– Herrgott sapperlot...! zischte ich durch die Zähne, spürte, daß ich erbleichte, dann rasend schnell vor Wut grün wurde, als ich unverhofft Pauls Blick auffing und sein widerwärtiges Lächeln entdeckte.

Ich spürte die beißende Kälte nicht mehr, auch nicht das Glück einer winzigen Spur Trunkenheit, mir blieb nur eine dumpfe Wut im Bauch, als sich alle anderen um mich herum lustig machten, ein Schleier tanzte vor meinen Augen, ich preßte den erbärmlichen kleinen Schlüssel in meiner Hand zusammen.

– Komm da raus! knurrte ich Harold an, der sich kurzerhand hinters Steuer gequetscht hatte und mir an sämtlichen Knöpfen herumfummelte. Ob meiner Grobheit fragten sich manche, ob etwas nicht stimmte, aber ich ließ sie rätseln und setzte mich auf den Platz dieses Schwachkopfs, ohne auch nur ein Wort der Erklärung zu liefern. Ich schlug die Tür zu. Ließ den Motor an und winkte ihnen zu, sie sollten zur Seite gehen, und das galt für alle. Wahrscheinlich glaubten sie, meine Schroffheit gehe ganz natürlich meiner Begeisterung voraus und ich platzte nur so vor Lust, ihn auszuprobieren, ich sei wie ein kleines Kind. Es war mir völlig egal, was sie glaubten.

Ich kam in einem Hagel von Kieselsteinen vor Marianne Bergens Haus zum Stehen. Einige Sekunden lang knetete ich das Lenkrad und hörte mir, umgeben von dem Geruch neuen Plastiks, die Stille an, dann raffte ich mich auf und ging auf die Freitreppe zu. Erneut fuhr mir die Kälte unter die Haut, der Himmel war glänzend und glatt und von einer so furchteinflößenden Schwärze, daß ich unwillkürlich erschauderte. Ich nahm die Steinstufen im

Laufschritt, dann – zum Glück war ich allein – rannte ich sie wieder hinunter und mit Volldampf mehrmals wieder hinauf, um mich aufzupeitschen.

Eine laute, unwirsche Stimme rief mich an, als ich gerade am unteren Ende in die Kurve ging, aber ich blickte nicht einmal hoch und raste im gestreckten Galopp auf die Bude zu. Ich erkannte den Kerl, der sich einst darum gerissen hatte, mein Motorrad abzustellen, um es anschließend auf die Erde zu pfeffern, Gott sei Dank, indem er sich selbst darunter gelegt hatte. Ich stellte fest, daß ich in seiner Achtung nicht gestiegen war, setzte mich jedoch darüber hinweg und schickte ihn los, mir Marianne auf der Stelle herbeizuholen, nein, nein, ich wolle nicht reinkommen, er solle sich bloß sputen, mehr nicht...

Ich schluckte meinen Ärger hinunter, als ich mit großen Schritten über die Terrasse tigerte, die der Mond blank putzte. Die Gliedmaßen starr vor Kälte, aber brennenden Herzens fühlte ich mich einem Eisbecher ähnlicher als einem Lebewesen, und ich brachte meine Beschwerden mit halblauter Stimme vor, um die Elastizität meiner armen Lippen aufrechtzuerhalten, denn um meine Nase und meine Ohren war es bereits geschehen, ich konnte ihnen Lebewohl sagen, ich traute mich nicht mal mehr, sie zu berühren, aus Angst, sie zu pulverisieren.

Als sie endlich erschien, hatte mich eine Art von Traurigkeit ergriffen, eine rein physische Traurigkeit, wie mir schien, die direkt vom Himmel fiel in dieser eisigen Nacht, und die Luft, die ich atmete, war in einem Maße mit ihr getränkt, daß ich mich ihr nicht entziehen konnte und nur mehr daran dachte, mich auf die Erde zu setzen und den Geist aufzugeben. Sie schien so froh, mich zu sehen, daß mein Verdruß noch wuchs.

– Dan...! Bist du denn verrückt...? rief sie mir zu. Warum stehst du denn da draußen...!

Sie lächelte, war aber offenkundig nicht gewillt, sich zu mir zu gesellen, obwohl sie einen prachtvollen schwarzen Pelz um ihre Schultern schlang.

– Glaub mir, hier drinnen sitzen wir besser..., fuhr sie in belustigtem Ton fort, als handele es sich um eine extravagante Laune von mir. Ich hielt sie mit einer Handbewegung zurück, bevor sie in ihrem Rollstuhl den Rückwärtsgang einlegte:

– Nein, warte einen Moment...!

Leider empfand ich nicht mehr eine solch reine Wut, wie sie mich auf dem gesamten Weg beseelt hatte – mir fiel ohnehin auf, daß mich alles in allem, je mehr mein Leben dahinfloß, die Dinge immer rascher erschöpften –, aber dies vorausgeschickt, brauchte ich ob meiner Schwäche nicht zu erröten, denn ich ließ nichts davon durchschimmern, und es gelang mir, umgehend ein unfreundliches Gesicht zu machen.

– Hör mir gut zu... Ich bin nicht gekommen, um mich bei dir zu bedanken..., fauchte ich und schleuderte ihr einen finsteren und unbarmherzigen Blick entgegen, der mir noch besser glückte, als ich gehofft hatte.

Innerhalb weniger Jahre hatte dieses Mädchen eine solche Selbstsicherheit gewonnen, daß ich nicht umhin konnte, die Art und Weise zu bewundern, wie sie diese Eröffnung hinnahm. Sie neigte leicht den Kopf, und ihr Lächeln verlor nur ein wenig an Glanz, so wenig, daß ich zweimal hinsehen mußte, um den Unterschied zu erfassen. Dennoch, dem überschwenglichen Empfang nach zu urteilen, den sie mir bereitet hatte, hätte ich schwören können, daß sie nicht darauf gefaßt war, wie sich die Sache entwickelte, und wenn man sich vorstellte, wie sie jetzt wohl innerlich zurücksteckte, mußte man ihre bemerkenswerte Gewandtheit, ihre wunderbare Haltung um so höher schätzen.

Nun gut, ich war nicht gekommen, um sie mit Komplimenten zu überschütten. Ich bohrte meinen Blick in ihre Augen, und obwohl weiterhin eine vermaledeite Kälte herrschte, spürte ich, daß sich mein Körper aufwärmte.

– Herrgott, du kannst mich doch nicht kaufen, NIEMAND kann mich kaufen...!! stieß ich hochmütig hervor, fegte das ganze Land mit der Hand beiseite.

Mir zitterten noch die Knie von diesen wenigen Worten, meine Kehle war vor Erregung wie zugeschnürt, und ich fand mich beinahe schön, und ich glaubte wirklich, ich hätte die Wahrheit gesagt, obwohl die Sache vielleicht nicht so einfach und auch nicht so klar war, sagen wir so: tief in meinem Herzen war etwas, das nicht käuflich war, und ich nahm mir die Freiheit, jede Menge Aufhebens davon zu machen. Aber wie soll man auch klarkommen, wenn man sich nicht von Zeit zu Zeit für unschlagbar hält, wie die Hoffnung nicht ganz fahren lassen, wenn man nichts *Heiliges* in sich hat, wenn man nicht gelegentlich in seinem Innersten den Hauch einer göttlichen Essenz wahrnimmt...?

Ich war bereit, an Ort und Stelle zu sterben. In diesem Augenblick bedauerte ich, daß es sich nur um einen *Fiat 500* handelte, ich wollte, sie hätte mich mit Geschenken überschwemmt und mit Gold überhäuft, damit ich ihr zeigen konnte, was für ein Kerl ich war und wie gewaltig sie sich in den Finger geschnitten hatte.

– Also hör mal, Dan... Wie kommst du denn *darauf*...?! hörte ich wie in einem Traum, ganz damit beschäftigt, mich in meinem makellosen Glanz zu sonnen.

Ich hatte keine Lust zu diskutieren. Ich kehrte ihr den Rücken zu und stieg ein paar Stufen hinab.

– Ich wüßte nicht, daß ich irgend etwas von dir verlangt hätte...! fuhr sie in gleichgültigem Ton fort.

Ich blieb abrupt stehen. Erneut spürte ich die Kälte, und auch dieses Gefühl der Niedergeschlagenheit, von dem ich mich einige Minuten lang befreit hatte, ergriff mich wieder.

– Der beste Weg, jemanden in die Enge zu treiben, besteht darin, ihn glauben zu lassen, er habe die freie Wahl, sagte ich zu ihr.

– Oh, ich bitte dich...! seufzte sie. Wie soll man es bei dir denn anstellen...?!

– Gott, es gibt wenige Dinge, an denen einem im Leben wirklich liegt... Es ist nur normal, daß man versucht, sich daran zu klammern.

Urplötzlich ließ sie ihren Rollstuhl mitten auf den Treppenabsatz vorfahren, vielleicht sah sie mich von da, wo sie war, nicht gut genug. Langsam hatte ich es satt, ihr in die Augen zu schauen, langsam tat es mir leid, daß ich meine Brille nicht mitgenommen hatte.

– Eins sollten wir dennoch klarstellen..., meinte sie mit spöttischer Miene. Verflixt nochmal, Dan, mit dir hat man es wahrlich schwer... Habe ich etwa verlangt, daß du mir deine Seele verkaufst, komm, sei nicht lächerlich...!

– Lächerlich zu sein in einer lächerlichen Welt, ich wüßte nicht, wo das Problem ist...

Sie blickte mich noch eine Weile scharf an, eine Prüfung, der ich mich bereitwillig unterzog, denn ich hatte nichts zu verbergen, und was ich auf dem Herzen hatte, mußte mir im Gesicht geschrieben stehen, es sei denn, es war völlig erfroren oder auf dem besten Wege dazu. Als sie mit mir fertig war, warf sie einen Blick gen Himmel, dann zitterte sie leicht und ließ mich da stehen, ohne noch einen Ton zu sagen. Ich wartete nicht ab, bis sie zurückkam, um mich meinerseits zu entfernen, aber kaum unten angekommen, wurde mir, während ich oben die Tür schlagen hörte, jäh bewußt, daß ich plötzlich zu Fuß war, um Mitternacht, Kilometer von Sarahs Haus entfernt, völlig aufgeschmissen in einem menschenleeren Viertel und einer Kälte wehrlos ausgeliefert, die mir auf einmal in den Ohren zu kreischen schien, und da dachte ich, der arme Dan, sieht man von seiner Ehre ab, ist verloren.

Ich machte also kehrt und setzte mich ans Steuer des Fiat. Wie Nietzsche schon sagte, man muß den Mut haben, die Dinge so zu sehen, wie sie sind: *tragisch*.

Während ich gedankenverloren durch die Stadt zurückfuhr, versetzte mich die mollige Wärme, die im Innern des Wagens herrschte, in einen solchen Gemütszustand, daß ich in der Nähe des Gymnasiums beschloß, kurz bei Max hereinzuschauen. Wenn er noch nicht schlief, würde ihm, vermutete ich, ein kleiner Besuch bestimmt Freude machen, und so hielt ich mit einem Lächeln um die Lippen vor seinem Haus an. Ich hatte zwar Lust, zu den anderen zurückzukehren, mein Spielchen mit Elsie wieder aufzunehmen, mich zu amüsieren und weiter zu trinken, aber es war gut, diesen Augenblick hinauszuzögern, solange meine Vorfreude noch wuchs, und wie sanft war die Dunkelheit, die mich umhüllte, und je mehr ich meine Schritte zurückhielt, um so heller würde das Licht strahlen, in dem mein Heil gedieh.

Max war noch auf. Ob Tag oder Nacht, erklärte er mir geduldig, das mache für ihn keinen großen Unterschied, er schlafe, wenn er könne, und für kurze Zeit, aber so oft, daß dabei zehn, zwölf Stunden rumkämen, da bräuchte ich mir keine Sorgen zu machen. Schön und gut, sagte ich, trotzdem ziehe sich diese Grippe für meinen Geschmack ganz schön in die Länge, und daß es einen so heftig erwischt habe, hätte ich noch nie gehört, er solle mir bloß keinen Quatsch erzählen. Ob er wenigstens etwas dagegen tue, ob er zum Arzt gegangen sei, ob er sich endlich entschlossen habe, dieses verdammte Telefon reparieren zu lassen...?

– Du gehst mir auf die Eier, Danny, kümmer dich um deinen Kram...!

Wir beschlossen, den Weihnachtskuchen zu verzehren, auf einer Ecke des Bettes, einen Teller auf den Knien und bei einer Flasche Weißwein, die ich im Gemüsefach aufgestöbert hatte.

Obwohl er nur ein Glas trank, hatte ich den Eindruck, daß sich seine Wangen ein wenig röteten, und es gelang mir sogar, ihm ein Lächeln zu entlocken, als ich ihm von meinem Clinch mit Elsie erzählte und wie sie mich auf offener Straße beinahe erschlagen hätte, allerdings bauschte ich die Sache ein wenig auf.

– Ah! Immer haste Scherereien mit den Mädchen...! gluckste er leise. Ich hab sowas leider nie erlebt...!

Ich versicherte ihm sogleich, er wisse nicht, wovon er rede, und wenn er das lustig finde, für mich sei es das noch längst nicht, was immer er sich vorstelle. Sein Blick wurde zu Stahl.

– Weißt du, Danny... In meinem ganzen Leben hat nicht eine Frau ein Auge auf mich geworfen... Ich glaube kaum, daß du das nachvollziehen kannst.

Zum Glück hatte ich mein Stück Kuchen noch nicht auf. Ich konzentrierte mich darauf, obwohl es widerlich nach Kühlschrank schmeckte und innendrin noch völlig gefroren war, aber angesichts des Elends, das so manchen widerfuhr, hätte ich alles mögliche gegessen, ohne mit der Wimper zu zucken.

– Weißt du, ich glaube, wenn mich eine Frau niedergeschlagen hätte, ich hätte vor Freude geheult...! setzte er von neuem an.

Ich zwang mich dazu, ihn anzusehen, und nickte.

– Tut mir leid, daß ich dich mit meinen Geschichten betrübt habe..., murmelte ich.

Er beruhigte mich, es sei halb so schlimm, verstummte jedoch für eine ganze Weile, um seinen Kuchen genau unter die Lupe zu nehmen, ihn mit der Spitze seines Löffels umzuwenden und träge, mit ausdruckslosem Gesicht zu piesacken. Er war fast schon ein Greis, diese verdammte Grippe hatte ihn ganz schön tatterig gemacht, auch wenn sein Leiden im Grunde älter war, denn alle Welt war sich einig, daß sein Niedergang begonnen hatte, als man ihn vom Gymnasium gefeuert hatte, aber das, das hätte selbst ein Blinder mit zurückgebliebenem Denkvermögen gemerkt.

Ich verließ ihn kurz darauf, als ich sah, daß ihn meine Unterhaltung einschläferte. Ich klopfte ihm notdürftig die Kissen zurecht und machte mich auf Zehenspitzen davon, nachdem ich der Katze die Reste des Kuchens gegeben und einen letzten hilflosen Blick auf ihr Herrchen geworfen hatte.

Die Straßen waren wie ausgestorben. Das war natürlich nicht das gleiche Fahren wie mit dem *Aston Martin*, aber ich hatte so lange keinen Wagen mehr gehabt, daß mein Vergnügen ungetrübt war, und so wenig ich mich auf der Hinfahrt darum geschert hatte, so sehr interessierte ich mich jetzt dafür, ich konnte es kaum fassen, daß dieses Ding fuhr und daß man eine solche Schlichtheit, eine solche Strenge der Innenausstattung erreichen konnte, mich erfaßte eine belustigte Verwunderung, nicht zuletzt wegen des Armaturenbretts, das der Zelle eines Mönchs glich. Ich hatte diesen Wagen fast adoptiert, als ich bei Sarah anhielt. Ich rieb mir die Hände, als ich ausstieg. Nicht daß ich, was diese Angelegenheit betraf, zu irgendeinem Entschluß gekommen wäre, aber nicht alles in diesem Leben durfte eine Quelle von Ärgernissen sein. Und die Hoffnung zu verlieren, war die einzige echte Sünde, die man begehen konnte.

Als ich zu den anderen stieß, fragte man mich, wo ich abgeblieben sei und wie sich die Kiste fahre und was ich so lang getrieben hätte und ob ich Hunger hätte oder Durst und ob ich mich gut amüsiert hätte. Ich beschloß, nichts von meinem Treffen mit Marianne zu erzählen, und verriet ihnen, ich käme geradewegs von Max, ich sei die ganze Zeit bei ihm gewesen, ich sei ganz plötzlich auf den Gedanken gekommen, und ich hätte es nicht übers Herz gebracht, mich zu verdrücken, mehr sei nicht gewesen, jeder andere hätte an meiner Stelle genauso gehandelt. Sarah meinte zu mir, weißt du, ich war richtig traurig, während sie mich zum Tisch führte, auf dem man mir etwas zu essen aufbewahrt hatte.

Manchmal hielt sie sich für meine Freundin oder Gott weiß was, man durfte dem keine Beachtung schenken, und daß uns dieses Verhältnis, in dem wir zueinander standen, eines Tages gänzlich meschugge machen würde, davon war ich ohnehin überzeugt, ganz gleich, wie sie darüber dachte, die Mädchen, die halten sich immer für schlau genug, mit dem Feuer zu spielen. Nichtsdestotrotz ließ ich mich von ihr verhätscheln und hängte mich weiter bei ihr ein, während ich vor mich hin knabberte, denn ich hatte beobachten können, daß Elsie derlei Sachen nicht sonderlich schätzte, eines besseren Beweises als des finsteren Blickes, den sie mir zuwarf, als ich Sarahs Hals küßte, bedurfte es nicht.

Paul schlängelte sich alsbald zu mir durch.

– Du kannst dir gar nicht vorstellen, wie ich mich freue...! flüsterte er mir zu, dabei stieß er mich mit dem Ellbogen an.

Ich lächelte und überlegte, ob er vielleicht ein Duett mit Sarah einstudiert hatte.

– Na, freu dich nicht zu früh...! sagte ich und ließ einen wohlwollenden Blick über die Versammlung streichen. Noch habt ihr mich nicht...!

Man hätte meinen können, ich hätte ihm den Tod seiner Mutter verkündet. Er zog die gleiche Grimasse wie damals, als ich ihm erklärt hatte, ich würde keine Zeile mehr schreiben, das sei vorbei. Man hätte meinen können, ich ließe ihn im Stich. Aus dem Augenwinkel bemerkte ich, daß Herbert Astringart die Ohren spitzte und ein paar Brocken unseres Gesprächs aufzuschnappen suchte.

– Ah...! Du willst mich nur auf den Arm nehmen...! ächzte Paul.

– Nein..., bestimmt nicht. Meine Güte, findest du es nicht schön, wenn sich ein Typ wehrt...?!

– Wogegen denn, großer Gott...? *Wogegen*...??!!

– Ach! Wogegen, ist doch egal...! feixte ich. Wie heißt es so schön: *Totgesagte leben länger.*

Ich verzog mich, um der Sache ein Ende zu machen. Ich wollte nicht mehr daran denken. Also stellte ich mich nah an die Bar und fing an, rechts und links zu palavern, um auf andere Gedanken zu kommen. Das waren belanglose Gespräche, Geschichten, bei denen man im Stehen einschlief, der letzte Blödsinn, Tratsch, Geschwätz, aber Gott, was für eine Ruhe, was für eine erholsame Tätigkeit für den Geist, ah, was war es angenehm – und zwerchfellerschütternd –, sich die Frage zu stellen, ob der Roman tot war, was war es unterhaltsam, über Mahlers Zweite zu diskutieren – die meisten hielten es mit Slatkin, ich hielt eher zu Inbal –, und selbst der neusten Modethemen wurde man nicht überdrüssig, ah, das war Manna, eine wahre Wohltat, die beruhigende Gewähr, auf keinen Fall an irgendein Thema von Interesse zu geraten.

Ich weiß nicht, was mich mehr besoffen machte, die Worte oder der Alkohol, jedenfalls hatte ich gegen drei Uhr morgens das Gefühl, ein leichter Nebel ziehe durch die Bude, allerdings nichts Schlimmes und bei genauerer Überlegung auch nicht unangenehm. Soweit ich das beurteilen konnte, war ich nicht der einzige, dem dieses merkwürdige Phänomen auffiel.

Astringart, der versucht hatte, mir den Todesstoß zu versetzen, war bleich wie die Wand und hatte sich in einen Sessel zurückgezogen, ich hingegen war noch auf den Beinen und grüßte die Frühschläfer, die die Arena in kleinen Gruppen verließen. Sicher, ich war auch nicht mehr ganz auf der Hut, Elsie war zwei-, dreimal unversehens neben mir aufgetaucht und hatte Gelegenheit gehabt, mir ganz leise ein paar Worte zuzustecken, von denen ich zum Glück rein gar nichts mitbekam, da ich geistesgegenwärtig genug war, mich zu entfernen, wenn auch nicht so schnell, wie ich mir gewünscht hätte. Ich war mir bewußt, daß die Gefahr wuchs, je dichter der Nebel wurde. Vor einigen Minuten erst war es ihr gelungen, mich in der Ecke neben dem offenen Kamin festzunageln. Keine Ahnung, was ich da trieb, jedenfalls hatte sie mit einemmal, als ich den Kopf hob, wenige Zentimeter vor mir gestanden. Erschrocken war ich zurückgewichen, aber hinter mir erhob sich die Mauer. Ich hatte mich auf das Schlimmste gefaßt gemacht, das Blut stockte mir in den Adern, und ich rüstete zum großen Zoff. Doch sie hatte kein Wort gesagt, und ihr Gesicht blieb friedlich. Bloß ihren Blick hatte sie auf mich gerichtet. Bei dem Zustand, in dem ich war, hatte ich mich nicht gerade behaglich gefühlt. Andererseits hypnotisierte mich die Milde ihrer Augen, ich fühlte mich in einem unsichtbaren Netz gefangen. Ich befürchte, während dieser wenigen Sekunden war ich ihr wehrlos ausgeliefert, aber hatte sie es wahrgenommen? Sicher nicht, es sei denn, sie hätte beschlossen, die Dinge nicht zu überstürzen. Kurzum, ich bemerkte zwar die Flasche *Wild Turkey*, die sie in der Hand hielt, aber ich spürte, daß mir wider Erwarten keine Gefahr drohte. Sie hatte den Blick gesenkt, ohne einen Ton zu sagen, und sich darauf beschränkt, das Glas zu füllen, das ich ihr wie versteinert hinhielt.

Während sie sich entfernte, hatte ich festgestellt, daß ich die gesamte Aktion hindurch den Atem angehalten hatte. Herr im Himmel, nie zuvor hatte ich sie so schön gefunden. Sang sie in der Stadt, beugten sich alle Typen in den vorderen Rängen vor, selbst wenn sie in Hosen auftrat, und ich nicht anders als die andern, obwohl ich zwanzig Jahre älter war als der Durchschnitt. Aber an diesem Abend – und von Stunde zu Stunde mehr – übertraf sie alles, was man sich erträumen konnte, es fiel mir schwerer und schwerer, mir dies zu verhehlen, und ich hatte eine bittere Ahnung der morbiden Faszination, die das Opfer beim bloßen Anblick seines Henkers erfüllt.

Ich erklärte Bernie, was ich empfand. Er mußte nicht lange nachdenken, um mir zu antworten, das Leben sei kurz. Das war leider genau das, was ich nicht hören wollte. Ich hatte gehofft, er würde mir ein wenig Mut machen, mich freundlich schütteln und mich auf den rechten Weg zurückweisen, doch so war er mir keine Hilfe. Nach und nach fiel mir wieder ein, daß die großen Kämpfe allein ausgefochten werden. Also untermauerte ich unverzüglich meinen wankenden Entschluß. Aber daß ich seit so vielen Monaten keine Frau mehr angerührt hatte, das war schwer beiseite zu wischen, das bedeutete ein schweres Handicap. Und mochte ich mir dessen ungeachtet auch wenig Sorgen machen, so war mir doch bewußt, daß ich schon einen weitaus leichteren Stand in meinem Leben gehabt hatte.

Paul war mir böse, er hatte eine Grimasse geschnitten, als ich ihm vorschlug, von etwas anderem zu reden. Zur Zeit quatschte er mit Marty und tat so, als hätte er mich vergessen. Ich sagte mir gerade, unsere Freundschaft werde es überleben, als Hermann, der sich endlich darauf besann, nachzusehen, wie es seinem Vater ging, an meine Seite kam und einen Arm um meine Taille schlang. Ich fühlte mich ermächtigt, ihm meinen Arm um den Nacken zu legen.

– Alles klar...? fragte er mich.

Ich sparte mir die Mühe, ihm zu antworten. Ich wollte nur, daß er damit nicht aufhörte, denn wie immer stimmte mich das Glück traurig, und der Abend war noch nicht vorüber. Er war noch keine siebzehn Jahre alt, und seine Schultern waren bereits so hoch wie meine, ich hatte kein Verlangen, in den kommenden Jahren zusammenzusinken. Ich hatte Lust, ihn in meine Arme zu schließen, zügelte jedoch meine niederen Instinkte, ich wußte, daß er mir bereits so ziemlich das höchste der Gefühle gewährte. Ich war besoffen, strahlte jedoch in diesem Augenblick eine absolute, fast schmerzliche Klarheit aus.

– Wann kommen die Geschenke dran...? fragte er mich und neigte leicht den Kopf zu mir herüber, ohne jedoch die Ecke, in der sich Gladys aufhielt, aus seinen schmachtenden Augen zu lassen, worauf ich ihm erwiderte, er habe keinen Grund, sich den Kopf zu zerbrechen, und alles komme zu seiner Zeit, wann genau, wüßte ich nicht, wahrscheinlich müßten wir abwarten, bis Sarah grünes Licht gab.

Ich hatte nicht den Eindruck, daß er mir richtig zuhörte. Ein dämliches Lächeln verklärte seine Züge, und fast hätte er mich damit angesteckt, wäre nicht gegenüber der Spiegel gewesen, der mich warnte und mir zu der Einsicht verhalf, daß ein glückseliger Schwachkopf in der Familie vollauf reichte, daß es besser war, dergleichen nicht auszuwalzen.

– Meine Güte, guck nicht so...! schimpfte ich ihm ins Ohr. Mach mir keine Schande, mein Junge, reiß dich zusammen...

Lachend schüttelte er den Kopf, den Blick auf seine Füße gerichtet.

– Ah! Ich weiß... Ich kann aber nicht anders...! Stell dir vor, sie hat mich *angesprochen*...!! Aahh, ich kann es immer noch nicht fassen...!

Ganz hingerissen von dieser schlichten Erinnerung, ließ er mich los und rieb sich die Hände. Unter diesen Umständen, darauf bedacht, die Grenzen nicht zu überschreiten, nahm ich meinen Arm von seinen Schultern.

– Hmm, ich hoffe, das hast du nicht von mir, sinnierte ich. Das Glück braucht mich nur zu streifen, schon schnürt mir ein Funke Ungläubigkeit das Herz zusammen... Naja, ich stimme dir zu, besagtes Glück ist eines der seltsamsten Gefühle, die einen ergreifen können, insofern ist es voll und ganz verständlich...

– Weißt du, unterbrach er mich, ich habe trotzdem den Eindruck, als Geschenk ist das ein wenig riskant. Vielleicht war das doch keine so blendende Idee, wie ich dachte. Wer weiß, vielleicht gefällt es ihr am Ende überhaupt nicht...!

Ja, es war unbestreitbar, daß er ebensoviel Mühe hatte, Ruhe zu bewahren, wie ich, mich auf den Beinen zu halten. Und nichts ging mir mehr ans Herz. Kein Zweifel, in unseren Adern floß das gleiche Blut, leitete ich schlicht daraus ab. Waren wir nicht ein Herz und eine Seele...? Zum Glück brauchte man nicht unbedingt nüchtern zu sein, um eine solch offenkundige Tatsache festzustellen, eine solche Selbstverständlichkeit konnte einem nicht entgehen, ganz gleich, wie voll man war.

– Merk dir eins, Hermann... Es ist wichtig, sich davon zu überzeugen, daß ein Mädchen ein wenig Humor hat... Naja, jedenfalls nachher.

Ich hoffte, er würde darüber nachdenken. Was das anging, hielt ich es mit dem berühmten Prinzip von Montaigne: *Ein Kind zu unterweisen, heißt nicht, ein Gefäß zu füllen, sondern ein Feuer zu entfachen.* Nebenbei bemerkt: ich muß gestehen, daß ich die Schriftsteller, die meine Reisegefährten waren, nicht mehr zählen konnte, jene, die plötzlich – und sei es nur für ein Wort – neben mir auftauchten, jene, die mein Leben erhellten, oh, und jene, die mir die Hand gereicht hatten, jene, die Worte gefunden hatten, mich aufzumuntern, jene, deren Stimme mich leitete, wenn ich mich verirrt hatte, und jene, die nicht mehr von meiner Seite wichen, die mir Tag für Tag neue Kraft gaben. Während Hermann, von gräßlichem Zweifel geplagt, von einem Bein aufs andere hüpfte und ich im Begriff war, mein Glas zum Gedenken an meine Lieblinge oder auf das Wohl einiger weniger zu leeren, brach Harold, wandelndes Unheil in Person, über uns herein:

– Na, was habt ihr euch Schönes zu erzählen, ihr zwei...?!

Ich warf ihm einen drohenden Blick zu, ohne daß ihn das im mindesten berührte, er hatte etwas unendlich Zartes zerstört, etwas, das er mit seinem stumpfsinnigen Kalifornierkopf nicht verstehen konnte, vermute ich. Und es war, als hätte er eine teuflische Maschinerie in Gang gesetzt, denn nach ihm kamen andere, um unser Tête-à-tête zu zertrampeln, und so wurden Hermann und ich von zwei entgegengesetzten Strömen davongetragen, und ich blickte ihm nach, verzichtete aber darauf zu kämpfen und ließ mich ohne einen Schrei des Protests verschlingen.

Armer Hermann, es dauerte noch eine Weile, bis die ersehnte Stunde schlug. Wie eine Zwillingsblume, so wuchs seine Angst im Rhythmus meines Zusammenbruchs, aber wie dem auch sei, wir waren beide noch an Deck, ungemein pflichtgetreu, der dumpfen Heftigkeit der Aufgabe zum Trotz. Was mich betraf, grenzte es an eine Art von Wunder, daß mir immer noch eine relative Form beschieden war, versteifte ich mich doch halsstarrig und beinahe unbewußt darauf, weiter zu picheln.

Die Reihen waren wieder dicht gedrängt. Ich liebte diese späten, etwas vagen Stunden über alles, die ersten Zeichen der Erschöpfung, die leicht zerknitterten Kleider, das Durcheinander

der Räumlichkeiten und die Verlangsamung der Dinge, ich war der Kerl, der sich darum kümmerte, die etwas zu grellen Lichter zu dämpfen, der von einer Gruppe zur anderen irrte wie eine Biene, die ihren Honig aus unwägbaren Partikeln zusammenstellte hier eine Geschichte, dort irgendein Unsinn, und wenn ich auch keine Bücher mehr schrieb, dieses Vergnügen war mir ebenso geblieben wie die Faszination, die meine Mitmenschen und alles, was mit dem Großen Theater der Welt zusammenhing, auf mich ausübten.

Elsie und Sarah unterhielten sich, und mir rauschten die Ohren. Da ich sie kannte, sorgte ich mich ein wenig, was bei einem solchen Gedankenaustausch herauskommen konnte, denn es sprang selten etwas Gutes heraus, wenn zwei Mädchen die Köpfe zusammensteckten. Ich trat für einen kurzen Moment in den Garten hinaus, um Luft zu schnappen, und die Kälte erschien mir weniger klirrend als noch gegen Mitternacht, aber ich hätte nicht sagen können, ob das an ihr lag oder an mir. Ich tränkte meine Trommelfelle in dem reinen Wasser des Schweigens, dann füllte ich meine Lungen mit einem Schwall frischer Luft. Ich erblickte den *Fiat* auf der anderen Straßenseite, weiß wie eine Lilie und ohne einen Kratzer, und ich dachte ein wenig darüber nach. Aber für den Augenblick blieb der Himmel stumm wie ein Fisch, und ich mußte mich hüten, meine Aufmerksamkeit zu sehr darauf zu konzentrieren, wenn ich nicht der Länge nach hinfliegen wollte, denn mittlerweile gaben meine Beine nach und sträubten sich gegen ihre Aufgabe, und mein ganzer Körper schwankte, von Zeit zu Zeit kippte ich hintenüber, vermied nur mit knapper Mühe einen Sturz, so daß ich auf dem gefrorenen Rasen taumelte, ihn mit meinen Füßen zertrat wie einen Teppich aus Eiswaffeln.

Einen kurzen Moment wäre ich fast der Versuchung erlegen, hätte ich mich beinahe auf den Boden gelegt, überzeugt, dies sei mein wahrer Platz, im Grunde verdiene ich nichts Besseres. Das hatte ich mitunter, daß ich urplötzlich in den tiefsten Brunnen purzelte, verbittert feststellte, daß ich nicht viel taugte. Dieser Gefahr setzte ich mich ganz besonders aus, wenn ich zuviel getrunken hatte. Dann konnte ich nur zu gut verstehen, warum mich Franck verlassen hatte und warum in meinem Leben nichts so recht klappte. Ich war darüber dann so betrübt, daß mir die Tränen in die Augen stiegen. Was diese traurigen Gemütszustände hervorrief, wußte ich nicht genau, aber ich nannte es einen üblen Suff, wenn es mit mir nicht aufwärts gehen wollte, ich vertrieb mir dann die Zeit damit, sämtliche Leute abzuklappern, die ich kannte, um nur ja niemand zu finden, der so beklagenswert war wie ich. Wie viele unnütze Mühe hatte ich nicht darauf verschwendet, mich selbst zu erforschen, in der verzweifelten Hoffnung, wenigstens *eine* gute Eigenschaft in mir zu entdecken, nur *einen einzigen* Grund, noch einen Funken Achtung vor mir zu haben. Dabei war ich geneigt, auch nur den geringsten Schimmer willkommen zu heißen, mich sogar anzuspornen, wenn ich endlich etwas in der Hand hatte, aber nichts hielt einer eingehenderen Prüfung stand, und die Zweige brachen einer nach dem andern ab, und mein Sturz nahm kein Ende. Dann blieb mir nichts anderes übrig, als in einem letzten Aufbäumen darauf bedacht, mir einen tristen Morgen zu ersparen, möglichst früh die Hand nach meinem Röhrchen *Alka Seltzer* ® auszustrecken.

Doch in diesem Augenblick der Verwirrung, die ständig schlimmer wurde – ich hatte eben beschlossen, bis zehn zu zählen und mich dann auf die Erde zu werfen –, kam jemand herbei, um mich mit sanfter Stimme aus der trostlosen Betrachtung meiner Seele zu reißen, deren ganze Erbärmlichkeit ich wieder einmal ermaß. Es war Elsie, die mich, meine Entrücktheit nutzend, am Arm faßte, um mir zu eröffnen, man warte auf mich, und ob ich verrückt sei, draußen herumzustehen. Fast hätte ich sie an Ort und Stelle gefragt, was sie an mir fand. Ich verzichtete jedoch darauf, denn was immer sie vorgebracht hätte, ich machte mich anheischig, ihr zu beweisen, daß sie sich irrte, in Nullkommanichts hätte ich ihn ihr demoliert, ihren Dan.

– Schon gut, ersparen wir uns beiderseits überflüssige Enttäuschungen, sagte ich mir. Kümmere dich um deinen Kram.

Ich mied ihren Blick und schwankte einen Moment, dann teilte ich ihr mit, ich käme. Ich sei aber groß genug, allein zu gehen. Erst spürte ich ihre Hand zögerlich auf meinem Bizeps, sie sagte keinen Ton, doch dann spürte ich an der Art, wie sie meinen Arm losließ, sehr deutlich ihre Enttäuschung, ihren Kummer, ihre Erniedrigung und die darauf folgende Verärgerung. Gefesselt von der unendlichen Feinheit des Phänomens, das um so wundervoller war, als es nicht die Frucht einer Umklammerung, sondern einer Lockerung war – anders gesagt, ich wäre weniger entzückt gewesen, wenn sie meinen Arm befummelt hätte –, kehrte ich den Kopf gen Himmel und ertappte mich bei einem Lächeln, während sie sehr schnell ins Haus zurücklief. Ah, sämtliche Nuancen ihrer Aufregung hatte ich wahrgenommen, als sie ihre Hand *zurückzog*...! War ich denn gar so erbärmlich, wie ich behauptete, wenn ich derart feine Wunder erfassen konnte, war das einem jeden Dahergelaufenen vergönnt...? Das war schwer zu sagen, dennoch, ich fühlte mich besser.

Ich ging also ins Haus zurück und kredenzte mir ein Glas, ich postierte mich neben Gladys, auf der Armlehne ihres Sessels, und beobachtete das unwiderstehliche Stapeln der Geschenke, die man zu Füßen des Baumes trug. Sarahs Tannenbaum war nur ein schwacher Abglanz des meinen, aber er nahm Gestalt an, je mehr man ihn beehrte, so als wären diese Geschenke für ihn bestimmt, und *beinahe* alle Blicke waren auf ihn gerichtet – sollte sie sich ruhig entsinnen, was sie mir angetan, und bloß nicht darauf bauen, meinem Gesicht nach all den Nächten, die sie mir verdorben hatte, das geringste Zeichen von Versöhnung zu entnehmen, sollte sie sich ruhig in Gedanken an mich wichsen, o ja, wer weiß, vielleicht war das schon geschehen, sagte ich mir, plötzlich angeregt, wer weiß, vielleicht hatte sie sich längst angewöhnt, meinen Namen zu murmeln, wenn sie sich wienerte.

Entzückt ob dieser Vermutung, zugleich grausam gestimmt, erhob ich mich, legte *Pretty Woman* auf und kehrte mit Unschuldsmiene an meinen Platz zurück. Der Alkohol haute mich buchstäblich um, aber eine dunkle Kraft bewahrte mich davor, zusammenzubrechen, und mein Verstand vermochte die Dinge weiterhin irgendwie zu registrieren. Ich fühlte mich ein wenig matt, aber daß man sich bloß nicht darauf verließ, daß man sich sogar in acht nahm, denn mir entging nichts, und mein Blick wanderte gelassen über die Versammlung und fuhr mit einer Sicherheit, die man mir bei meinem Anblick nur schwer zugetraut hätte, in die Herzen hinein. Stehenbleiben, geradeaus gehen, jede noch so geringe Bewegung bereitete mir allmählich Probleme. Aber mein Unbehagen war harmlos, ach, wie lächerlich erschien mir zuweilen der Preis der Dinge in diesem Leben, und wie leicht ging mein Atem!

Daß ich mich so gut hielt, daß ich noch die Kraft hatte, diesen Körper aus Blei zu manövrieren, lag daran, daß mir noch eine Sache zu sehen blieb, etwas, das ich um nichts in der Welt hätte verpassen wollen. Diese Nacht war genau so, wie ich sie mir vorgestellt hatte, die letzte einer langen Reihe, und ich war entschlossen, sie bis zum Schluß zu begleiten, ich wollte sie enden sehen, mich vergewissern, daß sie sich nicht mehr rührte, bevor ich zur Tür hinaus ging. Nicht, daß ich mir eine dieser wunderbaren und endgültigen Morgenstunden erhoffte, die man im Leben nur selten zu sehen bekommt, aber ich ahnte den Duft des Neuen, das Zittern des jungen Tages, und das reichte mir vollauf. Ich wußte, daß das nicht das Ende meiner Sorgen war, ich wußte, welch Schlamassel meiner harrte, doch trotz allem überflutete mich ein Lächeln. Ich wünschte mir nur, daß Hermann seinerseits zu Rande kam. Bevor ich besoffen umfiel, wollte ich sehen, wie sich die Sache für ihn entwickelte. Ich hatte ihn nicht entmutigen wollen, ich hatte ihm nicht gesagt:

– Was immer du tust im Glauben, ihnen zu gefallen, ein Risiko besteht immer.

Als es soweit war, stand ich auf, um meine Geschenke einzusammeln. Ich mußte mich fürchterlich zusammenreißen, um diese simple Aktion durchzuführen, erheblich mehr, als ich gedacht hätte.

– Ah, nur ein wenig mehr, sagte ich mir, und du hättest den Bogen überspannt...!

Die Welle der Benommenheit überwindend, die dumpf sich abzeichnete, ließ ich mich, als könnte ich kein Wässerchen trüben, an Hermanns Seite nieder, ohne daß er dessen gewahr wurde, so sehr war er damit beschäftigt, nach Gladys zu linsen, wie wild jede ihrer Bewegungen zu verfolgen.

Jeder außer ihm lächelte und zwitscherte und zerriß Geschenkpapier. Ich hatte meine noch nicht erspäht, zögerte aber, mich vorzuwagen, schwach, wie ich war, kraftlos wie ein Blatt im Herbst und ernstlich steif in den Beinen, dem geringsten Windhauch wehrlos ausgeliefert. Ich versuchte Würde zu bewahren. Zum Glück wirkten sie alle sehr beschäftigt, und mein Zustand wie auch meine Zurückhaltung blieben unbemerkt, und auch über den anbrechenden Tag, den ich einen Augenblick am Fenster beobachtete, verlor niemand ein Wort, es drehte sich alles um den *wunderhübschen* Kugelschreiber, um die *wunderbare* Nudelmaschine, um die *herrliche*, ah, einfach *tierische* Turnhose! Das Ganze hatte etwas Beruhigendes an sich. Aber nach einer Weile merkte ich, daß Hermann aufgehört hatte zu atmen.

Ich wandte mich also Gladys zu und erkannte sogleich das kleine Paket, das sie gerade aufgehoben hatte. Sie zögerte einen Moment, dann betrachtete sie das fragliche Objekt mit einem schwachen Lächeln. Es sah aus, als hätte sie Zeit en masse, als wollte sie das Ding eine ganze Weile untersuchen, ohne es zu öffnen. Hermann schenkte mir eine schmerzliche Grimasse. Ich stellte erfreut fest, daß er wieder atmete. Plötzlich baute sich Elsie vor mir auf. Ich trat einen Schritt zur Seite, ohne einen Ton zu sagen, ohne davor zurückzuschrecken, die Spitzen ihrer Brust zu streifen, jedoch mit Eiseskälte. Wahrscheinlich war ihr die Zeit lieber gewesen, wo ich sie in den Mund nahm oder mit meinen Händen umschloß und mich eine Viertelstunde lang darum kümmerte, bis sie von Kopf bis Fuß anfing zu zittern, aber wer war schuld daran?

– Du schaffst es nicht, mich wütend zu machen . . ., flüsterte sie mir zu und schob mir ein paar Päckchen unter den Arm, die für mich bestimmt waren.

– Freut mich zu hören . . ., erwiderte ich, um meine Aufmerksamkeit sogleich wieder auf Gladys zu konzentrieren, und das just in dem Augenblick, da sie sich endlich dazu durchrang, es aufzumachen, ihr famoses Geschenk. Natürlich wußte sie haargenau, von wem es war, und während sie vorsichtig an dem hübschen Bändchen zupfte, das sich darum schlang, strahlte ihr ganzes Gesicht, wie es nur in tiefster und innigster Wonne erlaubt ist, fürwahr, ein Sieg auf der ganzen Linie. Dennoch, trotz der himmelschreienden Klarheit des Phänomens, gab es einen, der noch nicht kapiert hatte, was das bedeutete, der beinahe zitterte und immer noch Blut und Wasser schwitzte. War ich denn so ein erbärmlicher Lehrer, blieb denn nichts von all dem, was ich ihm beigebracht hatte...?!

Ein Hauch von Bestürzung wehte für einen Moment über mein Haupt, lang genug, um mich dem Gedanken nahezubringen, daß ich alles von Anfang bis Ende verpfuscht hatte.

– Du hast wohl nie einen Fehler gemacht...?

– Reden wir nicht mehr davon... Ich hab dich aus meinem Leben gestrichen, brummte ich, ohne deshalb die Kraft aufzubringen, ihr meinen Arm zu entreißen.

– Ah, ich bitte dich... Schau mich an...!

Ich hatte ganz und gar nicht den Eindruck, daß sie das verdiente, und im übrigen hatte ich nur Augen für Gladys, die so langsam wie irgend möglich mit ihrem Auspacken fortfuhr. Ich an ihrer Stelle hätte Angst gehabt, Hermann schlafe ein, aber sie war sich ihrer Sache verdammt sicher. Und damit ihm nur ja nichts entging, rückte sie merklich näher an ihn heran. Es war ein Wunder, daß niemand seine Nase dazwischen steckte, daß ein Typ wie Harold am anderen Ende des Zimmers beschäftigt war.

– Ich glaube dir nicht...!

– Elsie, laß mich in Frieden. Jetzt ist nicht der rechte Moment.

Sie preßte sich an mich. Ich seufzte und betete, daß sie stillhielt, denn Gladys' Werk näherte sich seiner Vollendung.

Hermann war wie versteinert. Der lässige Stil, den er ansonsten mit Bedacht pflegte, war nur noch eine blasse Erinnerung, und es war sicher das erste Mal, daß ich ihn nicht infolge einer körperlichen Anstrengung schwitzen sah, zudem mitten im Winter, höchstens noch, wenn er Fieber hatte. Ich hatte größte

Lust, ihm einen Tritt zu verpassen, damit er wach wurde, aber ich brauchte beide Beine, um nicht umzufallen, und in gewisser Weise mußte ich zugeben, daß auch Elsie nicht ganz überflüssig war, ich war froh, mich auf sie stützen zu können. Also versuchte ich in geistigen Kontakt mit ihm zu treten, aber vergebens, ich brüllte wütend vor seiner Tür, doch er hörte mich nicht.

Gladys hatte inzwischen ein kleines, durchsichtiges Fläschchen in Händen, das sie mit vergnügtem Lächeln betrachtete. Einst hatte es ein Parfüm enthalten, das mich gewiß bis an mein Lebensende verfolgen wird. Hermann hatte es zwei Tage lang mit Geschirrspülmittel gefüllt und anschließend an der frischen Luft trocknen lassen, bevor er es sich wieder vorgenommen hatte. Zuweilen wehte Francks Geist mit unglaublicher Deutlichkeit durch unser Haus, und ich mußte aufstehen, um die Fenster zu öffnen, oder ich ging vor die Tür. Kurz und gut, Gladys hielt es also in der Hand. Und fing an, sich Fragen zu stellen.

Hermann hatte den Gedanken, seinem Geschenk einen Brief beizulegen, sehr schnell wieder aufgegeben. Nach einigen unbefriedigenden Versuchen, bei denen offenbar nichts Gescheites herauskam, sobald er mehr als drei Worte aneinanderreihen wollte, hatte er mich hinzugerufen, damit ich meinen Finger auf das Band hielt, während er den Knoten fabrizierte, und mir mitgeteilt, daß er darauf verzichte, ihr zu schreiben, er finde das ohnehin ziemlich bekloppt.

– Nein, ehrlich, ich habe darüber nachgedacht... Ich glaube, es ist viel einfacher, es ihr zu *sagen*, weißt du...

Ich hatte ihm keine Antwort gegeben. Ich hatte mir gedacht, daß er im Grunde vielleicht recht hatte und daß seine Schauspielerei endlich zu etwas gut war.

Ich war mir bewußt, daß sich Elsie eng an mich schmiegte, daß sie mir arg zusetzte, wenn sie eines meiner Beine beinahe zwischen ihre preßte und ihren Unterleib an meinem Oberschenkel rieb. Und ich sagte mir, Herrgott nochmal, warum hat er ihn nicht geschrieben, diesen verflixten Brief?

Als Gladys das Fläschchen öffnete und sich anschickte, den Duft tief einzuatmen, brachte Hermann es fertig, die Augen niederzuschlagen.

– Ah, immer besser...! knurrte ich.

– Oh, Dan, Liebling... Es ist so lang her...!

Sie war auf dem Holzweg. An diesem Gefühl des völligen Ausgelaugtseins, an dieser Weltuntergangsstimmung, die mich am Ende dieses schmerzlichen Jahres erfaßt hatte, war sie nicht ganz unschuldig. Zusätzlich zu den Sorgen, die mir meine Umgebung bereitete, und zu meiner finanziellen Notlage hatte sie mich durch eine große emotionale Wüste und ein sexuelles Nichts tappen lassen, die allein ausgereicht hätten, mich flachzulegen. Ich wimmerte nicht, man solle mir den Gnadenstoß geben, aber ich fühlte mich am Ende dieser langen Prüfung furchtbar kraftlos und sogar sehr schwach auf den Beinen. Ich war also nicht mehr imstande, ein Lächeln aufzusetzen, zumal im Augenblick eine dringendere Angelegenheit eine ganz andere Aufmerksamkeit erforderte.

Während sie das Fläschchen wieder unter ihre Nase hielt, überlegte Gladys von neuem. Es war unschwer zu erraten, was ihr durch den Kopf ging, sie dachte:

– Verflixt, ich will gehängt sein, wenn das kein Wasser ist...!

Sie versuchte es, indem sie die Augen halb schloß, dann gab sie auf.

– Puh, ich passe! schien sie zu sagen.

Dann richtete sich ihr Blick auf Hermann. Ihr Gesicht war nur mehr eine sanfte Frage, was ihm sicher gefallen hätte, wenn er seine Augen weniger stur auf den Boden geheftet hätte.

– Soll ich's dir sagen...? Naja, das sind seine *Tränen*! informierte ich sie mit samtener Stimme, indem ich, so behende ich in meinem gehemmten Zustand nur konnte, hinter ihr aufkreuzte.

– Seine *was*...?!

Sie hatte die Augen aufgerissen und starrte uns an, Elsie und mich, als wollte sie fragen, ob wir sonst noch was auf Lager hätten. Für einen Augenblick gab ich mich der Illusion hin, Hermann werde sich bei diesen Worten einen Ruck geben und mir zu

Hilfe eilen, aber diese verzweifelte Hoffnung mußte ich sehr schnell fahren lassen. Da maß er fast einsachtzig, hängte einen im Laufen ab und machte auf abgebrüht, aber daß ich nicht lache, bei der geringsten Herzensangelegenheit war das alles wie unter den Teppich gekehrt.

Ich war dermaßen am Ende, daß ich fast zusammenbrach. Ich hatte den Eindruck, als wäre ich verschüttet, als lastete die Decke auf meinen Schultern, Elsie war vollkommen weggetreten, sie klammerte sich an mich, schmiegte sich an meinen Hals und versuchte mir ihre Zunge ins Ohr zu schieben. Mein ganzer Körper war steif, so viel Anstrengung kostete es mich, aufrecht stehen zu bleiben. Die finstere Lawine der Leiden, über die ich unsinnigerweise nachgrübelte, zerriß mir das Herz.

– Ach, Dan...! sagte ich mir. Wird dein Martyrium jemals enden...?!

– Paß auf, Gladys...

– Also nein, Dan... Das ist doch ein Scherz...!

Es war klar, daß sie diesem Elendsfläschchen inzwischen lebhaftes Interesse entgegenbrachte. Daß sie die Sache zugleich amüsierte, rührte und aufregte. Und daß mein schönes Schweigen folglich nicht ewig währen konnte.

– Glaub mir, ich wollte, es wäre ein Scherz, ich wünschte aufrichtig, ich wäre woanders, und um dir die Wahrheit zu sagen...

– Dan, würdest du bitte wiederholen, was du...

– Ja. *Seine Tränen*, ich sag's dir...! Herrgott... Ich habe sie fließen sehen, während er deinen Namen murmelte... Ich war dabei, Gladys, ich war *Zeuge* all dieser Dinge... Ich will verdammt sein, wenn ich dir nicht die Wahrheit sage... Tränen, größer als Apfelsinenkerne, ehrlich... Er hat nur die schönsten aufgefangen... und nur einige pro Sitzung... Ah, verflixt... Ich versichere dir, das war kein schöner Anblick... Ach, weißt du, eigentlich wollte ich mich nicht mehr in diese Geschichte einmischen... Ich denk lieber nicht mehr daran, du verstehst schon... Aber guck ihn dir an, ich kann nicht umhin, an seiner Stelle zu reden... Ich bin todmüde, meine Liebe, ich merk schon, ich stell mich dumm an... Ich weiß nicht, wie er es vorgebracht hätte, aber er denkt seit zig Tagen darüber nach... Vielleicht hätte er dich im gegebenen Moment in seine Arme geschlossen... Ach, und im Grunde geht mich das alles nichts an... Du solltest mich besser zum Teufel schicken... Außerdem, was für eine Idee...! Für mich war die Sache von Anfang an völlig idiotisch... Stell dir vor, deine Tränen als Weihnachtsgeschenk... Ogottogott, was er sich davon wohl erhofft hat... Ich würde sagen, das ist fast schon widerlich, sich so zu grämen...

– Dan, tut mir leid, aber das möchte ich lieber selber beurteilen...

– Ja, natürlich... Sicher..., seufzte ich.

Ich hatte das Gefühl, der Schweiß lief mir in Strömen. Es hatte dermaßen Konzentration gekostet, diese Rede zu schwingen, mein Wanken zu unterbinden und trotz der ernstlichen Beinchen, die ich mir stellte, artikuliert zu sprechen, daß ich unwillkürlich anfing zu hecheln. Mit einem schlichten Blick stellte ich fest, daß eine glückliche Fügung die anderen immer noch von uns fernhielt. War das ein Zeichen, daß ich meine Sache nicht zu schlecht gemacht hatte, eine Aufforderung, auf dem Weg fortzuschreiten, den ich so stürmisch eingeschlagen hatte?

Soweit ich das beurteilen konnte, war Gladys angeschlagen. So daß ich im Grunde nur noch mit dem Messer in der Wunde herumzuwühlen brauchte.

– Naja, es ist sonnenklar, was er damit sagen wollte..., hob ich mit einem gräßlichen Lächeln von neuem an. Aber sowas von ungeschickt... Ah, weißt du, diesmal bin ich überhaupt nicht stolz auf ihn... Bis zum Schluß habe ich gehofft, er würde auf diese Seelenschau verzichten... Ich habe gehofft, in einem Anflug von Schamgefühl würden ihm die Augen aufgehen... Aber du siehst ja das Resultat... Hermann, habe ich ihm gesagt, sei kein Trottel..., gib diese Idee auf..., mach ihr ein *richtiges* Geschenk, daran mangelt es doch nicht... Ach, verflixt und zugenäht, wenn er sich einmal was in den Kopf gesetzt hat...!

Ich hatte fast gewonnen, sie hing an meinen Lippen, und ihr kleines Herz klopfte mittlerweile für diesen verrückten Kerl, während sie sich offenkundig zusammenriß, mir nicht zu sagen, daß ich Vollidiot mich bitte aus Sachen herauszuhalten hätte, von denen ich nun rein gar nichts verstand. Mich überkam ein richtiges Glücksgefühl. Und die Anwandlung, diesen unbestreitbaren Erfolg in einen glorreichen Sieg umzumünzen.

– Nun denn...! Die Einzelheiten erspare ich dir lieber... Weißt du, ich bin wütend auf ihn...! *(und ich nutze die Gelegenheit, meine Päckchen loszuwerden und ihr vorsichtig das Fläschchen aus der Hand zu nehmen, um es sogleich in die Luft zu schleudern)* Unglaublich...! *(und ich fange es auf, kopfschüttelnd, seufzend)* Meine Güte, sag schon, daß ich träume *(sage ich, während sie beschließt, mir wieder abzunehmen, was ich mit scharfem Blick schon betrachte)* Herr im Himmel, was gibt's da schon zu sehen...? Ah..., welch unsichtbarer Kreuzweg..., so eine verflixte Ungeschicklichkeit...! *(du meinst, was für eine geniale Idee, welch meisterhafter Schachzug...!)* Man muß wirklich früh aufstehen, um zu wissen, woher das kommt... *(und ich schiele mit mitleidigem Blick nach dem Ding)* Ehrlich, es fehlt ihnen nur die Sprache... *(es ist soweit, ich schneide Fratzen)* Ah, diese Rolle hatte ich weiß Gott nicht verdient...! Mist, verdammter... *(Elsie ist dabei, meine Päckchen aufzuheben, ich werfe einen kurzen Blick zwischen ihre Beine, ich habe keine Zeit)* Ja, Mist, verdammter...! Wenn ich bedenke, er ist mein Sohn und ich muß dir all das erzählen...! *(worauf ich ihr das Fläschchen unversehens in die Hände knalle, und wir gucken uns an, und sie haßt mich)* Bedenke, das ist nur eine Kostprobe... Die meisten sind danebengefallen, ah, das ist ein schwieriges Unterfangen... *(ich bleibe todernst, ich verbreite eine zartbittere Stimmung)* ... Trotzdem, glaub mir – darauf habe ich höchstpersönlich geachtet –, niemals haben wir deinen Namen in unserer Bude erwähnt, aber das war vergebliche Liebesmüh... *(ich versuche, ihr das Fläschchen wieder zu stibitzen, aber sie ist schneller als ich, und ich gebe mich geschlagen, ich weiß, was ich wissen will)* Ich habe ihm sogar gesagt: Am besten, du weinst JEDESMAL, wenn du an sie denkst, dann bekämst du es schneller voll...! *(und genau in diesem Moment schaltet sich Hermann ein)*

Das trifft mich so unvorbereitet, daß mein Herz einen Satz

macht, als er zwischen uns auftaucht. Eigentlich sollte ich froh sein, ihn zu sehen. Nun, mich befällt sogleich ein merkwürdiges Unbehagen. Seine griesgrämige Miene stört mich weniger, es ist etwas anderes, jedenfalls ist mir seine Gegenwart entschieden unangenehm. Dann, während ich noch überlege, überkommt mich urplötzlich die Ahnung eines unmittelbar bevorstehenden Desasters, einer gottverfluchten Sintflut, obwohl er noch keinen Ton gesagt hat. Aber ich kann nichts dagegen tun, ich bin nicht geistesgegenwärtig genug, und das Blut gefriert mir in sämtlichen Adern.

– Nein, hör nicht auf ihn, Gladys... Spuck mir lieber ins Gesicht...! sagt er.

Mir wird nicht einmal übel, als ich mir diese Schändlichkeiten anhören muß. Ich habe das Gefühl, etwas Vergiftetes gegessen zu haben, und so weiche ich vorsichtig, nach Luft ringend, einen Schritt zurück. Stumpfsinnig starre ich Hermann an. Inständig, aus tiefster Seele bitte ich ihn zu schweigen, um Himmels willen, Kleiner, *halt die Klappe*, ich flehe dich an...! Aber meinen Lippen entringt sich nur ein schwaches, trübseliges Krächzen, die Andeutung eines Röchelns, ein in Anbetracht der Eindringlichkeit meiner Bitte blasphemisches Kullern.

Gladys, die Ärmste, steht völlig verdutzt da. Ich erwäge einen Augenblick, mich auf sie zu stürzen, um ihr die Ohren zuzuhalten, aber ich bin die Reglosigkeit in Person. Hermann wirft mir einen betrübten Blick zu. Erbost gucke ich in die Luft. Um ihn alsbald *mezza voce* sagen zu hören:

– Glad, ich bin nur ein elender Lügner...!

Für den angenehmen Bruchteil einer Sekunde vergesse ich vollkommen den Schlamassel, in dem wir sitzen, und ich sage mir, guck an, ich wußte gar nicht, daß er sie Glad nennt, das ist gar nicht so übel...! So daß ich nicht sofort die ultrakomische Seite der Sache erfasse, aber da bin ich nicht der einzige. Die Windstille hält jedoch nicht lange an, denn schon fährt er verbissen fort:

– Wenn ich jetzt schweigen würde, glaub mir, ich könnte dir nicht mehr in die Augen schauen... Gib mir das Fläschchen zurück, damit ich es verschwinden lasse... Bitte...!

Ich betrachte sie erneut, es ist nicht das erste Mal, daß hienieden einem Typen, der sich selbst aufgibt, die Decke auf den Schädel knallt oder daß es ihm die Sprache verschlägt. Es fällt mir immer noch schwer zu glauben, daß einen derart unfaßliche Schicksalsschläge ereilen können.

– Ah, Elsie, kneif mich...! sage ich mir, während Gladys, gänzlich verunsichert, herauszurücken zögert, was sie zwanzig Sekunden zuvor noch so aufgewühlt hat. Allein Hermann läßt sich in seinem Schwung nicht aufhalten und streckt ihr eine unerbittliche Hand entgegen:

– Menschenskind, gib mir dieses Scheißding...! ächzt er tonlos. *Wenn du wüßtest, wieviel Zwiebeln ich geschält habe ...*

Ich warte nicht einmal ab, bis er zu Ende gesprochen hat. Ich verliere auf einmal jedes Interesse an dem, was folgen wird.

– Na schön, das reicht... Gehen wir! knurre ich abwesend, um sogleich einen fürchterlichen Schlenker in Richtung Flur vorzunehmen. Mir geht nur noch eins durch den Kopf: nichts mehr sehen, nichts mehr hören, keinen Gedanken mehr an diese Geschichte verschwenden. Man muß sich seiner Grenzen bewußt sein, wenn einem an seiner Gesundheit liegt.

– Dan, was ist los mit dir...?! sorgt sich Elsie, die wie ein Schatten an mir klebt.

Ich antworte nicht, ich verlange nichts, ich gehe weiter und schleife sie mit, da sie sich nun mal an meinen Arm klammert.

Bis ich auf einen Stuhl treffe. Zuerst pralle ich mit den Beinen dagegen, doch dann, wie ich ihn entdecke, schenke ich ihm einen gerührten Blick. Dann belege ich ihn mit Beschlag.

– Allmächtiger Gott, was tut das gut...! stoße ich schnaufend hervor, dieweil ich mechanisch die Szenerie ringsum betrachte.

Es stellt sich heraus, daß wir in der Küche gelandet sind. Aber das ist mir ganz egal, solange man mich in Ruhe läßt. Der Tag bricht gerade an, und es herrscht ein angenehmes Halbdunkel. Der Raum ist so leer, wie ich es mir nur erträumen kann. Mit der Fußspitze stoße ich die Tür an, um das Gemurmel aus dem Wohnzimmer noch mehr zu dämpfen. Mir ist vage bewußt, daß ich damit meine letzten Kräfte vergeude, aber ich schöpfe daraus einen trüben Seelenfrieden. Kurzum, ich werde erhobenen Hauptes fallen. Die Morgendämmerung läutet die letzte Runde ein, aber tapfer habe ich die Nacht durchgekämpft, und ich habe keine Mühe gescheut. Drum sei ich erlöst, nun ende meine Prüfung, beschließe ich und beuge mich zum Tisch hinüber.

– O Dan, Liebling, du hast doch genug getrunken...!

Ach wo, was kümmert es mich...! Den Verstand zu einer Fratze verzerrt, greife ich seelenruhig nach der Flasche und führe sie mit müdem Armschwung an meine Lippen.

Ich zeige nicht die geringste Reaktion, als mit beiden Händen, ohne Vorwarnung, Elsie ihr Kleid zu schürzen beginnt. Ich kann ihr nur stumm zusehen, unfähig einzuschreiten. Sie daran hindern, sich rittlings auf meinem Schoß niederzulassen...?! Woher die Kraft nehmen? Wahre Tränen möchte ich vergießen ob dieses geschwächten Körpers, oh, dieser kleine Finger, unmöglich, ihn krumm zu machen, diese armen wackeligen Beine und diese völlige Lähmung, welche mich beim Anblick dieser langen, seidenweichen Schenkel befällt, die quer auf den meinen ruhen.

– Komm, steh auf! Schmeiß sie runter...! sporne ich mich an. Allein die Flasche an die Lippen zu setzen macht mir tierisch zu schaffen. Na gut..., sage ich mir. Wenn sie nur so bleibt, ohne sich zu bewegen, wenn sie stillhält, kein Problem... Meine Ehre ist gerettet, solange wir uns nicht auf mehr einlassen... Sie kann ruhig auf meinem Schoß sitzen, das heißt nichts... Wir können uns einen Moment zusammen ausruhen, ihr Kopf an meiner Schulter, das hat nichts weiter zu bedeuten... Sie soll bloß nicht glauben, ich hätte kapituliert... Sie soll brav sitzen bleiben, dann ist alles bestens... Ich bitte dich, Elsie..., einigen wir uns auf Remis...!

Wir rühren uns nicht. In dem zarten Halbschatten, den das langsame Heraufziehen des Tags nicht zerstört, gelingt es mir, einen Augenblick reiner Ruhe zu genießen. Es gibt nur noch diese Küche, der Rest der Welt ist zusammengebrochen, und ich will nichts, ich verlange nichts, nur das, was mir geschenkt ist, oh, wie heiter erscheint mir auf einmal das Licht des anbrechenden Tages.

Doch da wird sie auch schon wach. Nicht einmal eine Minute hat sie es ausgehalten. Herrgott, wie hatte ich ihr nur vertrauen können, wie oft muß ich noch auf ihre Doppelzüngigkeit hereinfallen, bis ich einsehe, daß sie niemals aufgeben, daß sie sich niemals an die Regeln halten würde, daß *noch nie* eine Partie beendet war, bevor sie nicht unser naives Haupt schwenken durften...! Kurz und gut, da sitze ich also, und ihre Hand, die schlängelt sich unter mein Hemd, wo ich vollkommen wehrlos bin. Es macht mich ganz krank.

– He, was tust du...?! murmele ich atemlos.

Man sollte meinen, meine Frage verleihe ihr Flügel. Sie klammert sich an meinen Hals und drückt sich an mich und preßt ihren Schamberg an meinen. Und ich weiß, was das bedeutet. In einem letzten Aufbäumen versuche ich die Flasche zu leeren, aber sie entwindet sie meinen Händen, indem sie mich mit sanften Worten trunken redet. Ich wimmere in meiner Ohnmacht, was sie verkehrt interpretiert, denn flugs schält sie eine nackte Brust aus ihrem finsteren Schlupfwinkel und gibt sie mir zu lutschen. Ich mache mich steif, ich starre sie an, zu Tode betrübt.

– O nein... Was machst du denn...??! ächz ich mit matter Stimme.

Sogleich packt sie die andere aus. Ich senke den Kopf. Und ich bin heilfroh über die relative Dunkelheit, während armselige Tränen aus meinen Augen quellen.

– *O Elsie...! Was machs'n du...?!!*

II

Jedesmal, wenn Elsie und ich die Nacht miteinander verbrachten, kam ich zu spät in Mariannes Bunker. Niemand sagte einen Ton, aber sämtliche Köpfe drehten sich nach mir um, und das Tuscheln hüpfte von der Empfangshalle durch sämtliche Flure. Im Aufzug stießen sie sich heimlich mit dem Ellbogen an, man betrachtete das Hätschelkind des Hauses mit einem stillschweigenden Lächeln. Dabei war das keineswegs Absicht von mir. Manche sahen darin das geringe Interesse, das ich für meine Arbeit aufbrachte, allein, Elsie hatte beschlossen, daß wir fortan *jedesmal* gemeinsam frühstückten, was ungefähr alle zwei Tage eintrat. Ihr zufolge war das, neben einigen anderen Dingen, absolut unerläßlich, damit sich unser Abenteuer wieder gut anließ.

– Ich bin nicht einfach das Mädchen, mit dem du schläfst...! Dieser Satz war dazu angetan, mir nicht aus dem Kopf zu gehen. Wir mußten uns um jeden Preis einige Momente gewöhnlicher Zweisamkeit bewahren, anscheinend war das wichtiger, als ich dachte.

Ich war mir der Gefahr bewußt, der man sich mit derlei Vorkehrungen aussetzt, aber ich hatte mich auf das Experiment eingelassen – selbst der unnachgiebigste Typ streckt letztlich seinen Wein mit Wasser, wenn der Gürtel schlottert. Und objektiv gesehen hatte ich keinen Grund, mich zu beklagen – der gleiche Typ stellt eines schönen Tages fest, daß die Freiheit ein überflüssiger Luxus ist.

Außerdem, meine Güte, fiel ich regelmäßig in einen tiefen und festen Schlaf, wenn sie die Nacht mit mir verbrachte. Natürlich war ich heilfroh über diese Entwicklung, aber leider war ich es nicht mehr gewohnt, nach Herzenslust zu schlummern – es ist meistens so, daß ein Problem an die Stelle eines anderen tritt –, so daß ich mir binnen kurzem einen soliden Wecker hatte zulegen müssen, ich, der ich seit so vielen Jahren kein solches Gerät mehr benutzt hatte. Recht schnell hatte ich jede Hoffnung fahren lassen, mich daran zu gewöhnen. Zu lange schon war ich aus dem Tritt, war ich nicht mehr zu festen Zeiten gefechtsbereit gewesen, zu lange schon war ich bei all dem außen vor. Und während Elsie neben mir auftauchte, grübelte ich Tag für Tag über dieses scheußliche Schicksal nach, das mich einerseits Schlaf finden ließ, andererseits morgens um acht skalpierte.

– Hat das Leben überhaupt einen Sinn, ist das nicht die Hölle auf Erden, war ich in einem früheren Leben zu verhätschelt...?! überlegte ich und drehte mich auf die andere Seite. Und schlief sogleich wieder ein. Jedesmal, wenn Elsie die Nacht mit mir verbrachte, kam ich zu spät in den Bunker.

Gegenüber von meinem Büro stand ein Kaffeeautomat. An manchen Vormittagen steckte ich buchstäblich mit der Nase in meinen Akten, und ich gähnte, daß es mir den Kiefer ausrenkte. Niemals zuvor hatte ich soviel geschlafen, und doch hatte ich eine Stunde lang Mühe, die Augen aufzusperren, wenn dieser verflixte Wecker gewütet hatte. Sobald ich ankam, fingerte ich alles Kleingeld aus meinen Taschen oder rannte auf der Suche nach Münzen durch den Flur, oder aber ich ließ meine Tür offen und versuchte mir ein, zwei Becher spendieren zu lassen, wenn der erstbeste unschuldig vor dem Automat stehenblieb. Elsie war überzeugt, daß ich nicht sehr lange unter diesen perversen Auswirkungen würde leiden müssen, daß ich mich daran gewöhnen würde.

– Danny, *Millionen* von anderen Leuten...! Sie meinte, daß auch ich bald ganz normal aufwachen würde.

– Verdammt, sowas nennst du *aufwachen*...?! Du meinst wohl *zerschlagen, zerstampft werden*...!! Dummerweise ging das seit Monaten so, und das legte sich ganz und gar nicht, egal, was sie meinte. Und ich gab mich keinerlei Illusionen hin.

Eines Morgens, als ich zu Hause losbrauste, vielleicht noch eiliger als sonst und die Lippen noch feucht von einem langen aufmunternden Kuß, glaubte ich etwas zu sehen, und das ging mir den ganzen Tag nicht aus dem Kopf. Ich war mir nicht sicher, ob ich richtig beobachtet hatte. Dabei war daran an und für sich nichts außergewöhnlich, aber die Sache hatte mich merkwürdig berührt.

Den ganzen Vormittag lang schaffte ich es nicht, mich auf meine Arbeit zu konzentrieren. Marianne wollte wissen, was ich von einigen Manuskripten hielt, welche die Stiftung zu veröffentlichen gedachte, und ich gab mir redlich Mühe, mich dafür zu interessieren, seit sie auf meinem Schreibtisch lagen, zwang mich sogar dazu, einige Dinge zu notieren, für den Fall, daß mich mein Gedächtnis im Stich ließ – es kommt nicht alle Tage vor, daß ein Buch Spuren hinterläßt. Ich mochte es ganz und gar nicht, wenn man mir derlei Aufgaben übertrug, lieber kümmerte ich mich um die Tippfehler oder hielt als *copy editor* her, aber Marianne hatte nicht lockergelassen, und wenn mir langweilig wurde, versuchte ich an den Scheck zu denken, der am Monatsende fällig war. An diesem Morgen jedoch war ich vollkommen neben der Kappe, ich kreiste, die Beine in der Luft, mit meinem Stuhl oder schnellte in die Höhe, um einen Kaffee zu ziehen und mich an dem Auf und Ab der Sekretärinnen zu ergötzen, die in die Aufzüge hüpften oder durch den Flur defilierten. Kurz vor Mittag dann, entschlossen, mir Gewißheit zu verschaffen, ging ich zu Sarah hinunter.

Ich kurvte um den Theatersaal herum und traf sie vor den Logen. Jeanne Flitchet war bei ihr, sie beugten sich über einen offenen Karton und stöhnten.

– Herrgott...! Die machen mich noch verrückt...! klagte Sarah. Ah, Jeanne, sei doch so nett, und hol mir den Bestellschein...!

– Na, voll im Streß...? fragte ich.

Jeanne hob den Kopf und lächelte mich an. Sarah schloß nur die Augen, sie preßte die Hände gegen den Nacken und drückte die Ellbogen zusammen.

– Jeanne, ruf die bitte an..., sagte sie ruhig, aber von einer kühlen Wut erfüllt. Sag ihnen, die können mich dreimal kreuzweise mit ihren dämlichen Perücken... Sag, ich schmeiß den Kram zum Fenster raus, verdammt nochmal...!

Jeanne eilte davon, die Brust in beiden Händen. Nicht darauf erpicht, daß sich das Gewitter über meinem Haupt entlud, und auch nicht neugierig, was es mit diesen Perücken auf sich hatte, wartete ich mit zusammengekniffenen Lippen, daß sie sich für mich interessierte. Mir war durchaus bewußt, daß unser beider Lage nicht vergleichbar war, daß sie bis zum Hals in Arbeit und jeder Menge Verantwortung steckte und unentbehrlich geworden war für alles, was den reibungslosen Ablauf der diversen Darbietungen betraf, die unter dem Dach der Marianne-Bergen-Stiftung vonstatten gingen. Es gab kein Ballett, keine Revue, kein Stück, das nicht direkt auf ihren Schultern ruhte, den ganzen Tag über wurde sie gebraucht. Wo man hinhörte, hieß es, Sarah sei Gold wert, und auf den oberen Etagen schätzte man sich glücklich, daß man ein so feines Näschen bewiesen hatte und nun über die beste Regieassistentin der ganzen Stadt verfügte. Mich persönlich wunderte die Bedeutung, die sie erlangt hatte, keineswegs. Ich brauchte sie nur anzusehen. Wobei ich nicht umhin konnte, mir in aller Offenheit einzugestehen, daß man dergleichen von mir nicht behaupten konnte, daß ich an diesem Tag nicht gerade Funken sprühte, daß sich noch keine Sorgenfalte in meine Stirn gegraben hatte.

– Nein, so eine Bande von Schwachköpfen ...! seufzte sie.

– Pah, denk nicht mehr dran ... Gehn wir essen, hast du mal auf die Uhr geguckt ...?

– Essen? murmelte sie kaum vernehmbar und ging kopfschüttelnd an mir vorüber, um sogleich durch den Flur davonzuflitzen. Ich holte sie in ihrem Büro wieder ein.

– Jetzt ist nicht die Zeit, mich aufs Essen anzusprechen ..., fuhr sie fort, während sie weiß der Kuckuck was in den Fächern eines Metallschranks suchte.

– Siehst du nicht, was ich um die Ohren habe ...?

– Ja, aber ich wüßte nicht, was das ...

– Mist! Wer hat denn hier wieder rumgewühlt ...?!! JEANNE! LEG AUF, WENN KEINER DRANGEHT, rief sie zur Tür hinaus. SAG, MAN SOLL UNS 'NEN FAHRRAD-KURIER VORBEISCHICKEN ...!

– Jemand, der mit leerem Magen in die Pedale treten kann, dachte ich bei mir.

– Soll ich dir etwas mitbringen?

– Hmm...? Nein, danke, ich will nichts... Wo hab ich nur diese Liste hingetan...?!

Ich zögerte einen Moment. Fast wäre ich gegangen, ohne noch ein Wort zu sagen, aber der Zweifel nagte an mir.

– Überdies... Richard kommt doch heute abend zurück...? erkundigte ich mich.

– Mm... Jaja...

– Und? Hat ihm der Ausflug gefallen...?

An jenem Abend speiste ich mit Bernie. Hermann war zur Probe, und Elsie hatte mir für den Abend freie Hand gelassen. Mächtige rote Strahlen, lau und ruhig, drangen durch den Garten, und wir aßen im Freien, und ich war derjenige, der eine Sonnenbrille auf hatte, einzig wegen des Lichts.

Er hatte uns ein köstliches Mahl zubereitet, nur für ihn und mich, aber meine Gedanken waren woanders.

Beim Dessert sagte ich ihm, hör mal, ich schätze, er kommt bald zurück, ich glaube, er kommt sogar sehr bald.

Und tatsächlich, wie ich vorhergesagt hatte, tauchte Harold am nächsten Tag wieder auf. Doch selbst wenn ich nichts gesehen hätte, ich hätte Bernie dennoch beruhigen können, ohne Gefahr zu laufen, mich zu irren. Denn jedesmal, wenn Harold türenschlagend das Weite suchte, kam er nach rund einer Woche wieder zurück. Mit knurrendem Magen und einem Koffer voll schmutziger Wäsche. Zehn Tage war wirklich das Äußerste seines Aktionsradius.

Bernie war der einzige, der sich Sorgen machte, der hartnäckig blind blieb. Sein ›Ach, Dan...! Diesmal hat er mich *wirklich* verlassen...!!‹ klang mir regelmäßig in den Ohren. Für ihn war das jedesmal das endgültige Aus, im übrigen hatte ich für diese Dinge kein Gespür, ich konnte mir gar nicht vorstellen, wie anders das diesmal war und was für einen schrecklichen Blick er ihm ein andermal zugeworfen hatte. Natürlich verflüchtigte sich sein Gedächtnis, kaum war der Unglücksvogel wieder ins Nest geflattert, und er vergaß mir zu antworten, wenn ich ihm zuraunte:

– Na... Hab ich's nicht gesagt...?

Ich hatte einen unerfreulichen Tag im Büro hinter mir – der Kaffeeautomat war kaputtgegangen, und ich hatte mir obendrein ein seelenloses Manuskript vorgeknöpft –, ich hatte acht Stunden purer Langweile hinter mir und kam mit angespanntem Sinn nach Hause, als ich erfuhr, daß Harold an den häuslichen Herd zurückgekehrt war.

– Er hat sich sogar die Haare schneiden lassen, fügte Hermann hinzu, während ich geradewegs zu meinem Sessel flitzte.

– Nein! Ehrlich...? fragte ich hämisch.

– Jaja, steht ihm gar nicht so schlecht... Weißt du, obendrauf einigermaßen lang, im Nacken und an den Seiten ausrasiert...

– Ach du Schande, ich kann's mir vorstellen... Das fehlte noch! Unter uns gesagt, an seinem schwachsinnigen Grinsen ändert das auch nichts...!

– Nein, im Ernst, ich finde, er sieht jünger aus...

– Naja, weißt du, wenn man's recht betrachtet, ist er geistig ohnehin erst fünf oder sechs...

– Eh, was hat er dir eigentlich getan...?

– Nichts... Nichts hat er mir getan.

– Hm, wenn du mich fragst... Du siehst aus, als wolltest du jemanden auffressen, ehrlich, ich übertreib nicht...!

Ich machte eine wegwerfende Handbewegung und wandte den Kopf ab, um die Diskussion abzuschließen. Ich schaute einen Moment in den Garten, in die Stille und in das Junilicht, das am Fenster flimmerte.

– Rat mal, mit wem er die ganze Zeit zusammen war...! sagte ich in unbeteiligtem Ton, den Blick auf meinen Rasen gerichtet.

Da ich keine Antwort erhielt, wandte ich mich ihm langsam wieder zu. Doch jetzt war es an ihm, den Garten zu betrachten, und sein Gesicht wirkte relativ ausdruckslos, so daß ich meine Frage wiederholte:

– Rat doch mal, *mit wem* dieses unsägliche Arschloch in den letzten Tagen auf Achse war...!!

– Scheiße, woher soll ich das denn wissen...?! erwiderte er und steckte dabei beide Hände in die Taschen.

Ich beobachtete ihn. Dann schlug ich mir auf die Schenkel und stand seufzend auf.

– Herrgott, wofür rede ich mir eigentlich den Mund fusselig...

Ich ging in die Küche. Ich fühlte mich ziemlich idiotisch. Und leicht verletzt. Ich kam mir dermaßen bescheuert vor, daß ich mir in einer absurden Anwandlung das Hemd vom Leibe riß und in die Maschine steckte. Es war ohnehin warm.

– He... Richard ist schließlich alt genug...

– Jaja... Wahrscheinlich..., sagte ich und schnappte mir das Waschmittel.

In einer makellosen Stille erledigte ich die erforderlichen Handgriffe, dann entschied ich mich für eine Wäsche mit niedriger Temperatur.

– Trotzdem hättest du mir Bescheid sagen können..., knurrte ich, als ich an ihm vorbeikam.

– Meine Güte, was gibt's da schon groß zu sagen...!

Kopfschüttelnd wanderte ich durchs Wohnzimmer. Ich blieb vor meinem Sessel stehen, ich wußte nicht, ob ich Lust hatte, mich zu setzen oder nicht. Als ich mich umwandte, hatte er sich bereits auf der Armlehne des Sofas niedergelassen und betrachtete mich mit amüsierter Miene.

– Na schön, aber wenn ich mir vorstelle, daß er mit diesem..., mit diesem..., meinte ich und reckte einen drohenden Finger ins Leere.

Hermann zuckte resigniert mit den Schultern.

Mein Arm sank zurück, ich setzte mich.

– Herr im Himmel, als ich die beiden gestern morgen gesehen hab, ich schwör dir, ich hab meinen Augen nicht getraut... Eh, sag mal, ist das einfach so über ihn gekommen, aus heiterem Himmel...? Hat der plötzlich 'nen Rappel bekommen?

– Mmm, das ist schwer zu sagen... Ich glaube, er weiß selbst nicht genau, was er will.

– Na schön, aber Harold, der weiß, was er will, da kannst du Gift drauf nehmen... Der hat die jugendliche Verwirrung hinter sich...!

– Naja… Trotzdem, gezwungen hat er Richard nicht, das bestimmt nicht…!

– Es gibt verschiedene Wege, jemanden zu zwingen. Verdammt, dieser Harold ist hinterlistiger, als du glaubst!

– Okay… Mag sein… Aber du kannst mir nicht erzählen, daß Richard *wirklich* etwas für Mädchen übrig hat… Ich glaube, das hätte ich mit der Zeit gemerkt.

– Wir haben oft genug darüber gesprochen, aber ich sage es dir gern noch einmal… Kann man einem Jungen, der so viel hat wegstecken müssen wie Richard bei seiner Mutter, kann man dem vorwerfen, daß er sich Mädchen gegenüber ein wenig in acht nimmt oder schlichtweg reserviert verhält…? Sollte man ihm nicht ein wenig Zeit lassen und sich hüten, vorschnelle Schlüsse zu ziehen…?

– Meine Güte, daß ich nicht lache…! Meinst du, es kratzt mich, ob Richard nun *gay* ist oder nicht…? Was sollte das denn für mich ändern, worüber reden wir hier überhaupt…? Scheiße, ob er nun mit Harold schläft und wie riesig gut ihm das tut, Mensch, das kratzt mich nicht im geringsten… He, ich dachte immer, sowas wär dir vollkommen schnurz…!

– Naja… Sagen wir so, ich hab das noch nie aus diesem Blickwinkel betrachtet… Sagen wir, ich hab mich noch nicht von meiner Überraschung erholt. Ich glaube, das liegt an Harold, daß ich das nicht verdaut kriege… Ich komme nicht dagegen an, da sträuben sich mir die Haare!

– Aha, wenn ich recht verstanden habe…

– Hermann, du hast eine widerliche Art, die Dinge zu vereinfachen.

– Überhaupt nicht! *Du* versuchst mir doch die ganze Zeit zu verklickern…

– Ja, ich weiß selbst, was ich sage… Vielleicht hätte ich die Sache anders aufgenommen, wenn Harold nicht darin verwickelt wäre, ich weiß es nicht… Aber leider ist er es nun mal und niemand anders, und da führt kein Weg dran vorbei…! Ergo, ich schaffe es nicht, Abstand zu gewinnen, verstehst du… Schlimmer noch, ich habe keine Lust dazu… Ich weiß nicht, ob du mich verstehst, aber jetzt, in diesem Moment, geht mir nicht etwa Richards Homosexualität durch den Kopf, sondern so etwas wie Verführung Minderjähriger.

– Nur daß Richard nicht mehr minderjährig ist...

– Ja, das weiß ich, ich versuche dir nur zu erklären, was ich empfinde... Ich bemühe mich nicht, logisch zu sein oder über das Problem nachzudenken, ich will da keine intelligente Haltung einnehmen... Ich sage dir nur, was ich denke, das ist alles.

Ich stand auf, um mir ein Glas zu holen.

– Andererseits, das natürlich nur am Rande, du kannst dir sicherlich vorstellen, was los ist, wenn gewisse Leute dahinter kommen...!

In der nächsten Zeit ließ ich keine Gelegenheit aus, Richard unauffällig zu beobachten. Ich wollte wissen, was nun war und ob ich gewisse Dinge fühlen würde, aber ich fühlte überhaupt nichts. Mir fiel höchstens auf, daß er ein wenig besorgter, ein wenig wortkarger wirkte als sonst, und das hätte ein Anzeichen sein können, wären da nicht diese Prüfungen am Ende des Schuljahrs gewesen, die ihnen allen ein paar Sorgen machten und folglich das Resultat meiner Analysen verfälschten.

Die Tage waren heiß. Die allgemeine Stimmung schweigsam. Wir waren mit Arbeit überlastet, da waren sie nicht die einzigen. Man hätte meinen können, ein gemeinsames Schicksal habe uns alle zugleich erwischt, und wir hatten nichts mehr zu lachen. Das war Zufall, aber wir mußten uns samt und sonders doppelt ins Zeug legen. Bernie war mit seinen Aufträgen im Verzug und verbrachte, gemeinsam mit Harold, ganze Tage in seinem Atelier, um den Prototyp eines Liegestuhls zu entwickeln. Sarah machte neben ihrem normalen Job eine Bestandsaufnahme des ganzen Krams, den man ihrer Sparte zuzählte, und das war kein Pappenstiel, so daß wir nur selten zusammen essen konnten.

Meinerseits herrschte der helle Wahn. Astringart war krank geworden – ein ärztliches Attest hatte ich allerdings nicht zu sehen bekommen –, und man hatte mir sämtliche Manuskripte zugeschoben, in der Erwartung, ich würde ein Auge darauf werfen.

Ich hatte Schwierigkeiten, mein Büro zu betreten. Ich brauchte mir das nur vom Flur aus anzusehen, wenn ich von Zeit zu Zeit, mit dem Rücken an der Wand, einen Kaffee trank, schon bekam ich eine Gänsehaut, und mein Blick verschleierte sich.

Ich mußte erkennen – ich, der ich mir stets eingebildet hatte, ein Buch zu schreiben sei das Härteste auf der Welt –, daß in Wirklichkeit jeder sein kleines Opus verzapfte und daß die Sache, die mich fast um den Verstand gebracht hatte, letzten Endes nur ein weitverbreiteter Zeitvertreib war. Das war eine gute Lektion, leider kam sie für mich zu spät. Ich krepierte vor Hitze in meinem Büro, und die meiste Zeit langweilte ich mich zu Tode. Es war eine angenehme Abwechslung, wenn ein Manuskript mal nicht mit »Es regnete« anfing.

Jeden Morgen blieb ich an der Rezeption stehen, um mich nach Astringart zu erkundigen. Im Aufzug verfluchte ich ihn, und ich schaute kurz bei Paul herein, um mich zu beklagen, ohne jede Hoffnung, aber immerhin schob ich mein düsteres Tête-à-tête mit dem Regen ein wenig hinaus.

– Herrgott, Danny... Wenn du mir wenigstens sagen würdest, wozu du überhaupt Lust hast...! Du weißt genau, ich bin zu allem bereit...

Ich unterbrach ihn mit einer Handbewegung. Ich hatte schon ungefähr alles ausprobiert, was er mir vorgeschlagen hatte. Ich hatte keinen Hehl daraus gemacht, daß mein angebliches Talent nur schwer an den Mann zu bringen war, aber sie hatten sich geweigert, mir zu glauben. Insofern war es mir ein Trost, sie gewarnt zu haben.

Andererseits war ich auch nicht schlimmer als jeder andere. Ich hatte Astringart im Verdacht, im rechten Moment von Bord gehüpft, sprich krank geworden zu sein, aber da es nun einmal erforderlich war, rackerte ich für zwei, ich nörgelte, scheute jedoch keine Mühe, und am Abend hatte ich einen steifen Nacken. Ich entfernte mich dann leise aus meinem Büro, schob meine Sonnenbrille hoch und beugte mit geschlossenen Augen den Kopf zurück, um für einige Minuten reglos zu verharren, während sich der Flur leerte. Und ich dachte an Richard, nun ja, ich dachte ziemlich oft an ihn. Anschließend hatte ich den Aufzug für mich allein. Er roch noch ganz nach Parfüm und Körpergeruch.

Manchmal traf ich sie in meinem Garten an. Ganz in ihre Bücher vertieft, kritzelten sie mit zufriedener und erleichterter Miene ein paar letzte Notizen, und ich blieb drinnen und störte sie nicht, ich schaute ihnen durchs Fenster zu, ich saß da, ohne mich zu bewegen, hielt den Atem an und war von konfusen Empfindungen durchdrungen, und ich fragte mich, ob sie noch unschuldig waren oder ob es damit vorbei war, ich fragte mich, wo sie waren und wann sie dorthin aufgebrochen waren, aber ich blieb drinnen und störte sie nicht. Nach dem Pensum, das ich Tag für Tag leistete, hatte ich keine Lust, mich der Sonne auszusetzen. Ich blieb im Schatten, hörte ein wenig Musik, ich war nicht mehr imstande zu lesen, meine Augen waren müde. Auch wenn ich auf die fünfundvierzig zuging, mitunter hatte ich das Gefühl, überhaupt nichts zu wissen.

Wenn Elsie eintraf, richtete ich mich in meinem Sessel auf. Es gehörte zu ihren neuesten Errungenschaften, sich auf meinem Schoß niederzulassen, kaum daß sie eingetreten war. Ich war neugierig, wie lange unser Turteln noch anhalten würde, zumal Marc weiterhin mit gequälter Miene durch die Gegend streunte. Ich ließ mich ohne tiefergehende Überzeugung küssen, erwiderte ihre Küsse jedoch, denn ein bißchen Liebe kann nie schaden, und wer weiß schon, wie es morgen aussieht...? Ich schaute ihr gern zu, wenn sie aufstand, wenn sie mit meinen Lippen fertig war, ergötzte mich an ihrem Zögern, wenn sie zwischen der Gesellschaft der Jugend – die obendrein das letzte Licht des Tages ausnutzte – und meiner wählen mußte. Nicht daß ich mich für eine Art Heiligen hielt, aber eine Portion Härte gehörte dazu, sie in den Garten zu schicken – ich brauchte es ihr nicht zweimal zu sagen – und selbst in die Küche zu gehen und mich um das Essen zu kümmern.

Richard und Gladys blieben während jener Zeit ziemlich häufig zum Abendessen bei uns, denn theoretisch sollte das Lernen danach weitergehen, und wenn man sie hörte, war es besser, gemeinsam zu leiden, als einsam zu klagen. Darüber dachte ich zwar schon lange anders, aber ich schwieg fein still, zumal es einige Erkenntnisse gibt, zu denen man ohnehin recht schnell gelangt. Ich hatte nicht den Eindruck, daß sie viel arbeiteten, wenn wir vom Tisch aufstanden, für meinen Geschmack fehlte es ihnen an Schwung, jede Kleinigkeit war ihnen Anlaß zur Ablenkung. Aber ich lud sie gewiß nicht ein, das Abendessen mit uns zu teilen, um mich ihres Arbeitseifers zu vergewissern. Nicht daß mir ihre Fortschritte gleichgültig waren, doch das war nicht der wahre Grund für meine Gastfreundschaft. Sarah kam seit einiger Zeit recht spät nach Hause, und wenn man ihr glauben konnte, lag das an dieser verfluchten Bestandsaufnahme, die sie zu solch ungehöriger Stunde noch festhielt.

– Wenn das so weitergeht, verlange ich eine Gehaltserhöhung, findet ihr nicht . . . ? –, was eine glatte Lüge war. Die Bestandsaufnahme war ein Typ von der Sorte Schönling, genau die Sorte, die mir überhaupt nicht gefiel, worüber ich mich aber mit ihr zu diskutieren weigerte, weil mich diese Geschichten mittlerweile auf die Palme brachten und ich an den Einzelheiten nicht interessiert war.

– Aber wenn ich mit dir nicht darüber reden darf, mit wem soll ich denn darüber reden . . . ?

– Herrgott . . . ! Du bist doch nicht *verpflichtet*, über solche Dinge zu reden . . . !

Diese neue Liaison unterschied sich insofern von allen anderen, als sie sich von Beginn an durch einen hemmungslosen Rhythmus ausgezeichnet hatte, der mit nichts, was wir bislang erlebt hatten, auch nur annähernd zu vergleichen war. Im allgemeinen sah Sarah zu, daß ihr Sexualleben weder störende Bedeutung erlangte noch unerquicklich wurde oder gar die Atmosphäre zu Hause unerträglich vergiftete. Mit der Zeit war es ihr gelungen, ihre Bedürfnisse relativ diskret zu befriedigen, so daß ihre Ausflüge nicht mehr ständig Anlaß zu Auseinandersetzungen mit Richard boten. Mag sein, daß es verschiedene Arten gibt, zur Tür hinaus zu gehen, vielleicht auch eine Möglichkeit, daß es gar nicht danach aussieht.

Da ich nicht die geringste Information bezüglich dieser Affäre zu dulden geruhte, wußte ich nicht, was tatsächlich vorging. Ich kannte weder die intimen Maße noch die Gepflogenheiten ihrer neuen Eroberung. Sarah indes schien den Kopf verloren zu haben, zumindest war es das erste Mal, daß sie einem dieser Typen mehrere Abende nacheinander gewährte. Offen gestanden, das Ganze gefiel mir nicht sonderlich. Und eine Frage ließ mir keine Ruhe: Nutzte sie nur die günstige Gelegenheit, gestattete sie sich dieses Extra an Freiheit, weil sie wußte, daß die Kinder bei mir waren, oder hätte sie *auf jeden Fall* so gehandelt...?

Ansonsten kam sie zwar spät zurück, aber immerhin, sie kam, was ihrer Inventurgeschichte – wenn man zudem bedachte, daß die beiden anderen den Kopf voll hatten – einen Anstrich von Glaubwürdigkeit verlieh. Und sollten sie doch nicht darauf hereinfallen, so zeigten sie es zumindest nicht, und ich wollte die Hoffnung nicht aufgeben, daß Sarah zur Besinnung kam und vor dem Abschluß der Prüfungen wieder zu mehr Zurückhaltung fand.

Einstweilen war sie mir zu einigem Dank verpflichtet. Ich ersparte es ihr, sich allzuviel Sorgen um ihre Kinder zu machen, ich erlaubte es ihr, mit ruhigem Gewissen davonzuflattern. Früher hätte ich einem Kerl, der ihr eine schöne Zeit verschaffte, bereitwillig die Hand geschüttelt, ich mochte es, wenn sie glücklich war, und ich hörte mir ihre Seufzer mit gerührter Miene an, wenn sie mit zwei, drei herzergreifenden Worten rausrückte, aber diese Zeiten waren vorbei, und ich wußte nicht, wie ich es angestellt hatte, ich wußte nicht, wie ich mich in einem solchen Maße hatte ändern können. Wie dem auch sei, ich zeigte ihr die kalte Schulter und mied ihre Gesellschaft – was sie, nebenbei gesagt, nicht sonderlich zu stören schien, ich hätte nicht einmal beschwören können, ob sie überhaupt irgend etwas merkte –, ich zog es vor, mich von ihr fernzuhalten, so sehr ging mir ihr Verhalten auf die Nerven, im Ernst, man hätte mitunter schwören können, sie sei vollkommen durchgedreht. Ich lachte höhnisch, wenn ich ihren verwirrten Blick auffing. Ich sagte ihr nicht, sie arbeite zuviel, ich bedauerte sie nicht, wie es mitfühlende Seelen eilfertig tun, ich verkniff es mir, sie zu fragen, ob ihr Hengst ihr womöglich *bis ins Hirn* gedrungen war.

Die Nächte ließen lang auf sich warten. Eines Abends tanzten Bernie und Harold an, und ich war vom Sex – vor allem dem der anderen – dermaßen erledigt, daß ich Harold fast erwürgte, ich nutzte den Augenblick, den wir allein in der Küche waren, und würgte ihn mit einer Hand. Anschließend entschuldigte ich mich. Er schnitt immer noch Fratzen und hielt sich die Kehle, und ich bat ihn, er möge es mir nicht übelnehmen, ich sagte ihm, es tue mir leid, daß ich dermaßen altmodisch sei, und *danach* hielt er still. Auch wenn er es verdient hatte – sein Blinzeln in Richtung Richard hatte mir gereicht –, ich gebe zu, daß ich recht brutal vorgegangen war, aber das hatte er Sarah zu verdanken – pah, ich würde niemals eine Frau würgen –, daß ich so nervös war, so kitzelig in diesem Punkt und beinahe hitzköpfig.

Fast hätte ich an diesem Abend mit Richard geredet. Ich lieh ihnen für die Rückfahrt meinen Wagen, und ich ging mit ihm nach draußen, um Werkzeuge aus dem Kofferraum zu holen. Ich wolle das Wochenende dazu nutzen, ein paar Kleinigkeiten an der *Triumph* zu überprüfen, klärte ich ihn auf, während ich an seiner Seite zu dem *Fiat* schritt, mmmm, ich hab ständig Probleme mit dem Leerlauf, verstehst du. Plötzlich fiel mir auf, daß wir allein auf dem Bürgersteig standen, daß uns aus irgendeinem obskuren Grund niemand gefolgt war. Ich hörte auf, meine Motorprobleme herzuleiern, und ich guckte ihn an, während er sich wortlos streckte, den Oberkörper zurückgeneigt, die Hände ins Kreuz gepreßt.

In diesem Moment hatte ich Lust, mit ihm zu reden. Ich fühlte mich zu ihm hingezogen, und ich hatte Lust, ihm zu sagen, daß ich Bescheid wußte, daß ihn das mir gegenüber nicht zu stören brauche, denn diese Sache sei mir gleichgültig, es schere mich wenig usw. Trotzdem sagte ich keinen Ton. Ich beobachtete ihn weiter, und ich erwiderte sein Lächeln, und er fing an zu gähnen:

– Aahuaa ... Was treiben denn die da drinnen ...?!

Ich schaute ihn immer noch an.

– Hey ... Soll ich dir dein Werkzeug geben ...?

Ich musterte ihn noch einen Moment, dann senkte ich den Blick, damit er mich nicht für bescheuert hielt. Ich nickte, dann tauchten Gladys und Hermann auf.

Im Laufe des Nachmittags dachte ich mehrmals an diesen Augenblick zurück. Über mein Motorrad gebeugt, ließ ich meinen Geist frei schweifen, und von Zeit zu Zeit nistete sich die Szene in meinen Gedanken ein, und ich unterbrach mein Hantieren, blieb auf meinen Fersen sitzen und nahm dann friedlich meine Arbeit wieder auf. Ich war froh, daß ich allein war, nichts drängte mich, und die Straße war ziemlich still. Im Grunde konnte ich es kaum fassen, daß ich eine solche Ruhe genießen durfte, denn was mir einst reichlich vergönnt war, hatte sich plötzlich in einen wahren Jammer verwandelt, seit ich den Fuß in ein Büro gesetzt hatte. Wieviel zarte und milde Vormittage hatte ich nicht erlebt, wieviel lange und gefühlvolle Nachmittage hatte ich mir nicht geleistet, als ich noch frei war, war ich mir dessen wenigstens bewußt gewesen...?! Wahrscheinlich nicht so, wie es hätte sein müssen, befürchtete ich, aber wie hätte ich damals ein Wunder feiern können, in dem ich von morgens bis abends schwelgte, hatte ich mir überhaupt vorstellen können, daß es noch eine andere Welt gab, daß es eine außergewöhnliche Gunst war, einen ruhigen Nachmittag zu verbringen?

Wie jedes Jahr hatte Gladys ihr übliches Basketballturnier, aber diesmal, zumal es sich nur um das Halbfinale handelte, hatte ich unversehens ein elendes Kopfweh an mir entdeckt, als wir gerade losgehen wollten. Wieder einmal strebte das Mädchenteam unaufhaltsam dem Titel zu, und wie jedes Jahr keimte, der regelmäßigen Finalschlappe zum Trotz, am Gymnasium Hoffnung auf. Das war zwar kein Sport, der mich besonders langweilte – nur Fußball geht mir richtig auf die Eier –, ich fand es auch keineswegs unangenehm, all diese jungen Frauenkörper dort in Bewegung zu sehen und von Saison zu Saison gewisse Veränderungen festzustellen, aber vor allem war mir nach Ruhe zumute, ich wünschte mir nichts mehr als völlige Bewegungslosigkeit um mich herum und wollte im Umkreis von fünfzig Metern, wenn möglich, keine Menschenseele sehen, also drückte ich mich, als alle Welt aufstand, begleitete sie mit einer leichten Grimasse lediglich zur Tür und machte diese hinter ihnen zu.

Diese ersten Augenblicke der Einsamkeit taten mir unglaublich gut. Die Sonne war da, aber ich hatte mich im Schatten niedergelassen, um an meiner Mühle zu basteln, und ein leichter Hauch strich durch die Gegend und trug jenen Pflanzenduft herbei, auf den ich so stehe. Wenn ich Glück hatte, würden sie nach dem Spiel noch ein Glas trinken, und wenn sie in Form waren, konnte mein Glück bis zur Abenddämmerung dauern, ich wünschte es mir von ganzem Herzen. Allein die Aussicht machte mich fröhlich.

Und mein Geist sauste, wie gesagt, umher, ich war hingerissen und fühlte mich wie ein spiegelglattes Meer. Ich dachte sogar daran, aufzustehen und das Telefon auszuhängen, als Elsie meinen Garten betrat. Fast wären mir die Beine weggeknickt. Sie schmiß ihre Tasche auf den Rasen und warf sich mir so an den Hals, daß wir unter meine Rosenstöcke purzelten.

– O Dan...! hauchte sie mir ins Ohr. Entschuldige, daß ich dich allein gelassen habe! O mein Schatz, versprich mir, daß du mir nicht böse bist...!

– Herrgott nochmal...! jaulte ich.

Sie nahm mein Gesicht mit beiden Händen und bewunderte es mit einem zärtlichen Lächeln, während ich wütend Grasbüschel zwischen meinen Fäusten zerquetschte und vergeblich meinen Kopf zu schütteln versuchte. Dann preßte sie mein Gesicht gegen ihre Brust und fuhr mit den Händen durch meine Haare.

– Danny, wir kommen so selten dazu, einen ganzen Tag zusammenzusein! flüsterte sie und umarmte mich wie eine Puppe.

– Herr im Himmel, morgen ist doch Sonntag...! knurrte ich durch die Zähne.

– Ah, ich bin wirklich schwer von Begriff...! Ich habe nicht geschaltet, als du sagtest, du kämst nicht mit... Sei nett, ich will nicht wissen, was du gedacht hast, *du irrst dich*, Dan, schau mich an... *Du, ich bin so schnell ich konnte zurückgekommen...!*

Ich schaffte es nicht, sie anzusehen, denn sie hatte uns aus dem

Schatten geschleudert, und jetzt hatte ich die Sonne in den Augen. Ich spürte, wie sich ihre Zunge in meinen Mund bohrte. Darauf beschloß ich, an nichts mehr zu denken, und ich ließ mich vorsichtig, auf meinen Rücken achtend, nach hinten fallen, mit ihren Lippen, die an meinen klebten, und ihrem ganzen Körper, der hinterherkam.

Als wir damit fertig waren, stand ich hastig auf und versuchte meine schlechte Laune runterzuschlucken.

– Komm, mach dir keine Sorgen, es ist alles in Ordnung... Es war alles in bester Ordnung, sagte ich und klopfte mich ab.

– Ja, aber wir haben im Moment soviel Arbeit, daß ich das Gefühl habe, wir sehen uns gar nicht mehr, murmelte sie.

– Pah, weißt du, ich hatte dermaßen Kopfschmerzen...

– Hast du etwas dagegen genommen? Fühlst du dich besser?

Mmm, es ist noch spürbar... Nein, ich wollte nur sagen, daß es in solchen Augenblicken keine helle Freude ist, mit mir zusammen zu sein, und ich will dich nicht zwingen...

– Aber ich fühle mich nicht gezwungen, fiel sie mir ins Wort.

– Nein, aber... Ich finde, das ist doch dumm... Weißt du, mir würde es keinen Spaß machen, den Nachmittag mit einem Typen zu verbringen, der nur schlecht gelaunt ist...

Ich spürte sehr gut, daß ich mich vergeblich bemühte, als sie mit engelgleichem Lächeln auf mich zukam, erst recht, als sie sich an meine Taille klammerte.

– Na und, Pech für mich, antwortete sie.

Manchmal verblüffte sie mich, und das sogar recht häufig, seit wir wieder zusammen waren. Für meine Begriffe war das nur ein Strohfeuer, ich mußte darauf gefaßt sein, eines schönen Tages allein aufzuwachen, aber mitunter war ich mir unschlüssig. Ihre Anstrengungen, uns einander näherzubringen, trugen allmählich Früchte, und obwohl ich weiter in der Defensive verharrte, hatte unser Verhältnis ein anderes Ausmaß angenommen, hin und wieder hatte ich fast den Eindruck, wir lebten zusammen. Was mich nun doch verwunderte.

Sie hatte sich neben mich gesetzt, während ich meine Schrauben anzog. Das war nicht die tiefe Einsamkeit, die ich mir gewünscht hatte, aber sie hatte sich *Tokyo Montana Express* geholt, ein Buch, das ich ihr am Vortag geschenkt hatte, und ich fand ein wenig die Ruhe wieder, aus der sie mich gerissen hatte, es gibt nämlich Bücher, die verschlagen einem die Sprache.

Ich vermied es, sie anzusehen, denn sie hatte sich ihres Rocks entledigt, um die Beine in die Sonne zu legen, ihr Hemd war reichlich aufgeknöpft, und ich hörte, wie sie in ihrem Liegestuhl hin und her rutschte. Ich versicherte ihr, daß ich wirklich nichts bräuchte und daß diese verflixte Migräne unweigerlich mit ein wenig Schweigen einhergehe, aber ich sei bester Hoffnung. Ich wählte keinen unangenehmen Ton, ich gab ihr bloß zu verstehen, daß ich mich im Moment nicht um sie zu kümmern gedachte. Ich brauchte nur einer einzigen Falle auszuweichen, um doch noch in den Genuß einer relativen Ruhe zu kommen: Ich mußte mir verkneifen, sie anzuschauen. Ein kurzer Seitenblick hatte gereicht, um mir der Gefahr bewußt zu werden. Außerdem hatte ich mich schon immer gefragt, ob sie ihre Slips nicht zwei, drei Nummern zu klein trug.

Es war zwar nicht gerade einfach, aber ich schaffte es, mich von diesen Dingen abzuwenden, indem ich mir vorstellte, ich sei in einem Kloster, zur Stunde der Vesper, und als sie sagte:

– Toll, diese Szene, der Metzger mit den kalten Händen ...!
begnügte ich mich damit, mit dem Kopf zu nicken, denn ich, ich fand sie alle toll, und mechanisch bastelte ich weiter an meinem Motorrad.

Ich dachte wieder an Richard, als sie unter der Dusche stand. Ich fragte sie von unten, ob alles in Ordnung sei, dann holte ich mein letztes Fotoalbum hervor – seit sechs, sieben Jahren machte ich so gut wie keine Aufnahmen mehr –, und ich setzte mich auf den Teppich, mit dem Rücken an der Wand, und fing am Ende an. Ich stieß schnell auf die Bilder, die mich interessierten, es gab da besonders eins, auf dem er mit Gladys und seinem Vater war, er war höchstens zwölf Jahre alt, und Mat faßte sie um die Schultern, sie standen vor dem Haus, und wenn man genau hinsah, erkannte man, daß sich Richard auf die Zehenspitzen gestellt hatte. Sarah war nicht auf dem Foto, schon damals war Sarah oft *wo-*

anders, und wenn man noch genauer hinschaute, konnte man – obwohl sie lächelten – sehen, daß etwas nicht stimmte, das fiel mir jedesmal auf. Mat Bartholomi war mein Freund gewesen, aber ein Vollidiot in puncto Sarah, ein armseliger Typ, unfähig, einen Entschluß zu fassen.

– Mach nur so weiter, hatte ich ihm ständig gesagt, eines Tages seid ihr zu dritt in deinem Bett, und er hatte nur gelächelt oder auch irritiert dreingeblickt, er zog es vor, über all das nicht zu reden, denn weißt du, meinte er zu mir, es gibt da keine Lösung, naja, jedenfalls nicht für mich.

Ich hatte andere Fotos aus jener Zeit, vor allem nach seinem Tod, als Sarah und ich die Kinder aufs Land an die frische Luft mitgenommen hatten, als sie das noch nicht zu sehr langweilte. Von diesen Ausflügen stammten überdies meine letzten Aufnahmen. Ich erinnerte mich an meine Überraschung, als ich hinter das Geheimnis von Sarahs Ausflügen kam, als ich sie im Laufe der Zeit besser kennenlernte, hatten wir doch zu Mats Lebzeiten nie mehr als drei Worte miteinander gewechselt. Was ihre Liebhaber betraf, hatte ich damals eine andere Auffassung als Richard, und jahrelang hatte ich mich nicht darum geschert, ich fand es nur natürlich, wenn sie ihr Vergnügen suchte, und ich dachte nicht, daß all das irgendwie einen Sinn hatte. Davon war ich verdammt nochmal abgekommen. Ich fragte mich, wie sie es hinbekommen hatte, Gladys' Match zuzusehen. Durfte man hoffen, daß diese Drecksinventur nicht zu sehr darunter litt?

Einen Moment lang war ich versucht, Franck aufzustöbern, nur ein paar Seiten weiter, aber ich hörte ein Trällern aus dem Badezimmer und verzichtete darauf. Ich begnügte mich damit, die Fotos der Kinder zu studieren, und auch nur die, auf denen niemand anders zu sehen war. Die Jungen hatten noch eine zarte Haut. Gladys hatte noch keine Formen. Ich sah sie mir alle drei noch eine Weile an, amüsierte mich über gewisse Details, dann stand ich auf und genehmigte mir ein Glas, kehrte zurück und versenkte mich in die Betrachtung der Zeit und lächelte gerührt über einige belanglose Szenen, die sich durch meine Erinnerungen schlängelten wie ausgewachsene Lachse, die einen mächtigen Strom hinaufschwimmen.

– Sag mal... Hast du immer noch Kopfschmerzen...? murmelte sie, während ich wieder emportauchte und langsam zu ihrem triefenden Körper aufblickte.

Ich schaffte es nicht, ihr klarzumachen, was ein wahrer Schriftsteller ist.

– Sapperlot! Ich sag doch nicht, daß das wirklich *schlecht* ist...! Aber wo ist der Typ, der das geschrieben hat, wo versteckt der sich, kannst du mir das verraten...?! Spürst du da irgend etwas, spürst du ein *menschliches Wesen* hinter diesen Zeilen...?! Verdammt, da ist nicht der geringste Stil, das könnte Gott weiß wer geschrieben haben. Ich weiß nicht mal, ob die Handlung gut ist, Menschenskind, nicht mal darüber bin ich mir klargeworden... Ja, glaubst du denn, eine Geschichte sei Grund genug, ein Buch zu veröffentlichen...?!

Sie fand, ich übertreibe, sie fand, das sei gut geschrieben.

– Mensch, Marianne, was erzählst du da...?! Meinst du, ein Buch schreiben heißt nur seine Arbeit *gut* machen...?! Herrgott, dann gib lieber ein schlechtes Buch raus, in dem sich der Typ Mühe gegeben hat zu *schreiben*, oder hör auf, mich nach meiner Meinung zu fragen...!

Ich war mir keineswegs sicher, ob sie auf mich hören würde, aber das war mir ziemlich schnuppe, der Tag war fast zu Ende, und ich würde bald durch die Tür sein. Sollte sie doch dieses Buch herausgeben, wenn es ihr Spaß machte, im Grunde war es nicht schlimmer als jedes andere, und ich war seit langem daran gewöhnt, über einen ganzen Haufen Mist zu stolpern, wenn ich mir ein Buch kaufte, das würde sich so schnell nicht ändern.

Ich mußte abzischen, ich hatte Elsie versprochen, mich mit ihr zu treffen, und da man in der Literatur nur durch Schreiben etwas beweisen konnte, ermüdeten mich solche Diskussionen recht schnell, nun ja, ich war in einer ungünstigen Position, um da mitzureden. Ich fing an, auf die Wanduhr zu schauen.

– Vielleicht könnten wir zwei, drei Sachen übernehmen...

– Warum nicht? Vielleicht hat er sich gewandelt...

– Nein, ich meine..., vielleicht könntest *du*...

Ich fixierte sie im gleichen Moment mit dem Lächeln einer Giftschlange:

– Vergiß es..., denk nie wieder daran... Tja, tut mir leid, aber ich muß los.

Ich war spät dran, die meisten Angestellten waren bereits in die Natur entfleucht, und ich rannte durch den stillen Bunker und schimpfte auf Marianne. In der Eingangshalle traf ich Sarah, und wir gingen gemeinsam zum Ausgang, dabei erzählte ich ihr von meiner Verabredung mit Elsie, die den letzten Teil ihrer Platte aufnahm, und daß ich kein Verlangen hätte, nach dem Gefecht anzutanzen, wenn sie mich fragte. Wir zwängten uns in die Drehtür, in das gleiche Viertel und landeten draußen, in einem Schwall Sonnenlicht. Und da stand dieser Typ auf dem Bürgersteig.

– Oh! Dan, darf ich dir Vincent vorstellen, Vincent Dolbello...

Ich verkrampfte mich leicht. Ich hatte ihn zwar schon einmal von weitem gesehen, aber ich bedauerte es, ihn aus solcher Nähe zu sehen. Ich faßte auf der Stelle eine tiefe Abneigung gegen ihn. Nicht so sehr, weil er Sarah bumste, sondern wegen dieser selbstsicheren Raubtiermiene, die er zur Schau trug, und dieser unerträglichen Art zu lächeln. Schließlich packte ich die Hand, die er mir reichte.

– Freut mich, sagte ich.

– Sarah hat mir viel von Ihnen erzählt, antwortete er mir mit kräftigem Händedruck. Wie wär's, sollen wir ein Glas trinken...?

– Ich muß leider los, sagte ich.

Noch ganz bestürzt ob dieser Begegnung traf ich in den Studios ein. Dieser Vincent Dolbello war schlimmer, als ich ihn mir vorgestellt hatte. Ich wollte jedoch nicht mehr an ihn denken, ich wollte mir nicht den Rest des Tages verderben, indem ich über den Eindruck nachgrübelte, den er auf mich gemacht hatte. Ich stieg die Etagen hoch, um Elsie zu treffen. Ich spürte noch seinen Händedruck, und es fuchste mich, daß ich diesen Kontakt nicht hatte vermeiden können. Den ganzen Flur entlang schüttelte ich den Kopf.

Als ich aufkreuzte, meinte der junge Kerl hinter dem Mischpult gerade:

– Großer Gott! Was hat dieses Mädchen für eine Figur, nicht zu fassen ...!

Ich warf einen Blick auf Elsie, die hinter ihrer Scheibe sang, und ich murmelte:

– Ja, du sagst es!, dabei winkte ich meiner Sirene kurz zu, heilfroh, daß sie hinter dickem Glas gegen die Welt der Männer abgeschirmt war. Die paar Typen, die da waren, ließen sie nicht aus den Augen. Ich wohnte den Aufnahmen nicht zum erstenmal bei, und anfangs hatte ich geglaubt, Elsies Stimme schlage sie allesamt in Bann, bis mir dann auffiel, daß auch ich mehr guckte als hinhörte. Ich war nicht gerade stolz gewesen, doch seit einiger Zeit schaffte ich es, mich anders zu verhalten.

Sie hatte eine sehr hübsche Stimme, nur versteifte sie sich darauf, Miniröcke zu tragen und knappe Höschen, und dann wunderte sie sich. Zudem waren ihre Stücke ziemlich fetzig, und ihr Körper hüpfte, und ihre Arme und Beine waren sehr bald von einem wunderbaren Film überzogen und schimmerten äußerst anregend, während sie das Mikro umklammerte.

– Du meinst also, ich müßte häßlich und verhutzelt sein, damit man mir *zuhört* ...!?

– Ah, mal den Teufel nicht an die Wand ...! antwortete ich ihr und schloß sie in meine Arme.

Nach der Aufnahme gingen wir ins *Durango*, um uns zu erfrischen, und ich konnte nicht umhin, ihr von dem Zusammentreffen zu berichten und welch sympathischen Eindruck Herr Dolbello auf mich gemacht hatte, die Kinnbacken zogen sich mir zusammen, wenn ich nur seinen Namen erwähnte. Ohne meine Sicht der Dinge voll und ganz teilen zu wollen, stimmte mir Elsie weitgehend zu. Sie erzählte mir, auch sie sei ihm zwei-, dreimal begegnet, doch wie sie mich kenne, habe sie es nicht für sinnvoll gehalten, mit mir darüber zu sprechen, aber sie müsse zugeben, auf den ersten Blick wirke der Typ recht unangenehm.

– Nein, nicht nur auf den ersten Blick...! betonte ich.

Ihrer Ansicht nach mußte man sich hüten, vorschnell über andere Leute zu urteilen, doch ich faßte sie an der Hand und sagte, das könne sie jemand anders erzählen, sie werde sich doch noch an unser Gespräch erinnern.

– Merk dir, was ich dir jetzt sage: Sarah hat sich mit einem echten Drecksack eingelassen...!

Nach einer Weile meinte sie, ich kümmerte mich ein wenig zu sehr um Sarah, und da konnte ich ihr nur zustimmen.

– Was soll ich machen? Sie ist wie eine Schwester für mich, antwortete ich ausweichend. Ich mach mir Sorgen...!

Ich rief Enrique, um mich nicht noch weiter über dieses Thema auszulassen. Während ich meine Bestellung aufgab, spürte ich, daß sie mich scharf ansah.

– Weißt du, sagte sie mit einer seltsamen Miene, immerhin kannst du von Glück reden, daß ich nicht eifersüchtig bin...!

Ich zauberte ein argloses Lächeln auf mein Gesicht:

– Elsie... Das ist doch nicht dein Ernst...!

Ich hatte nichts zu verbergen, trotzdem kam ich mir irgendwie ertappt vor, und ich hatte alle Mühe der Welt, ein offenes, harmloses Gesicht aufzusetzen, es war schrecklich. Lief es denn auf dasselbe hinaus, ob man schuldig war oder nicht?

– Eigentlich weiß ich überhaupt nichts..., stieß sie hervor. Ich begreife nicht so recht, was sich zwischen euch abspielt. Ich frag mich das schon seit einiger Zeit...

Ich schenkte ihr einen wohlwollenden Blick.

– Du solltest wissen, daß man sich jede intime Beziehung mit seiner besten Freundin versagen muß, sagte ich. Das ist zwingend geboten. Und dieser Punkt ist zwischen uns immer klar gewesen, das versichere ich dir. Ich habe niemals mit Sarah geschlafen, wenn du das wissen willst. Und wie du siehst, wartet sie nicht auf mich und schert sich einen Dreck darum, ob sie meinen Segen hat.

– Naja, das heißt nicht, daß du nicht einiges für sie empfindest...

– Einiges empfinden, wie du es nennst, tue ich für eine Reihe von Leuten in meiner Umgebung. Da weißt du bald nicht mehr, wo dir der Kopf steht...

– Na schön, reden wir nicht mehr davon. Ich vertraue dir...

Ich lächelte, aber dieses Wort klang fatal in mir nach. Ich gab gern zu, daß sie sich geändert hatte und daß die letzten Monate sehr angenehm gewesen waren, aber ich konnte nicht vergessen, wie sie mich abgefertigt hatte, und ich fand es noch zu früh, das Kapitel Vertrauen unter uns aufzuschlagen, ich fand, sie überstürzte die Dinge ein wenig.

Wir hatten freie Hand an diesem Abend, denn Hermann war auf der Probe, und ich hatte nicht so ganz verstanden, was er mir erzählt hatte, nun ja, offenbar feierte die ganze Truppe eine Art Fête, jedenfalls würde er spät nach Hause kommen. Ich hatte ihn vor den unliebsamen Folgen des Schlafmangels kurz vor den Prüfungen gewarnt, aber er hatte mich angeschaut, als wäre ich eine alte Frau, die einem erklärt, man müsse über den Zebrastreifen gehen. Ich hatte nicht weiter insistiert, ich schätzte, ein paar Stunden Ablenkung konnten den armen Lieblingen nicht schaden, und wenn ich sie mir so ansah – sie sahen alle drei ziemlich mitgenommen aus –, dann fragte ich mich, ob die ganze Nacht überhaupt ausreichte, um sie auf andere Gedanken zu bringen, so sicher sie sich dessen auch schienen.

Wir wußten noch nicht, wo wir essen sollten. Ich schlug ihr eines der besten Häuser der Stadt vor, aber sie tendierte zu etwas Belebterem, und ich versuchte sie zu überzeugen, daß wir wenigstens einmal vernünftig speisen könnten, daß nicht nur die Stimmung zählte und daß alles zu ihrer vollen Zufriedenheit verlaufen würde, daß das, Scherz beiseite, mal eine Abwechslung zu den ewigen Griechen, Chinesen, Italienern, Tahitianern, Mexikanern etc. war, daß ich klassisch aufgelegt sei usw. Ich wollte ihr gerade erklären, daß man in meinem Alter nicht immer Lust hat, mit dem Essen zu experimentieren, als ihr Ex das *Durango* betrat.

Sie schlug die Augen nieder. Er erspähte uns sogleich, und auf meinen Blick deutete er ein Lächeln an und steuerte schnurstracks auf uns zu, die Hände in den Taschen vergraben. Ich fand ihn um einiges unsympathischer, nachdem er sich Elsie gegrapscht hatte – zumal als *Querschläger* –, aber ich konnte nicht leugnen, daß er über einen gewissen Charme verfügte, und ich war auch nicht sonderlich sauer auf ihn. Er machte sich zum erstenmal an uns heran, seit Elsie und ich . . . Vermutlich hatte er uns etwas Wichtiges zu sagen.

– Aha, das Liebespaar . . . Wie geht's . . .? fragte er mit süßsaurer Stimme, wobei er auf wundersame Weise sein Lächeln beibehielt.

– Naja, weißt du . . . Das ist wirklich wie im Traum . . .! sagte ich mit seliger Miene.

– Es reicht, Marc! Was willst du . . .?! mischte sich Elsie ein.

In diesem Augenblick fiel mir auf, daß er sie ziemlich gut kannte. Ich an seiner Stelle wäre ebenfalls auf der Hut gewesen, wenn sie in diesem Ton mit mir gesprochen hätte. Vielleicht würde er sich ebenfalls einen ordentlichen Handtaschenschwinger einfangen. Ich ertappte mich dabei, daß ich es ihm wünschte, aber wahrscheinlich hatte er von der Geschichte gehört, denn er wich sogleich einen Schritt zurück und wahrte respektvoll Abstand.

– Gottogott! Du bist schon verdammt unverschämt . . .! knurrte er und starrte sie haßerfüllt an. Scheiße nochmal, nicht nur, daß du mich ohne jede Erklärung fallen läßt, jetzt bin ich dir nicht mal mehr als Musiker gut genug, ich erfahr nicht mal, daß du 'ne neue Platte aufnimmst . . .!!

Wahrhaftig, er hatte allen Grund, schlecht drauf zu sein. Elsie fingerte eine Zigarette aus ihrer Handtasche, während er sich auf seinem Platz buchstäblich verzehrte.

– Altes Haus, die Zeit bleibt nicht stehen . . ., dachte ich.

Als sie den Kopf wieder hob, ignorierte sie ihn völlig. Sie steckte sich ihre Zigarette zwischen die Lippen und beobachtete mich nervös und wartete, daß ich ihr Feuer gab, alldieweil sich neben uns der Verstoßene schwarz ärgerte.

– Soll ich dir sagen, was du bist . . .?! knirschte er, ohne sie aus den Augen zu lassen, als wäre er plötzlich von einem tiefen Ekel befallen.

– Nein, besser nicht, sagte ich und blickte starr auf die Flamme, die mein Streichholz versengte. Das könnte die Sache komplizieren...

Elsie sprang auf. Eine bleiche Maske war über ihr Gesicht gefallen. Ich verbrannte mir die Finger. Eine Sekunde lang baute sie sich vor ihm auf. Sie sagte zu ihm:

– Schon gut, erspar dir die Mühe... Es ist nun mal so...!, dann flitzte sie zum Ausgang, bevor wir auch nur Piep machen konnten.

Es folgte ein kurzer Augenblick der Verlegenheit, jetzt, da sich das Objekt unserer Wünsche, einer absurden Fata Morgana gleich, in Luft aufgelöst hatte. Marc schien immer noch vollkommen baff ob der prompten Reaktion. Ich erhob mich meinerseits.

– *Das Wasser bleibt nicht auf den Bergen, und nicht die Rachsucht in einem großen Herzen*, raunte ich ihm auf gut Glück zu, während ich ein paar Münzen auf den Tisch warf.

Als ich sie draußen fand, war sie gereizt und verärgert über diesen bedauerlichen Zwischenfall, und ich fluchte innerlich über Marc, als ich den Zustand sah, in den er sie versetzt hatte. Zumal sich, all meinen Rettungsversuchen zum Trotz, obendrein herausstellte, daß ihr der Appetit vergangen war und daß sie sogar lieber nach Hause wollte, wenn ich nichts dagegen hätte. Verdrossen, weil ich an die kärglichen Leckerbissen in meinem Kühlschrank denken mußte, schwang ich mich in den Sattel, ich versicherte ihr, das sei mir wirklich egal, während sie hinter mir aufstieg.

Glücklicherweise war der Abend prachtvoll. Die Nachmittagshitze hatte sich azurblau aufgelöst, und eine zarte Brise schlich sich unter mein Sommerhemd. Das Licht war herrlich, wie die Vorankündigung einer himmlischen Erscheinung, die Leute schlenderten gemächlich durch die Straßen, und wer hätte gedacht, daß eine solch friedliche Atmosphäre einem urplötzlich zu Herzen dringen konnte, es sei denn im Traum. Aber so war es.

Als wir heimkamen, hatte ich das Gefühl, die Bude *begrüße* uns. Die letzten Sonnenstrahlen flimmerten ins Wohnzimmer und tauchten es in eine unwirkliche Ruhe, die sogleich den besten Eindruck auf mich machte und eine angenehme Fortsetzung unseres Tête-à-tête ahnen ließ, das ein abgefeimter Störenfried erheblich gefährdet hatte.

– Komm, vergessen wir die Sache...! murmelte ich in ihr Ohr und strich über ihre Brüste.

– Ja, du hast recht..., seufzte sie. Das heißt, auf solche Geschichten kann ich gern verzichten... Das Ganze scheint mir dermaßen weit weg, wie ein Gespenst, das plötzlich wieder auftaucht...

Nur daß das eines aus Fleisch und Blut war und zudem recht stattlich, aber diese Überlegungen behielt ich für mich. Ich verpflanzte sie in einen Sessel, um uns etwas zu trinken zu holen.

– Bist du mir wirklich nicht böse...? fragte sie und schlug unauffällig die Beine übereinander, so daß sie sich meinem Blick fast bis zum Schritt darbot.

– Hör mal, weshalb sollte ich dir denn böse sein...?! antwortete ich voller Sanftmut.

– Oh, ich weiß doch, daß du Lust hattest, essen zu gehen...

Ich tanzte mit meinen Gläsern an und beruhigte sie in diesem Punkt. Und es war wirklich so, es tat mir keineswegs leid, mit leerem Magen zurückgekehrt zu sein, in der Luft schwang etwas wie der Hauch von Erfüllung, ein gewaltiger Zauber, der mich vor Zufriedenheit die Zähne zusammenbeißen ließ und binnen einer Viertelstunde zum erfahrenen Betrachter der harmonischen und vollkommenen Einfachheit der Dinge gemacht hatte. Es kam nicht alle Tage vor, daß einen das Bewußtsein des gegenwärtigen Augenblicks so stark überwältigte, und es verstand sich, daß ich mich davon so intensiv wie möglich durchdringen ließ. Auf der Armlehne ihres Sessels fand ich den idealen Platz. Dann, mein Glas an die Lippen führend, eine Hand auf ihren Schenkeln, zitierte ich entrückt, die Augen halb geschlossen, einen Satz von Dogen, der mir durch den Sinn ging: *Vergiß, was es Gutes und Schlechtes in deiner Natur gibt, vergiß die Macht oder Schwäche deiner Kraft.*

– Was hältst du von einem Riesensalat...?! fragte sie mich plötzlich.

– Großartig! Mensch, du kannst Gedanken lesen.

Sie stand auf und küßte mich zärtlich, während ich schalkhaft ihre Pobacken befühlte. Ich präzisierte meine Zärtlichkeiten jedoch nicht, und schließlich stand sie auf und zwinkerte mir amüsiert zu, bevor sie in Richtung Küche entschwand.

Ich blieb einen Moment reglos sitzen, ganz auf die Fortdauer des unglaublichen Phänomens konzentriert, das alles aufpeitschte und meinen Adern eine stumme und ganz besondere, eine ruhige, sinnlose, unerklärliche und für das Licht empfängliche Freude injizierte, auf das überraschende Kreischen der Dinge und die konfuse Ahnung, daß die Ewigkeit kein leeres Wort ist. Ich hörte sie in der Küche hantieren und das Wasser, das lief, ich hörte sie hin und her laufen und ihre Haare schütteln und eine Tomate betrachten und, während sie sie in zwei Stücke schnitt, daran denken, was wir in kurzer Zeit tun würden.

Ich stand auf. Ich bedauerte, daß ich kein gewaltiger Schriftsteller gewesen war, daß ich meine Frau verloren hatte und nicht der großartige Vater war, der vielleicht all meine Fehler aufgewogen hätte. Und trotzdem, das Leben gönnte mir noch einige unvergleichliche Augenblicke, und ich wußte nicht, was mir eine solch rücksichtsvolle Behandlung verschaffte, aber das war sicher mehr, als ich verdiente, und ich begegnete ihnen mit aller Demut, deren ich fähig war. O dunkle Schönheit des sich neigenden Tages, auch wenn ich nur ein Elender bin.

Sie lächelte mich an, als sie mich hereinkommen sah. Obwohl mein Stolz darunter gelitten hatte und ich die unvermeidliche Ungewißheit der Lage nicht schätzte, war ich doch froh, daß ich nachgegeben hatte und eines schönen Morgens wieder in ihre Arme gesunken war. Es kam vor, daß ich sie zu jung fand oder zu schön, aber das war nicht immer der Fall, und im Augenblick war sie weder das eine noch das andere, sie war genau, wie ich sie wollte, und ich blieb einen Moment im Türrahmen stehen, um sie in aller Ruhe zu mustern, und da war kein Haar, kein Zahn, keine Rundung, die nicht ganz besonders nach meinem Geschmack war, ich näherte mich ihr, um ihren Geruch zu atmen und zu erfahren, ob ich ihr vielleicht helfen konnte.

Aber ich kam ein wenig zu spät. Sie stand vor dem Spülbecken und wusch die letzten Salatblätter, und sie versicherte mir, alles sei bestens, und wir würden nicht verhungern, jedenfalls nicht heute abend. Ich brummte meine Zufriedenheit auf ihren Hals. Sie hob den Kopf, die Hände ins Wasser getaucht, sie lachte, und ihr Körper wurde steif. Wir waren beide an solche Sachen gewöhnt. Ein paar Salatblätter schwammen wie verschrumpelte Seerosen auf dem Wasser, blieben stecken. Kaum fuhr meine Hand zwischen ihre Schenkel, beugte sie sich nach vorne und spreizte behutsam die Beine.

Nie entzog sie sich diesen Kindereien, es war eine wahre Wonne, zu sehen, wie sie die leiseste Berührung hinriß. Ich hatte einige Mädchen im Laufe meines Lebens kennengelernt, aber keine, abgesehen von Franck, hatte mir soviel Spaß gegeben, keine hatte mich so sehr gereizt, sie zu berühren. Und es war nicht so sehr ihre Schönheit, die mich inspirierte, als vielmehr das zärtlich-geheime Einverständnis, das unsere Beziehungen begleitete. Ich wußte stets, was sie wollte, und erst recht, seit wir wieder zusammen waren. Ich wußte, wann ich ihr den Hof machen und mir Zeit lassen mußte, oder wann ich sie im Stehen, noch im Flur, an die Wand zu quetschen hatte, kaum daß die Tür geschlossen war, ich wußte, ob ich sie wichsen oder es ihr in den Hintern besorgen oder sie schlicht bumsen mußte oder auch *in welcher Reihenfolge*, und das war keineswegs Einbildung. Manchmal schaute sie mir sogar in die Augen und sagte zu mir:

– Mensch, Danny . . . Danny, woher *weißt* du das . . . ?!!

Und ich sagte ihr die Wahrheit, sagte ihr, daß ich wirklich keine Ahnung hätte, daß ich das Gefühl hätte, sie habe mich darum gebeten.

Was sie zum Beispiel in diesem Augenblick wollte, war ganz einfach, und ich mußte lächeln, denn das war klar wie dicke Tinte. Ich drückte einen leichten Kuß auf ihre Schulter, dann packte ich den Bund ihres Slips und zog ihn nach oben, so daß der Stoff in ihre Pofurche drang. Prompt stützte sie sich mit den Ellbogen auf das Spülbecken. Ich faßte nach einer ihrer Haarsträhnen, deren Spitze auf dem Wasser trieb, und klemmte sie geschickt hinter ihr Ohr. Sie kreiste bereits leicht mit dem Bekken. Das war ein verteufelter Anblick, und ich konnte nicht ewig herumtrödeln, aber jedesmal schnürte sich mir vor wahrer Aufregung die Kehle zusammen. Ich krümmte meinen Zeigefinger, als wollte ich an eine Tür klopfen. In Anbetracht der Dehnung, die ich ihren Dessous zufügte, war ihr Intimbereich straff eingewickelt und schwoll durch den bedruckten Stoff – schwarze Tupfen auf silbernem Untergrund, dazu anthrazitfarbene Spitzenborden – mit der festen Weichheit eines hartgekochten Eis an. Langsam fuhr ich mit meinem Fingerknöchel durch ihre Spalte, und schließlich öffnete sie sich auf geheimnisvolle Weise wie eine blinde und besänftigte Muschel.

Ich selbst leistete mir unterdessen eine beharrliche Erektion, aber meine Stunde war noch nicht gekommen. Jeder von uns kannte seine Rolle perfekt. Sehr bald drang eine Flüssigkeit wie Schneckenschleim durch den Stoff und überzog meinen Finger. Wenn man die Ohren spitzte, erinnerte das leise Rascheln seines beständigen Hin und Her an einen kleinen Schlitten, der über den Schnee gleitet. Von Zeit zu Zeit spannte ich ihren Slip ein wenig nach und vergewisserte mich, daß er an den richtigen Stellen haftete. Ein Motor, der in Öl schwimmt, hätte man meinen können. Auf der Innenseite ihres Oberschenkels floß erst zögerlich, dann entschlossen ein silbriges Rinnsal, das ich wie hypnotisiert anstarrte, um es schließlich mit einem raschen Zungenschlag zu stoppen.

– O Danny, o . . .! rief sie.

Wie sich eins aus dem andern ergibt, sank ich auf die Knie und rückte zwischen ihre Beine, den Blick nach oben verdreht, um mitzubekommen, was sich dort tat. Ich wachte inmitten einer feuchten Höhle auf, deren tropfnasse Decke mit Moos und einer triefenden Vegetation bedeckt war, und draußen hörte man eine Person stöhnen, jemand, der verirrt oder von einer Boa verschluckt schien.

Der Arm, der an ihrem Slip zog, wurde steif, und ich ließ alles fahren. Über mir war einiges los. Ein starker sexueller Geruch umfing mich und kroch wie dichter Nebel über die Haut meines

Gesichts. Mit den Fingerspitzen schob ich die feuchten Litzen beiseite und erspähte den kleinen Schelm, den sie in einer glücklichen Anwandlung enthaart hatte. Ihre Beine wurden weich, meine waren es bereits. Für eine Sekunde senkte ich den Kopf, um meine Nackenmuskulatur zu lockern. Unsere Blicke begegneten sich, nur daß ihr Gesicht auf dem Kopf stand, doch sie hätte sich den Hals ausgerenkt, um meinen an ihrer Scham klebenden Mund zu beobachten. Und dabei sperrte sie die Augen weit auf, und sie hielt den Bund fest, denn ich würde ihr wahrhaftig die Möse aussaugen.

Aber ich hielt mich dort nicht lange auf. Es war nicht ratsam, die Dinge zu überstürzen, wir hatten noch eine lange Zeit vor uns. Also rückte ich alles wieder zurecht, bevor ich nicht mehr Herr der Lage war, und ich erkundigte mich nach dem weiteren Verlauf der Ereignisse. Ihre Wangen waren rosig, sie war damit einverstanden, noch ein Glas zu trinken, wenn ich wollte.

Zum Essen ließen wir uns an dem niedrigen Tisch nieder, auf Kissen, einander gegenübersitzend und ein Licht in der Ecke, um der Dämmerung zu trotzen. Ein Lächeln spielte um meine Lippen, ich begehrte sie brennend, und es war sehr angenehm, ruhig dazusitzen und zu denken, daß auch sie daran dachte.

– Es ist noch warm, bemerkte ich. Warum holst du deine Brüste nicht an die frische Luft ...?

Ihre Augen nahmen einen eigentümlichen Glanz an. Ich aß gelassen weiter, während die Knöpfe ihres Oberteils einer nach dem andern aufsprangen und ein transparenter Mond wie ein japanisches Bild am Himmel hochstieg. Das war ein Set, der Büstenhalter nahm das Motiv des Höschens wieder auf, das war ein 100er, und aufgehakt wurde er vorne. Sie hakte ihn auf und ließ ihn zur Seite fallen:

– Ogottogott ...! murmelte ich und schüttelte mit einem Lächeln bis zu den Ohren den Kopf.

Ihre Brustwarzen waren dunkel und zogen sich zusammen, der Rest glänzte wie Porzellan, und es war nicht zu übersehen, daß sie weich waren und warm und wohlriechend und so unglaublich greifbar, daß meine Hände aufstöhnten.

– Ist es so recht...? fragte sie.

– Ja..., fürs erste.

– Hm, vielleicht sollten wir die Vorhänge zuziehen...?

Es tat ihr leid, daß sie uns nicht das geringste Dessert anbieten konnte. Sie stapelte die Teller aufeinander, während ich mich um die Fenster kümmerte, mit aus der Bluse hervorstehender Brust trauerte sie laut einer Sahnetorte oder irgendeiner anderen Schleckerei nach, Gott, segne dieses Bild, seufzte ich, gib, daß ich mich stets der Schönheit einer Frau erinnere.

Sie stand auf, beide Arme bepackt. Mit einem Satz war ich hinter ihr und preßte mich mit meiner gespannten Armbrust gegen ihr Hinterteil, und ich faßte nach ihren Brüsten und massierte sie zwischen ihren Beinen. Der Überfall dauerte nur einen Augenblick. Kaum hatte ich mich vergewissert, daß sie noch feucht war, zog ich meine Hand unter ihren Rockzipfeln hervor und schlang meinen Arm um sie. Über ihre Schulter hinweg sah ich die beiden Dinger unheimlich aufgestellt und verdammt nochmal bis zum Gehtnichtmehr angeschwollen. Ich küßte sie sanft auf den Hals.

– Dan..., murmelte sie in einem Ton, alles Geschirr fahren zu lassen. Dan, nimm mich in deine Arme...!

Als sie in der Küche verschwand, nutzte ich die Pause, um eine weite Hose anzuziehen, und sogleich atmete ich auf – um so mehr, als ich darunter splitternackt war.

– Wirf deinen Rock her! rief ich ihr zu, während ich *Pretty Woman* aus der Hülle riß. Ich peilte gerade die erste Rille an, als das bewußte Objekt vor meinen Füßen landete.

Auf Knien, den Oberkörper aufgerichtet, servierte sie uns einen glühend heißen Tee. Ich bewunderte ihre Hüften, den wunderbaren Bogen, und ihr Anblick erfüllte mich mit einem gleichsam religiösen Gefühl, einem rein ästhetischen Glück, dem ich mich gern länger hingegeben hätte, aber es gab andere Dinge, die drängten. Ich war benommen wie ein Sünder im Garten Eden. Ich traute mich nicht, die Hand nach ihrem Schamberg auszustrecken, aus Furcht, das Bild werde verschwimmen oder ein zorniger Engel mich an Ort und Stelle erschlagen, aber mein Herz klopfte angesichts einer solchen Zurschaustellung, denn hätte sie sich in dehnbares Zellophanpapier gewickelt, sie hätte nicht mehr gezeigt.

Ich beneidete sie um ihre zahlreichen Orgasmen, waren meine doch gezählt, ich konnte mich nicht so gehenlassen wie sie, ich mußte meine Kräfte einteilen wie einer, der auf einen Berg klettert, und mich bereit halten, jeden Moment abzubrechen. Ich nutzte diese Pausen, um ihre Position zu ändern, und ich rieb sie ausgiebig, während sie die Fransen des Teppichs packte oder an meinem Hals hing und erregt ihren Mund an meinem rieb. Und ich mußte sie entschlossen zurückdrängen, wenn sie sich anschickte, mich zu lutschen, ich runzelte lachend die Stirn und forderte sie auf, sich zu gedulden, es sei denn, sie glaube, meine Reserven seien unerschöpflich, was der Realität verdammt fern war.

Die Beine gespreizt, den Anus im Wind, sämtliche Winkel sorgfältig gewienert und glänzend und zerrieben und von schleimigen Fäden durchzogen, strich sie sich in Erwartung einer erneuten Offensive über die Brüste. Wir waren vom Sofa geglitten. Ich nutzte die Gelegenheit, um Ruhe ins Spiel zu bringen und ein wenig Luft zu holen, und betrachtete ihre schöne Ungezwungenheit mit einem melancholischen Lächeln. Wir waren um obszöne Worte verlegen, nur mehr das Säuseln unseres Atems und das regelmäßige Kratzen des Plattenspielers waren zu hören. Obwohl wir schweißgebadet waren, durchnäßt, als hätte jemand einen Eimer Wasser über uns ausgeschüttet, bahnte sich eine neue Umklammerung an. Sie erregte meine Aufmerksamkeit – für den Fall, daß ich sie vergessen haben sollte –, indem sie mit beiden Händen zu ihrer Spalte fuhr. Die sie ohne Umschweife öffnete.

– Dan . . ., ich liebe dich, erklärte sie mir nach einer Weile.

Ich war mausetot. Ich war noch in ihr, weil sie mich gebeten hatte, noch ein wenig zu bleiben, und das traf sich gut, denn ich war wirklich mausetot. Sie hielt mich in ihren Armen, drückte mich gegen ihre Brust, mir war heiß, aber ich sagte keinen Ton. Ich maß den Worten, die man während dieser besonderen Augenblicke wechselt, nicht viel Bedeutung zu. Natürlich, das war mir immer noch lieber als gar nichts, aber ich fand, das zählte nicht wirklich, war ich doch selbst dieses harmlosen Überschwangs fähig, wenn ich auf ihr lag. Sie schüttelte mich ein wenig und sagte:

– Hörst du . . .!?

– Es *stimmt*, Dan!

– Prima, murmelte ich mit halbgeschlossenen Augen.

Sie koste mich, küßte meine Haare.

Ich konnte nicht mehr, dennoch krabbelte ich zu ihrem Unterleib. Ob man mir glaubt oder nicht, es war gut und gerne zehn Jahre her, daß ein Mädchen so etwas zu mir gesagt hatte. Selbst wenn sie sich täuschte, so hatte ich doch durch sie die Vertrautheit mit einer Frau wieder kennengelernt, und ganz gleich, was kam, ich verdankte es ihr, daß ich das noch einmal hatte auskosten dürfen. Im Grund war das alles, was der Mühe wert war. Nach Francks Auszug war ich der Bitterkeit erlegen, und ich hatte geschworen, mich nicht mehr fangen zu lassen, aber damit hatte ich meiner eigenen Natur zuwider gehandelt, ich hatte meine Verhältnisse eins nach dem andern bewußt abgebrochen, um jeglicher Gefahr auszuweichen, aber indem ich mich vor dem Schlimmsten bewahrte, hatte ich mich auch des Besten beraubt, und mir war durchaus bewußt, daß ich dafür nicht geschaffen war, daß ich kein Freund dieser Abenteuer ohne ein Morgen war. All diese Frauen waren praktisch Fremde geblieben. All diese Nächte, wogen sie einen einzigen Abend wie diesen auf? Zudem, war die einzig wahre Vielfalt nicht in der Eins zu finden? Ich legte meine Wange auf ihren Oberschenkel. Ich wußte, wo ich war, wer ich war und bei wem ich war. Und es war nicht nötig, daß mich jemand liebte, damit ich mich vollkommen wohl fühlte. Unwillkürlich betrachtete ich mein Sperma, das zwischen ihren Beinen lief, und ich mußte lächeln, als ich an die Dinge dachte, vor denen ich in all diesen Jahren geflohen war.

Später rief Bernie an und fragte mich, ob wir uns fünf Minuten sehen könnten. Elsie lief in der Zeit nach oben ins Badezimmer. Ich zog mich an, hob die Kissen auf und öffnete die Fenstertür, die zum Garten führte. Der Himmel war schwarz, sehr hoch und reglos. Ich fuhr mir mit einer Hand durch die Haare und schloß die Augen.

– Nicht so schlimm, sagte er. Ich hatte gerade eine Auseinandersetzung mit Harold.

Er drückte ein blutbeflecktes Taschentuch gegen seinen Mund. Ich trat zur Seite, um ihn hereinzulassen.

– Meine Güte! Du riechst zehn Meilen gegen den Wind nach Bumsen, bemerkte er sogleich.

– Elsie ist im Badezimmer, antwortete ich.

Er nickte und setzte sich, nahm vorsichtig das Taschentuch von seinen Lippen und starrte es mit finsterer Miene an:

– Verflixt! Diesmal hat er mich erwischt, brummte er.

Ich schnappte mir die Flasche *Wild Turkey*, dann untersuchte ich die Schäden.

– Halb so wild, sagte ich.

– Du bist gut! Meine Lippe ist total dick.

– Ach was, keine Bange...

– Ich glaube nicht, daß ich ihn noch lange ertragen werde. Ich meine es ernst, glaub mir... Manchmal geht er wirklich zu weit.

Ich schenkte uns ein, bot ihm einen Eiswürfel an, er lehnte ab.

– Ich weiß, was du denkst, fuhr er fort. Aber meine Geduld hat Grenzen. Du wirst dich wundern, wenn mein Entschluß erst einmal gefaßt ist...

Ich bot ihm eine Zigarre an. Ich, ich nahm mir eine.

– Herrgott, wofür hält der sich...?! Er glaubt wohl, es reicht, wenn man eine hübsche Visage hat, und die Sache ist geritzt...!

– Was soll ich dir sagen ...? Wir beide, wir sitzen ungefähr im gleichen Boot ... Wir dürfen uns nichts vormachen.

– Oh ..., stimmt was nicht mit Elsie?

– Hör mal, würdest du mich nicht für einen Schwachkopf halten, wenn ich dir erzählte, ich bräuchte mir keine Sorgen zu machen ...? Bernie, sie ist exakt fünfzehn Jahre jünger als ich, und ich bin kein berühmter Typ.

Ich blies ein paar Ringe an die Decke. Er schlug die Beine übereinander und drückte sich in den Sessel.

– Glaubst du wirklich, wir sind erledigt? murmelte er.

– Mmm, keine Ahnung ... So weit würde ich nicht gehen.

– Dan, das beruhigt mich.

Wir schauten uns lächelnd an.

– Und wenn schon!, meinte er mit einer wegwerfenden Handbewegung, die all unseren kommenden Scherereien galt. Das ist längst kein Grund, alles zu schlucken!

– Natürlich nicht. Das habe ich nie behauptet. Aber wir leben gefährlich, wenn du mich fragst.

– Ah! Was sollen wir auch anders tun! Hab nur ein klein wenig Sinn für Schönheit, und du bist von vornherein geliefert ...!

Es ging also darum, in Form zu bleiben. Leider hatte ich, seit ich in einem Büro gelandet war, kaum noch Zeit, mich dem Sport zu widmen. Mir blieben nur die Wochenenden, um ein wenig zu laufen. Ich hoffte, daß das ausreichte, aber ich war mir nicht sicher, und manchmal fragte ich mich, wozu auch, wenn ich durch die Tür ging, ich tänzelte ein wenig auf der Stelle, und Elsie rief mir vom Fenster aus zu:

– He, das ist doch das mindeste ...!!

Naja, ich stellte mir vor, daß sie mir das zurief.

Hermann nahm mich bloß auf den Arm.–

– So Gott will, Hermann, werde ich in dreißig Jahren noch da sein, und dann will ich dich mal sehen ...!

Aber Gladys verteidigte mich, Gladys war für Vitamine und einen gesunden Körper und fand es jämmerlich, sich gehen zu lassen – andererseits, sie hatte gut reden.

Wie dem auch sei, in diesen letzten Monaten brummte ich mir eine doppelte Runde auf, und obendrein allein, denn Max begleitete mich nicht mehr, ich fragte mich ohnehin, ob er noch hundert Meter durchhalten würde. Kurz und gut, ich trabte am Gymnasium entlang hinter den Sportplatz, unterstützt von den Anfeuerungsrufen der beiden Mädchen und dem spöttischen Grinsen meines Sohnes, ich versuchte Boden gutzumachen und mich für einige Jahre flottzuhalten, und mein Schweiß spritzte auf diese schonungslose Welt, während der Morgentau in den Ginstersträuchen verdunstete. Das war die beste Gegend, um sich zu schinden, man mußte im Zickzack durch die dornigen Büsche kurven, ein paar Hügel erklimmen und auf der anderen Seite über einen sandigen Untergrund, der unter den Füßen nachgab, wieder hinuntertaumeln. Das war die Gegend, in der man Marianne eines Abends aufgefunden hatte, aber ich dachte nicht groß darüber nach und verzog das Gesicht aus einem ganz anderen Grund.

Am frühen Morgen begegnete einem dort kaum jemand. Das war einer der zahlreichen Vorzüge dieser Stelle – die Sonne haarscharf über den Sträuchern, ein Geruch wie Pfefferkuchen, die labyrinthartig verschlungenen Wege –, und er allein hätte genügt, mich aus dem Bett zu katapultieren, kaum daß der Morgen graute. Mit meinen bequemen Vormittagen hatte es ein Ende, hoch war der Preis für meine Instandhaltung, reichlich amortisiert der meines Weckers, und was für eine Lust ich hatte, aufzustehen! Was es mich kostete, mich aus der Decke zu schälen und meinen Trainingsanzug in einem stillen Halbdunkel anzulegen, während alle Welt schlief – ich fühlte mich schuldig, wenn ich mich dem bisweilen entzog, wundervoll schuldig –, aber wie sehr wurde ich durch die Einsamkeit dieser Gegend belohnt, und wie wohl tat es, sich den Geist im Licht des anbrechenden Tages freizufegen.

Solche Abende wie jener, den ich mit Elsie verbracht hatte, machten es erforderlich, daß ich meine Puste trainierte. Wir hatten den Rest auf die Zeit nach Bernies Aufbruch verschoben, ich hatte es ihr in ihrem Bademantel und später in ihrem Nachthemd

besorgt, und ich hatte den Himmel gepriesen, als sie anschließend eingeschlafen war, denn meine Beine waren wie aus Watte,
und ich hätte ihr nicht mehr nachkommen können, ganz gleich,
was sie unternommen hätte. Natürlich schlug ich diesen Rhythmus nicht jeden Tag in der Woche an, trotzdem, ich durfte dieses
Problem nicht auf die leichte Schulter nehmen und mir einbilden,
die Form falle einem in den Schoß und das Herz komme schon
klar, wenn man älter wird.

Ich lief also. Und ich war gezwungen, früh aufzustehen, auch
wegen der Hitze, die schnell aufstieg, sobald die Sonne zum Vorschein kam, aber so war ich zu einer vernünftigen Zeit fertig, und
ich brachte Croissants mit und Milch und galt für eine Art Held,
ein Held mit zerzaustem Haar und dem Duft kalten Schweißes.
Im allgemeinen kehrte ich gut gelaunt zurück, mit dem Gesicht
eines seligen Trottels aufgrund der ergreifenden Farben der Morgendämmerung, der göttlichen Frische des frühen Tags und was
sonst noch dazugehört. Aber diesmal begegnete ich Max auf meinem Trainingskurs, und ich mußte auf dem gesamten Rückweg
an ihn denken, ich hätte nicht sagen können, ob es schön war
oder nicht.

Ich traf ihn am Rande der Ginstersträucher, wo ich mit den
Ellbogen am Körper aufkreuzte, im ersten Moment glaubte ich,
es handele sich um eine Vogelscheuche oder ein böses Gespenst.
Und ich glaubte, er habe Lumpen an, aber das war nur seine alte
Sportkleidung, die ihm auch nicht in Fetzen vom Leibe hing, obwohl man das auf den ersten Blick geschworen hätte. Sein weißes
Haar hatte jeden Glanz verloren, seine Haut war grau, er sah aus,
als habe das Leben ihn ausgespuckt. Jedesmal, wenn ich ihn sah,
hatte ich Lust, den Kopf abzuwenden. Auf irgendeine wundersame Weise war es ihm gelungen, diese Art Grippe loszuwerden,
die den Winter über an ihm genagt hatte, er war nicht mehr
»krank«, schien jedoch immer noch schlecht in Schuß, ein altes,
ans Ufer geworfene Wrack, das unter einer Guanoschicht aus-
trocknet. Er hatte seine Arbeit nicht wieder aufgenommen. Ich
ließ ein paar Scheine fallen, wenn ich bei ihm vorbeischaute, er
nahm sie und behauptete, ich sei bescheuert, seine Rente reiche

vollkommen, brauchst sie mir nur zurückzugeben, antwortete ich darauf, aber das konnte er sich nicht leisten, und er steckte sie ein, ohne noch einen Ton zu sagen, und in diesen Augenblicken fühlte ich mich wieder zu ihm hingezogen, ich sah wieder den Typ, den ich gemocht hatte, und nicht mehr seine jämmerliche Kopie, seinen grotesken Abglanz.

– He, was treibst du denn hier? fragte ich ihn.

– Ich wollte ein paar Blumen pflücken, warf er mir an den Kopf.

Später kehrte ich in aller Ruhe heim, eine Einkaufstüte in einer Hand, mit der andern ein Croissant verzehrend, die Straßen lagen in der prallen Sonne, und die Leute wanderten durch die angenehme Wärme des Vormittags, und es herrschte nur wenig Verkehr, aber ich bemerkte es kaum, ich war in einer geistigen Verfassung, daß ich dem erstbesten Blinden, der mir in die Quere gekommen wäre, nicht hätte ausweichen können.

Die Tage danach vergingen, und diese Begegnung ging mir aus dem Kopf oder vielmehr – denn ich sollte ganz plötzlich daran zurückdenken, darüber nachsinnen wie über ein vollkommen intaktes Bild, und leider sehr bald –, sie grub sich darin ein, in dem Berg der kleinen täglichen Absonderlichkeiten. Im übrigen sagte ich niemandem ein Wort davon, denn Max war nicht ihr Lieblingsthema, und ich selbst verspürte im ersten Moment nur ein undefinierbares Unbehagen, das ich mir nicht zu erklären vermochte.

Nur noch achtundvierzig Stunden trennten uns von den Prüfungen. Allmählich machte sich eine gewisse Fieberhaftigkeit in unseren Reihen breit, so sehr, daß niemand mehr etwas sagte, nur das Unerläßliche. Elsie und ich bedauerten sie, und wir vermieden es, sie zu stören, während sie sich auf die letzte Minute den Kopf mit einem Berg von für die geistige Gesundheit unnützen Dingen vollstopften.

Tagsüber war die Hitze fürchterlich, und es war weit und breit kein Wölkchen zu sehen. Die Sonne knallte gegen das Fenster meines Büros. Ich zog das Rollo runter und planschte im Halbdunkel bis Ladenschluß mit meinen Manuskripten, »Es regnet...« usw. Einige der Dinger waren so schlecht, daß ich sie quer durchs Büro und manchmal sogar in den Flur schleuderte, aber es fand sich immer jemand, der sie mir zurückbrachte, der mich fragte, ob ich etwas verloren hätte. Ich konnte einen ganzen Tag damit verbringen, ohne daß ich auf einen einzigen Abschnitt stieß, der zu retten gewesen wäre, aber vielleicht schnappte ich langsam über, vielleicht verkümmerte nur mein Herz in diesem Büro, wer weiß, vielleicht vernebelte die Szenerie mein Urteil...? Paul zumindest war dieser Ansicht. Er hatte zwei Manuskripte vor meinem Zorn gerettet, die ich bei einer zweiten Lektüre eher gut fand, und ich war erschrocken, was ich getan hatte. Ich war zu ihm gegangen und hatte ihn gebeten, mich von dieser Arbeit zu befreien, er sollte mich ruhig in der Telefonzentrale oder in der Buchhaltung einsetzen oder irgendwoanders, wo meine Irrtümer keine tragischen Folgen hätten.

Er versprach mir, darüber nachzudenken. Er räumte ein, daß das nicht das Gebiet war, wo meine Kräfte voll zur Entfaltung kamen, und sah mich perplex an.

– Du warst ein wunderbarer Schriftsteller..., seufzte er.

Ich ging raus und knallte die Tür zu.

Ich erzählte Bernie davon, und er gab zur Antwort, daß ich eine innere Blockade hätte, er habe das auch mitgemacht, wenn auch nicht über einen so langen Zeitraum.

– Wie lange schreibst du jetzt nicht mehr?

– Ich weiß nicht. Vielleicht zehn Jahre.

– Und gar nichts, *wirklich überhaupt nichts...*?

– Mich befällt ein Zittern, wenn ich vor einem leeren Blatt sitze. Es könnte nicht schlimmer sein, wenn ich einen Salto mortale ausführen müßte.

– Hör mal, ich glaube nicht, daß man sein Talent verlieren kann, so etwas fliegt nicht davon. Es schlummert nur.

– Mmm, naja, in meinem Fall dürfte das sein letzter Schlaf sein.

– Ah, wer weiß...

– Ich weiß es.

Ob meine Begabung nun davongeflogen oder nur eingeschlummert war, änderte nicht viel am Problem. Nach sechs Monaten war ich in der Stiftung immer noch am gleichen Punkt, ich hatte meinen Platz noch nicht gefunden, und Paul mochte sich noch so den Kopf zerbrechen, ich hatte nicht die geringste Hoffnung, daß sich in meinem Fall etwas bessern würde. Ich bat einfach darum, mich auf einen Posten zu versetzen, wo ich niemandem schaden konnte, aber es passierte nichts. Astringart hatte sich die Gelbsucht zugezogen, er war noch für einige Tage außer Gefecht. Ich überlegte einen Moment, mir den rechten Arm an der Kante meines Schreibtischs zu brechen.

Unter diesen Umständen war es für mich ein wahrer Segen, mich auf den Heimweg zu machen. Und sei es nur, um das Essen zuzubereiten, zumindest hatte ich dann das Empfinden, lebendig zu sein, und ich brauchte vertraute Mienen um mich herum, um die Leere zu füllen, die ich nach acht Stunden Büroagonie verspürte. Seit einiger Zeit ging ich nicht mehr in Kneipen, um ein Glas zu trinken, ich hatte alles im Hause was ich brauchte. Seit ich festgestellt hatte, daß sich um diese Stunde ein dem meinen ähnliches Leid auf sämtlichen Gesichtern abzeichnete, trödelte ich unterwegs nicht mehr.

– Was hättet ihr denn gern . . .? fragte ich sie am letzten Abend, während sich Sarah von diesem Scheusal vernaschen ließ.

Leider hatten sie keinen großen Hunger.

Wir blieben im Garten, bis die Nacht hereinbrach.

– Ich glaube, Sarah hat jemand getroffen . . ., bemerkte Gladys, als wir zum Schattenspiel wurden.

Elsie saß auf mir, ich hörte auf, ihren Arm zu streicheln.

– Ja . . . Und das geht schon seit einer Weile so, fügte Richard leise hinzu.

12

Wir hatten uns vor dem Eingang verabredet. Ich holte Hermann und Richard, die Gladys kurz zuvor begleitet hatten, rasch ab, und wir warteten feixend im Schatten der Mauer auf Sarah. Sie versuchten mich zu hänseln, weil ich eine Mütze mit breitem Schirm aufgesetzt hatte, aber ich ließ mich nicht verunsichern, ich sagte ihnen, da kämen wir sehr schnell drauf zurück, dann nämlich, wenn wir erst einmal in der prallen Sonne säßen, bei etwas mehr als fünfundvierzig Grad, und ihre Schädel wie Eier brieten.

Ich hatte noch nie einem dieser Endspiele beigewohnt, ohne von einem Gluthimmel verbrannt zu werden. Man brauchte bloß den sengenden Luftzug zu spüren, der durch die Straße wirbelte, dann wußte man, was einen auf den Zuschauerrängen erwartete und welch wundersame Wirkung eine simple Mütze recht bald haben würde.

Niemand hatte erwartet, daß sie Arm in Arm mit Vincent Dolbello auftauchen würde. Wir waren bester Laune, ein wenig trunken vom Licht und nicht im mindesten auf diese unangenehme Überraschung gefaßt. Als wir sie kommen sahen, erstarb das Gespräch, und einige flüchtige Blicke wurden ausgetauscht. Das war das erste Mal, daß ihn Sarah am hellichten Tag anschleppte, zudem so ungezwungen, daß ich erschüttert war.

– Ich glaub, wir sterben gleich...! scherzte sie.

Richard hatte bereits den Blick abgewandt und zerrte Hermann zum Eingang, als mir Dolbello die Hand reichte. Tief betrübt ließ ich die Sache über mich ergehen, ich beschränkte mich auf das strikte Minimum, immerhin erleichtert, daß Richard dieser Verrat verborgen blieb.

Ich fand es widerlich, wie er Elsie küßte – er legte ihr eine Hand auf die Schulter und nahm seine Sonnenbrille ab, als enthüllte er ihr eines der Wunder dieser Erde.

– He, findste nicht, der sieht aus wie 'ne Kopie von Burt Reynolds...? raunte ich Sarah zu, während der andere an meinem Liebchen klebte.

Sie ignorierte meine Worte völlig. Ehrlich gesagt, ich war mir nicht einmal sicher, ob sie mich überhaupt gehört hatte, sie war total meschugge, seit es diesen Kerl gab, und Teufel nochmal, ich erkannte sie manchmal nicht wieder, und das ödete mich maßlos an.

– Ich glaube, wir sollten besser gehen, seufzte ich und wich V. Dolbellos Lächeln aus.

Es war einiges los. Die Reihen, die im Schatten lagen – eine Art Dach aus Eisenträgern und lackiertem Holz überragte die Ränge, aber nur auf einer Seite der Arena –, waren bereits bis auf den letzten Platz besetzt. Wir gesellten uns zu Hermann und Richard, wo die Sonne erbarmungslos stach, aber letztlich war das gar nichts, verglichen mit dem Verdruß, den mir Dolbello bereitete. Sie hatten ihre Oberkörper entblößt, und ich setzte mich, innerlich fluchend, neben sie. Ich fand es ganz schön dreist, daß sie uns diesen Typen ohne Vorwarnung aufzwang, ich hatte die Hände in den Taschen vergraben, und ich hörte den Kerl witzeln und was weiß ich für einen Unfug erzählen, irgendein dummes Gewäsch. Hermann und Richard tuschelten auf der anderen Seite. Sie hatte wirklich Nerven.

Ich schloß die Augen und tat so, als überließe ich mich der flimmernden Hitze, aber ich knirschte mit den Zähnen, schluckte stumm meinen Ärger hinunter und wartete auf den Beginn des Spiels. Ich hatte größte Lust, aufzustehen und abzuhauen, ich sagte mir immer wieder, daß mich nichts dazu zwang, die Gesellschaft eines Menschen zu ertragen, der mir derart zuwider war, daß das ein übler Streich war, den ich meiner Seele spielte, nichtsdestoweniger rührte ich mich nicht. Wie immer war alles nicht so einfach.

Einige Tage zuvor hatte ich ausführlich mit Richard darüber gesprochen. Ich hatte versucht, ihm den gewaltigen Druck der Einsamkeit zu erklären, der mit den Jahren zunehme, und daß Sarah vielleicht jemanden brauche, daß das vielleicht eine Frage des Gleichgewichts sei, nun ja, er war mittlerweile alt genug, solche Dinge zu kapieren. Es war mir zwar nicht gelungen, ihn restlos zu überzeugen, aber zumindest hatte ich seinen Groll ein wenig gemildert, und mir selbst hatte ich den gleichen Vortrag gehalten, obwohl ich größte Mühe hatte, ihn runterzuwürgen. Außerdem, hatte ich ihn beruhigt, ich sag dir, die Zeit arbeitet für uns, weißt du, es sollte mich wundern, wenn diese Geschichte von Dauer ist.

Leider war am Horizont nicht das geringste Anzeichen von Ermüdung zu sehen, und als mir Richard mit finsterer Miene verkündete, Sarah habe ihn schon zwei-, dreimal mit nach Hause gebracht, hatte ich eine Grimasse nicht unterdrücken können, und in diesem Moment hatte mich die Furcht beschlichen, daß dieses Abenteuer womöglich ein wenig länger anhielt, als wir uns wünschten. Alle waren sie wie Sternschnuppen verblaßt, nur dieses nicht, ich verstand überhaupt nichts mehr. Um ehrlich zu sein, ich fragte mich, ob der Abscheu, den mir Dolbello einflößte, nicht schlicht mit dieser besonderen Behandlung zusammenhing, mit dem Platz, den er in Sarahs Leben erobert hatte. Wenn dem so war, dann tat es mir leid für ihn, daß er das Opfer einer bedauerlichen Ungerechtigkeit war, aber es hatte ihn auch niemand gerufen.

Die Uhr an der Vorderseite des Dachs, das den Reihen gegenüber so freundlich Schatten spendete, zeigte kurz vor drei. Eine leichte Unruhe mischte sich unter das allgemeine Gemurmel, da man sich dem Anpfiff näherte. Ich wußte nicht, wie die anderen darüber dachten, aber ich hatte den Eindruck, daß die Luft dünner wurde und das Licht greller. Ich fühlte mich weder besonders wohl, noch glaubte ich, daß Vincent Dolbellos Gegenwart gänzlich für die vage Furcht verantwortlich war, die in mir hochkroch.

Das Licht, bislang weiß, wurde gelb. Wahrscheinlich hatte ich versehentlich zum Himmel aufgeblickt und büßte nun für diese Torheit mit einer vorübergehenden Blendung, ich konnte mir keinen anderen Grund vorstellen. Und so dachte ich nicht daran, mich zu beunruhigen, und versuchte sogar, mich damit abzufinden, denn alles in allem war das nicht unangenehm. Wie durch einen unsichtbaren Wirbel hindurch, der aus heißen Schwaden aufsteigt, erkannte ich nur noch unscharfe und fließende Formen, ein höchst merkwürdiger Effekt. Ich hörte die Pfiffe und den Beifall, ein Zeichen, daß die beiden Teams den Platz betreten hatten, aber die Geräusche selbst drangen nur gedämpft zu mir vor und verloren sich in der Ferne, und darunter mischte sich das seltsame Säuseln eines Luftstroms, der durch die Sträucher pfiff.

– Was denn für ein Säuseln...?! kicherte ich, der ungeheuren Absurdität meiner Wahrnehmung voll bewußt.

Als ich meinen Blick auf den Platz richtete, erkannte ich nur grüne und gelbe Flecken, die sich verteilten und hinter einer lockeren Leinwand in Schwingung gerieten. Ich wußte, daß das die Trikots der Mädchen waren, und auch, daß die Luft stillstand und ein Basketballspiel vor mir ablief, aber ich sah etwas ganz anderes. Diese bizarre Erscheinung amüsierte mich schließlich, zumal das Bild eines gewissen Charmes nicht entbehrte und etwas von dem Schauder hatte, den eine willkommene Brise unter blühenden Ginstersträuchern hervorgerufen hätte.

Plötzlich konnte ich wieder normal sehen. Und ich war darüber nicht böse, denn das Spiel konnte jeden Moment beginnen, die Mädchen starrten einander feindselig an und brannten darauf, sich zu bekämpfen. Ich gähnte unauffällig, noch ganz aufgewühlt von meinem Wunder, als mir Hermann seinen angewinkelten Ellbogen in die Rippen knallte.

– Verdammt nochmal, *siehst du ihn*...?!! stieß er mit dumpfer Stimme hervor.

Ja, ich sah ihn im gleichen Moment, ich wußte, daß er es war, bevor ich ihn erkannte, und einige Sekunden lang sperrte ich den Mund auf.

– Was treibt der da...?! fügte Hermann hinzu.

– He, wer ist denn der Typ da oben...? fragte Dolbello.

– He, Max...!! rief ich und stand auf.

Er war auf diese Art Dach geklettert, das die Ränge auf der anderen Seite des Platzes überschattete, er war urplötzlich da aufgetaucht, seine Gestalt stach gegen den Himmel ab, jetzt, da er sich ziemlich nah am Rand aufrichtete. Er trug einen dunklen

Anzug und ein Hemd, das mir unglaublich weiß vorkam und mehr als alles andere in die Augen sprang. Die Leute auf unserer Seite des Platzes zeigten mit dem Finger auf ihn. Fünfzehn Meter tiefer blickten die beiden Teams zum Himmel.

Erneut rief ich seinen Namen, während ringsum die Unruhe wuchs, weil ein jeder anfing, Fragen zu stellen, aber er schien mich nicht zu hören. Ich war zu weit entfernt, um seinen Gesichtsausdruck zu erkennen, aber ich wußte, er würde springen, und diese Gewißheit lähmte mich.

Er trat einige Schritte vor, näherte sich mit baumelnden Armen der Leere. Seine Haltung ließ keinen Zweifel. Laute, aufgeregte Schreie ertönten, als sein Schatten auf dem Platz erschien. Aus seinem zugeknöpften Jackett blitzte das blendende Weiß seines Hemdes, und mein einziger Gedanke war, er könnte es dreckig machen oder sogar zerfetzen, und diese dumme Vorstellung war mir sogleich unerträglich, aber ich schaffte es nicht, sie aus meinem Kopf zu verjagen.

Ich hörte vertraute Stimmen um mich herum. Ich begriff kein Wort von dem, was sie sagten, und auch die Hand, die sich an meinen Arm klammerte, vermochte ich nicht zuzuordnen, und ich blinzelte gegen das Licht. Die Zeit sauste davon, doch der Sekundenzeiger auf der Uhr rückte tröpfchenweise voran. Max stand genau über ihr. Die Leute gerieten in Bewegung. Niemand blieb auf seinem Platz. Mehr als jedem andern schnürte sich mir die Kehle zusammen, aber ich rührte mich nicht vom Fleck. Es war sinnlos, irgend etwas zu versuchen, es war nichts zu machen.

Er schaute kein einziges Mal in meine Richtung. Er hatte den Kopf leicht nach vorn geschoben. Aus den Zuschauerrängen stieg inzwischen ein starker Geruch auf, die Menge stank, je mehr die Spannung wuchs, ein saurer Schweiß, eine Mischung aus Schrecken und Aufregung, die aus der drückenden Schwüle sickerte, während Max mechanisch ein letztes Mal prüfte, ob seine Beinkleider schicklich saßen.

Ein Aufschrei schlug ihm entgegen, als er von seinem tristen Podest purzelte, entsetzlich langsam, ohne ein einziges Wort hervorzustoßen, ohne auf heroische Art abzuspringen, er kniete sich einfach ins Leere. Er ruderte im Fallen weder mit den Armen noch mit den Beinen, er fiel wie ein Paket und prallte auf den Rand des Spielfelds.

Im gleichen Moment setzte ich über die Leute hinweg, stürzte nach unten, fegte wie der Blitz über den Platz und kam gerade noch rechtzeitig. Er lebte noch. Keuchend beugte ich mich über ihn, während die Neugierigen von allen Seiten herbeiströmten. Er lag auf dem Rücken, Blut floß aus seinen Ohren und seiner Nase, er hatte die Augen offen und sein Gesicht war zu einer Grimasse verzerrt. Ich kauerte mich neben ihn, aber ich hatte ihm nichts Bestimmtes zu sagen. Ein undurchdringlicher Wald von Beinen umgab uns, zog sich nach und nach enger zusammen wie wuchernde tropische Pflanzen.

So daß ich schließlich von der vordersten Reihe umgestoßen wurde, bevor ich mir Gehör verschaffen konnte. Ich legte eine Hand auf den Boden und rappelte mich auf. »He!! Was soll denn...« Ich kam nicht dazu, meinen Satz zu beenden, denn außerstande, dem Druck standzuhalten, wurde ich von der ersten Reihe umgeworfen und kippte quer über Max.

Ich stieß einen fürchterlichen Schrei aus.

Trotz des Getümmels, das sich über meinem Kopf abspielte, gelang es mir, mich auf allen vieren von ihm zu lösen. Die Leute schoben einander und riefen denen im Hintergrund zu, sie sollten aufhören zu schieben, sie seien ja verrückt. Ich hoffte, ich hatte ihm nicht weh getan. Jemand trampelte auf seine weißen Haare. Die Vorstellung, ich könnte ihn mit meinem Gewicht erdrückt haben, machte mich halb wahnsinnig. Dann lockerte sich der Schraubstock, und ich richtete mich auf, und während ich das tat, klammerte sich seine Hand an meinen Ärmel. Ich erstarrte. Er sah mich nicht an, doch seine Lippen bewegten sich, also beugte ich mich wieder zu ihm hinunter, von einer wahren Rührung ergriffen.

– Sag ihr..., murmelte er mit so schwacher Stimme, daß ich wahrhaftig glaubte, dies seien seine letzten Worte – später bedauerte ich zuweilen, daß sie es nicht waren –, doch nichtsdestoweniger lauschte ich ihm aufmerksam.

Einige Sekunden lang hörte ich nichts mehr, während sich um mich herum das Geschiebe beruhigte, und ich glaubte, er habe seinen letzten Atemzug getan. Doch er hatte sich das Beste für den Schluß aufbewahrt.

– Sag Marianne, ich hab gebüßt..., fügte er mit letzter Kraft hinzu, bevor er entschlief.

Ich mußte seine Finger einzeln lösen, um mich zu befreien. Aber ich vermied es peinlich, ihn anzuschauen. Ich stand mühsam auf und stellte fest, daß ich meine Mütze verloren hatte. Für einen Moment war ich wie vor den Kopf geschlagen, dann spaltete ich die Menge.

Ich behielt das einige Tage für mich, dann erzählte ich auf dem Umweg eines Gesprächs, das wir über sein nächstes Theaterstück führten, Hermann davon. Es drehte sich um das Stück eines jungen Autors, den Marianne unter ihre Fittiche genommen hatte, aber ausnahmsweise stimmte ich ihr da zu, ich schätzte, daß der Typ in einigen Jahren wirklich gut sein würde. Ich kannte ihn ein wenig, er war zwei-, dreimal bei mir zu Hause vorbeigekommen, und ich hatte ihm gesagt, was ich von seinem Werk hielt. Hermann für sein Teil war mit seiner Rolle außerordentlich zufrieden, immer wieder erzählte er mir davon und das mit einer solchen Begeisterung, daß ich ihn schließlich ernstgenommen hatte.

Am frühen Abend war ein heftiges Gewitter losgebrochen, es hatte in Strömen gegossen, und wir waren allein, Elsie und Gladys hatte es plötzlich nach einem Schaufensterbummel gelüstet. Wir quatschten miteinander, während er sich rasierte und ich mit einer *Monte Christo Especial* in meiner Wanne untergetaucht war. Der Regen hatte aufgehört. Der Himmel war malvenfarben mit breiten lachsrosa Einschnitten, und ich blies meinen Rauch durchs Fenster. Ich wartete, bis er das Rasiermesser von seiner Kehle entfernt hatte, ehe ich ihm die Neuigkeit verkündete.

Zum guten Schluß kamen wir überein, mit niemandem darüber zu reden. Das war nur Marianne gegenüber ein Problem. Hermann schüttelte den Kopf, er war dafür, nichts zu sagen, es sei besser, wenn Max sein Geheimnis mit ins Grab nehme. Ich hatte während der gesamten Beerdigung darüber nachgedacht. Ich fragte mich, ob ich seinen letzten Willen erfüllen mußte, ob er mir wirklich eine so fürchterliche Last aufgebürdet hatte und ob ich vielleicht übertrieben gefühlsduslig war.

Lag sein Seelenfrieden in meiner Hand? Konnte sein Tod für Marianne ein Trost sein? Lag die Entscheidung, was gut war und was nicht, bei uns? Lauter Fragen, die wir trotz der Milde des Abends ernsthaft erörterten, Rätsel, die ohne Lösung blieben und über die wir uns trotz der linden Luft, die auf die Gluthitze vom Vortag gefolgt war, Gedanken machten.

Als ich sie sah, stellte ich mir die Szene vor, Max über ihr, nachdem er sie niedergeschlagen hat, und wer weiß, sagte ich mir, ob sie sich nicht am Ende eingebildet hat, ihr Täter sei ein verdammt hübscher Kerl...?! Ich erinnerte mich an das Gesicht, das er gemacht hatte, wenn er in ihrer Gesellschaft war, oder an die finstere Miene, die er aufsetzte, wenn es darum ging, sie in ihren Rollstuhl zu heben. Ich dachte an all die Entschuldigungen, die ich für ihn gefunden hatte, wenn auffiel, daß bei ihm nichts mehr lief, an den allgemeinen Irrtum, bei ihm gehe alles schief, weil man ihn vom Gymnasium gefeuert hatte. Und ich dachte an die Empfindungen, die mich blind gemacht hatten. Was sollte ich jetzt mit den schönen Augenblicken anfangen, die wir gemeinsam erlebt hatten...?!

– Also, Dan, hörst du mir überhaupt zu...?

Ich bekam kaum mit, was sie mir erzählte. Das endete regelmäßig damit, daß ich sie, ohne mir darüber klar zu sein, nur anstarrte, und nach einer Weile unterbrach sie sich dann.

– Na schön, machen wir fünf Minuten Pause, gewährte sie mir mit wohlwollendem Lächeln.

Trotzdem, es wollte mir nicht gelingen, mich zu entspannen.

Wir hatten uns daran gewöhnt, miteinander zu arbeiten. Meist ging es dabei um Themen, die mich nicht sonderlich fesselten, aber das klappte gar nicht so schlecht mit uns beiden. Ich hatte sie monatelang beobachten können. Damals, als ich sie kennengelernt hatte, waren mir einige ihrer Qualitäten vollkommen entgangen – es sei denn, sie hatten sich erst in der Folge entwickelt –, und als sie dann Vorsitzende der Stiftung geworden war und Paul in höchsten Tönen von ihr schwärmte, hatte ich ihm praktisch kein Wort geglaubt und ihn nur mißtrauisch angeblickt. Aber ich hatte ihr unrecht getan. Inzwischen verstand ich mich ganz gut mit ihr. Es kam vor, daß ich türenknallend aus ihrem Büro stampfte und fünf Minuten später zurückkehrte, ohne daß einer von uns auf die Idee kam, sich zu wundern. Ich konnte nicht leugnen, daß ich sie wirklich mochte, auch wenn ihr Geschmack in puncto Roman rettungslos entmutigend blieb.

Ich konnte mir nicht vorstellen, wie ich ihr verkünden sollte, es gebe Neuigkeiten und ich wüßte den Namen desjenigen, der sie in den Rollstuhl gebracht hatte. Ich brauchte sie nur kurz anzusehen, schon verflog der geringste Elan, den ich in dieser Richtung verspürte. Hermann hatte recht. Trotzdem, ich fragte mich, ob Max droben seinen Blick auf mich richtete, ob er im Begriff war, mich zu verfluchen. Ich beruhigte mich, indem ich mir einredete, er habe ja nicht verlangt, ich müsse es ihr *sofort* sagen. Pah, die Welt der Lebenden ist nur ein weiter Ozean von nicht einzugestehenden Dingen, von unsäglichen Geheimnissen.

War in dieser Hinsicht keinerlei Fortschritt zu verzeichnen, so mußte man feststellen, daß sich im Lager der Bartholomis einiges tat. Sarahs Versuch, Vincent Dolbello in unseren Reihen zu inthronisieren, glich einer mühevollen Kleinstarbeit. Sie verstand es zunehmend, seinen Namen wie selbstverständlich ins Gespräch einfließen zu lassen, ihr ständiges Vincent denkt dieses, Vincent hat jenes gesagt, Vincent und ich wirkte in unseren Köpfen und wuchs sich zu einer kleinen Armee aus, die sie zum Endsieg führen sollte. Ich kannte sie gut genug, um den Braten zu riechen, aber ich sagte nichts und begnügte mich damit, ihr geduldiges Spiel mit einer Mischung aus Mattigkeit und Resignation zu verfolgen.

Als ich mit Richard gewettet hatte, die ganze Sache werde nicht von Dauer sein, hatte ich mich gehörig in den Finger geschnitten. Mein Gefühl, was Frauen anging, hatte sich im Laufe der Zeit nicht gebessert. Daß Franck mich sitzenlassen würde, hatte ich trotz ihrer Drohungen nicht einen Augenblick lang geglaubt, damals war ich noch ein gefeierter Schriftsteller, kein Typ, den man wie einen gewöhnlichen Sterblichen fallenließ. Ich hatte praktisch den Kopf gegen die Wand rammen müssen, um zu begreifen, was passiert war. Und jetzt täuschte ich mich erneut, man konnte meinen, je näher sie mir waren, um so undurchdringlicher wurde das Geheimnis.

Eines Morgens dann, keine vierzehn Tage nach Max' Tod, war sich Sarah ihrer Sache sicher genug, um uns allesamt bei sich einzuladen. Ich erfuhr natürlich als letzter davon, was hieß, daß sie meiner Reaktion ein wenig mißtraute, und da hatte sie gar nicht so unrecht, denn hätte sie mir gegenüber nur zwei, drei Worte fallen lassen, bevor sie mit den anderen darüber sprach, hätte ich sofort Ränke gesponnen, um ihren blöden Plan zu Fall zu bringen.

– Das hätte zu nichts geführt, erklärte mir Elsie eines Abends, als ich wieder darüber wetterte, daß wir uns hatten übertölpeln lassen.

– Wir wären nur zurückgewichen, um einen neuen Anlauf zu nehmen...

Ich ärgerte mich schwarz, aber ich wußte haargenau, daß Sarah nicht von ihrem Plan abgelassen hätte, wäre es mir gelungen, ihren ersten Versuch zu vereiteln. Zwei-, dreimal schon hatte sie es hinbekommen, daß wir ihnen da und dort begegneten, und sie hatte Überraschung geheuchelt, daß wir uns an einer Stelle über den Weg liefen, wo sie verdammt nochmal wußte, daß das nicht ausbleiben konnte. Ich haßte dieses dumme Spiel und das perfekt verwunderte Gesicht, das sie bei diesen Begegnungen machte, ich warf ihr vernichtende Blicke zu, aber sie schien sich darüber nicht zu grämen, mir war, als betrachtete ich sie durch einen Einwegspiegel.

Anscheinend war jetzt ein weiterer Schritt fällig. Jedem von uns war, zu verschiedenen Anlässen, die Gegenwart dieses Bescheuerten schon einmal aufgedrängt worden. Sarah brauchte bloß die Einzelteile zusammenzufügen, um alles klarzustellen. Und genau das war über uns eingebrochen.

Bernie teilte meine Befürchtungen hinsichtlich der Wendung der Ereignisse. Er glaubte auch, daß das etwas Ernsthaftes war und daß man darin keine vorübergehende Liaison mehr sehen durfte. Da auch er von den zufälligen Begegnungen, die Sarah über unsere Wege streute, nicht verschont worden war, hatte er den Ernst der Sache erfaßt. Er fand Dolbello jedoch nicht besonders interessant.

– Immerhin, versetz dich in Sarahs Lage, alles in allem ist er ein recht schöner Mann ...

– Tja, dann versuch ihn ihr doch auszuspannen. Ich glaube, du würdest ihr einen Gefallen erweisen.

– Trotzdem, er hat etwas an sich, das mir mißfällt ... Dieser harte Blick, hast du den schon bemerkt?

– Ich sagte schon, er gefällt mir nicht.

– Andererseits kennen wir ihn kaum ...

– Du meinst, wir übertreiben ...?! Verdammt, der Himmel gebe, daß du recht hast, mehr verlange ich nicht ...!

– Weißt du, ich denk mir, Sarah ist schließlich nicht blöd.

– Franck war auch ein schönes und intelligentes Mädchen ... Du hättest Abel sehen sollen, der Typ, mit dem sie davongelaufen ist. Ich frag mich, ob du den nicht auch für einen *schönen Mann* gehalten hättest.

Das war morgens, der Himmel war strahlend blau, und wir leerten ein paar Flaschen *Corona (El abuso en el consumo de este producto es nocivo para la salud)* im Garten, während sich die anderen zurechtmachten. Obwohl wir uns bald auf den Weg zu Sarahs famoser Einladung machen sollten, war ich nicht unbedingt schlechter Laune, und wenn ich noch so sehr auf einem empfindlichen Thema herumhackte, das Gewicht der Unabwendbarkeit betäubte mich und warf mich in die Seile. Wir lagen in unseren Liegestühlen, Bernie und ich, und unter diesen Umständen hätten wir ebensogut über das Ende der Welt reden können.

Bernie schob eine Hand über den Rand und tätschelte mir freundlich den Oberschenkel:

– Dein Verhältnis zu Sarah ist ein bißchen zu kompliziert, als daß du einen objektiven Blick haben könntest ...

– Täusch dich da mal nicht. Mein Verhältnis zu Sarah wird immer einfacher. Ich habe zu jedem meiner Arbeitskollegen ein intensiveres Verhältnis, seit Dolbello die Bühne betreten hat.

– Hör mal, ich geb zu, der Typ ist nicht gerade angenehm. Aber so ein Krach stand dir ins Haus, behaupte nicht das Gegenteil...

– Wie bitte, *so ein Krach stand mir ins Haus...?!*

– Naja... Du mußtest wissen, daß sie eines Tages jemanden finden würde... Ich hoffe doch, daß dir dieser Gedanke schon einmal gekommen ist...

– Meine Güte, da bin ich mir nicht so sicher...!

Die Pappel zitterte im Licht und bestäubte uns mit hellem Konfetti.

– Bernie, ich habe ihr jahrelang zu Füßen gelegen, ich hätte alles mögliche für sie getan... Aber das Oberste Gebot, *Bumse nicht mit deiner besten Freundin*, stand zwischen uns wie ein unheilvolles Schwert. Ich muß gestehen, daß das Resultat meinen Hoffnungen nicht gerecht wird... Kannst du mir verraten, was von dieser schönen Freundschaft bleibt, die wir auf meiner mühsamen Enthaltsamkeit und meinem so schmerzlichen Verzicht aufgebaut haben...? (Ich ließ meine leere Flasche los, nachdem ich sie einen Moment betrachtet hatte.) Nichts oder so wenig, daß ich mich frage, ob ich vielleicht geträumt habe...! Pah, du solltest mich lieber kneifen, Bernie, und mir nicht andauernd über den Oberschenkel streichen.

Dolbello hatte sich vor dem Holzkohlengrill postiert. Die Ärmel hochgekrempelt, stand er lächelnd in seiner Ecke und pinselte das Fleisch voll. Sarah lief hin und her – ich lachte mich tot – und vergewisserte sich, daß es niemandem an etwas fehlte. Sie wirkten alle beide dermaßen entzückt, daß sie sich fast in die Hosen machten, und sie wechselten triumphierende Blicke, denn alles lief wie geschmiert.

Wir waren rund zwanzig Leute, genausoviel wie vonnöten, um vor einem gar zu plötzlichen Tête-à-tête sicher zu sein und doch eine gewisse Intimität zu wahren, und daran konnte man erkennen, daß sie beschlossen hatten, uns zu übertölpeln. Ich war leicht angewidert, aber mir war noch ein Rest von Zuneigung für sie geblieben – ich wußte selbst nicht, wieviel davon noch übrig war–, und ich nutzte ihn, um ruhig zu bleiben. Trotzdem, welch trauriger Anblick, Sarah wie ein junges Mädchen erröten zu sehen, das seinen Schwarm mit nach Hause gebracht hat, und dann dieser Ochse, der selbstsicher und mit verschwörerischem Grinsen seine Steaks und Schweinekoteletts grillte.

Schließlich gab ich es auf, sie zu beobachten, und verkniff mir meine spöttischen Bemerkungen. Sie hatte jetzt, was sie wollte. Das war eines dieser Spiele, bei dem ein Bauer, der vorrückt, nicht wieder zurückweichen kann. Dolbello wanderte mit seinem dampfenden Fleisch von Gruppe zu Gruppe und markierte den Hausherrn, er durchstreifte den Garten wie ein Stück Land, das er erobert hatte, erteilte da und dort im gewinnenden Tonfall desjenigen, der im Hause ein- und ausgeht, ein paar Anweisungen, damit sich ein jeder rundum wohl fühlte. Ich hätte ihn erwürgen können, aber ich zuckte nicht einmal mit der Wimper. Wie heißt es in Nummer 33: *So hält der Edle den Gemeinen fern: nicht zornig, sondern gemessen.* Trotz allem, jedes »du«, das er zu mir sagte, war wie ein Dolch, den er mir ins Herz stieß.

Ich wußte nicht, ob es mir gelingen würde, mich daran zu gewöhnen. Ich wußte nicht, ob Dolbello auf lange Sicht mit der Szenerie verschmelzen würde, ob Aussicht bestand, daß ich mich der Situation anpaßte. Ich dankte dem Himmel, daß er mir Elsie geschickt hatte. Ich malte mir mein Martyrium aus, wenn ich diese traurige Prüfung allein hätte durchstehen müssen. Stell dir vor, sagte ich mir, sie verließe dich *jetzt*...!! Es kam vor, daß ich mich nach ihr umsah oder sie im Schlaf beobachtete, um mich zu beruhigen. Sie war der Balsam, der meine Wunden schloß, der Abstand, der mich vor einem schicksalhaften Schlag behütete, der Halt, der mein Herz davor bewahrte, in tausend Stücke zu zerspringen. Sie hatte meine Verbitterung gemildert. Ohne sie hätte mich die Welle mit voller Wucht erfaßt, und ich wäre eiskalt davongespült worden, denn nichts schien für Sarah noch Bedeutung zu haben außer diesem verfluchten Umgang mit ihm.

In welchem Metall hätte ich, wenn Elsie nicht gewesen wäre, den ernüchterten Blick schmieden können, mit dem ich gefaßt die Dinge betrachtete?

Also zeigten sich die Auswirkungen meiner Verwirrung nur noch von Zeit zu Zeit und mehr oder weniger intensiv, manchmal jedoch waren sie wie eisige Vipern, die aus dem Dickicht hervorschnellten, wie der Angriff eines Barracuda oder eine plötzliche Feuersbrunst, die ich nur mit größter Mühe zu bewältigen vermochte. Ich erhielt, was ich verdiente. Und ich hatte bislang nicht das Glück gehabt, eine kleine Sache loszuwerden, die mir von Anfang an am Herzen lag, von der ich allerdings glaubte, über kurz oder lang müsse ich damit rausrücken. Das passierte in der Küche.

Der Nachmittag dehnte sich im Garten, kleine Gruppen aalten sich leicht schlapp und gesättigt auf dem verdorrten Gras, und mir ging nichts Bestimmtes durch den Kopf. Ich hatte mich zwar auf das Schlimmste eingestellt, was Dolbello betraf, war aber nicht bereit, klein beizugeben, und ich blickte höchstens einmal zu ihm hinüber, wenn seine Stimme die der anderen übertönte. Er schien mit sich zufrieden, er legte Leuten, die er kaum kannte, die Hand auf die Schulter und mischte sich in sämtliche Gespräche ein. Wenn er in meine Nähe kam, stellte ich mich dösend. Es war sinnlos, daß er sich meinetwegen Mühe gab. Mehr als gering waren seine Chancen, mich in die Tasche zu stecken.

Irgendwann stand ich auf, ich ging in die Küche, um mich mit Eiswürfeln zu versorgen. Die Rollos waren heruntergezogen, so daß eine leichte Kühle in dem von breiten, schrägen Strahlen durchbohrten Halbdunkel schwebte. Ich hoffte einen Augenblick, Dolbello müsse sich all das Geschirr da vorknöpfen, aber ich durfte nicht träumen, es gibt keine Gerechtigkeit auf Erden. Ich nutzte die Gelegenheit, mir die Hände zu waschen. Danach besprengte ich mir das Gesicht, und als ich mich wieder aufrichtete, erblickte ich Sarah neben mir. Es war eine Spüle mit zwei Becken. Ohne einen Ton zu sagen, drehte sie ihren Wasserhahn auf und ließ das Wasser über ihre Finger laufen, um anschließend eine Karaffe zu füllen. Nie zuvor hatte ich ein derart schlaffes

Schweigen zwischen uns erlebt. Wassertropfen rannen mir über den Hals, aber ich hätte schwören können, das war der Abdruck dieser elenden Stille.

Ich erkannte sogleich, daß der Moment gekommen war, mich meiner Last zu entledigen. Meine Hände schlossen sich sanft um den Rand des Spülbeckens, ich kniff die Augen zusammen und mein Mund verzog sich zu einem grausamen Lächeln, während sie mich weiter ignorierte.

– Soso... du fragst mich also nicht, wie ich ihn finde...?! raunte ich ihr im Ton einer Giftschlange zu.

– Nein, antwortete sie.

– Verdammt und zugenäht, ich finde ihn *ekelhaft*...! sagte ich.

Damit ging ich zufriedenen Schritts von dannen.

Als sich der Sommer einnistete, befiel mich ein leichtes Herzstechen. Ich sagte nichts, aber ich fürchtete den Moment, da Hermann seine Koffer packen würde. Das war ziemlich neu für mich, jedenfalls neu genug, um mir ein wenig Weltschmerz einzuflößen und mich daran zu erinnern, wie betrüblich es war, zu zweit eine Familie zu bilden. Dieser letzte Punkt setzte mir mehr zu als alles andere. Die Zerbrechlichkeit des Gebäudes wurde mir schmerzlich bewußt, und ich wußte wohl, daß diese Ferienzeiten nur die Generalprobe für den endgültigen Zusammenbruch waren. Wiederholt fragte ich mich, wie ich es angestellt hatte, in eine solche Situation zu geraten. Das war eines meiner Lieblingsthemen, wenn ich anfing zu grübeln. Und seine volle Bedeutung würde es erst an dem Tag erlangen, an dem er für immer fortging. Ein heftiger Schauder der Verlassenheit erfaßte mich bei dieser Vorstellung, aber ich suchte mich dem nicht zu entziehen. Ich bildete mir ein, es sei besser, darauf vorbereitet zu sein. Je eher man das Ausmaß und die Absolutheit seiner Einsamkeit erfaßt, um so besser fährt man.

Sie hatten noch nicht entschieden, wohin sie verreisen wollten, aber von Zeit zu Zeit redeten sie darüber und prüften verschiedene Angebote, die sie da und dort hatten, Freunde, die ein Haus besaßen, oder welche, die mit einem ganzen Bündel guter Adressen ins Ausland düsten. Einstweilen hatten sich Hermann und Richard zu Laufburschen in der Fondation verdingt. Sie waren direkt zu Marianne marschiert und hatten ihren Charme spielen lassen, dessen unwiderstehliche Wirkung sie gern noch unterstrichen, und zum Beweis hatten sie ihr Büro mit einem Job in der Tasche wieder verlassen. Wenn man sie hörte, bekam man den Eindruck, ihre Aufgabe bestehe darin, den lieben langen Tag durch die Gegend zu radeln, was mir so schön erschien, daß ich Marianne gesagt hatte:

– Ah, wozu noch lang suchen... Das ist der richtige Job für mich!

Leider hatte sie dem nicht stattgegeben.

Jetzt, da sie ihre Prüfungen hinter sich hatten – nur Richard war mit einem Schnitt von 6,5 durchgerasselt –, leisteten sie sich alle drei eine strahlende Miene. Hermann schlief kaum noch wegen seiner Proben, von den Nächten ganz zu schweigen, die Gladys in seinem Bett verbrachte, aber trotz alldem war er groß in Form. Gladys stopfte ihn mit Pulver von portugiesischen Austern und Azerolatabletten voll, die er morgens verschlang, sobald er die Augen aufschlug, anschließend, kaum war er die Treppe hinuntergestiegen, hörte man ihn vor sich hin pfeifen oder in die Hände klatschen, so daß Elsie und ich uns fragten, ob sie nicht des Guten ein wenig zuviel tat, nun ja, wenigstens hatte er noch keine roten Flecken im Gesicht.

In diesem Jahr hatte er ein paar kleinere Rollen gespielt – Beckett, Ghelderode, Edward Albee –, aber kein Vergleich mit dem, was in den nächsten Tagen auf ihn zukam. Es war mir nicht gestattet, bei den Proben zuzusehen, alles spielte sich – bis auf das wenige, das er mir darüber erzählte – in größter Heimlichkeit ab. Richard und Gladys wichen nicht von seiner Seite. Ich wußte nicht so recht, was sie trieben, ob sie ihm den Nacken massierten, darauf achteten, daß er sich bloß keinen Schnupfen holte oder seine Kostüme wegräumten, jedenfalls hatten sie an seiner Aufregung teil, und nachts um Punkt eins hörte man sie heimkommen, alles andere als müde, und wenn ich mich ans Fenster stellte, sah ich, wie sie erst im Wagen, dann auf dem Bürgersteig miteinander quatschten, schließlich verlegten sie das in den Garten, mit anderen Worten: ich brauchte mich nicht zu beeilen, ihnen die Tür aufzumachen. Das ging so weit, daß nicht einmal mehr von Vincent Dolbello die Rede war.

– Och, der...? Keine Ahnung..., antwortete Richard, wenn ich mich danach erkundigte. Ich spürte, es hatte keinen Sinn nachzuhaken, ich konnte nur hoffen, daß das einigermaßen klappte, wenn sie in seiner Gesellschaft waren. Bekamen sie überhaupt noch etwas mit, seit sie sich in diesem verdammten Theater verkrochen hatten?

Eine Woche, bevor der Vorhang aufging, wurde Hermann schlagartig bleich, und auch die beiden anderen verloren einige Farbe. Als ich sie fragte, ob sie krank seien, antwortete mir Gladys, das sei nicht zum Lachen und sie wolle mich mal sehen. Ich hätte wohl vergessen, daß Hermann praktisch das ganze Stück auf seinen Schultern trug und daß der ganze Saal geschlagene zwei Stunden lang die Augen auf ihn heften würde, ob ich mir eigentlich vorstellen könne, was für ein fürchterlicher Streß das sei, welch unglaubliche Verantwortung...? Hermann bat sie mit einer müden Handbewegung, es gut sein zu lassen, und für eine gewisse Zeit, in der die beiden anderen Wache schoben, war er völlig niedergeschmettert.

Ich dachte, ich täte gut daran, den Autor des Stückes einzuladen, aber sie verbrachten den ganzen Abend damit, sich gegenseitig davon zu überzeugen, daß alles schiefgehen werde, totsicher würden sie durchfallen, und vielleicht wurden auch schon Teer und Federn vorbereitet. Der Typ gefiel mir. Man begegnet nur selten einem Schriftsteller, der sich nicht für eine Art Genie hält, einem, der an seiner Arbeit zweifelt und nicht Meilen gegen den Wind stinkt.

– Nein, nein, du bist wunderbar... Das Stück ist schlecht!

– Ach du meine Güte, sag das nicht...! Ich bin wirklich stolz, es spielen zu dürfen, doch... Aber ich glaube, du hättest einen anderen aussuchen sollen...

– Komm, Mann... Ich weiß, wovon ich rede.

Ich ging mit leichten Kopfschmerzen ins Bett. Ich fragte Elsie, ob sie so etwas glauben könne. Sie antwortete, sie sei ganz gespannt darauf. Ich nahm sie in meine Arme, und ich sagte ihr, langsam jagten mir die beiden Idioten tatsächlich Schiß ein.

Marianne war überzeugt, daß das Stück Erfolg haben würde, Paul liebte es, und Andrea beteuerte, sie habe immer gewußt, daß Hermann Talent habe, aber mittlerweile hegte ich gräßliche Zweifel, und es kam vor, daß ich ihr Büro betrat, nur um mich ein weiteres Mal zu vergewissern, ob das die Möglichkeit sei. Paul lachte, er behauptete, meine Unruhe mache ihn jünger, denn ich hätte, das könnte ich ihm glauben, genau das gleiche Gesicht wie er damals, wenn eines meiner Bücher herauskam, und im Grunde sei ich ein Angsthase und wüßte es nur nicht. Ich hatte keine Ahnung, wie er darauf kam, daß ich es nicht wüßte. Zu Hause bekundete ich volles Vertrauen und eine offenbar zu große Gelassenheit, wenn man Gladys hörte, die mir in einem fort zuraunte, o Dan, wie kannst du nur in solch einem Moment so ruhig bleiben, nicht zu fassen, das ist fast unverschämt...! Ich gab ihr zur Antwort, daß ich ihn aufrichtig liebte, daß ich wüßte, wozu er fähig sei. Sie erwiderte, das sei gemein, und zuckte mit den Schultern. Die Ärmste, hätte ich ihr offen mein Herz ausgeschüttet, sie hätte eine Gänsehaut bekommen, daß sie Reißaus genommen hätte, die Hände auf beide Ohren gepreßt.

Um auf andere Gedanken zu kommen, versuchten sie sich zu entscheiden, wohin sie anschließend fahren sollten (wenn das Desaster perfekt war...?!), und sie falteten Karten auseinander und beugten sich darüber, Schulter an Schulter, wie ein Häuflein halb erfrorener Schiffbrüchiger. Ich wußte nicht, ob das in der Familie lag, diese Lust, sich der Öffentlichkeit zum Fraß vorzuwerfen, jedenfalls schien es uns beiden nicht zu gelingen. Ich fand es noch gut, daß er imstande war, sich frühmorgens auf ein Fahrrad zu schwingen, hatte ich doch meinerseits eine solche Angst gehabt, daß ich nicht hatte aufstehen können, so schwach fühlte ich mich.

Eines Abends knöpfte ich mir zusammen mit Gladys die Ein-

ladungskarten vor – eine Aufgabe, die ihr auf ihre Bitte hin übertragen worden war, deren Ausmaß sie jedoch einigermaßen unvorbereitet getroffen hatte –, wir setzten uns an den Tisch, und
ich holte seufzend meine Brille hervor.

– Hör mal, niemand *zwingt* dich dazu.

– Sei nett zu mir, antwortete ich ihr. Da stehen so viele Namen
auf der Liste, daß du mir die Füße küssen solltest.

Hermann und Richard waren nach dem Essen wieder ins
Theater gefahren. Dem letzten Gerücht zufolge würde nichts
rechtzeitig fertig sein, aber verflixt hin, verflixt her, sie waren
wieder losgerauscht. Elsie war noch nicht zurück, sie war zu
irgendeinem ihrer Dinners in der Stadt, und ich hatte einen
Zettel vorgefunden, auf dem sie mir erklärte, der Kerl sei hell-
rosa und schmerbäuchig, selbst auf einer einsamen Insel etc. So
daß wir allein waren, Gladys und ich, nur mit diesem Packen
auf dem Schoß.

Eigentlich hatte ich es mir bequem gemacht, um Musik zu
hören, aber nach der Hälfte des ersten Satzes *(Andante comodo)*
hatte ich sie stöhnen hören, und nachdem ich sie eine Weile beobachtet hatte, beschloß ich, ihr zu Hilfe zu eilen. Es ist gar nicht
so einfach, einen Moment im Leben zu finden, in dem man unge-
stört Mahlers *Neunte* hören kann – und wenn doch, dann stach
Karajan alle aus –, vor allem, wenn man grausam gehalten ist, sich
vierzig Stunden in einem Büro reinzuziehen. Aber sie erregte
Mitleid mit ihrem Berg von Umschlägen und all diesen Adressen, die sie abzuschreiben hatte, von den Briefmarken ganz
zu schweigen. Ich hatte meinerseits leise gestöhnt, dann war ich
aufgestanden und hatte ihr gesagt, ich mache mit.

– Dan, was meinst du, wie lange brauchen wir...?

– Länger, als du glaubst...! sagte ich erblassend, während ich
einen der Umschläge untersuchte. Schade, daß das keine selbst-
klebenden sind...

Sie machte uns zwei Schalen Mu-Tee – den hatte sie im Haus
eingeführt, ebenso die Getreideplätzchen und die Tamarisken,
sie hatte eine eigene kleine Ecke in einem Küchenschrank, eine
Kollektion von Fläschchen und Pillen –, und sie bestand darauf,

daß ich ihn trank, solange er noch heiß war. Ich hatte nichts dagegen, wenn uns das Kräfte verlieh. Zudem fand ich nicht mehr wie am Anfang, daß der Trank nach Maggi schmeckte, allmählich gewöhnte ich mich daran.

Die Nacht war lau und sanft, eine Sommernacht mit dem Knistern der Insekten im Garten und dem fernen Geräusch der Automobile. Ich spürte das junge Blut, das in ihren Adern floß, den perfekten Mechanismus ihres Körpers, die straffe Elastizität ihrer Haut, und ich wurde von einer Rührung ergriffen, die jener gleicht, die einen beim Anblick einer Quelle befällt. Ich dachte an all die Hoffnungen, all die Wünsche, die in ihr waren, und ich erinnerte mich, wie einfach mir das Leben erschien, als ich in ihrem Alter war und angefangen hatte, mit unbesiegbarem Feuer meine ersten Erzählungen zu schreiben, und wie fern das alles war.

– Du, Dan, ich möchte so sehr, daß das klappt...! sagte sie und schob mir einen dicken Stoß Umschläge zu.

– Mmm, das werden wir bald wissen.

Sie verschränkte die Arme und starrte zum Fenster hinaus, während ich zu schaffen begann.

– Stimmt es, daß man etwas nur wirklich wollen muß, damit es eintrifft...?

– Puh, ich weiß nicht recht, was ich darauf antworten soll... Ja und nein.

– He, komm, ich möchte, daß du mir das sagst...!

– Meine Güte, du bist lustig...! Ich bin mir wirklich nicht sicher, weißt du... Vielleicht kommt man zuweilen in den Genuß eines Glückstreffers... Das heißt, was mich betrifft, ich habe mir gewisse Dinge im Leben gewünscht...

– Aber *wirklich* gewollt...?!

– Ja, *sehnlichst*, wenn dir das lieber ist. Und einige darunter – beruhig dich, die kann man an einer Hand abzählen –, wie dem auch sei, einige sind in Erfüllung gegangen, andere nicht. Es ist schwierig, eine Theorie darüber aufzustellen. Andererseits, um auf deine Frage zu antworten, ich glaube, das kann klappen, wenn man bereit ist, den Preis dafür zu zahlen... Ganz gleich, wie hoch er ist. Leider kann man da nie im voraus Bescheid wissen. Weißt du, so ungefähr ist es mir passiert, ich spreche von einer Erfahrung, die ich selbst gemacht habe. Glaub mir..., es ist besser, etwas nicht *zu sehr* zu wollen. Das heißt, wenn du nicht anders kannst, dann rate ich dir, *nicht nur einen Wunsch* zu haben und dich daran zu halten. Normalerweise müßte das funktionieren. Nur ist das gar nicht so einfach, und merk dir, es ist schon viel, wenn man ein halbes dutzendmal erhört wird... Du solltest gut auswählen, wenn du mich fragst. Aber vergiß nicht, daß es keinen gibt, von dem man sagen kann, das ist *der Weg.*

– Verflixt, ich hätte mir denken können, daß du alles durcheinanderbringst... Das ist doch schrecklich!

– Pah, weißt du... Es geht um den großen Irrtum meines Lebens, versetz dich in meine Lage. Ich gebe zu, daß ich auf diesem Gebiet schnell ins Schleudern gerate...

Bei diesen Worten schaute sie mich amüsiert an. Nichts ist feinfühliger als die Neugier eines Mädchens.

– Und was ist das...? Eine Art Geheimnis...?

Ich lächelte sie meinerseits an, ich beruhigte sie:

– Nein, aber ein gutes Beispiel... Weißt du, das ist eines Tages über mich gekommen, als ich ein Buch ausgelesen habe, ich weiß nicht mehr genau, wie alt ich war, aber sehr alt war ich noch nicht, ich trug noch kurze Hosen, und dieses Buch war *Moby Dick.* Das war nicht einmal die vollständige Ausgabe, stell dir vor, aber ich erinnere mich, ich habe mein Hemd aufgeknöpft und mit geschlossenen Augen das Buch an meiner Haut gerieben. An diesem Tag habe ich Schriftsteller werden wollen, und noch am gleichen Abend habe ich mein Gebet geändert in Allmächtiger Gott, ich bitte dich um nichts anderes, aber tu mir die Liebe und mach einen Schriftsteller aus mir, alles andere ist mir egal, aber mach einen Schriftsteller aus mir! Und ich habe wie besessen *Moby Dick* an meine Brust gepreßt, unter meiner Schlafanzugjacke, und verdammt nochmal, mein ganzes Bett hat angefangen zu zittern, das schwör ich dir...

– He, sag mal, das ist toll...!

– Na sicher, und von diesem Moment an habe ich an nichts anderes mehr gedacht, ich habe geduldig gewartet, bis meine Stunde schlug... Aber es verging kein Tag, an dem ich nicht über meinen Wunsch nachgedacht habe, an dem ich ihn nicht wie eine Wunderlampe gestreichelt habe. Und eines schönen Tages dann saß ich an einer Schreibmaschine, meine Bücher verkauften sich, und mein Name stand in der Zeitung, und ich habe gemerkt, daß ich halb verrückt wurde und daß Franck mich satt hatte und daß ich ein erbärmlicher Vater war. Da habe ich begriffen, daß ich einen schweren Fehler begangen hatte, weil ich mich nicht um den Preis geschert hatte. Dieser Preis war viel zu hoch für mich. Ich hatte bekommen, was ich wollte, aber plötzlich erschien mir das nicht mehr wichtig. Ganz davon zu schweigen, daß ich meine Inspiration verloren hatte, naja, aber das steht auf einem anderen Blatt...

Ohne mich aus den Augen zu lassen, brachte sie eine kleine, rosige und spitze Zunge zum Vorschein und fuhr damit seelenruhig über den Rand eines Umschlags. Ich machte es ihr nach. Wenn wir in diesem Tempo weitermachten, würden wir noch in zwei Tagen daran sitzen.

– Pah, aber das ist Schnee von gestern...! fügte ich mit einem schmerzstillenden Lächeln hinzu. Das ist mir eine Lehre für das nächste Mal.

Wir beschlossen, uns ein wenig ins Zeug zu legen. Es war schon spät, und sie wollte fertig sein, wenn Hermann zurückkam. Sie machte sich wirklich Sorgen um ihn. Ihre Gefühle für Hermann sponnen ein seltsames Band zwischen ihr und mir. Ich betrachtete sie ohnehin mit besonderem Interesse, denn sie wußte Dinge über mich, die für mich unerreichbar waren, und dieses Geheimnis faszinierte mich. Ich hatte nicht sehr oft die Gelegenheit, mit ihr allein zu sein, aber es machte mir stets Vergnügen. Die Gesellschaft eines Mädchens von achtzehn Jahren, dazu noch der Freundin meines Sohnes, war mehr als genug, um mich zufriedenzustellen.

– Ah, ich hoffe, die kommen trotzdem nicht zu spät zurück, seufzte sie und fächerte sich Luft zu.

– Komm, mach dir keine Sorgen... Solange er arbeitet, denkt er wenigstens nicht an andere Dinge.

– Ah, da kennst du ihn schlecht... Er ist zu beidem fähig!

Ich starrte sie einen Augenblick über meine Brille hinweg an, dann machte ich mich wieder an meine Arbeit. Ich fragte mich, wie sie sich einbilden konnte, sie kenne ihn besser als ich.

– Verflixt, setzte sie von neuem an, ich hätte Lust anzurufen, um zu hören, wie es läuft...!

– Atme tief durch. Entspann dich. Mach deinen Kopf leer.

– Hör mal, mach dich nicht über mich lustig... Ich weiß nicht, wie du so ruhig bleiben kannst, ehrlich, du verblüffst mich!

– Schon gut. Ruf an, wenn du willst...

Sie rührte sich nicht, während ich weiter wirkte. Einen Moment lang befürchtete ich, sie wolle mich sitzenlassen und losziehen, um auf der Stelle nachzusehen, ob alles in Ordnung war, denn das juckte ihr unübersehbar in den Fingern.

– Nein, du hast recht, seufzte sie. Ich bin lächerlich. Aber einfach so sitzen, ohne etwas zu tun...

– Eben, du solltest dich wieder an die Arbeit machen. Es ist noch ein hübscher Batzen übrig...

– Brrr...! Das ist, als müßte man seine Richter einberufen...

Ich räkelte mich lachend:

– He, biste immer noch nicht fertig...?!

Sie kritzelte ein paar Adressen. Dann warf sie erneut einen Blick auf ihre Uhr.

– Erzähl mir lieber von euren Ferien..., meinte ich, um sie schleunigst auf andere Gedanken zu bringen, ehe sie doch noch alles liegenließ.

– Mmm, wir haben uns noch nicht entschieden. Vincent hat ein Haus am Meer, vielleicht überläßt er es uns...

– Jessesmaria, was hat der eigentlich nicht, der Kerl...?!

– Bitte nicht... Es reicht schon, wenn Richard...! Also nein, was habt ihr gegen ihn...?!

– Langsam glaube ich, wenn ich ihn mit den Augen einer Frau sähe, würde ich meine Meinung ändern.

– Ich weiß, daß es zwischen Mama und dir nicht mehr stimmt, seit sie mit Vincent zusammen ist. Herrgott, Dan, was ist denn los...?

– Das ist ganz einfach. Deine Mutter braucht mich nicht mehr, und ich mag diesen Kerl nicht besonders. Das ist nicht weiter dramatisch. Sarah scheint glücklich zu sein. Ich mache mir eher um Richard Sorgen... Ich glaube nicht, daß es ihm Spaß macht, Dolbello im Haus zu haben.

– Übertreib nicht, er ist nur von Zeit zu Zeit da...

– Aber er wird immer mehr Platz beanspruchen... Ich weiß zwar, daß Richard Fortschritte gemacht hat, aber nicht so sehr, daß er akzeptiert, daß der erstbeste Typ den Platz seines Vaters einnimmt.

– Scheiße, ich doch auch nicht!

– Okay, aber das ist etwas anderes. Hör zu, er ist dein Bruder, du weißt, wie er ist, das brauche ich dir nicht zu erklären. Erinnere dich mal, wie das vorher war, denk an den Krach, den er mit Sarah hatte, wenn sie unseligerweise ausging...! Ich glaube, sie hat ihn schon genug durcheinandergebracht.

– Ich bitte dich... Erzähl mir nicht, daß man schwul wird, nur weil man Probleme mit seiner Mutter hat...!

– Das meinte ich nicht unbedingt.

– Also was, du weißt genau, daß ich Richard liebe... Aber großer Gott, er ist nicht allein auf der Welt, sie hat auch das Recht zu leben...!

Ich nickte bloß. Ich sah keinen Sinn darin, mich auf diesem Gebiet zu verstricken. Wortlos stand ich auf, um mir etwas zu trinken zu holen.

– Habe ich nicht recht...?! hakte sie nach und rutschte im Licht hin und her, während ich in den Schatten wechselte.

– Doch, bestimmt, beschwichtigte ich sie.

Kurz darauf, als Elsie zurückkam, waren wir mit unseren Einladungen so gut wie fertig. Ich hatte dermaßen viele Briefmarken und Umschläge beleckt, daß Elsie, als sie mich küßte, einen komischen Geschmack auf meinen Lippen feststellte. Sie klagte, sie sei müde und habe einen furchtbaren Abend mit dem besagten Typ verbracht, der nicht nur rosig und fett war, sondern obendrein nach Toilettenseife roch und keine Ahnung von Musik hatte.

– Und ich bin nicht mal sicher, ob er mich in seinem verdammten Radio bringt, ich glaube, er fand mich nicht *nett* genug...!

Sie wirkte richtig entmutigt. Sprach davon, alles hinzuwerfen. Also führte ich sie in den Garten, um ihr den Mond und die Sterne zu zeigen, dann schloß ich sie ein bißchen in meine Arme und raspelte ein wenig Süßholz.

Ich sah zu, daß ich an diesem Tag nicht zu spät aus dem Büro kam, ich stürmte in die brodelnde Nachmittagshitze und ließ den Schatten der Fondation hinter mir, der mehr denn je spürbar war und mich bis zur nächsten Ecke verfolgte. Ich hatte nicht erst seit diesem Tag genug davon, diese letzten sechs Monate lasteten schwerer auf mir als zehn Jahre meines Lebens, obwohl sich jeder zerrissen hatte, um mein Leid zu lindern, aber zur Zeit erschien mir dieser Bann unerträglich. Ich hatte gleich zu Beginn voll und ganz kapiert, daß mich dieser Ort nach und nach umbringen würde, und jeder Tag erbrachte den Beweis dafür. Dieser jedoch kostete mich eine Extraportion Blut und Wasser.

Leider hatte ich noch keinen Weg gefunden, mich all dem zu entziehen, und ich war nicht wie andere Leute, die auf alles eine Antwort haben und an meiner Stelle nicht dort versauert wären. Ich hatte vielmehr das Gefühl, auf einem Floß zu hängen, und mir war nicht danach, mich ins Meer zu stürzen, solange nicht das kleinste Stück Land in Sicht war, ich hatte nicht das Glück, mich ebenso schnell aus der Affäre ziehen zu können, wie ich mit den Fingern schnippte. Wahrscheinlich war ich alt und feige, nur waren da diese enormen Scherereien, die einem auflauerten, deren Kiefer einige Taulängen entfernt aufeinanderknallten und alles, was mir an Schwung blieb, in Schach hielten, und ich wußte nicht, ob sie auch andere abgeschreckt hätten, mir jedenfalls war angst und bange, wenn ich bisweilen an sie dachte. Es heißt, der verwundete Soldat zittert, wenn er das Schilfrohr pfeifen hört.

Das Haus war menschenleer, als ich ankam. Hermann und seine Bande mußten irgendwo in der Stadt hängen, vor Sorge vergehen, obschon er mir an diesem Morgen nicht gequälter vorgekommen war als in den letzten Tagen auch. Wir hatten verabredet, uns direkt im Theater zu treffen, ich hatte ihn fast in Hochform erlebt, als wir gemeinsam frühstückten, und obwohl wir über nichts geredet hatten, hatte ich so etwas wie die Möglichkeit gerochen, daß sich der Wind in den kommenden Stunden drehen konnte. Ich hoffte, ich hatte mich nicht getäuscht und alles würde gutgehen, während ich, eine Hand auf dem Geländer, über die Treppe in mein Schlafzimmer stiefelte. Marianne hatte mich den Tag über nicht zur Ruhe kommen lassen. Je mehr sie sich damit beschäftigte, Bücher herauszugeben, um so mehr füllte sich mein Büro, der Stapel mit den Manuskripten erreichte bereits den unteren Rand des Fensters. Bei dem Tempo, in dem sie hereinkamen, gab ich mir keine zwei Monate mehr, dann war ich vom Tageslicht abgeschnitten. Es sah so aus, als wollte mich die Literatur auf die eine oder andere Weise um die Ecke bringen.

Ich streckte mich auf meinem Bett aus, über eine Stunde blieb ich reglos liegen, die Augen aufgerissen, dann merkte ich, daß der Abend nahte, und ich stand auf und machte mich langsam ausgehbereit, dabei pfiff ich *And the Band Played Waltzing Matilda*. Ich fühlte mich weniger vergnügt, als wünschenswert gewesen wäre, um auch das zu sagen. Irgendwie fürchtete ich mich vor dem Abend, und das wegen dieser beiden Trottel, ihre Hoffnungen waren mir nahegegangen, und ihre Zweifel hatten sich so tief eingegraben, daß ich vor dem Spiegel nicht lächeln konnte. Wo immer sie in diesem Moment waren, ich verfluchte sie.

Ich entspannte mich erst, als Elsie eintraf und sich zurechtmachte, sie kleidete sich vor meinen Augen an und erzählte mir dabei von ihrem Tag, dem ich jedoch, nebenbei bemerkt, nur ein halbes Ohr widmete, da ich mich weitaus mehr auf ihre duftigen Dessous konzentrierte, kaum geneigt, mich ablenken zu lassen, wenn mir eine Frau das ungeheure Schauspiel ihrer Waschungen bot. Meines Erachtens hätte *sie* auf die Bühne steigen müssen, da hätte ich mir keine Sorgen machen müssen, keine Sekunde hätte ich gezweifelt, daß dröhnender Beifall den Saal erfüllen würde. Ich hielt still, damit wir nicht zu spät kamen. Ich schaffte es nicht, mich an den Gedanken zu gewöhnen, daß Elsie mit mir zusammenlebte, ich hatte in der Tat den Eindruck, daß da irgendwo ein

Irrtum vorlag und daß eines Tages jemand dahinterkommen und mich beim Allmächtigen anzeigen würde wie einen gemeinen Dieb, wie einen Schuft, der sich einen aus feinem Gold genähten Mantel angeeignet hat. Mir war bewußt, daß meine Stunden gezählt waren, aber es fiel mir schwer, dieses fürchterliche Ende allzeit präsent zu haben, ich tat so, als vergäße ich es, und stellte mir vor, ich ritte auf einem Wunder, woraufhin ich mich lächerlich und zutiefst niedergeschlagen fühlte, selbst wenn sie sich an mich schmiegte und fragte, was denn los sei, selbst wenn sie mir Sachen zuflüsterte, die einen vom Hocker hauten.

Ich sah sie an und versuchte mir all diese Bilder einzuprägen, ich mühte mich mit aller Kraft. Ich bedauerte es ungemein, daß ich mich dem nicht ausführlicher hingegeben hatte, als ich mit Franck zusammenlebte, nicht daß ich mir das versagt hätte, aber ich hatte mich wahrscheinlich nicht genügend darauf versteift, ich hatte sie nicht in dem Bewußtsein betrachtet, daß sie eines Tages nicht mehr da sei, und ich hatte Angst, daß ich den gleichen Fehler mit Elsie machte, daß ich mich mit einer Flut von verblassenden Bildern abquälen mußte, daß mir nichts mehr blieb, meine alten Tage zu erhellen, als ein Haufen flüchtiger Erinnerungen, löchrig wie ein Sieb.

Ich bestand darauf, daß wir noch ein Glas tranken, bevor wir aufbrachen. Ich wußte nicht, ob das Stück auf die Schnauze fallen würde, aber eines war sicher: ich würde mit dem schönsten Mädchen der Welt am Arm dort aufkreuzen. Darauf genehmigte ich mir gleich noch ein Glas. Dann stiegen wir auf das Motorrad, ich trat auf den Kickstarter und wir flatterten im letzten Licht der Abenddämmerung davon.

Die Eingangshalle der Fondation war schwarz vor Menschen. Ein Typ in einer Ecke, der damit beschäftigt war, seine Brille zu putzen, bemerkte Elsie nicht, aber allgemein schien man zu denken, der Exschriftsteller läßt sich nicht lumpen. Es handelte sich um ein hautenges Lamé-Kleid, das so aufreizend war, daß wir einen Moment gezögert hatten, letztlich hatte es jedoch, in Anbetracht der Kürze des Lebens, meine Zustimmung gewonnen.

Je weiter wir vorrückten, um so häufiger entdeckte ich da und dort einen Unglücklichen, der sich die Augen ausguckte, oder eine verärgerte Frau. Die Menge schnurrte unter den brennenden Kronleuchtern und lauerte gelassen. Ich kannte jede Menge Leute. Ich vereinbarte Waffenstillstand für diesen Abend, als wir auf Vincent Dolbello stießen, obwohl er bei Elsies Anblick ungeheuer elegant pfiff. Die anderen waren auch da, aber ich stahl mich schleunigst davon und flitzte hinter die Kulissen, um mich ein wenig nach der Beschaffenheit des Terrains zu erkundigen.

Gladys eilte mir entgegen, als sie mich erblickte. Sie hängte sich bei mir ein, und während wir auf ihn zugingen, flüsterte sie mir ins Ohr, alles sei in Ordnung. Im ersten Moment kam er mir leichenblaß vor, aber das lag nur daran, daß er bereits geschminkt war.

– Verflixt, du siehst blendend aus . . .! sagte ich zu ihm.

Er pflichtete mir mit nervösem Lächeln bei.

– Ich bin gekommen, um dir viel Glück zu wünschen, fügte ich hinzu. Ich hoffe, du bist nicht abergläubisch . . .

– Mmm, keine Bange . . ., murmelte er.

– Nein, hab ich nicht . . . Eines weiß ich, Hermann . . .: Wenn man nicht mehr zurück kann, genau dann kann man alles geben, dann ist man wirklich gut.

Ich zögerte eine Sekunde, ich überlegte, ob ich ihn an der Schulter fassen sollte, aber ich hielt mich lieber zurück, um ihn nicht vor all seinen Freunden zu umarmen, und schließlich legte er seine Hand auf meinen Arm.

– Wir sehen uns später . . .

– Okay, wir sehen uns später . . ., stammelte ich ihm dümmlich nach, ganz von der schrecklichen Anstrengung beansprucht, die es schlicht kostete, mich von ihm loszureißen.

Ich rannte davon, ganz plötzlich, die Finger tief in meinem Jackett versteckt. Im Schutz einer Ecke holte ich meinen Flachmann hervor – ein Geschenk, das ich mir zu guter Letzt selbst gemacht hatte, denn niemand hatte je daran gedacht – und gönnte mir erst einmal einen tüchtigen Schluck Bourbon, um wieder auf die Beine zu kommen. Als ich die Flasche wieder senkte, erblickte ich Boris, den Autor des Stückes, er stand vor mir, beide Hände in den Taschen und mit einem angespannten Lächeln. Ich inspizierte die Umgebung und reichte ihm den Bourbon. Er stürzte sich darauf, ohne sich zu zieren.

– Ich kenn das..., sagte ich zu ihm. Das geht vorbei, wenn man aufhört zu schreiben. Mit zunehmendem Alter auch. Wenn du deine Arbeit wirklich beendet hast, dann scher dich nicht darum, was die Leute davon halten...

– Herrgott, das ist rein körperlich!

– Die meisten Schriftsteller sind leberkranke Angsthasen. Du solltest Nux Vomica 9 CH probieren. Ich hab damit gute Ergebnisse erzielt. Für die Nieren gibt es Kartoffelsaft. Wenn du dich einer Ohnmacht nahe fühlst, empfehle ich dir Soludor, du kannst bis zu vierzig Tropfen nehmen, wenn dir danach ist. Da ist Gold und Äther drin.

– Ich hab jedes deiner Bücher gelesen, sagte er.

– Gold hat eine beruhigende und wohltuende Wirkung, gab ich ihm zur Antwort.

Dann zog ich meinen Flachmann an Land und verzog mich schnellstens aus den Kulissen. Mir war nicht danach zumute, die Runde zu machen und jedes Mitglied der glorreichen Truppe aufzurichten. Mich selbst hatte in diesen Augenblicken nie jemand gestärkt.

Wieder bei den anderen, drückte ich ein paar Hände, während wir auf den Beginn des Stückes warteten. Elsie und Sarah quatschten miteinander, was mich ein wenig fuchste, zumal sie sich immer noch gut zu verstehen schienen. Ich richtete es so ein, daß wir nicht zusammensaßen, als man uns in den Saal einließ, ich wartete, bis sie Platz genommen hatten, und ging einige Reihen weiter.

– Du fragst mich, *warum*...? entgegnete ich Elsie mit düster-hämischem Kichern.

Wir gesellten uns zu Harold und Bernie. Ich geriet neben Harold, aber wenn ich die Wahl hatte zwischen ihm und Dolbello, zögerte ich keine Sekunde.

Während wir Platz nahmen, reckte Harold sein Kinn in Richtung der vorderen Ränge und fragte mich, wer der Typ sei, der Marianne zu ihrem Platz karre.

– Ihr Vater, sagte ich. Solltest du in den Genuß kommen, mit ihm zu reden, würde ich ihm nicht sagen, daß er seine Tochter *karrt*.

– Der hat doch schneeweiße Haare, du meinst wohl: ihr Großvater...?!

– Das liegt nicht am Alter... Die hat er, seit damals die Sache mit Marianne passiert ist. Als sie aus dem Krankenhaus kam, sah er so aus, ich weiß nicht, ob du dir die Szene so recht vorstellen kannst...

–Wie bitte...? Von heute auf morgen...?!

– Pssst...! antwortete ich, denn in diesem Moment wurde der Saal dunkel.

Der Vorhang enthüllte das Innere eines Chalets in den Bergen. Es handelte sich um die Geschichte eines jungen Kerls, der Probleme hatte mit seinem Vater, und den Vater, den bekam man nicht zu sehen, man hörte ihn nur hinter einer Tür reden oder poltern, und der junge Typ hatte von Anfang an ein Gewehr in der Hand, mit anderen Worten, es war zu sehen, daß es zwischen den beiden nicht so recht stimmte, und man fragte sich, ob sich die Sache einrenken werde. Während der ersten zehn Minuten hatte ich die Luft angehalten, aber inzwischen atmete ich normal, und ich hatte mich mit einem unerschütterlichen Lächeln, das Harold natürlich nicht entging, in meinem Sitz aufgerichtet.

– Großer Gott, findest du das *lustig*...?! hatte er geflüstert.

– Quatsch, ich tu nur so.

Ich hatte keine Hoffnung, daß ich ihn überzeugt hatte. Ich spürte, wie er neben mir wackelte und hin und her rutschte, ich hatte noch nie einen Typen gesehen, der so unruhig auf einem Stuhl saß, ich muß sagen, ich hatte mich fast daran gewöhnt. Außer ihm verhielt sich der ganze Saal ruhig und reglos. Ich wußte nicht, wie Boris das deutete, ob er sich immer noch Sorgen machte und sich mehr oder weniger in den Schatten drückte –

– Verdammich, mir schwant Übles, glauben Sie mir... –, aber

man brauchte nur die Nase ein Stück in den Wind zu halten, um sicher zu sein, daß der Zauber seine Wirkung tat. Meine Hand ruhte auf Elsies Schenkel, wie ein alter Hund, der in der Sonne schläft. Ich fand dieses Gefühl der Erleichterung wieder, das ich einst hatte, wenn mir Paul verkündete, wir hätten die Hunderttausend übersprungen.

– Mensch, ich bin ganz platt ...! setzte er von neuem an.

– Hmm ...

– Ah, guck ihn dir an! Nein, hör doch mal ...!

Er hatte Glück, daß ich außergewöhnlich entspannt war. Um ihn seinerseits zu beruhigen, zog ich unauffällig meinen Flachmann aus der Tasche und steckte ihm ihn zwischen die Finger. Hermann schwor gerade, er werde seinen Vater umbringen, falls er sich unterstehen sollte, durch die Tür zu kommen, das war ein ziemlich ergreifender Moment für einen Normalsterblichen, ringsum saßen welche, die hielten den Atem an.

– He, was ist das denn ...?! fragte er leise.

Ich wandte mich ihm eine Sekunde zu, ich erforschte sein Gesicht, dann nahm ich meine ursprüngliche Haltung wieder ein, ohne ein Wort zu sagen. Ich hörte, wie er den Verschluß abschraubte und an der Flasche schnüffelte.

– Ah, das ist Bourbon. Ich mag keinen Bourbon, das weißt du genau ... Komm mir lieber mit einem guten ...

– Ich komm dir mit gar nichts, ich hör nur zu.

– Ja, schon gut. Schweigen wir. Mann ist einfach großartig.

Er hatte recht. Ich zwang mich zu vergessen, daß ich sein Vater war, und fand ihn immer noch genausogut. Ich wollte, Franck hätte ihn sehen können – ich hatte fast den Eindruck, dieser Oberschenkel, den ich festhielt, war ihrer und wir hätten all diese Jahre einigermaßen hinter uns gebracht –, und vielleicht hätte ich dann einen unvergeßlichen Augenblick erlebt, vielleicht hätte ich das Gefühl gehabt, etwas vollbracht zu haben, und sei es nur, die beiden fast zwanzig Jahre meines Lebens begleitet zu haben. Aber kaum hatte ich mich diesem wunderbaren Traum überlassen, machte sich Harold wieder bemerkbar. Diesmal redete er nicht, dafür schüttelte er meinen Bourbon in Höhe seines Ohrs.

– Was ist denn jetzt schon wieder...? seufzte ich.

– He, man sollte meinen, da fehlt was...! stänkerte er.

Ich schloß aus seiner Dreistigkeit, daß sich eine gewisse Ruhe auf meinem Gesicht abzeichnete. Es bestand kein Zweifel, daß er beschlossen hatte, sich daran zu weiden. Fast hätte ich ihn angelächelt, aber ich fürchtete, das würde ihn nur anspornen. Wir hatten Glück, daß unser Murmeln noch niemand gestört hatte. Immerhin, das Stück war ziemlich ergreifend, das mußte man zugeben. Und wundervoll interpretiert.

– Es ist noch genug da..., flüsterte ich ihm zu. Versuch doch mal stillzuhalten, konzentrier dich darauf, was passiert...!

– Och, ich weiß, was passiert... Ich hab bei den Proben zugeguckt...!

– Sieh an... Trotzdem, das ist kein Grund...

– Der Schluß, wenn Mann sich eine Kugel in den Mund schießt, hat mir nicht so gefallen...

– Ja, darüber reden wir *nachher*...

Plötzlich, von einer bösen Vorahnung befallen, senkte ich den Blick auf meinen Flachmann, den er in der Hand drehte und wendete, ohne ihn wieder verstöpselt zu haben, aber ich kam nicht mehr dazu, ihn in Sicherheit zu bringen, denn im nächsten Augenblick war das besagte Objekt verschwunden.

– Hoppla...! machte er.

– Verdammt, was ist los?! erbleichte ich.

Als ich das entsetzliche Glucksen vernahm, hechtete ich nach vorne. Und mit mir dieser den Geburtszangen entrissene Hurensohn.

Unsere Köpfe prallten zusammen. Ein zwiefaches Stöhnen war die Folge dieser brutalen Vereinigung. Halb zerschmettert, halb verblüfft, richtete ich mich langsam wieder auf, eine Hand an der Stirn, und preßte mich in meinen Sitz. Ich war buchstäblich vor den Kopf geschlagen. Elsie fragte, was passiert sei, aber ich konnte nur mit meiner freien Hand abwinken, um ihr kundzutun, daß alles okay sei, daß einzig das Stück zähle und ich nur den einen Wunsch habe, daß man mich ein paar Minuten in Frieden ließ. Ein heftiger Schmerz zog sich von meiner Kopfhaut bis zu meinem Kinn. Das Lid des Auges, das der Einschlagstelle am nächsten war, zuckte immer noch.

Sobald ich dazu in der Lage war, beglückwünschte ich ihn. Es scherte mich wenig, daß er vorsichtig irgendein Taschentuch auf sein Gesicht drückte. Ich brauchte nur die Beule zu fühlen, die in meiner hohlen Hand pochte, um erst gar nicht auf den Gedanken zu kommen, ihn zu bedauern.

– Sehr gut. Bleib sitzen! sagte ich zu ihm, ehe ich mich bückte, um mir meinen Flachmann zu angeln. Halt dich da raus ...!

Als ich die Flasche an Land zog, befand sich kein einziger Tropfen mehr darin – wenn Harold so etwas verzapft, kann man darauf wetten, daß der Flaschenhals nach unten zeigt –, aber ich freute mich trotzdem, daß er sie nicht zertrampelt hatte. Das Stärkste war, daß er es nicht geschafft hatte, mich zu ärgern, nicht richtig. Harold war nicht Manns genug, mir einen Abend wie diesen zu verderben. Weder Harold noch *tutti quanti*.

Alles hat auch sein Gutes. Immerhin hörte ich ihn bis zum Ende des Stückes nicht mehr, und er überließ mir seine Armlehne, ohne daß ich darum bat, er war vollauf damit beschäftigt, seinen Augenbrauenbogen unendlich behutsam zu betupfen. Ich für mein Teil ließ meine Beule lieber an der frischen Luft, auf daß Hermann sie mit seinen positiven Schwingungen bombardierte. Er hatte gerade seinen Vater mit einem Schuß durch die Tür verfehlt. Sie hatten sich noch ein paar Kleinigkeiten zu sagen. Es ist selten, daß ein Vater und ein Sohn ein Ende finden, wenn sie Lebensweisheiten austauschen.

Wir mußten warten, bis der Vorhang fiel und das Licht anging, um das ganze Ausmaß des Schadens zu ermessen. Während der Beifall prasselte, riskierte ich einen Blick auf Harolds Profil. Ich glaubte nicht, daß ich ihm jemals so spinnefeind sein konnte, ihm so etwas zu wünschen. Das sah aus wie eine allergische Reaktion auf ein mieses Medikament. Sein Auge war blau bis auf den Knochen, fürchterlich geschwollen und leuchtete geradezu gräßlich. Ich mußte ihn an einer besonders empfindlichen Stelle getroffen haben, an der sich nicht einmal eine Libelle hätte niederlassen können, ohne ein beginnendes Ödem zu verursachen. Ich klatschte, pfiff, stampfte sogar mit dem Fuß, während sie sich auf der Bühne verbeugten, aber parallel dazu überlegte ich, wo wir wohl Eiswürfel herbekommen konnten. Ich hatte ebenfalls welche nötig, denn meine Beule war zwar weniger spektakulär, aber gleichwohl nicht zu übersehen und brannte auf meiner mißhandelten Stirn.

Hermann wirkte erschöpft, aber seine Augen leuchteten, während die Gunst des Publikums auf ihn einprasselte.

– Ist das nicht gut, fühlt man sich nicht erhaben und wie von einer himmlischen Dusche erfrischt…?! Hermann, ich weiß, was du empfindest, denn ich habe auch daran gekostet, die Leute haben mir aufgelauert, um mich in ihre Arme zu schließen, Hermann, wie ich schon sagte, das ist das Beste und Schlimmste, was dir widerfahren kann, aber mach dir keine Gedanken. Zumindest nicht heute abend… Berausche dich an diesem süßen und geheimnisvollen Trank, mein Junge!

Meine Hände waren wie Bratäpfel, und der Absatz meines Stiefels ging fast flöten.

Anschließend, als wir uns langsam aufrappelten, mußten wir Elsie und Bernie wohl oder übel erklären, was passiert war. Das war gar nicht so unglaublich, wie sie zu meinen schienen, das war einfach nur die blödeste Sache, die man sich vorstellen konnte. Aber ich wollte mich darum kümmern, wir würden uns, wie vorgesehen, mit den anderen hinter den Kulissen treffen, das dauere nicht ewig und wir seien groß genug, allein zu Rande zu kommen, sie sollten den anderen Bescheid geben, wir kämen gleich.

Harold war nicht sonderlich scharf darauf, mir zu folgen. Ein Teil seiner guten Laune war nach dem Zwischenfall verflogen, und er schlurfte widerstrebend hinter mir her, als wir die Reihen in Richtung Ausgang hinaufstiegen. Anscheinend wollte er mit der Fürsorge vorliebnehmen, die ihm Bernie angedeihen ließ, der ihn hätschelte und ihm in dieser Prüfung Beistand leistete. Es gelang mir jedoch, ihn davon zu überzeugen, daß er nicht mehr wiederzuerkennen war und daß ich in erster Linie an ihn dachte, meine Güte, wenn er glaubte, das würde sich von selbst legen, das würde er schon sehen. Schließlich rang er sich durch. Nicht daß ich gesteigerten Wert darauf legte, daß er mitkam, aber es war erheblich einfacher.

– Schön, entweder finden wir eine Apotheke, oder wir gehn in eine Kneipe . . ., sagte ich zu ihm, als wir auf die Straße traten.

Die Nacht war mild, und die Zuschauer blieben auf dem Bürgersteig stehen und redeten miteinander. Da ich keine Lust hatte, ihnen zuzuhören, schleifte ich ihn, ohne seine Antwort abzuwarten, zu meiner Maschine, die ich an einer Laterne angekettet hatte, außerdem hatte er in der Sache keine besondere Meinung. Er wollte, daß ich langsam fuhr, da er damit keine Erfahrung habe, und gestand mir sein Unwissen, wie er sich in den Kurven zu verhalten habe.

– Pah, besser, du probierst gar nichts, antwortete ich ihm lächelnd. Du weißt, die anderen warten auf uns . . .!

Wir fuhren ins *Durango*. Wir setzten uns an die Theke, wo uns Enrique amüsiert musterte. Er glaubte zwar kein Wort von unserer Geschichte, bequemte sich aber dazu, uns einen Eimer Eiswürfel und zwei Gin-Tonic zu bringen. Während ich mich stärkte und einen raschen Blick in den Saal warf, bastelte sich Harold einen feuchten Umschlag und stöhnte vor Erleichterung auf. Ich für mein Teil war noch ein wenig verzaubert, ich dachte an Hermann, der jetzt bestimmt allerlei Angenehmes zu hören bekam und wer weiß wie strahlte. Ich war heilfroh, daß ich dem Gedränge entronnen war, ich wollte nicht mit den Ellbogen spielen, um ihm zu gratulieren, oder mich abseits halten und warten, bis er an mich dachte und sich auf meinen Blick hin einen Weg durch die Menge bahnte. Ich hätte mich also ohnehin verdrückt, aber wenn ich vermeiden konnte, daß mich jemand fragte, wo ich denn abgeblieben sei – und womöglich verdächtigte, ich sei *absichtlich* gefahren –, spielte ich gerne den Empfänger, mit anderen Worten, die Sache mit Harold kam wie gerufen.

Das Halbdunkel war angenehm. Das war zweifelsohne mein Glückstag, denn um die Jukebox scharte sich ein Schwarm junger Mädchen, und eine starrte mich keck an, als hätte sie einen bestimmten Hintergedanken.

– Als ich in deinem Alter war, machten mich die Frauen um die

Fünfundvierzig halb wahnsinnig, ich glaubte nämlich, sie seien unerreichbar, erläuterte ich Harold. Sie waren wie ein verbotenes Königreich, im Ernst, kein einziges Mädchen übte eine solche Wirkung auf mich aus...

Ich ging meinem Gedanken nicht auf den Grund, denn das Thema schien ihn nicht zu interessieren. Wenn ich's recht bedachte, tat es mir leid, daß ich nicht mit Bernie zusammengekracht war, denn wir beide hätten nach Herzenslust quatschen können, ich stellte mir vor, wie wir bei einem solchen Thema losgelegt hätten und fröhlich in ein lockeres Gespräch geglitten wären, als sausten wir durch eine verschneite, sonnige Landschaft, auf einem von Rentieren gezogenen Schlitten und mit ein paar dicken Pelzen über unseren Knien, ein heiteres Plaudern, begleitet vom Klang der Glöckchen. Harold taugte nicht für eine solche Übung, man hatte ständig den Eindruck, ihm sei die Zeit zu kostbar und es widerstrebe ihm, sie mit unnützem Palaver zu vertun. Aber was wußte er denn vom Leben, hatte er überhaupt eine Ahnung...?

Ich betrachtete ihn von meinem Hocker aus, als er sein Kataplasma mit einer Handvoll Eiswürfel nachlud. Sein Auge sah ein wenig besser aus, und er war stark damit beschäftigt, grimassenschneidend in den Spiegel zu gucken, den ihm Enrique zur Verfügung gestellt hatte, *Qué lástima*, sso eine schöne Gessicht...! Ich fühlte mich vollkommen entspannt, ich verfolgte keinerlei böse Gedanken, als mir auf einmal der Gedanke kam, wir könnten in aller Ruhe über diese Dinge sprechen.

– Ich möchte dich etwas fragen, eröffnete ich ihm in freundlichem Ton. Wie stehst du zu Richard...?

Er zuckte auf seinem Hocker zusammen, aber ich beruhigte ihn.

– Keine Bange..., ich will keinen Streit anfangen. Ich möchte nur gern wissen, wie es ausschaut. Weißt du, ich kannte Richard schon, da war er keine zehn Jahre alt...

Er warf mir einen mißtrauischen Blick zu, aber ich blickte so entwaffnend drein und bemühte mich um ein so strahlendes Lächeln, daß er nach einer Weile auftaute.

– Puh, willst du das Thema wirklich anschneiden . . .?

– Nein, im Grunde interessiert mich vor allem deine Meinung. Lassen wir eure sexuellen Beziehungen beiseite, das stört mich weniger . . . Sag mir lieber, wie du Richards Zukunft siehst . . .

– He, Dan, Moment mal . . . Worauf willst du hinaus . . .?!

– Beruhig dich . . . Ich mach dir keinen Vorwurf. Du hast den Sinn meiner Frage nicht erfaßt, ich wollte schlicht wissen, ob du glaubst, die Sache sei ernst oder nur eine vorübergehende Erfahrung . . .

– Wie bitte . . .?

– Also ehrlich, Harold, rede ich in Rätseln . . .?

– Verdammt, du bist lustig . . .!

– Komm, behaupte nicht, du wüßtest nicht, was ich meine . . .

– He, paß auf, das ist nicht so einfach . . . Richard ist dermaßen verschlossen . . . Glaub nicht, daß er mir mehr erzählt als dir oder sonstwem . . .!

– Ja, aber ich frag dich nicht, was er dir erzählt, ich frag dich, was für ein Gefühl du hast . . .!

– Mmm, ein ziemliches verschwommenes . . . Naja, ich weiß nicht, sagen wir so, das dürfte eher eine Erfahrung sein . . . Manchmal hatte ich den Eindruck, er hat sich Mühe gegeben . . .

Lächelnd unterbrach er sich und machte mich darauf aufmerksam, daß die ersten Takte eines Stücks von Elsie zu hören waren. Er hatte vollkommen recht. Das war eine angenehme Überraschung. Enrique zwinkerte mir vom anderen Ende her zu und erklärte mir, sie hätten die Scheibe seit einem Tag. Ich drehte mich um. Das Mädchen war mitsamt seinen Freundinnen verschwunden, aber ich blickte mich nicht nach ihm um, in dem Lied hieß es: *Ich hoffe, du verblüffst mich noch oft, ich hoffe, du bist die Mühe wert . . .*, das war nicht der rechte Augenblick, schwach zu werden, ich bekam Angst, der Titel könnte ein echter Hit werden und einen in jeden Winkel der Stadt verfolgen.

Soweit war ich mit meinen Überlegungen gediehen, als ich einen Typen sah, der aus dem hinteren Teil des Saals antanzte und sich entschlossen vor der Jukebox aufbaute. Es war Marc, und ich glaubte, ich würde Zeuge einer schmerzlichen Szene, ein

Kerl, der sich über eine Art Grab beugt und mit gesenktem Haupt der Zeit nachhängt, da Elsies Stimme in seinen Ohren gurrte. Stattdessen überkam ihn eine recht unsanfte Erinnerung, er packte den Apparat mit beiden Händen, um ihn brutal zu schütteln. Es ertönte ein fürchterliches Knistern. Ich erzitterte bis in die Zehenspitzen. *Du mein Held, mein Schatz, mein Diamant* – ihre letzten Worte, bevor er sie meuchelte –, *mein Liebster, mein Schuft* . . .

Ich hüpfte im gleichen Moment von meinem Hocker. Harold versuchte mich zurückzuhalten, aber ich bedeutete ihm, sich da rauszuhalten. Ich holte Marc ein, als er sich einen Weg durch die Tische bahnte. Ich klopfte ihm auf die Schulter. Als er sich umdrehte, verpaßte ich ihm eine schwere Gerade in den Magen, etwas Feines.

– Ich glaub, wir sind keine Freunde mehr, sagte ich zu ihm, während er zusammensackte. Enrique kam herbeigestürmt. Marc zappelte wie ein Fisch, der frisch geangelt in den Bauch eines Kahns geworfen wird.

– Enrique, würdest du mir bitte Kleingeld geben . . . ?

Auf dem Rückweg ließ ich Harold schwören, daß er Elsie kein Sterbenswörtchen von dem Vorfall erzählte. An einer Ampel fragte er mich, ob ich das öfters hätte, und als ich darüber nachdachte, fand ich meine gute Laune wieder.

Das Gratulieren hatte noch kein Ende, als wir uns wieder in die Kulissen eingliederten, aber dem größten Gedränge waren wir wahrscheinlich entkommen, so daß es mir möglich war, Hermann ohne allzugroße Schwierigkeiten zu erreichen. Natürlich war er nicht mehr der gleiche, und während wir in Gesellschaft einiger anderer miteinander quatschten, sah ich ihn drei Schalen Champagner kippen, ohne daß er es selbst merkte, und seine Augen glühten, und seine Wangen waren rot wie Tomaten. In puncto Glückwunsch hatte ich mich mit einem gut plazierten Lächeln begnügt, dann war ich in der Menge untergetaucht und hatte meinem Nebenmann die Geschichte mit meiner Beule erzählt.

Paul klammerte sich eine ganze Weile an meine Schulter, er ließ sie nicht los, während wir von einer Gruppe zur nächsten drifteten, und schmatzte mir irgendwelche Erinnerungen an die gute alte Zeit ins Ohr, an die Vergangenheit, die in diesem Ambiente des Erfolgs sozusagen wieder auferstand, ob ich die Melodie der Loblieder wiedererkannte, hatte ich denn vergessen, welche Höhen wir erklommen hatten...?! Ich brachte es nicht übers Herz, ihm eine Abfuhr zu erteilen, ich wußte, was diese Zeit für ihn bedeutete, ich hatte nichts dagegen, wenn er von Zeit zu Zeit anfing zu faseln, am besten, wenn ich entspannt war. Obwohl er nie darüber sprach, spürte ich mitunter, daß ihn die Arbeit in der Fondation bedrückte. Fürwahr, wir saßen alle im gleichen Boot.

Leitern, Rollen, Scheinwerfer hingen über unseren Köpfen. Schwere Behänge wallten von der Decke herab und verbargen in ihren Falten die einzelnen Elemente der Bühnenausstattung. Das Stück war zu Ende, doch das Schauspiel ging weiter. Was verbarg sich hinter diesen lächelnden Gesichtern, was steckte hinter all dem, was war Wahres daran, welch tief vergrabenen Geheimnissen waren sie undurchdringliche Maske...? Als Schriftsteller hatte ich damit gewuchert, aber seither behielt ich meine Gedanken für mich. Das hieß nicht, daß ich jetzt mit anderen Augen sah. Es gab Momente, da begannen meine Ohren zu rauschen, das Stimmengewirr wurde leiser, bis es nur noch ein schwaches Murmeln war, und beklommen beobachtete ich die Leute, atemlos vor soviel Geheimnissen und irgendwie auch fasziniert ob der Komplexität der Dinge und ihres dumpfen, unterirdischen Grollens. Sämtliche Menschen, die mir nahestanden, waren heute abend versammelt, aber wie stand es wirklich damit...? Hätte ich behaupten können, ich kennte ihr *wahres* Gesicht, bestand überhaupt die geringste Aussicht, jemals dorthin zu gelangen...?! Jedesmal, wenn man einen Schleier lüftete, verdichtete sich die Finsternis.

– Könnte es sein, daß du dich langweilst...? scherzte Marianne, während sie ihren Rollstuhl vor mir anhielt.

– Das ist die Rührung, meinte ich. Vergiß nicht, ich bin sein

Vater, und schon deshalb fällt ein Teil seines Erfolgs auf mich zurück...

– Ich glaube, einige Leute waren beeindruckt... Und ich ganz besonders, weißt du...

– Mmm, schade, daß ich nur einen Sohn habe, wer weiß, was du dann erst erlebt hättest...!

Eines konnte sie jedoch mittlerweile erleben – falls sie ihn, meinem Beispiel folgend, aus den Augenwinkeln beobachtete –: besagter Sohn hatte sich auf eine gefährliche Bahn begeben. Ich für mein Teil war kein großer Champagnerfan, und wenn ich gelegentlich welchen trank, dann leistete ich mir nur selten einen Nachschlag. So war ich auch erst bei meiner zweiten Schale angelangt, und Scherz beiseite, es war sehr gut möglich, daß das für diesen Abend meine letzte war, bei Hermann indes sah die Sache anders aus.

Boris war keinen Deut besser. Es kam mir vor, als könnte ich den beiden keinen einzigen Blick zuwerfen, ohne sie auf frischer Tat zu ertappen, Schulter an Schulter und einander auf Teufel komm raus zuprostend. Ich wußte nur zu gut, wie die Sache ausgehen würde, und ich fragte mich, wer sich um mein Motorrad kümmerte, falls ich gezwungen war, ihn nach Hause zu bringen.

Ich glaubte nicht, daß er noch lange durchhielt. Es war ziemlich heiß, und bei der Anspannung, die er hinter sich hatte, gab ich ihm keine Viertelstunde mehr.

– Ich glaube, Hermann hat ein wenig zuviel getrunken..., raunte mir Sarah zu.

Keine Ahnung, welches Wunder sie an meine Seite führte, was in sie gefahren war, mich ohne Not anzusprechen, aber es war so, und im Grunde war das noch schlimmer. Wenn ich eins befürchtet hatte, dann, daß sie unsere Beziehung zu banalisieren suchte. Und doch kam ich nicht um die Feststellung herum, daß wir bereits auf dem besten Wege dazu waren.

– Jaja, antwortete ich und schaute weg.

– Vielleicht solltest du ihm Einhalt gebieten...

– Nein, sagte ich.

– Oh, naja, immerhin geht dich das was an...

– Jaja.

– Du bist keiner, der sich große Mühe gibt, nicht wahr...?

– Nein.

Ich schloß einen Moment die Augen. Als ich sie wieder aufschlug, war sie nicht mehr da. Mühe...?! Was erhoffte sie sich eigentlich...? Daß ich sie beide auf eine Runde Bridge einlud...?! Daß wir uns zu viert bei einem niedlichen Abendessen niederließen, wo mich schon bei der Vorstellung Krämpfe befielen...?! Ich schüttelte mich heimlich. Als wäre mir ein eiskalter Wind ins Gesicht gefahren.

Als Gladys zu mir kam, war Hermann hinüber.

– Sehr gut. Gehn wir...! erklärte ich und stapfte ihr nach.

Er sagte, es gehe ihm bestens, aber er lag auf dem Boden und weigerte sich aufzustehen. Richard unterstützte mich bei dem Versuch, ihn aufzurichten... Immerhin wog er inzwischen einiges, und helfen tat er uns nicht die Bohne. Wir verdrückten uns hinter einen Vorhang und verschwanden auf kürzestem Weg durch das Theater. Gladys ging voran, und sie drehte sich um, um uns zu fragen, ob wir das lustig fänden, ihn in einem solchen Zustand zu erleben, und wenn man sie fragte, sei nur dieser Boris daran schuld, der ende sowieso mal als Säufer. Hermann gluckste nur und ließ die Beine hängen. Ich wußte nicht, ob das sein erster Vollrausch war, jedenfalls war er ihm hervorragend gelungen. Als mein erstes Buch erschien, hatte ich es immerhin geschafft, allein nach Hause zu kommen.

Wir pferchten ihn in den *Fiat*. Bevor wir die Tür zuschlugen, schickte ich Gladys los, damit sie Elsie Bescheid gab, sie solle ihr sagen, sie könne noch bleiben, wenn sie wolle, ich sei leider gezwungen aufzubrechen. Ich zündete mir eine Zigarette an und starrte in die Nacht, während Richard darauf achtete, daß Hermann nicht auf den Bürgersteig kippte. Es war kein Mensch zu sehen, aber eine ganze Reihe von Reklameschildern harrte leuchtend der Morgendämmerung.

Ich schaute Richard an. Als er es merkte, stürzte ich mich ins kalte Wasser.

– Paß auf, Richard, erzähl mir keinen Stuß, ich will, daß du mir ehrlich Antwort gibst... Fühlst du dich imstande, mir mein Motorrad nach Hause zu bringen, ja oder nein...?

– Na sicher, kein Problem...!

– Herrgott, du sollst mir nicht irgendwas erzählen... Ich komm schon klar, wenn du nur den geringsten Zweifel hast... Weißt du, du brauchst mir nichts zu beweisen...

– Jaja, sei unbesorgt..., ich paß schon auf.

– Verdammt nochmal, Richard...! knurrte ich und reichte ihm die Schlüssel.

Elsie – in ihrem Kleid, ungelogen, eine schwarze Lilie, eine anthrazitfarbene Flamme – und Gladys tauchten in dem Moment auf, als Hermann vornüber kippte und mit dem Schädel gegen die Windschutzscheibe prallte. Sie nahmen wie bei einem Zaubertrick hinten in meiner Nuckelpinne Platz.

– Ruf mich ruhig an, wenn du dich nicht sicher fühlst..., schärfte ich ihm ein, ehe ich losfuhr. Ich bring dir den *Fiat*, und die Sache ist geritzt...!

Ich führte ihn direkt auf sein Zimmer, trug ihn beinahe, und das mit Gladys im Schlepptau, die über alles mögliche redete, während er mir die Ohren vollwimmerte. Ich legte ihn auf sein Bett und machte mich daran, ihn auszuziehen, aber sie kam mir ständig in die Quere. Ich sagte ihm, er solle mich rufen, wenn etwas nicht in Ordnung sei, es bringe nichts, wenn wir uns zu zweit genierten.

Ich trödelte unten ein wenig herum, während sich Elsie abschminkte. Ich hatte zu nichts Lust. Ich lauschte den Geräuschen im Haus und dachte an Hermann. In Wirklichkeit war keiner mehr beeindruckt als ich. Ich ging in die Küche und aß eine Aprikose über dem Spülstein. Es war nur noch eine Stunde bis Tagesanbruch, aber es war kein Licht zu sehen, von dem verdutzten Gesicht einiger Laternen abgesehen. Die Häuser zeichneten sich in der Dunkelheit ab, schwärzer als die Nacht, und nicht ein Fenster war erleuchtet. Ich dachte an nichts Bestimmtes; und wenn, war ich mir dessen nicht bewußt. Ich fühlte mich nicht müde, aber ich spürte, daß ich Ruhe brauchte. Wieder im Wohnzimmer, ließ ich mich in meinen Sessel fallen, und ich saß dort, die Beine übereinandergeschlagen und die Arme über den Lehnen und meine Lippen, die wie von selbst miteinander spielten.

Kurz darauf stieg ich nach oben, um zu sehen, was sich dort tat. Mittlerweile hatte Gladys das Badezimmer besetzt. Ich nutzte die Gelegenheit, um einen Blick in Hermanns Zimmer zu werfen. Das Licht war aus, ich sah nichts, aber ich hörte ihn atmen und sich bewegen.

– Merke dir eins . . ., murmelte ich, während ich sachte die Tür schloß. *Je mehr Siege du in dieser Welt davonträgst, um so mehr wirst du besiegt.* Henry Miller. *Nexus.*

13

Eines Abends, vierzehn Tage nach Hermanns Abreise in Richtung Ozean, teilte mir Elsie mit, man habe ihr eine Tournee durchs Land angeboten, ihre Antwort stehe aber noch aus. Die Angelegenheit schien sie zu beschäftigen. Also nahm ich sie, nachdem wir zu Ende gegessen hatten, auf meinen Schoß und schlug ihr vor, wir sollten in Ruhe darüber reden. Ich war ein wenig überrascht, daß sie derart zögerte, wo sich ihr die Gelegenheit bot, hinter ein Mikro zu steigen.

Ich riet ihr zuzusagen. Ich wußte nur zu gut, was das für mich hieß, aber ich sagte ihr, man dürfe nicht zögern, wenn einem das Glück winke. Nichtsdestoweniger würde ich allein zurückbleiben. Dank Elsie war Hermanns Abwesenheit weniger spürbar, und wir hatten ein paar friedliche Abende miteinander verbracht, aber daran durfte ich nicht denken. So langsam machte mir Elsie richtig Probleme.

Zwei Tage lang hüpfte sie von einem Bein aufs andere – *They shoot horses don't they?* –, obwohl ich ihr unvermindert zuredete. So sehr, daß sie mich schließlich fragte, ob ich sie loswerden wollte. Ich ließ sie erneut auf meinem Schoß Platz nehmen. Eines Morgens dann rang sie sich durch.

Kaum war sie abgereist, gerieten meine Nächte wieder in Unordnung. Ich war doppelt allein, und das war doppelt so hart, ich war allein, selbst wenn ich unter Leuten war. Bernie und ich waren uns einig, daß wir in einem Alter waren, in dem man weder große Kälte vertrug, noch wie ein wildes Tier oder ein einsamer Held leben konnte. Wir brauchten ein bißchen Wärme. Leider waren wir nicht sicher, ob wir nicht ein wenig spät damit angefangen hatten.

– Stell dir so einen Schuft vor, der eine nette Frau gefunden hat... Stell dir vor, ein halbes Dutzend Kinder, das einem ständig zwischen den Beinen rumtanzt...!!

– Herr im Himmel! Du streust Salz in die Wunden...!

Kaum war sie abgereist, ermaß ich meinen Schmerz, aber man muß sich von Zeit zu Zeit einen Finger abschneiden können, wenn er einem die falsche Richtung weist. Ich war soweit, mir zu wünschen, daß das Unvermeidliche so schnell wie möglich eintraf, daß sie mit dem Erstbesten durchbrannte, auch wenn ich dabei Federn lassen mußte. Das war nichts, verglichen mit dem Verlust meines eignen Fleisch und Bluts, der mir bevorstand, selbst wenn sie mich innerhalb der nächsten Monate sitzenließ.

Andererseits war ich froh, daß sie mich anrief. Sie wartete, bis die Nacht hereingebrochen war, schreckte mich am Ende meines Arbeitstages auf, wenn ich mich nach einem Happen, den ich in der Küche im Stehen hinunterschlang, ins Wohnzimmer zurückzog und mühsam versuchte, meine düstere Lage zu vergessen. Mit anderen Worten, ich war reif. Aber ich blieb mir treu, ich erzählte ihr jedesmal, es sei alles in Ordnung, warum auch nicht...?

– Du bist nicht gerade nett..., antwortete sie mir darauf. Mein Magen krampfte sich zusammen, aber ich hielt mich wacker. Ich hatte stets ein Glas in Reichweite.

– Fehle ich dir wenigstens?

– Aber sicher, natürlich! versicherte ich ihr mit so fader Stimme, wie mir angesichts der Beklemmung, die mich bedrohte, möglich war.

Als ich sie fragte, wie es bei ihr denn laufe, hörte ich am anderen Ende so etwas wie einen leichten Seufzer, und ich vermißte jedwede Begeisterung, und wenn ich nachfragte, sagte sie, warum kommst du nicht zu mir, warum nimmst du dir nicht ein paar Tage frei...?

Die Nächte waren wie verlassene Dörfer, stille Ruinen, zerstörte Viertel, die ich zu Tode betrübt durchquerte, ein Glück, daß es Sommer war und das Tageslicht nicht allzu lang auf sich warten ließ, das hätte noch gefehlt.

Ich kam jeden Morgen zu früh. Ich machte es mir auf einer Terrasse bequem und wartete darauf, daß die Türen aufgingen oder die Sonne mir neue Kraft verlieh, ich setzte meine Brille ab und ließ mich mit einer Art erschöpftem Lächeln blenden und innerlich durchfluten. Bis dann Dolbellos Wagen aufkreuzte und hundert Meter entfernt stehenblieb. Es dauerte immer eine ganze Weile, bis Sarah ausstieg. Dann sah man sie eilig über den gegenüberliegenden Bürgersteig flitzen, und stets winkte sie ihm ein letztes Mal zu, während er sie an Bord seines verdammten Rover überholte.

Jetzt, da ich allein war, erschienen mir die Gründe, aus denen ich mein Geld von der Stiftung bezog, weniger einleuchtend. Ich spürte, daß ich langsam Abstand gewann, und seltsamerweise ließ mich diese Erkenntnis kalt. Auch die Scherereien, mit denen man zu rechnen hat, wenn man seinen Job los ist, sprangen mir nicht mehr auf der Stelle ins Gesicht. Ich hatte mich schon oft gefragt, was ich da eigentlich tat, aber noch nie so eindringlich. Das führte dazu, daß ich anfing zu grinsen, wenn ich die Eingangshalle betrat, im Aufzug und in den Gängen mußte ich lachen, und wenn ich an meinem Schreibtisch Platz nahm, prustete ich regelrecht los. Es ging das Gerücht, ich hätte einen Volltreffer im Lotto gelandet.

Als Marianne erfuhr, daß ich allein war, stieß sie einen Seufzer der Erleichterung aus und erklärte mir, das sei ein unverhofftes Glück.

– Auf mich wartet auch niemand . . .! fügte sie hinzu, als sei das ein gelungener Witz.

Einmal mehr drehte es sich um diese verfluchten Manuskripte. Das war wirklich eine Sache, in die sie ihre Nase liebend gern hineinsteckte, sie liebte es, Bücher zu veröffentlichen, und fand Gefallen daran, sie zu überarbeiten, wenn die Autoren zu faul waren oder unfähig, es selbst zu tun. Das gehörte zu den Aktivitäten der Stiftung, um die sie sich unbedingt selbst kümmern mußte, und Paul, Astringart und ich waren die einzigen, die in dem erlauchten Kreis geduldet waren. Kurz und gut, sie war in Verzug geraten, aber das würde sich alles einrenken, denn ich war ja da.

– Mmm, ob nun hier oder woanders, was soll's . . ., beschloß ich meinerseits und verkniff mir zugleich jegliche Widerrede, bei der sie erst Ruhe gegeben hätte, wenn ich ihr einen vernünftigen Grund genannt hätte.

Ihre Vorliebe für ein schädliches Klima, die sie schon ganz zu

Anfang gehabt hatte, als ich sie kennenlernte, hatte sie beibehalten. In ihrem Fall hieß das vierzehn, fünfzehn Stunden Plackerei an einem Streifen, von denen die letzten für mich damals eine einzige Qual gewesen waren, ihr hingegen hatten sie Flügel verliehen und fiebrige Augen. Ich hatte nie nach solchen Momenten gestrebt, nicht einmal, als ich noch schrieb. Ich hatte es wie Hemingway gehalten, nie mehr als fünfhundert Wörter pro Sitzung, das war die richtige Schule, auch wenn das mehr als einen zum Lachen reizt. Was darüber hinaus ging, konnte man vergessen. Sich das Hirn zermartern, das ist etwas für die Unfähigen.

Da es ihr jedoch gefiel und zudem meine einsamen Nachtwachen verkürzte, hockte ich bis ungefähr zehn Uhr abends mit ihr zusammen, was mir noch reichlich Zeit ließ, nach Hause zu fahren und mich in Erwartung meines Anrufs zu entspannen.

Ich kam zu Hause an und ließ mich in meinen Sessel fallen. Mich entspannen, sagte ich ... ?! Das fiel mir von Tag zu Tag ein wenig schwerer. Wie hatte ich nur glauben können, ich könne diesen Rhythmus durchhalten, wenn mich schon ein einziger Tag spielend umwarf ... ?! Ich spürte, daß mich meine Kräfte verließen, ich ekelte mich vor diesen grauenhaften Büchern, die um jeden Preis veröffentlicht werden mußten und die wir mühsam zurechtschusterten. Ich arbeitete mittlerweile bald acht Monate in der Stiftung.

– Hallo, Dan ... ? Du, ich hab die Nase voll, hörst du ... ?

– Komm, Liebste, laß dich nicht gehen ... !

Ich schlief nicht mehr, ich hatte nicht Frau noch Kind, ich war den lieben langen Tag in einem Büro eingesperrt, während der Sommer an den Fenstern leckte, und fahle Schriftsteller gingen mir auf die Eier, das war alles, was ich mitbekam.

– Scheiße nochmal! meinte ich und schnellte in die Höhe. Es ist bald Mitternacht, soll das noch lange dauern ... ?!!

Das war an einem Freitagabend, die Wache war so lang gewesen, daß ich den Anfang nicht mehr erkennen konnte. Auch nicht das Ende, weggetreten, wie ich war. Plötzlich hatte ich den Eindruck, ins Nichts zu treiben.

– Scheiße...! wiederholte ich und ging zum Fenster. Ich kann wirklich nicht mehr...!

– Sehr gut..., seufzte sie. Hören wir auf für heute.

Ich spürte, daß meine Augen rot waren vor Müdigkeit, trotz meiner Brille. Ich setzte sie dennoch ab und steckte sie in die Tasche, bevor ich mich ihr wieder zuwandte.

– Nein... Ich höre *ganz* auf. Ich mein's ernst...

Sie schaute mich mit einem ersten Anflug von Besorgnis an, dann setzte sie ihren Rollstuhl in Bewegung und rückte vom Schreibtisch ab.

– Dan...

– Herrgott, Marianne... *Ich höre auf...*, *ich verlasse die Stiftung*...!

– Tut mir leid..., fügte ich hinzu, als ich sah, was sie für ein Gesicht machte. Ich war ebenfalls erschüttert, nicht nur sie, langsam wurde mir klar, was ich gesagt hatte. SSssiiii..., sie fuhr auf mich zu. Sie hatte ein hübsches Gesicht, eine sehr weiße Haut, sie war ein Mädchen, das keine Schwierigkeiten gehabt hätte. Im Stehen. Wie ich schon sagte, sie war nicht mehr die kleine Nervensäge, die Paul mir einige Jahre zuvor auf den Hals gehetzt hatte, das war sie ganz und gar nicht mehr.

– Komm... Wir überschlafen das...

– Nein, das ist sinnlos.

– Was ist denn eigentlich los...?

– Meine Güte, ich werde verrückt, das ist los...! Ich kann nicht in einem Büro arbeiten, Marianne, das übersteigt meine Kräfte... Ich ertrage es nicht, von morgens bis abends eingesperrt zu sein...! Und all diese Manuskripte, dieses ganze Zeug, das interessiert mich nicht, das weißt du genau...!

Ich wandte mich ab und musterte die Lichter der Stadt.

– Ich hab's versucht, ehrlich, ich hab's *versucht*..., fuhr ich fort. Mit dir hat das nichts zu tun, wirklich nicht.

Ich konnte die lauwarme Nachtluft fast atmen, trotz der Klimaanlage.

– Ich bin zu alt, um in die Zivilisation zurückzukehren..., scherzte ich.

357

SSssiiii..., sie war zu ihrem Schreibtisch zurückgefahren. Ich fühlte mich wie einer, der sich aus einem Würgegriff befreit hat und langsam wieder zu sich kommt. Ich dachte keineswegs an die dunkle Kehrseite der Medaille, ich konnte es nur nicht fassen, daß ich innerhalb von drei Sekunden meine Ketten gesprengt hatte. Ich hatte Lust, das Fenster zu öffnen und mich wie auf die Reling eines Überseedampfers aufzustützen.

– Einen Vorschlag hätte ich noch..., eröffnete sie mir und machte sich an ihren Schubladen zu schaffen.

Ich mußte ein hyperkostbarer Typ sein, daß sie sich derart abschindete, mich unter ihren Fittichen zu behalten. Aber sie hätte mich zum Generaldirektor ernennen können, es hätte nichts geändert. Ich hob eine abschreckende Hand, sie solle sich meinetwegen keine Mühe mehr machen.

In diesem Moment kramte sie diese alte Reliquie von Drehbuch hervor, an dem wir vor so langen Jahren – oh, unter Tausenden hätte ich diesen safrangelben Umschlag mit der kastanienbraunen Kante wiedererkannt – gemeinsam gesessen hatten. Daß es, so urplötzlich an die frische Luft gezerrt, nicht auf der Stelle zu Staub zerfiel, erstaunte mich einigermaßen.

Marianne starrte mich einen Moment an. Meine Freiheit wär noch so frisch, daß ich mir ein Lächeln nicht verkneifen konnte, grundlos und vor allem ohne jeden Bezug zu dem Gegenstand, den sie mir da präsentierte.

– Ich denke schon seit einiger Zeit darüber nach..., stieß sie fast widerwillig hervor, dann verstummte sie und lauerte verstohlen auf meine Reaktion.

Ich unterdrückte nur mühsam ein unangebrachtes Gähnen. Nahm sie an, ich würde auch nur das geringste Interesse für diesen elenden Schinken aufbringen, den sie da eilfertig ausgrub...?

– Verdammt, es ist spät...! seufzte ich.

Es tat mir schon im voraus leid um sie. Sicher, ich wußte nicht, worauf sie hinauswollte, aber daß sie nur einen Funken Hoffnung darauf gründete, mich mit einem solch armseligen Trumpf im Ärmel umzustimmen, betrübte mich ihretwegen.

Das war bestimmt das letzte, das in mir irgend etwas hätte wach-
rufen können.

– Hier, Dan, das meinte ich..., sagte sie. Du erhältst weiter
deinen Scheck, und du bleibst zu Hause. Wäre das eine Lösung,
mit der du dich anfreunden könntest...?

Ich spannte meine Bauchmuskeln an, wie in einem Aufzug,
der zu schnell fährt.

– Ich weiß nicht... Sieht so aus..., murmelte ich.

– Ja, ich finde auch...! übertrumpfte sie mich mit dem ent-
sprechenden Lächeln.

Wenn ich nicht mehr auf den Wecker zu achten brauchte,
wenn ich zu Hause bleiben konnte und wenn man mich in Ruhe
ließ, wenn man mir weiter meinen Scheck schickte..., ja, dann
war ich bereit, Wunder zu vollbringen, ich wollte, daß sie in der
Hinsicht keine Zweifel hatte. Ein Drehbuch zu schreiben, dazu
war ich noch fähig. Das war, als bäte man einen ehemaligen Kapi-
tän darum, am Strand entlang zu rudern.

Wir brauchten die Sache nicht stundenlang zu beraten, das
Ganze war in weniger als einer Minute geregelt. Außerdem war
das recht einfach: Ich packte das Drehbuch ein, und es stand mir
frei, Hackfleisch daraus zu machen oder mich draufzusetzen. Ich
durfte es nach Belieben bearbeiten, durfte tun, was ich für richtig
hielt, sie interessierte sich nur für das Resultat. Ich wiederholte,
unter diesen Bedingungen bräuchte sie sich keine Sorgen zu
machen. Und das war keine Angeberei. Ich hatte eine Weile
gebraucht, um meine Grenzen kennenzulernen. Inzwischen
hatte ich diese Probleme nicht mehr.

Als ich die Nacht draußen betrachtete, lächelte ich ob der Vorstellung, daß ich mir jetzt lange Ferien leisten würde, und der
Teppichboden gab unter meinen Füßen nach wie warmer Sand.
Während sie sich fertigmachte, rannte ich in mein Büro, um
meine Sachen zu packen – meine Flasche *Wild Turkey* und meine
Nagelschere, der Rest gehörte der Stiftung –, und ich setzte mich
ein letztes Mal auf meinen Bürostuhl. Ich hinterließ wirklich
nichts, ich hatte nichts auf meinen Tisch gekritzelt und nichts an
die Wand gehängt. Meine Schubladen waren leer. Bevor ich ging,

drehte ich meinen Stuhl auf den Tisch und warf den Kalender in den Papierkorb.

Lächelnd warteten wir auf den Aufzug.

– Warum tust du das für mich...? fragte ich sie.

Die Türen öffneten sich gerade, als sie mir in vergnügtem Ton antwortete:

– Ich bin nicht verliebt in dich, wenn du das meinst.

Während wir hinunterfuhren, fügte sie hinzu, immerhin kennten wir uns nun schon seit einer Weile, und wenn ich es wirklich wissen wollte, wenn das meine Bescheidenheit nicht verletze, dann wolle sie mir gern ein paar Dinge aufzählen, die ihr an mir gefielen. Ich sagte, das sei nicht nötig, und lächelte zur Decke. Ganz davon zu schweigen, fuhr sie fort, daß es – für den Fall, daß diese Gründe nicht ausreichten – unter Leuten, die nicht mehr schreiben, und Leuten, die nicht mehr gehen konnten, normal sei, daß man einander helfe.

Bei diesen Worten hielten wir im Erdgeschoß an.

– Derjenige, der dir das angetan hat, brät in den Flammen der Hölle...! sagte ich.

Die Kolben des Öffnungssystems zischten wie Schwefeldampfstrahler.

– Ein komisches Bild..., meinte sie kopfschüttelnd.

Während wir die Eingangshalle durchquerten, sagte sie mir, sie werde ja sehen, ob ich ein undankbarer Kerl sei, und ich versprach ihr, von Zeit zu Zeit hereinzuschauen, als schlichter Besucher, dann könnte ich mich auch auf eine Ecke ihres Schreibtischs setzen und mich nach den großen und kleinen Dingen erkundigen, die sich innerhalb der Stiftung zusammenbrauten, da kenne sie mich aber schlecht, und während ich ihr diesen Vortrag hielt – schließlich durfte ich trotz allem nicht vergessen, wie mir geschah –, zählte ich bewegt die letzten Schritte, die mich vom Ausgang trennten, und diesmal endgültig.

Hans hielt mir die Tür auf, und ich trug sie eigenhändig in ihren Wagen.

– Ich glaube, er mag es nicht, wenn sich jemand anders um dich kümmert...! raunte ich Marianne ins Ohr.

– Und du, wie fühlst du dich jetzt...? fragte sie mich, während ich mich auf dem Bürgersteig streckte und mir mit leicht beunruhigter Hand über das Kreuz strich.

Ich schenkte ihr ein breites Buddha-Lächeln:

– Danny kehren in Dschungel zurück...

Als ich am nächsten Morgen wach wurde, bemerkte ich als erstes einen sanften Wind, der sich in den Vorhängen vergnügte, auch wenn man eher hätte meinen können, sie würden von dem satten Licht angehoben, das mit Macht ins Zimmer drang, sowie laute Stimmen, die aus dem Garten kamen, Harold und Bernie zankten sich aus unverständlichem Grund. Mein erster Tag in Freiheit nach so langen Monaten! Er war so, wie ich ihn mir vorgestellt hatte, lau und heiter, und das nach einigen Stunden richtigen Schlafs... Ich lag auf dem Bauch, wunderbar reglos und noch nicht entschlossen, mich zu rühren, als ich plötzlich meinen Wecker erblickte, und mir stockte der Atem. Ich dachte sogleich daran, ihn mit den Fingerspitzen zu fassen und feierlich in der äußersten Ecke des Gartens zu vergraben. Ich drehte mich also auf einen Ellbogen. In der gleichen Sekunde wurde ich buchstäblich in meinem Bett erdolcht. Im wahrsten Sinne des Wortes von einem glühenden Säbel durchbohrt. Ich schrie auf vor Schmerzen, kurz und laut wie ein Schuß aus einem Gewehr, dann kippte ich vornüber, brach mit der Nase auf meinem Kopfkissen zusammen. Keuchend. Beide Fäuste ins Bettlaken verkrallt. Schon perlte eiskalter Schweiß auf meiner Stirn. Das war das dritte Mal in meinem Leben, daß mir diese Sache passierte. Ich konnte mich nicht mehr erinnern, wie ich eine solche Qual hatte überleben können.

– Warum, Herr...? Warum an einem Tag wie *heute*...?!!

Ich konnte mich praktisch nicht mehr bewegen. Dachte ich nur daran, stöhnte ich auf. Mir war schlecht, aber das war nichts, verglichen mit dem stechenden Schmerz, der mich umschlich und auf jede meiner Bewegungen lauerte.

Trotzdem wälzte ich mich auf den Rücken. Wie der letzte Idiot. Draußen war nichts mehr zu hören. Ich rief Bernie um Hilfe, aber sie waren wie vom Erdboden verschwunden.

Ich brauchte fast eine Viertelstunde, um mich auf den Bauch zu drehen. Wahre Tränen liefen mir aus den Augen, obwohl ich an Fante dachte mit seiner Diabetes, an Hem mit seiner kranken Leber, Miller mit seinen kaputten Beinen. War mein Schmerz nicht viel zu groß für einen einfachen Drehbuchautor? Verstand man überhaupt, was das hieß, ein *Lumbago*...?! Ich robbte zur Bettkante und ließ mich auf den Boden gleiten. Allein diese simple Übung brachte mich in Schweiß.

Ich rutschte auf Knien zum Treppenabsatz. Dann richtete ich mich langsam am Geländer auf, nur mit der Kraft meiner Arme, und ich hielt mich krampfhaft daran fest angesichts des Abstiegs, der mir bevorstand. Mir war leicht schwindelig. Mein Oberkörper war schweißgebadet, und meine Pyjamahose schlotterte mir um die Knie.

Stufe für Stufe litt ich Höllenqualen, ich brüllte, ich biß mit schmerzverzerrtem Gesicht die Zähne zusammen, daß ich sie mir fast in die Kiefer gedrückt hätte, ich schwitzte vor Angst, und unten sah ich mich im Spiegel, kreidebleich, bleicher als der Tod.

Und doch war alles gut. Dieser Tag hätte ein einziger wollüstiger Seufzer sein sollen, das sanfte und geduldige Wiedererlernen eines Rhythmus, den diese düsteren Monate verwischt hatten. Aber ich hatte zu lange in diesem Büro gesessen, ich hatte mir wahrlich den Rücken versaut, als ich mich in einem fort über diese verdammten Manuskripte gebeugt hatte. Rächten sie sich auf diese Weise dafür, daß ich sie frohen Herzens im Stich gelassen hatte...?

– Egal, ich bereue nichts...! sagte ich mir mit Tränen in den Augen, während ich mich, mit beiden Händen am unteren Ende des Geländers, auf den Boden herabließ. Beißt sich der Fuchs nicht eine Pfote ab, um sich aus der Falle zu befreien...?!

Einzig mein Schmerz kam meiner Freude gleich. Einige derbe Worte hervorstoßend, machte ich mich daran, auf Ellbogen durchs Wohnzimmer zu kriechen. Was scherte mich der Preis der Freiheit, ich hätte mich über eine staubige Straße voll Schotter geschleppt, und hätte ich mein Leben dabei lassen müssen.

Ich trichterte mir ein, daß meine Qual, verglichen mit dem, was ich dafür erhielt, nicht der Rede wert war. Ich hämmerte mir mit den Fäusten ins Kreuz. Das war so schmerzhaft, daß ich anfing zu lachen, die Stirn in den Teppich gepreßt. O John, o Ernest, o Henri...!!

Schließlich erreichte ich die Tür zum Garten. Das Wetter war herrlich. Oberhalb der Hecke erstreckte sich ein azurblauer Himmel, unter dem ich, das Gesicht im Rasen vergraben, zusammenbrach, nachdem ich die Tür zugestoßen hatte. Ich schloß einen Moment die Augen, dann fing ich an, aus Leibeskräften nach Bernie zu rufen. Nach einer Weile kamen sie alle beide.

– *Um Himmels willen, faßt mich nicht an*...!! schrie ich, bevor sie irgendeine Ungeschicklichkeit begingen.

Ich erklärte ihnen, ich könne zerbrechen wie Glas, die geringste Grobheit werde mich töten. Ich mißtraute besonders Harold, der die ganze Sache bereits als Spaß auffaßte und davon redete, mich wieder auf die Beine zu stellen.

– Nein, bloß nicht..., sagte ich. Hol mir lieber eine Decke...!

– Warum? Ist dir kalt...?!

– Verflixt, wie hast du das erraten...?!!

Während er gehorchte, zog Bernie sein Taschentuch heraus, um den Schweiß abzuwischen, der über mein Gesicht lief. Ich war fix und fertig.

– Das kannst du dir nicht vorstellen...! seufzte ich.

– Doch, das ist mir auch schon passiert...

– Meine Güte, du hast es bestimmt vergessen... An sowas kann man sich nicht erinnern...!

Ich hätte wer weiß was dafür gegeben, mich einfach in der Sonne ausstrecken zu können. Ich spürte ihre Wärme in meinem Rücken, ihren sanften Schein auf meinem Nacken. Trockene Grashalme stachen mir in die Brust und ins Gesicht, aber ich wagte es nicht, mich auch nur ein klein wenig zu rühren.

– Bernie... glaubst du fest, daß es auf Erden eine Gerechtigkeit gibt...?!

Als Harold mit der Decke zurückkam, erklärte ich ihnen, wie sie vorgehen mußten, um mich ins Haus zu transportieren.

– He, du bist ja wie 'ne Hängematte . . .! scherzte Harold, als sie mich hochgehoben hatten, und beglückte mich bei diesen Worten mit einem greulichen Schaukeln.

Obwohl ich ihn für fähig hielt, mich loszulassen – solche Sachen machte er niemals *mit Absicht* –, sagte ich nichts, überzeugt, meine Befürchtungen könnten ihn nur im falschen Sinne ermutigen. Er lachte. Ich kenne nichts, was mehr zum Lachen reizt als ein Typ, den ein Hexenschuß zwickt. Ich hatte da einige Erfahrung. Niemand nimmt einen richtig ernst. Ob man nun ellenlang braucht, um sich ächzend und Fratzenschneidend aus einem Sessel zu schrauben, oder sich niedergekauert auf dem Bettvorleger erwischen läßt, es gibt einfach nichts, was einem Mitleid oder Erbarmen einträgt. Und doch, welch schreckliche Prüfung, und in welche Einsamkeit stürzt sie einen . . .! Herrgott, es gibt nichts, was darunter geht, verdammt, das ist eine Niedertracht des Himmels.

Meinem Wunsch gemäß setzten sie mich auf dem Sofa ab. Harold fragte, ob er noch gebraucht werde, dann rauschte er ab.

– Ich sag dir, der macht mich verrückt . . .! seufzte Bernie. Aber was soll's, reden wir von was anderem.

– Mmm . . . Weißt du, daß dieser Tag trotz allem zu den schönsten meines Lebens zählt . . .?!

Ich verkündete ihm, daß er, den äußeren Anzeichen zum Trotz, einen freien Mann vor sich habe, daß eine innige Freude meine Lippen bewege und daß meine Grimassen belanglos seien.

– Du siehst es nicht, Bernie, aber ich strahle . . .! Ich leide unsäglich, alter Freund, aber gleichzeitig frohlocke ich . . .!

Ich hatte eine Salbe im Badezimmer. In dem Zustand, in dem ich mich befand, war das im Grunde verlorene Liebesmüh, aber das wenige, das sie bewirken würde, war immer noch beträchtlich.

– Das geht von den Pobacken bis knapp unter die Schulterblätter, wies ich ihm die Richtung. Aber fang vorsichtig an . . . Weißt du, man muß den Schmerz *einschläfern*.

Ich litt geschlagene fünfzig Stunden lang. Mein ganzes Wochenende ging dabei drauf. Am Montagmorgen dann kam ein Typ vorbei, ich hatte zwei Kilo abgenommen. Der Typ war groß und stark, sehr imposant, würde ich sagen. Er nahm mich in seine Arme, als sei ich ein kleines Kind, er klemmte meine Beine mit einem Knie zusammen, dann ließ er meine Wirbelsäule knacken. In beide Richtungen.

– Warum lachen Sie? fragte er mich.

– Das können Sie nicht verstehen..., antwortete ich. Ich hatte noch nie in meinem Leben solche Schmerzen!

Ich hatte kein Auge zugetan. Bernie hatte während dieser beiden Tage die meiste Zeit mit mir verbracht, doch als er mich gegen Mitternacht nach einer letzten Massage verließ, war mir zwar eine halbe Stunde lang das Schlimmste erspart geblieben, aber dann hatte es mich voll erwischt. Die Nächte waren schrecklich. Mein Rücken gönnte mir keine Minute Ruhe. Ich hatte solche Schmerzen, daß ich nicht ruhig liegen bleiben konnte, stundenlang drehte ich mich wie am Spieß über dem Feuer, suchte vergebens eine Lage, die mir ein wenig Linderung verschaffte, wo sie doch alle gleich fürchterlich waren. Manchmal wurde ich im Zuge einer dieser mühsamen Umwälzungen von einem derart heftigen Schmerz zur Ordnung gerufen, daß ich minutenlang wie betäubt innehielt und kaum zu atmen wagte, die Augen sperrangelweit aufgerissen ob eines solchen Horrors.

An mein Sofa geklammert, mußte ich Angriff um Angriff über mich ergehen lassen, aber ich brauchte nur einen Blick zum Fenster hinaus zu werfen, schon erspähte ich meinen guten Stern, und war ich auch geschwächt, gezeichnet, ließ ich doch den Mut nicht sinken, ich kämpfte weiter bis zum frühen Morgen, meckerte wie die berühmte Ziege, allerdings siegreich, und ich versank in einen unruhigen Halbschlaf, kaum daß der Tag graute. *Gott liebt nur den, der gelitten*, hatte ich irgendwo gelesen.

Am Montagabend fühlte ich mich ein wenig besser. Nicht gerade brillant, aber das Schlimmste hatte ich mir hinter mir, ich konnte aufstehen, wenn auch nur vornübergebeugt. Ich beruhigte Elsie.

Sie hatte am Abend zuvor angerufen, und ehe ich mich einschalten konnte, hatte Bernie sie über die Lage aufgeklärt, und ich hatte größte Mühe gehabt, sie davon abzubringen, augenblicklich abzureisen. Bernie glaubte, sie liebe mich wirklich, es war Sonntagabend, ich war mitten in der schlimmsten Krise, aber ich hatte es noch geschafft, höhnisch zu feixen:

– Gottogott, Bernie, guck mich doch an, findest du das lustig...?! Guck dir doch die Lachnummer an, die sie sich ausgesucht hat...! Herr im Himmel, das ist grotesk...!!

Es hatte eine Weile gedauert, bis ich sie davon überzeugt hatte, nicht zurückzukehren, ich hatte meine letzten Kräfte verbraucht und darüber vergessen, ihr zu erzählen, daß ich die Stiftung verlassen hatte. Diesmal verkündete ich ihr die frohe Botschaft und berichtete ihr alles haarklein. Ich hörte sie am anderen Ende prusten.

– Dan... Du weißt gar nicht, wie glücklich ich bin...!

– Jaja, der Alptraum ist vorüber.

– Du, hör mal... Warum kommst du nicht zu mir...?!

– Mensch, Elsie, ich kann kaum auf den Beinen stehen. Meine Güte, du weißt, ich bin nicht mehr der Jüngste... *Vergiß das nicht...!*

Es gebrach mir an Schneid, sie direkt in die Arme eines anderen zu treiben, aber ich versuchte ihr schüchtern den Weg zu weisen. Ich war zu übel dran, als daß mich irgendwelche sexuellen Dinge hätten ablenken können, und ich mußte die Gelegenheit nutzen, um sie auf den Trichter zu bringen, was im vorliegenden Fall hieß, unsere Trennung zu verlängern, damit sie ein wenig die Augen aufmachte und die Natur wieder zu ihrem Recht kam. Mehr durfte man jedoch nicht von mir verlangen.

Natürlich, es bestand das Risiko, daß sie durchdrehte und mich nach Strich und Faden betrog, um anschließend mit Unschuldsmiene und noch feuchtem Arsch wieder anzutanzen. Es gefiel mir nicht, so zu denken. Das hieß sie herabsetzen, ich wollte nicht, daß mir solche Dinge durch den Kopf gingen. Das war schändlich. Ich hatte in meinem Leben einige unangenehme Überraschungen erlebt, aber ich durfte mich nicht gehenlassen. Ich war überzeugt, daß ich eines Tages an ein Mädchen geraten würde, das mir gegenüber in diesem Punkt ehrlich war, und ich wollte gern glauben, daß dieses Mädchen Elsie war. Naja, ich hoffte es inständig.

Ich konnte die Leere, die sie hinterlassen hatte, nur zu gut ermessen. Das war beeindruckend und, um der Wahrheit die Ehre zu geben, geradezu entsetzlich. Mitunter fragte ich mich, ob ich mich nicht überschätzte, ob mir überhaupt bewußt war, wie hart der Schlag werden konnte. Ich lief Gefahr, mich weniger schnell wieder aufzurappeln, als ich annahm.

– Ja, aber ich sag dir, immer noch besser, sich mit Schmerzen wieder aufzurappeln, als überhaupt nicht mehr, glaub mir...! Ich wußte, daß ich recht hatte. Und wenn ich mich aufgab, dann diesmal in völliger Kenntnis der Sache.

Im Laufe der Tage erkannte ich, daß mir die Stille am meisten gefehlt hatte. Während mein Rücken wieder auf die Beine kam, spürte ich, daß mich neue Kräfte durchströmten. Es kam vor, daß ich den ganzen Tag über niemand sah und den Mund nicht aufmachte, und am Abend dann prickelte mein Verstand und setzte Muskeln an. Ich war auf dem Weg zu einer Form, in der ich seit Jahren nicht mehr gewesen war. Die Stille war gesund, die Einsamkeit war gesund. Elsie war nicht die einzige, die ich vermißte, auch Hermann fehlte mir. Ihre Abwesenheit war wie ein Bad in einem eiskalten Gebirgsbach, ein belebendes Übel, dem ich nicht auszuweichen suchte. Trotz des Hochsommers versank ich bisweilen in einer trockenen Kälte, als stände ich nackt mitten im Wind, und das härtete mich ab.

– Früher oder später wirst du diesen Kampf zu bestehen haben...! stachelte ich mich an. Und jeder Tag, der verging, war ein Stein, den ich in meiner Hand zermalmte.

Äußerlich ungerührt nahm ich die Gelegenheit wahr, über das Drehbuch nachzudenken. Streng genommen arbeitete ich nicht daran, aber ich machte mir meine Gedanken, ich drehte und wendete es in aller Ruhe mehrmals am Tag. Ich hatte nicht die Absicht, viel davon zu übernehmen. Tatsächlich keimte allmählich eine kleine Idee in meinem Hinterkopf. Mein Geist hüpfte und zeterte vor Ungeduld, während ich mich körperlich mit neuen Kräften eindeckte. Ich war nahe daran, ob dieses glücklichen Zustroms von Energie in der Dunkelheit aufzuleuchten. Einzig mein Herz blutete ein wenig.

Gegen Ende der Woche machte ich glatt einen vernünftigen Eindruck. Die letzten Spuren meines Hexenschusses waren verflogen, und der gewissen, auf meinen Weltschmerz zurückgehenden Blässe hatte ich praktisch den Garaus gemacht, indem ich mich im Gras ausgestreckt hatte. (Aufbaucreme, doppelter UV-Schutz [A + B]: *Gefahrlose Bräunung!*). Ich hatte keinen großen Appetit, aber ich machte mich auf gut Glück über Gladys' Pillen her, und ich hatte zwei Kilo von ihrem Vollkornreis verputzt. Es war immer noch genauso warm. Der Himmel war von morgens früh bis abends spät von einem unbeweglichen und endlosen Blau. Elsie hatte nicht jeden Tag angerufen. Ich hatte Hemingways Briefwechsel und einige Romane von Faulkner gelesen, um mich von der schlechten Lektüre zu erholen, die ich mir in all diesen Bürostunden hatte aufhalsen müssen. Bei Einbruch der Nacht lungerte ich wieder in meinem Garten herum, *Corona* und *Monte Cristo*. Daß Marianne mir die Freiheit gewährt hatte, war nicht alles, ich brauchte noch einige Tage, um mich wieder daran zu gewöhnen.

Ich hatte es fast geschafft, ich hatte praktisch all meine alten Gewohnheiten wieder angenommen und bog eben auf die Zielgerade ein – dieser Tag gehört dir allein, du kannst tun, was du für richtig hältst, Artikel 1 –, als Sarah eines Mittags bei mir aufkreuzte. Ich holte gerade meine Wäsche aus dem Trockner und faltete sie sorgfältig zusammen und war meilenweit davon entfernt, an sie zu denken.

Sie trat ein, ohne zu klopfen, wie in der guten alten Zeit, nur daß sie diesmal nicht das geringste Lächeln erntete, nicht einmal ein eisiges, nichts, überhaupt nichts.

– Was ist los...? fragte ich sie. Ist dir meine Adresse wieder eingefallen...?!

– Ich bin nicht gekommen, um mich mit dir zu streiten, antwortete sie.

Tausendmal war sie in dieses Haus eingetreten, jedes Molekül der Bude kannte sie, nie hatte es die geringste Verlegenheit zwischen uns gegeben, aber an diesem Morgen hüpfte sie von einem Bein aufs andere, wußte wohl nicht so recht, wo sie sich lassen sollte, ungeschickt sogar die Art und Weise, wie sie ihre Tasche – es sah aus, als hätte sie sich dieser Geste eben erst *erinnert* – aufs Sofa warf. Ich empfand fast so etwas wie Scham für das, was mit uns beiden geschehen war. Ich ahnte zwar, daß sie gekommen war, um mich etwas zu fragen, aber ihrem Gesicht war nichts zu entnehmen, außer daß sie es nicht eilig hatte, zur Sache zu kommen.

Ich wandte meinen Blick ab. Glättete einige unschöne Falten auf meinem *City Lights*-T-Shirt, bevor ich es zu den anderen legte, und fragte sie, ob sie noch lange wie angewurzelt mitten im Zimmer zu stehen gedenke, sie könne sich wie zu Hause fühlen, ich käme sofort. Aber ehrlich, es war ein Jammer.

Sie hatte noch nicht gegessen. Sie hatte nicht viel Zeit, denn sie mußte in die Stiftung zurück, dennoch setzten wir uns mit ein wenig Reis und Tomaten in den Garten, und ich stellte ihr keinerlei Fragen. Ich hatte keine Lust, ihr zu helfen, sah sie kaum an, mein Reis war zu weich, schwer zu schlucken, und ich tat so, als kratze es mich nicht, was sie mir erzählte, wenig Interessantes, nebenbei gesagt, trostlose Banalitäten, die sie herunterleierte, als wollte sie einen Schutzschild zwischen uns aufbauen. Erst als sie auf die Kinder zu sprechen kam, spitzte ich ein Ohr.

– Gladys hat mich heute morgen angerufen. Ich glaube, zwischen Richard und Vincent steht es nicht zum besten . . .

– Aha, er ist bei ihnen . . . ?!

– Hör mal . . . Das ist sein Haus, er ist hingefahren, um zu sehen, ob alles in Ordnung ist . . .

– Meine Güte, was für ein Feingefühl!

Seltsam, jedesmal, wenn ich eine Artigkeit in Richtung Dolbello einfließen ließ, schien sie mich nicht zu hören.

– Ich weiß nicht genau, was los ist . . . Aber Gladys hat mich gebeten vorbeizukommen, naja, sie meint, es wäre besser, wenn ich käme . . .

– Nun gut, ich nehme an, sie hat ihre Gründe . . .

– Dan . . . Ich will nicht *zwischen* Richard und Vincent geraten . . .!

Obwohl sie mir bei diesen Worten einen verzweifelten Blick zuwarf, schob ich meinen Teller von mir und zerknüllte meine Serviette auf dem Tisch:

– Gottverflucht nochmal . . .! Das fällt dir jetzt erst ein . . .?!

Ich durchbohrte sie mit einem finsteren Blick, dann wandte ich den Kopf ab. Die Sonne brutzelte im Gras, an der Grenze zum Sonnenschirm, ich spürte, daß Ärger nahte.

– Dan . . . Ich möchte, daß du mit mir kommst . . .

Ich gab keine Antwort. Schaute sie nicht an, zuckte mit keiner Faser. Mein Verstand schaltete sehr schnell.

– Bitte, Dan, bitte . . . Bist du noch in der Lage, mir einen Gefallen zu tun . . .?

– Sowas nennst du einen *Gefallen* . . .?! knurrte ich.

Ich kreuzte in der Abenddämmerung bei ihr auf. Ich schob mein Motorrad in die Garage und schnallte langsam meine Ledertasche vom Gepäckträger, während ich Richards Fahrrad musterte, das an der Decke hing, ein Sportrad, das er jahrelang mit immer höherem Sattel mitgeschleppt hatte und dessen Zeit vorbei war.

Ich trat durch die Küche ein und schritt ins Wohnzimmer. Es war nicht der Geruch, auch nicht eine gewisse Präsenz, aber ich merkte sehr schnell, daß Dolbello die Räumlichkeiten in Besitz genommen hatte. Vielleicht hatte er sogar meinen Lieblingsplatz mit Beschlag belegt, und jetzt war ich der Eindringling, wo wir einmal dabei waren.

– Schlappes Pack! knurrte ich die Gegenstände an, die um mich herum waren und sich mit ausweichender Miene abwandten.

Sie kam die Treppe herab, in ein schmales, lockeres Kostüm gekleidet und mit einem Lächeln, das sie mir seit Ewigkeiten nicht mehr geschenkt hatte. Anscheinend existierte ich auf einmal wieder, hatte sie die Größe meiner Seele entdeckt und freute sich jetzt also, daß wir die Reise gemeinsam unternahmen. Ich mäßigte sie mit einem teilnahmslosen Blick, dann forderte ich sie auf, nachzusehen, ob sie nichts vergessen hatte, und bestellte ein Taxi.

Ich hatte mich am Nachmittag um die Fahrkarten gekümmert. Ich wußte nicht, ob sie sich eingebildet hatte, wir würden die Nacht auf einer Sitzbank verbringen und den mangelnden Komfort mit einem bestimmten Personenkreis teilen – persönlich war ich über das Alter hinaus –, als sie jedenfalls sah, daß ich ein Abteil nur für uns beide reserviert hatte, zögerte sie ungefähr eine Viertelsekunde, ehe sie eintrat, und als sie sich dann nach mir umdrehte, verbarg sie die konfusen Empfindungen, die auf sie einstürmten, hinter einem schwachen Lächeln. Von mir aus mochte sie ruhig denken, was sie wollte, meinetwegen konnte sie auf dem Gang übernachten, wenn ihr das lieber war, ich hatte niemand gezwungen. Nun ja, wie dem auch sei, ich reichte dem Typ, der uns die Tür geöffnet hatte, die Fahrkarten, und sie sagte:

– Ich bin ewig lang nicht mehr mit dem Zug gefahren, weißt du. Ich hatte diese eigentümliche Atmosphäre vergessen...

Ihrer Stimme war noch eine gewisse Unruhe anzuhören, aber nichts Boshaftes, man hätte meinen können, sie rede und denke dabei an etwas anderes. Ich wußte ganz genau, was sie sich wohl vorstellte – was überdies jede andere an ihrer Stelle getan hätte –, trotzdem, es handelte sich dabei keineswegs um ein abgekartetes Spiel meinerseits. Ob sie mir nun glaubte oder nicht, ich hatte sie nicht belogen: sämtliche Flüge bis zum nächsten Tag waren ausgebucht. Und die Nacht in einem Mief von Körpergerüchen zu verbringen und ständig schnarcht irgendein Idiot auf seiner Liege zweiter Klasse, naja, o Gott...

Die äußeren Umstände sprachen gegen mich, aber das hatte nicht die geringste Bedeutung. Ich spekulierte auf nichts mehr. Ich war nicht besonders scharf darauf, die Nacht mit ihr zu verbringen, wenn sie es genau wissen wollte.

Wir kauften dem Typ auf dem Bahnsteig ein paar Zeitungen

und Illustrierte sowie Kaugummidragees für Sarah ab. Die Nacht war noch nicht schwarz, sondern leicht rotorange und wie von einem höllischen Feuer angestrahlt. In der Luft hing ein Geruch von Maschine, von poliertem Stahl.

Als sich der Zug in Bewegung setzte, stieß sie einen tiefen Seufzer aus und entspannte sich tatsächlich. Ich spürte das sehr deutlich, ich war ganz mit der Speisekarte beschäftigt, und ich hatte den Eindruck, daß sie meine Unachtsamkeit dazu ausgenutzt hatte, irgend etwas mit der Atmosphäre anzustellen oder einfach ein Opiumkügelchen zu verschlingen. Ich blickte flüchtig zu ihr hinüber. Ihre Arme ruhten auf den Lehnen des Sessels, ihr Nacken auf der Rückenlehne. Ihr Gesicht war halb zum Fenster gewandt, und sie wirkte abwesend, besänftigt und nicht weit davon entfernt, ein Lächeln aufzusetzen, wenn ich mich nicht täuschte. Ich hätte gern gewußt, woran sie dachte, aus reiner Neugier. Ich nahm meine Lektüre wieder auf, während der Zug an Geschwindigkeit gewann und in Richtung Südwesten abbog. Durch die leicht geöffneten Fenster herrschte eine recht angenehme Temperatur.

Ich fragte sie, ob sie lieber hier oder im Speisewa...

– O nein, ich kann mich nicht mehr bewegen, unterbrach sie mich.

Ich veranlaßte das Notwendige und bestellte einstweilen etwas zu trinken. Mittlerweile nahmen die Lichter, die in der Dunkelheit vorbeisausten, ihre Aufmerksamkeit gefangen. Oder auch die Schatten der ausfransenden Vorstadt. Oder das plötzliche, der Garbe einer Brandbombe ähnliche Aufleuchten eines Bahnsteigs. Sie hatte ihre Jacke ausgezogen und trank ihr Glas in kleinen Schlücken, sie hatte es sich bequem gemacht, und ihr Gesicht war ruhig und ihre Lippen feucht, und ihr Parfüm wehte langsam zu mir herüber. Sie hatte die Beine angezogen, ihre Strümpfe schimmerten über ihren Knien, ihr Rock spannte sich wie eine Trommel und dazu ihre Bluse und die feine Spitze, die ihr Schlüsselbein kreuzte und die Perle, die an ihrem Ohr hing, und die Strähnen, die ihr entwischt waren, als sie mit einer einzigen Handbewegung ihre Haare hochgesteckt – puh, du weißt gar nicht, wie warm mir darunter ist – und einige Nadeln sowie eine durchscheinende Spange in Form eines Krokodils, die Gladys gehörte, angebracht hatte. Ich mußte zugeben, sie war begehrenswert, ich verspürte immer noch die gleiche Bewunderung für ihre Weiblichkeit, und ich kannte nicht viele, die eine solche Wirkung auf mich ausübten, aber das war nicht mehr, was ich einst für sie empfunden hatte. Zum erstenmal war ich mir dessen richtig bewußt. Jetzt, da ich sie neben mir hatte, konnte ich mir das ein wenig näher ansehen, niemand kam mir in die Quere, und ich konnte in aller Ruhe darüber nachdenken und mich daran machen, die Haltetaue einzeln zu überprüfen, und an diesem Abend konnte ich feststellen, daß es einige gab, die tatsächlich lockerer geworden waren.

Mit dem schneidenden Geräusch eines Rollschuhs, der einen eisernen Hügel hinunterrollt, in regelmäßigen Abständen auf einer Reihe von Nieten zusammenzuckend, purzelten wir in das flache Land, und ein riesiger Kalmar stieß uns einen dicken Strahl Tinte entgegen. Draußen war nichts mehr zu sehen. Die Nacht war so dunkel, daß man Himmel und Erde nicht mehr unterscheiden konnte, und schließlich drehte sie sich um und fragte mich, ob wir nicht noch eins bestellen sollten. Ich angelte den Flachmann aus meiner Ledertasche. Ich ziehe es vor zu fliegen, da ist der Service schneller. Ein merkwürdiges, fast schmerzliches Lächeln spielte um ihre Lippen. Tja, Dinge ansehen, die vorbeihuschen und vom Schatten verschlungen werden, ist nicht unbedingt das Beste für die Moral.

Sie hob ein wenig ihr Glas, als wollte sie mir zuprosten. Ich hob meines nicht. Ich wußte, daß sie mich unangenehmen Dingen zuführte. Man hätte meinen können, sie wolle nicht daran denken, sei entschlossen, diese Reise so angenehm wie irgend möglich zu gestalten, aber mir war nicht danach, auf ihr Spiel einzugehen, ich war nicht so wendig wie sie, ich hatte nicht die Fähigkeit, plötzlich zu vergessen, was sie mit dieser famosen Freundschaft angestellt hatte, mit der sie mir in den Ohren gelegen hatte, mir steckte noch ihr keusches Murmeln in der Kehle, o nein, Dan, Dan, *wir dürfen nicht, ich hab so etwas noch nie mit*

einem anderen Mann erlebt, ich brauch dich zu sehr, O NEIN, WIR
DÜRFEN NICHT...!! Ich war zweifelsohne in einer erstaun-
lichen körperlichen Verfassung, denn während ich mir diese traurigen Worte ins Gedächtnis rief, hatte ich den verchromten Hals
meines Flachmanns unbewußt in meiner Hand zerquetscht, er sah
aus wie ein Rest Alufolie. Sie hatte nichts davon mitbekommen,
denn ich hatte im Schatten des Tisches gewirkt, übertönt vom Rauschen der Gleise, und so hatte sie mir nicht anmerken können, was
ich in puncto Waffenruhe dachte. Wenn sie jemals in mir hatte lesen
können wie in einem Buch, dann war das an diesem Tag nicht der
Fall. Anscheinend setzte ich, manchen Blicken nach zu urteilen,
die sie mir zuwarf, eine recht undurchdringliche und verwirrende
Miene auf. Wahrscheinlich bildete sie sich ein, ich schmollte nur,
es würde nicht lang dauern, dann würde ich es nicht mehr aushalten und die Maske fallen lassen und wieder ihr alter Gefährte sein,
aber da täuschte sie sich, denn es gab keinen anderen Dan in diesem
Abteil und auch keine Maske, die ich auf der Nase trug, damit war
Essig, das war mein wahres Gesicht. Nichts als ein etwas fades
Lächeln, das gönnte ich ihr noch als Lohn für ihre Bemühungen,
vielleicht war ich sogar irgendwie gerührt, als sie die Augen nie-
derschlug und ein bekümmerter Schatten hinzukam, allein, wer
war schuld daran...? Ich glaubte sehr gut verstanden zu haben,
daß sie nur noch ein ganz gewöhnliches Verhältnis mit mir suchte,
eine völlig beschissene Freundschaft. Nun gut, unter diesen Bedingungen stand ich ihr zur Verfügung, das konnte sie haben.

Trotz alldem hatte ich nicht die Absicht, unfreundlich zu sein,
und als sie beschloß, ein ganz normales Gespräch mit mir anzufangen, trottete ich mit, ohne das Tempo zu forcieren, unbekümmert,
hochnäsig sozusagen.

Wir teilten uns den letzten Tropfen meines Bourbon. Ich hatte
nicht erwartet, daß sie in diesem Punkt mit mir Schritt halten
würde – soweit ich mich erinnerte, trank sie selten auf nüchternen
Magen –, aber ich schluckte meine Verwunderung hinunter und
begnügte mich damit zu notieren, daß ihre Augen einen gewissen
Glanz annahmen und eine zarte Röte ihre Wange überzog.

Obwohl die Luft durchs Fenster zischte, drang nur eine entwaffnend laue Wärme hinein, angereichert mit dem Geruch trockenen Grases und nächtlicher Erde, den sie mechanisch fächerte, während sie mit mir sprach, indem sie träge mit einem Exemplar aus der Familie der Prospekte vor ihrer Kehle wedelte.

Sie fand es nur natürlich, daß ich meine Arbeit als Schriftsteller wieder aufnahm, die Welt sei zwar absurd, aber manchmal müsse sie sich eben doch beugen und zulassen, daß die Dinge wieder ins Lot kamen, nun ja, sofern sie sie zufällig einmal nicht zerbrochen hatte. Jedenfalls machte sie sich um mich keine Sorgen, sie freute sich über das, was ich erreicht hatte. Das Abteil vibrierte leicht, es ächzte, bullerte, klimperte in einem fort wie ein Sack voll Münzen in einer Räuberhöhle. Ich hatte das Gefühl, daß einige Begriffe in ihrem Kopf durcheinandergeraten waren, ich hörte jedoch auf mein gutes Herz und erklärte ihr, daß es ein Unterschied sei, ob man ein Drehbuch hinschmiere oder ein Buch schreibe. Erklärte ihr, daß zwischen der Arbeit, die mir Marianne anvertraut hatte, und dem Quasi-Wunder kaum ein Zusammenhang bestehe. Ich ließ mich sogar ein bißchen fortreißen.

– Jeder kann sich den Kopf zerbrechen und auf eine Idee kommen. Mit einer Idee und ein wenig Talent kannst du ein Drehbuch schreiben. Wenn du eitel bist, schreibst du ein Buch. Nur, weißt du, wenn du eines wirklich brauchst, um ein Schriftsteller zu sein, dann ist das der *Stil*. Und nichts, keine Idee, kein Talent, kein noch so unbändiger Stolz kann ihn je ersetzen. So etwas ist sehr selten, aber man erkennt ihn auf den ersten Blick ... Der Stil ist das Licht, das vom Himmel fällt ...!

Hiernach, die Augen noch ungestüm zu dunklen Schießscharten zusammengekniffen, ärgerte ich mich schwarz, daß wir meine eiserne Reserve aufgebraucht hatten. Ich wollte nur einen Kurzen, einen simplen Schluck, um die Pille hinunterzuwürgen, aber wir hatten nicht einen Tropfen mehr übriggelassen. Ich schielte einen Augenblick nach der Notbremse, dann resignierte ich und fragte Sarah, ob sie mir bitte einen Kaugummi reichen könne. Es war schon eine Weile her, daß ich aufgehört hatte zu schreiben, aber mir war, als schleppte ich das seit ewigen Zeiten mit mir herum. Sie starrte mich einen Moment an, während mir diese schmerzliche Überlegung durch den Kopf ging, dann verkündete sie, langsam habe sie schrecklichen Hunger.

Flaschen waren in diesem Zug nicht zu bekommen, doch zum Glück geriet ich an einen jungen, recht aufgeweckten Kerl, der sich bereit fand, meinen Flachmann gegen eine kleine Belohnung aufzufüllen, M'sieur, sooft sie wollen, versicherte er mir, während er geschwind den Schein in seiner Tasche verschwinden ließ. Er wirkte etwas enttäuscht, als ich ihm erklärte, das sei wohl nicht erforderlich. Während er den Tisch abräumte, dachte ich kurz nach, und zur Sicherheit bestellte ich noch zwei Bourbon zusätzlich. Sowie Mineralwasser, und zwar die große Ausführung, präzisierte ich.

Ich hatte keineswegs die Absicht, mich zu betrinken. Aus diesem Grund hatte ich zum Essen auch nur eine halbe Flasche Wein bestellt, und ich hatte sie kaum angerührt, Sarah hatte es auf sich genommen, ihr den Garaus zu machen. Während der gesamten Mahlzeit war ich Zeuge der ungeheuren Ausstrahlung gewesen, die von ihr ausgehen konnte, und immer wieder war ein unwiderstehliches Lächeln zu mir herübergeflogen und hatte mich flüchtig angestrahlt, bevor es im Schatten verschwand. Das war bestimmt eine prickelnde Nummer, voll Zauber und Geheimnis, und – wenn man mich fragte – das erste Weltwunder, aber sie zu würdigen war etwas anderes. Sie hätte tanzen können, um Regen vom Himmel fallen zu lassen, mein Herz wäre trocken geblieben. Ich wurde von einem dumpfen Weltschmerz ergriffen, Gott, sie verdiente es, daß man sich ihr zu Füßen warf...! Aber ich blieb seelenruhig in meinem Sessel sitzen, ach ja, es gibt Dinge, die sind nicht zu erklären.

Kaum war der Typ zur Tür hinaus, stand ich auf, um das Abteil abzuschließen, und in diesem Moment sagte sie:

– Erzähl Vincent bitte nichts davon, sag ihm nicht, daß wir beide allein in einem Abteil waren...

Ich setzte mich erst einmal hin, so gut fand ich das.

– Nein, sag ehrlich... Meinst du das ernst...? fragte ich sie mit sanfter Stimme.

Sie lächelte immer noch, aber ich ließ mich dadurch nicht täuschen.

– Ja, natürlich...

Ich wollte mich nicht aufregen, das war mir zu dämlich.

– Verdammt...! seufzte ich.

– Komm, Dan... Vielleicht würde er das falsch verstehen.

Kopfschüttelnd schaute ich zum Fenster hinaus, doch ich sah nur ihr Spiegelbild, das sich zu mir hinüber beugte, und die Verstimmung, die sich plötzlich in ihren Zügen abmalte, und ich dachte:

– Jessesmaria...! Ich drehte mich um. Ich glaubte mich zu erinnern, daß sie die Farbe meiner Augen mochte, sie würde sich gewiß freuen.

– Weißt du, Sarah... *(oh, und meine Stimme war zuckersüß, zart wie ein Frühstück im Freien)*, weißt du, Sarah, ich sitze nicht zufällig in diesem Zug. Niemand anders als du hat mich darum gebeten, erinnerst du dich... Weil du Probleme hattest. Weil dein Freund nicht umhin konnte, nach dem Rechten zu sehen, und weil er sich nicht mit deinem Sohn versteht. Zugfahrten sind mir ein Greuel. Und nur seinetwegen verbringe ich die Nacht in diesem fürchterlichen Radau. Ich hab dieses Tête-à-tête nicht gesucht. Eigentlich sollte ich jetzt zu Hause sein und auf einen Anruf warten. Der Kerl kotzt mich an, falls du das immer noch nicht begriffen hast. Was meinst du, wie mich das kratzt, ob er Verständnis hat oder nicht, habe ich ihn um etwas gebeten...?

Ich bemerkte einmal mehr, daß sie nicht hinhörte, wenn ich kundtat, was ich von Dolbello hielt. Sie interessierte nur eins: daß ich mir das Versprechen eines geziemenden Schweigens abringen ließ, daß er auf gar keinen Fall erfuhr, daß sie und ich..., im gleichen Abteil... allein... die ganze Nacht... die Vibrationen... das enge Beisammensein... die Liegeplätze... die sommerliche Schwüle... das Rütteln, die reifen Ähren, die Tunnel und so weiter und so fort... Wahrhaftig, ich konnte es mir lebhaft vorstellen. Persönlich hatte ich nichts dagegen, wenn er ein wenig ins Schwitzen kam. Er war an allem schuld. Aber sie wirkte so aufgewühlt, als ich mich weigerte, ihr mein Wort zu

geben, daß ich schließlich nachgab. Zum Teufel, ihre Dankes-
worte widerten mich an, lieber schlug ich die Augen nieder.

Sie trank ihr Glas aus. Jetzt strahlte sie, sie wirkte gelöst, nachdem sie einen Sekunden zuvor noch zu Tränen gerührt hatte. Ich
strich mir langsam über den rechten Arm, eben jenen Arm, den
ich mir einst hätte abhacken lassen, hätte jemand behauptet,
Sarah könne einem Mann nachgeben. Nein, kein Zweifel, ich
verstand einfach nichts von Frauen. Sarah, die bei der Vorstellung zitterte, ein Typ könne ihr eine Szene machen, wer wollte
noch bestreiten, daß ich in eine Welt geraten war, die sich verkehrt herum drehte...?!

– Guck sie dir an, sagte ich mir, du wirst bestimmt noch mehr
Überraschungen erleben. Alles, was du weißt, ist nur Illusion,
Torheit, Sand, den du dir in die Augen streust.

Sie betrachtete mich mit gerührter Miene, mit einer Art ver-
träumter Melancholie – wahrscheinlich spielte da auch der Alkohol eine Rolle, obwohl ich für die Folge nichts mehr beschwören
möchte –, die sie durch eine lässige Haltung noch betonte: den
Kopf leicht geneigt und die Hüften seitlich verschoben, die Beine
wieder angewinkelt. Mehr hatte es früher nicht bedurft, um sogleich einen schweren Schwall lüsterner Hitze in mir aufsteigen
zu lassen. Wenn ich sie bei einem solchen Blick ertappt hatte –
wohl wissend, daß sie mich letztlich abweisen würde –, hatte ich
für den Rest des Tages genug zu tun, um mich davon zu erholen,
es war mitunter schwierig, sich mit einer freundschaftlichen Um-
armung zu bescheiden, wenn man höher gesteckte Ziele verfolgte. Nicht nur, daß ich sie bumsen wollte, da war auch noch
etwas anderes.

– Woran denkst du...? fragte sie mich.

– Was soll ich sagen... Das ist ziemlich persönlich.

Sie wartete auf die Fortsetzung. Es dauerte eine Weile, bis sie
merkte, daß sie allein unterwegs war, daß ich auf halbem Weg
stehengeblieben war. Die Macht der Gewohnheit, diese unsere
Manie, einander nichts zu verheimlichen...

Enttäuscht – ich sah noch dieses nicht Faßbare auf ihrem Gesicht, dieses so spürbare Unendliche – spielte sie einen Moment

mit dem obersten Knopf ihrer Bluse, dann stand sie auf und verschwand hinter mir. Ich hörte, wie sie die Tür des Waschraums aufzog. Obwohl sie nicht abschloß, verzichtete ich darauf, mich zurückzubeugen und mir die Augen auszugucken,

– Augen können auch berühren...! hatte sie mir eingetrichtert –, und schnappte mir eine Illustrierte, ich legte sie auf den Tisch und peilte die erste Seite an. Es war gegen ein Uhr, aber nicht die geringste Kühle drang von draußen herein, und wir dampften gen Süden. Sie sagte, ihr Rock sei zerknautscht. Ich stand auf und drehte das Licht dunkler, setzte mich wieder. Mir war, als ob ich jedesmal, wenn ich eine Erinnerung wachrief oder ein Bild aus vergangenen Zeiten, das mit ihr zu tun hatte, ausgrub und in Augenschein nahm, als ob ich all das zum letztenmal sah, danach zerfiel alles ganz ohne mein Zutun zu Staub. Auf diese Weise lösten sich auch so manche Dokumente, die um ihr Badezimmer kreisten, ein frottierter Rücken, ein abgetrockneter Körper, in Wohlgefallen auf, zumindest war dies mein Eindruck, zog nicht danach tiefste Finsternis auf...?

– Immerhin, besonders fröhlich bist du nicht...! meinte sie in recht freundlichem Ton.

– Nein, nein, es ist alles in Ordnung..., sagte ich.

– Ich brauch nicht mehr lange... Oh, es gibt nichts Schöneres!

Trotz des dumpfen Lärms, der hartnäckig durch das Abteil dröhnte, konnte ich hören, wie sie mit dem Wasser spielte, einem dichten Nebel gleich sah ich die Spitzen einiger zarter Dampfschwaden über den Boden kriechen.

– Bist du müde...?

– Es geht.

– Hast du keine Lust zu reden...?

– Ich weiß nicht, wozu ich überhaupt Lust habe. Vielleicht höre ich dir lieber zu.

Schlagartig sagte sie nichts mehr. Doch das Wasser hörte auf zu fließen, und es entstand eine Art Schweigen, ein weißer Fleck im Reich der Blinden. Wie oft hatte ich, seit sie Dolbello begegnet war, von einer solchen Situation geträumt, davon, daß die Stunde schlug, da ich allein mit ihr war, um sie zu packen und mich mit ihr auszusprechen, ohne daß sie entweichen oder sich taub stellen konnte, doch jetzt, da der ersehnte Augenblick da war, stand mir nicht der Sinn danach, ihn wahrzunehmen, bewußt ließ ich die schöne Gelegenheit sausen, selbst auf die Gefahr hin, daß es die letzte war, mit ihr abzurechnen. Ich wußte selbst nicht, was in mich gefahren war. Mir war, als sähe ich mein Hab und Gut abbrennen, ohne einen Finger krummzumachen. Vielleicht kam mir endlich zu Bewußtsein, daß ich sie unwiderruflich verloren hatte, vielleicht errichteten wir Welten, die zwangsläufig zur Auflösung verurteilt waren. Ich schloß einen Moment die Augen, von einer dumpfen Trägheit an meinen Sitz gefesselt.

Noch bevor sich ihre Hände auf meine Schulter legten, erzitterte mein ganzer Körper. Ich nahm die Füße vom Tisch, neigte den Kopf zurück und überließ mich wortlos diesem alten ehrwürdigen Ritual. Ich hatte ihr einmal vorgeschlagen, sie dafür zu bezahlen, um mich dieser Sitzungen zu versichern, und das im Ernst, ich hatte geschworen, kein Preis sei mir zu hoch, aber sie hatte mir nur ins Gesicht gelacht und sich nicht gescheut, mich in ein Grab der Ungewißheit sinken zu lassen, sie mache das nämlich ganz nach Lust und Laune und ich solle mich zum Teufel scheren.

Meine Trapez- und Deltamuskeln rollten in ihren Fingern, unter ihren Daumen, jeder kleine und große Obliquus, als ich, von meiner Überraschung nur halb erholt, die Augen öffnete und sie in der Glasscheibe erblickte, in einen weißen Bademantel gehüllt und über mich gebeugt, die Augen niedergeschlagen und die Haare noch feucht und sorgfältig zurückgekämmt, und ich fragte mich, worauf sie hinauswollte. Mit was für einer verflixten Bitte würde sie jetzt wieder herausrücken...?! Besser, ich machte mich auf das Schlimmste gefaßt, wenn ich sah, mit welchem Eifer, ja welcher Andacht sie sich ihrer Aufgabe widmete. Allein, konnte ich ihr irgend etwas abschlagen, wenn sie in dieser Weise vorging...?

– Du weißt, das hätte niemals geklappt..., murmelte sie.

Ich sagte nichts. Ich hatte jedoch oft darüber nachgedacht, und ich war nicht ganz ihrer Ansicht, ich glaubte nicht, daß wir *gar keine* Chance gehabt hätten. Deshalb hätte ich es auch gern auf einen Versuch ankommen lassen, wenn sie mich nur gelassen hätte. Mit halben Sachen lassen sie sich natürlich nie abspeisen.

Sie hatte einen Rhythmus gefunden, der zu einem Sklavenlied auf einem Dampfschiff gepaßt hätte. Es kam mir vor, als schwanke der Zug langsam hin und her und als führen wir einen großen, träge dahinfließenden Fluß hinauf. Ihre Hände glitten nicht über meine Haut, sie schienen wahrhaftig in sie einzudringen, leicht wie mein eigenes Fleisch zwischen meine Muskeln zu schlüpfen. Nebenbei gesagt, auch Elsie schlug sich da nicht schlecht.

– Du, ich kann nichts dafür, wenn das Leben bescheuert ist...

– Mmm, Sarah... Ich habe dir nie irgendwelche Vorwürfe gemacht.

– Ach... Es bringt doch nichts, darüber zu diskutieren, ächzte sie.

– Da kann ich dir nur zustimmen.

– Du weißt es, das Leben ist bescheuert, und ich kann nichts dafür... Ich hab keine Lust, darüber zu reden...

– Mach weiter, sagte ich zu ihr. Wenn es das letzte Mal ist, dann gönn mir noch ein paar Minuten...

Sie stieß ein amüsiertes Knurren aus und streichelte mir sanft über die Schultern. Einen Moment lang verharrten wir schweigend, fast reglos. Ich spürte ihren Atem in meinen Haaren. Manchmal verstärkte sich der Druck ihrer Finger, so als wollten sie sprechen. Natürlich, sie hatte ein wenig getrunken, aber das erklärte nicht alles, jedenfalls war das verdammt angenehm. Früher hatten wir mitunter gewisse Spielchen recht weit getrieben – nur noch ein Schritt, und da wäre der Abgrund gewesen, in den ich zu stürzen hoffte –, neben denen das hier nur Kinderei war. Ich hatte bereits an ihren Brüsten geknabbert, meine Hand auf ihre Hinterbacken gelegt, halbnackt hatten wir uns aneinander gepreßt, ich hatte meine Zunge in ihren Mund geschoben usw., und nicht nur einmal, nein, des öfteren, so daß eigentlich mehr als eine schlichte Nackenmassage hätte kommen müssen, um mich aufzuwühlen. Doch diesmal war das anders, ich spürte, daß etwas in der Luft lag.

Als die Sitzung endete, war ich irgendwie belemmert, wie nach einem Dampfbad, und ich kannte meinen Hals und meine Schultern nicht mehr. Sie zog ihre Hände nicht sofort zurück, ein Glück angesichts des traurigen Schlamassels, den ein zu abrupter Abbruch bewirkt hätte. Dabei glitt sie jedoch unmerklich zur Seite, und ganz allmählich sah ich neben mir die ersten Vorboten eines weißen Morgenlichts erscheinen. Das war, in Frottee gehüllt, der Umriß ihrer Hüfte, der sich unglaublich langsam aus dem Schatten schob. Ich kannte sie trotz allem gut genug, um zu wissen, daß sie keine Schau abzog, sondern schlicht zögerte und widerstrebenden Kräften ausgesetzt war. Sarah und zögern...?! Ich war mit Sicherheit der erste Typ, der sie in dieses Dilemma stürzte.

Ich rührte mich nicht. Sie brauchte nicht darauf zu hoffen, daß ich ihr half. Als sie gänzlich in Licht getaucht war, drehte ich leicht den Kopf. Die Schöße ihres Bademantels überlappten sich nicht. Keine Ahnung, ob Dolbello für ihre Dessous aufkam, jedenfalls handelte es sich um ein hinreißendes, elfenbeinfarbenes Höschen aus Seidenkrepp mit breiten Spitzen in den Einbuchtungen der Oberschenkel. Ich hatte noch nie die Erlaubnis gehabt, mich in diese Gegend vorzuwagen, ich hatte höchstens ihr Vlies einmal flüchtig berührt, als sie nicht acht gab, aber ihren Geruch kannte ich. Ansonsten barg keine Pore ihrer Haut ein Geheimnis für mich.

Bestimmt fragte sie sich, was ich trieb. Eine ihrer Hände umschloß behutsam meinen Nacken – und das ist noch übertrieben für eine solche zarte Berührung –, während sie ein wenig die Beine spreizte. Auch da konnte sie vielleicht nichts für, vielleicht zwang sie das nervtötende Schlingern des Waggons, ihr Gleichgewicht zu wahren. Ich wartete ab, schielte seelenruhig nach der Frucht meines früheren Begehrens, die sich eng in weiße Seide schmiegte und auf diese Weise zu einer reizenden Schamlosigkeit, einer unverfälschten Obszönität gelangte.

Da sie meine Passivität nicht mehr aushielt, beugte sie sich zum Tisch und angelte sich eine Zigarette. Offensichtlich weigerte sie sich, mir noch mehr auf die Sprünge zu helfen. Sie verstand nicht so recht, was los war, zumal ich ihr mit einem schwachsinnigen Lächeln aufwartete. Ich gab ihr Feuer. Sie schaute mich kurz an, sie dachte:

– Habe ich mich vielleicht mißverständlich ausgedrückt...? Meine Güte, was braucht er denn noch...?!

Sie setzte sich mir gegenüber auf ihre Liege, den Rücken gegen die Wand gelehnt, und schlug demonstrativ die Schöße des Kleidungsstücks über ihre Beine. Sie schien nicht wütend, auch nicht nervös, höchstens ein wenig enttäuscht. Ihr Gesicht – ungeschminkt, die Haare straff auf dem Kopf – war von jener ruhigen Schönheit, die mir naheging. Einige Minuten lang verlor sich ihr Blick in der Ferne. Dann richtete er sich auf mich:

– Legst du dich nicht schlafen...?

– Hör mal, fragt man einen chronisch Schlaflosen, ob er in einem Zug schlafen kann...? scherzte ich.

– Oh, ich dachte, das sei besser geworden...

– Nein, das hat wieder angefangen, seit Elsie fort ist. Ich glaube, das ist mein wahres Wesen...

– Herrgott! Es wird immer wärmer, findest du nicht...?

Ich nickte. Es konnte gut sein, daß das mit der Temperatur zu tun hatte. Ich wurde mir nicht schlüssig, ob sie einfach körperlich Lust hatte oder ob das etwas Tiefergehendes war. Jedenfalls war ihr Körper verflixt *da*, ganz so, als hinge er wie Pulver in der Luft. Ich hatte den Eindruck, sie schämte sich dessen beinahe. War es eine natürliche Feuchtigkeit, die ihrer Haut diesen so feurigen Glanz verlieh, oder sah ich Gespenster?

Für eine Weile übte sie sich in einem konfusen Gespräch, dabei wechselte sie mehrmals mit einem Anflug von Nervosität die Haltung, um zum Schluß erneut zu klagen, daß man hier keine Luft bekam, daß nicht das geringste Lüftchen zu spüren war. Sie entblößte vollständig ihre Beine und musterte mich mit einer Miene, als wollte sie sagen, sie könne nicht anders. Beim besten Willen nicht, und ich müsse mich damit abfinden. Das bereitete mir ehrlich gesagt keine großen Probleme. Auch nicht, daß sie sich weiter auf ihrer Decke wand, um die ideale Lage zu finden. Ich mochte sie noch so gut kennen, das war eine Sache, von der bekam ich nie genug. Schon als kleiner Junge liebte ich es, ihnen zuzusehen, wenn sie sich bewegten, sie faszinierten mich, wenn sie nur einen Arm rührten, ihr Körper war das tiefste aller Geheimnisse, von Beginn an war ich einer ihrer glühendsten Bewunderer. Hatte ich nicht einer kleinen Nachbarin, damit sie ihre Röcke vor mir hob, mein einziges Exemplar von *Moby Dick* überreicht, ohne das geringste Bedauern, außer vielleicht, daß sich ihre große Schwester nicht auf den Handel eingelassen hatte?

Plötzlich seufzte sie auf, preßte die Knie in ihre Arme und fing an, sich auf die Lippen zu beißen:

– Weißt du, ich hab bei ihm eine Art Gleichgewicht gefunden...

– Puh, ich glaube, das weißt du selbst am besten...

– Nein, beim besten Willen, du verstehst mich nicht...

– Jaja... Ich geb zu, das will mir nicht in den Kopf. Aber das ist auch nicht mehr so wichtig.

– Dan, ich bin mein ganzes Leben nur gerannt... Ich brauchte ein wenig Ruhe, das konnte nicht mehr so weitergehn...

– Mmm, schon richtig.

– Du verstehst nichts, nicht wahr...? Dir ist ganz egal, was ich dir erzähle...!

Ich konnte nicht umhin, an der Pikanterie der Situation zu schnuppern: Träumte ich oder bekam ich gerade wirklich eins auf den Deckel...?!

– Sag mal, Sarah... Man könnte meinen, auf einmal interessiert dich, was ich denke...

– Nein. Ich *weiß*, was du denkst...!

Sie wandte den Kopf ab. Beugte sich zur Seite und holte ein Fläschchen aus ihrer Tasche. Ich wußte, was das war, Öl aus Aprikosenkernen, ich kannte das alles nur zu gut. Eines Abends, als sie sich ein wenig hatte gehenlassen, war es mir vergönnt gewesen, sie damit einzureiben. Es hatte mich überwältigt. Doch was gut war für ihre Haut, hatte meinen Nerven erheblich geschadet. Jetzt, mit ein wenig Abstand, erschien es mir, als sei ich all die Zeit halb verrückt gewesen. Inzwischen war mir klar, wie groß meine Angst gewesen sein mußte, sie zu verlieren. Wie sonst hätte ich all diese Geschichten ertragen? Gab es noch jemand, der so erbärmlich gewesen wäre wie ich, jemand, der sich mit all diesen Notlösungen beschieden hätte, während sie die Typen reihenweise vernaschte...?! Jemand, der ihren scheußlichen Bettgeschichten ebenso verständnisvoll Gehör geschenkt hätte...?! Plötzlich konnte ich das volle Leid ermessen, das mir Franck angetan hatte, als sie mich verließ. Der Schmerz, nicht mehr schreiben zu können – und ich war weiß Gott nicht daran gestorben! –, hatte mich derart verblendet, daß ich die eigentliche Katastrophe nicht erkannt hatte.

Sie schien nicht mehr auf mich zu achten und ölte sich sorgfältig Arme und Beine ein, während in mir alles hell wurde. Ich schaute sie an, ohne sie zu sehen, bedrückt erkannte ich den Umfang des Schadens. Ich hatte also Angst gehabt, ein zweites Mal verlassen zu werden...?! So große Angst, daß ich mir selbst etwas vorgemacht und alles mögliche von Sarah hingenommen hatte...??!! Das war ein ganzes neues Licht auf die letzten zehn Jahre meines Lebens. Das konnte man unterschiedlich aufnehmen. Einige Verse von Ezra Pound kamen mir in den Sinn: *Was du geliebt hast, wird bleiben – der Rest ist nur Asche – Was du geliebt hast, wird nicht entfliegen – Was du geliebt hast, ist dein ganzer Besitz... (Pisaner Cantos)*

– Dan...?

– Mmm...?

– Fühlst du dich wohl...?

– Warum? Sehe ich krank aus?

– Redest du jetzt mit dir selbst...?

– Oh..., achte nicht darauf... Ich hab beschlossen, mir jeden Abend ein paar Verse aufzusagen. Ich finde, das ist gut für den Teint.

– Und was war das?

– Ach, unwichtig.

Wieder schaute sie mich mit diesem Gedanken an, der ihr

durch den Kopf ging. Hierauf stand ich auf und setzte mich an das Fußende ihres Betts. Ich lächelte sie an. Sie konnte es nicht fassen, daß ich mich so jäh entschlossen hatte. Ich nahm einen ihrer Knöchel und drückte ihn zart gegen meine Wange, während sie sich auf die Ellbogen stützte und ihr Gesicht erstrahlte.

– Mein Gott...! murmelte ich.

– O Dan...! sagte sie.

Ich liebte ihre Füße wirklich. Ich hatte schöne Mädchen gekannt mit so häßlichen Füßen, daß mir darüber alles vergangen war, dermaßen derben Füßen, daß ich nichts mehr davon hatte wissen wollen.

Ich wies sie darauf hin, daß wir auf der schiefen Bahn waren. Sie gab keine Antwort, musterte mich, als wolle sie sich darin üben, mich aus dem Gedächtnis zu zeichnen, aber mit sanftem Blick. Lachend versicherte ich ihr, ich würde bestimmt aus dem Zug springen, wenn sie mich daran hinderte, aufs Ganze zu gehen. Sie stützte sich auf einen Arm, um mir mit dem Handrücken des anderen über die Schläfe zu streicheln, dann sank sie, mich mit ihren Lippen berührend, zurück.

– Weißt du, daß ich schon nicht mehr daran geglaubt habe...? erklärte ich ihr, während ich ihre Knie kraulte, die sie angezogen hatte, die Fersen gegen die Pobacken, und schmachtend bewegte wie zahnlose Krokodilkiefer, so daß ich dann und wann ihres Höschens frivole Furche erspähte.

– Oh, sag nichts..., hauchte sie.

– Das wird mir schwerfallen..., gab ich zur Antwort.

Sie fügte hinzu, daß sie an nichts mehr denke und daß ich mir ein Beispiel daran nehmen solle. Diese Nacht sei nämlich heilig und auch so aufwühlend genug.

Ich sank über sie und verschloß ihre Lippen mit einem wilden und wahrlich feurigen, absolut aufrichtigen Kuß.

Dann nahm ich ihre Arme von meinem Hals und widmete mich wieder ihren nach oben stehenden Knien. Ich rührte sie nicht an, nein, trotzdem fielen sie im gleichen Moment zur Seite wie die Flügel eines ausgeleierten Fächers. Ich fing sie auf und drückte sie heftig zusammen.

– Noch einmal, bitte...! Noch einmal, aber nicht so schnell...! Ich habe Jahre davor gelegen...!

Sie kippte ein wenig zur Seite, während sie ihre Brüste befühlte, doch diesmal öffnete sie sich mit kalkulierter Langsamkeit, wiegte sich sogar in den Hüften wie eine, die versucht, auf dem Rücken liegend zu kriechen.

– Komisch..., sagte ich. Eins frage ich mich...

In der Tat, ich überlegte schon seit einer ganzen Weile.

– Dan...! stöhnte sie. Was denn noch...?!

Ich beugte mich ein wenig vor und packte ihren Slip in Höhe der Leiste. An dieser Stelle war nur ein zartes Blattwerk aus Spitze, nichts, was irgendwelche Probleme bereiten konnte. Ich zerriß ihn mit einem Ruck. Was ihr leicht zusetzte, aber sie zuckte nicht mit der Wimper. Schamlos legte ich ihre Spalte frei und holte sie an das ockerfarbene, unanständige Licht, das in den Schlafwagen herrscht. Mit einem schmachtenden Beben ermunterte sie mich fortzufahren, und ein Funkeln hemmungsloser Sinnlichkeit zog über ihr Gesicht. Ihr Instrument glänzte und sabberte wie ein Neugeborenes.

– Ich weiß nicht mehr, was ich sagen wollte..., seufzte ich. Aber es wird mir schon wieder einfallen.

– Komm, das kann doch bestimmt warten...!

Ich zog ihr die Stoffetzen aus, um sie auf die Folter zu spannen, strich sie ihr mit vergnüglicher Langsamkeit über die Beine, während sie wie ein Gummibaum dahinfloß. Dann warf ich ihr einen eisigen Blick zu.

– Ich hab mich gefragt... Wenn wir miteinander bumsen, du und ich... Hast du keine Angst, daß das deinem *Gleichgewicht* schadet...??!

Eine Sekunde lang starrte sie mich an und sagte bestürzt:

– Dan...!, und ihre Beine schlossen sich wieder. Ich stand im gleichen Moment auf und warf die Reste ihres Höschens in ihre Richtung, bevor sie so recht begriff, was vorging, und ich setzte mich wieder ans Fenster. Ich schloß die Augen. Das Kinn gegen die Brust gepreßt, fuhr ich mir mit weit gespreizter Hand durch die Haare, und das zwei-, dreimal.

– Wozu dieses Theater...?!

Ihre Stimme war von kalter, wenn auch mit Bitterkeit getränkter Wut durchdrungen. Sie war gekränkt. Es heißt, in solchen Augenblicken sind sie am gefährlichsten.

– Das war kein Theater. Das war alles echt.

– Ich nehme an, du bist stolz auf dich. Sicher hast du dir irgend etwas bewiesen.

Sie saß mitten auf ihrer Liege, im Schneidersitz, den Ellbogen auf ein Knie gerammt und das Kinn in die Hand, und sie sah mich scharf an, nicht besonders feindselig, aber kalt und genau.

– Nein, ich habe mir nur das Leben vereinfacht. Beweise, die brauche ich nun wirklich nicht mehr.

– Trotzdem hast du gewartet, daß ich die Hand nach dir ausstrecke... Ich hoffe, du weißt es zu würdigen, ich hoffe, du erinnerst dich wenigstens daran, ich bin *regelrecht zerflossen*, so muß man es wohl nennen... Das wolltest du doch, nicht wahr, o hab keine Angst, ich versichere dir, du hast nicht geträumt... Na, wem willst du jetzt noch weismachen, du ständest mit leeren Händen da...?! Du hast mir etwas *genommen*, und das weißt du genau... Ich möchte wissen, was ich dafür erhalten habe, sag mir doch, was hast du mir gegeben...?!

– Das war kein Tausch. Manchmal erhält man nichts, es gibt nicht für alles eine Gegenleistung im Leben. Was willst du...?! Habe ich deine Eigenliebe verletzt...? Weißt du, wie oft ich bei dir meinen Stolz hinunterschlucken mußte...?!

– Wir hatten etwas *beschlossen*...!

– Nein, ich habe niemals auch nur irgend etwas *beschlossen*. Ich hab bei diesem Freundschaftstralala mitgemacht, weil ich keine andere Wahl hatte. Aber wenn man nicht bekommen kann, was man möchte, sollte man nicht den tragischen Fehler begehen, etwas zu akzeptieren, das dem ähnelt.

– Ich brauchte einen Freund, nicht noch einen Typen, der mich bumst...!

– Unter diesen Umständen solltest du mich weiter warmhalten, da kann ich dir noch nützlich sein.

Etc. Ad nauseam. Nil novi sub sole.

V. Dolbellos Hütte lag zum Meer hin. Es handelte sich um ein recht hübsches Bauwerk am Ende der Stadt, ein wenig tiefer gelegen und relativ isoliert im Schatten robuster Pinien, die es von der Straße aus praktisch unsichtbar machten und den Duft von Hustenbonbons verströmten.

Der Taxifahrer hatte uns am oberen Ende des Weges abgesetzt, er weigerte sich, seinen nagelneuen 190 D über einen Lehmweg zu steuern. Es störte mich nicht, ein wenig zu wandern. Nach der Nacht, die wir hinter uns hatten, erschien mir nichts aufmunternder als dieser stille, von staubigen Strahlen durchbohrte Hohlweg, der sich unter Bäumen zusammenkauerte, aber von meinem Trinkgeld würde sich der Kerl keine neuen Alufelgen kaufen.

Ich war recht vage gestimmt. Während wir auf das Haus zugingen, versuchte ich mich ein wenig zu entspannen, indem ich die Landschaft bewunderte, aber bei dem Gedanken, Dolbello wiederzusehen und dazu noch *bei ihm*, verging mir alles. Erst als ich Gladys hinter der Bude auftauchen und in einem fluoreszierenden Badeanzug rasch auf uns zulaufen sah, fand ich mein Lächeln wieder.

– Ah, kommt schnell! rief sie uns zu. Er hat Richard im Keller eingeschlossen...!

– Das ist doch nicht dein Ernst...! erklärte ich und eilte ihr nach.

Hermann war mit dem Schloß beschäftigt. Ich schleuderte meine Tasche auf einen Stuhl und blickte ihn fragend an.

– Tag Papa. Du kommst gerade recht. Ich fummel schon 'ne Weile daran rum, aber ich geb's bald auf...!

– Nein, sagt mal... Spinnt der, der Kerl...?!

Das war eigentlich keine Frage.

Ohne noch länger zu zögern, schaute ich mir die Tür an. Hermann reichte mir eine Gabel mit verdrehten Zinken sowie ein altes Küchenmesser, das ich mit mildem Lächeln zurückwies. Dann forderte ich Richard auf, von der Tür wegzutreten.

– Ich glaub, auf die Tour wirst du sie ganz schön demolieren..., raunte mir Hermann zu.

– Pah, das ist nicht gesagt...

Ich verpaßte der Türfüllung einen fürchterlichen Tritt, genau über der Klinke, mit dem Absatz nach vorn und mit zusammengebissenen Zähnen und dem Gefühl, das Übel der Welt zu bekämpfen. Aber es passierte überhaupt nichts.

– Verdammt nochmal! Ich bräuchte 'nen Hammer oder 'nen Stoßbohrer!

Ich verpaßte ihr noch einen, noch ein wenig wilder und ohne das geringste Mitleid. Und sogleich einen dritten. Diesmal spuckte sie sämtliche Zähne aus, sie drehte sich in ihren Angeln und prallte vehement gegen die Wand.

Richard ging durch die Küche, ohne einen Ton zu sagen. Sämtliche Blicke richteten sich auf ihn, aber er sauste schnurstracks nach draußen, er bückte sich nur, um seine Katze einzusammeln, die sich nach ihm erkundigen wollte, und ließ die Tür sperrangelweit auf.

– Ich seh nach, wie's ihm geht..., flüsterte mir Hermann zu und verschwand seinerseits.

– Also nein, was ist denn passiert...?! stöhnte Sarah, während ich die Risse in der Zarge untersuchte. Und wo steckt Vincent...?!

– Ich glaube, er ist fischen gegangen, antwortete Gladys. Er hat Richard eingeschlossen, bevor er loszog.

Sarah stieß einen schmerzlichen Seufzer aus und ließ sich auf einen Stuhl fallen:

– Herrgott...! Und *warum*...?!

Gladys schien ein wenig verlegen. Sie schaute mich an, bevor sie sich in Erklärungen stürzte, und allmählich dämmerte mir, woher der Wind wehte.

– Naja... Er will ihn daran hindern, auszugehen... Was Besseres ist ihm nicht eingefallen.

– Wie bitte, er will ihn daran hindern, auszugehen...?

– Ja, das heißt, Leute zu treffen... Freunde... Ich hab doch gesagt, sie verstehn sich nicht, die beiden... Als Richard heute morgen zurückkam..., naja, da hat es ziemlich gekracht.

Sarah machte den Mund auf, aber sie brachte keinen Ton zustande. Deutete eine Handbewegung an, die sogleich abbrach. Das war erst der Anfang, aber sie wirkte bereits erschöpft.

– Hör zu, Mama, ich muß dir was sagen ...

Wieder schauten wir uns an, Gladys und ich. Das Leben steckt voller Engpässe, durch die man wohl oder übel hindurch muß, nicht anders beginnt es ja auch.

– Richard war mit einem Jungen zusammen.

Sarah hob langsam den Kopf. Sie hatte noch nicht begriffen, was Gladys da gesagt hatte. Das war wie ein Stockhieb an einem eiskalten Tag, man spürt ihn nicht sofort.

– Muß ich dir das erst lang und breit erklären ...? fragte ich sie.

Ich war nicht dafür, groß herumzudrucksen, sondern gleich mit der Sprache herauszurücken.

– Hör zu, Mama ... So dramatisch ist das auch nicht ...!

Einige Sekunden lang war nur das Kreischen der Vögel und das Tosen der Wellen am Fuß der Dünen zu hören.

– Ich gebe zu, damit habe ich nicht gerechnet ...! murmelte sie mit tonloser Stimme und streichelte die Hand, die Gladys auf ihre Schulter gelegt hatte.

In diesem Moment bin ich rausgegangen. Der Himmel war von einem überwältigenden Blau. Zum erstenmal an diesem Tag war ich mir seiner Farbe bewußt. Der Sand hatte die Absperrung am Ende des Gartens halb umgeworfen, und einige verkümmerte, salzzerfressene Grasbüschel waren alles, was von einem früheren Rasen übriggeblieben war. Hinter einer Reihe von Tamarisken blinkte der Ozean, und ein schwacher jodhaltiger Wind staubte über den Strand.

Hermann holte mich ein, als ich am Wasser entlangtrottete, die Hose hochgekrempelt, die Schuhe in der Hand und Dolbello von ganzem Herzen verfluchend.

– Und ...? fragte ich ihn.

– Es geht. Er ist wieder in die Stadt gefahren.

– Was sagt man dazu ... An einen solchen Idioten zu geraten ...! Und sie hat auch noch ihr *Gleichgewicht* bei ihm gefunden ... Weißt du, ich fürchte, Richard steht noch einiges bevor ...

– Ja, ich mache mir Sorgen um ihn... Er braucht jetzt vor allem Ruhe... Ich bin froh, daß du da bist, die Dinge haben sich seltsam entwickelt.

– Mmm, ich wüßte nicht, was ich tun kann. Glaub nicht, ich brauche nur zu erscheinen und alles renkt sich ein. Das war einmal, als du noch ein kleiner Junge warst, ich will hoffen, mittlerweile weißt du, woran du bist... Ehrlich, dieser Kerl da, keine Ahnung, was ich von dem halten soll...!

– Ach verflixt, er war wütend. Er hat Richard geschworen, daß er ihn auf den rechten Weg zurückbringt...

– Klar doch... Von solchen Typen hab ich gehört. Du wirst bald merken, wie die Welt beschaffen ist.

Das war nicht bloß angenehm, an seiner Seite zu schlendern, das war eine tiefe und in gewisser Hinsicht erschreckende Freude.

Ich nahm die Gelegenheit wahr, ihm mitzuteilen, daß ich wieder in Amt und Würden eines Drehbuchautors war und, besser noch, daß es mit diesen Bürostunden ein Ende hatte. Er fand auch, ich sähe topfit aus. Ich sagte, er solle bloß nicht hinter die Fassade gucken.

Er sah ebenfalls frisch aus. Am Vorabend ihrer Abreise hatte er sich, auch wenn er es nicht zugeben wollte, kaum noch auf den Beinen halten können. Das mit dem Theater ging regelmäßig bis zwei, drei Uhr morgens, und am Ende kippte er stocksteif auf sein Bett, und Gladys mußte ihn ausziehen und kurz darauf wieder ankleiden, damit er auf sein Fahrrad springen konnte. Ich drohte damit, das Handtuch zu werfen, aber er flehte mich an, *Herrgott, nur noch ein paar Tage...!!* Ich war froh, daß er sich so gut erholt hatte. Ich fand ihn auch ein wenig verändert, wie immer, wenn wir länger als vierzehn Tage getrennt waren – man könnte meinen, sie tun das, kaum daß man ihnen den Rücken kehrt.

An diesem Teil der Küste war der Strand wild und verlassen. Selbst der dümmste und trotteligste Idiot hätte das gemerkt, und wenn er noch so in den Dreck der Stadt vernarrt war. Einige Minuten lang wanderten wir schweigend durch den Blitzschlag

der Göttlichen Schönheit. Natürlich konnte das nicht lang so
bleiben. Als wir den ersten Anzeichen der Entartung ansichtig
wurden – wir waren auf eine Gruppe von Badenden gestoßen,
die ihre Brüste in die frische Luft hängten, rotverbrannte Steaks,
die ein ausgehungerter Hund verschmäht hatte –, schlug ich vor
umzukehren.

Wir schlenderten den gleichen Weg zurück und nahmen den
Gesprächsfaden an der Stelle wieder auf, wo wir ihn gelassen hatten: bei den Maßnahmen, die zu treffen waren. Das eine war, daß
sie gleich morgen abhauen würden. Zudem kam es nicht in
Frage, auch nur eine Nacht unter dem Dach des Neandertalers
zu verbringen, sie würden ihr Zelt am Strand aufschlagen. Alles
war bestens geregelt. Das hieß, fast alles. Richard bestand darauf,
seine Sachen selbst abzuholen. Abreisen oder die Flucht ergreifen war ihm zufolge zweierlei. Ich war mir keineswegs sicher, ob
das eine gute Idee war, noch einmal zurückzukehren. Aber es
sind nicht immer die guten Ideen, die Klasse haben.

Auf halbem Weg setzten wir uns ein wenig auf den Sand.

– Und wie geht's Elsie...?

– Mmm, Elsie...?

Ich verspürte eine Art Magenkrampf, als ich nur ihren Namen
aussprach. Und ich mied seinen Blick, als hätte ich mir etwas vorzuwerfen, ich rieb mir den Sand von den Füßen und Waden. Ich
blickte mit verzerrtem Gesicht in die Sonne.

– Meine Güte, ich nehme an, es geht ihr gut... Sie ist auf Tournee... Wußtest du das nicht...?

– Nein, keine Ahnung...

– Jaja... Damit war zu rechnen... Das mußte früher oder
später so kommen.

– Na klar! Ich hab ihr gesagt, sie soll die Hoffnung nicht aufgeben...!

Was mir zu schaffen machte, das waren diese kleinen glitzern-
den Partikel, die an meiner Haut klebten.

– Nein..., korrigierte ich ihn. Das habe ich nicht gemeint...

Es tat mir bereits leid, daß ich das Thema nicht vermieden
hatte, da ich noch voll auf Entzug war. Aber es war zu spät. Also

zog ich mechanisch die Knie an die Brust und atmete hörbar aus – ein Typ, der sich mit sowas auskennt, ein Unglücklicher, der solche Dinge gewohnt ist.

Ich zuckte leicht mit den Schultern:

– Was soll's... Man muß im Leben auch verlieren können...! Ich mach ihr keinen Vorwurf, sie war ein tolles Mädchen...

Er mochte Elsie. Im Gegensatz zu Sarah hatte ich jemand gefunden, der meinem Sohn gefiel. Das Problem lag woanders.

– Dan, das ist doch nicht wahr...!

Natürlich versetzte ihm das einen Schlag. Aber mir war selbst nicht nach Lachen zumute, ich hatte nicht die geringste Lust, auf dem Sand herumzutollen, und wenn er sich noch so fein und flauschig anfühlte, so warm und so weich, daß es eine Wonne gewesen wäre.

Gelassen verfiel ich in ein schwaches Lächeln:

– Weißt du, Hermann, ich hab's immer gewußt... Hältst du deinen Vater für einen Trottel...? Glaubst du denn, ich hätte mir auch nur eine Sekunde etwas anderes ausgemalt...?! Paß auf... Nicht nur, daß es auf Erden nichts gibt, was man für alle Zeiten erringt, nein, ich bin obendrein in eine unmögliche Situation geraten. Ich wußte nur zu gut, was mich erwartete. Aber betrachte das nicht als Verrücktheit, ich bereue es nicht, im Gegenteil... Verflixt nochmal, Hermann, sie war wunderbar, und das sind keine leeren Worte...! Nein, weißt du, die einzig wahre Verrücktheit, der einzige unverzeihliche Fehler wäre gewesen, sich ein anderes Ende dieser Geschichte vorzustellen... Ich weiß nicht, ob du dir darüber klar bist, ich bin *fünfzehn Jahre* älter als sie, fünfzehn scheußliche, verdammte Jahre...! Glaub mir, du kannst die Sache drehen und wenden, wie du willst... Ich weiß nicht, ob ich sagen darf, daß ich mein Leben hinter mir habe, aber ich kann dir versichern, sie hat ihres noch vor sich.

Er hatte mit einem Holzstück gespielt, während ich auf ihn einredete, trocken und weiß wie ein Knochen, er hatte es dazu benutzt, ein kleines Stück des Strandes sorgsam zu glätten – und darin war *alles*, die Illusion, das natürliche Chaos ordnen zu können, das Wunder einer verlockenden, qualfreien Welt. Als er merkte, daß ich zu Ende gesprochen hatte, warf er mir einen argwöhnischen Blick zu, dann schleuderte er mit einer müden Bewegung sein Holzstück in die Ferne.

– Herrgott... Das ist wirklich zu bescheuert...! maulte er.

– Du meinst, ich bin bescheuert, nicht wahr...?

Er gab keine Antwort, natürlich nicht, er blickte sich lediglich nach einem anderen Utensil um, wahrscheinlich hätte es schon ein einfacher Grashalm getan.

– Ich weiß nicht... Vielleicht hast du recht... Tatsache ist, daß ich in meinem Leben ein paar wahnsinnige Frauen hatte und es nie verstanden habe, sie festzuhalten. Ich weiß nicht, woran es liegt... Das ist kein Pech, ich hab eher das Gefühl, das hat mit mir zu tun... Ich kann dir aber nicht genau sagen, was es ist... Findest du, mit mir stimmt was nicht..., ich meine, abgesehen von meiner Wirbelsäule...?

Ich entlockte ihm ein Lächeln. Mein Seelenleben war das größte Fiasko, das sich denken ließ, aber hatte das in diesem Moment irgendeine Bedeutung...?! Ich spürte an seinem Blick, worauf er hinauswollte.

– Mmm, mach dir um mich keine Sorgen..., fügte ich hinzu.

Wir saßen im Garten, als Dolbello aufkreuzte.

Baden und goldbraune Kreuzigung hatten einen Großteil des Nachmittags in Anspruch genommen, danach waren Hermann und ich in die Stadt gezogen, um ein paar Flaschen zu kaufen – ein plötzliches Verlangen, ein paar Bloody Mary zu kippen, aber da war ich nicht der einzige –, während die Mädchen das Essen zubereiteten. Der Himmel errötete zart. Wir waren gut abgefüllt, und die Bloody gab uns den Rest, wir beobachteten Eichhörnchen in den Bäumen und lauschten amüsiert dem Kreischen der Vögel. Sarah war fast gelöst. Hermann und Gladys schienen an nichts zu denken. Ich träumte, sein Boot sei untergegangen, und wenn er nicht tot war, trug ihn eine mächtige Strömung in die Hölle davon.

– Hey...! Sarah...! Wow...!! brüllte er und breitete die Arme aus, die Angelrute in der einen, den Pullover in der anderen Hand.

Sie sprang auf.

– Hey . . .! Dan . . .!!

Ich blieb sitzen.

– Freut mich, dich zu sehen . . .! sagte ich und beobachtete resigniert, wie sie sich an ihn preßte, an seinen dunkel behaarten Oberkörper, so dunkel, daß er in dem Licht blau schimmerte. Er setzte seine Angel ab und hob Sarah in seine Arme.

– Verflucht! Das ist ja 'ne Überraschung . . .!

Die Muskeln traten an seinen Armen und Beinen hervor, und noch bis ins Innere seines Schädels. Bei diesem Typ Mann fanden sie also ihr *Gleichgewicht* – Abel, der Typ, mit dem Franck in ihre zweite Ehe geflattert war, hatte einen Halsumfang von 46 –, immer und ewig dieses Bedürfnis nach Sicherheit, dieser tierische Ruf nach Stärke, nach dem Kerl, der den Eingang der Höhle bewachte, ohne ihnen mit seinen existentiellen Problemen auf die Nerven zu gehen . . . Das war es, was meine Aktien fallen ließ, um so mehr, als es nicht damit getan war, sich einen athletischen Körper zuzulegen, man mußte darüber hinaus eine gewisse Unverwüstlichkeit ausstrahlen, ein beruhigendes Licht in den Augen haben . . . Trotz allem, ich gab ihnen da nicht ganz unrecht, ich wußte nichts dagegen einzuwenden. Wenn sie ihr Instinkt dazu trieb, dort zu schwimmen, wo man stehen konnte, wenn sie letztlich den wählten, der ihnen am solidesten erschien, dann war das nur allzu verständlich. Und die Bloody Mary war nicht für die Katz.

– O wei o wei . . .! murmelte Gladys, als die beiden in der Bude verschwanden.

– Warum o wei o wei . . .? Meinst du, deine Mutter ist nicht in der Lage, uns aus der Klemme zu ziehen . . .?!

– Doch, aber . . .

– Ach, daß ich nicht lache! Da müßten schon zehn von seiner Sorte kommen, ehe ich mir Sorgen mache . . .! Eine Horde ausgehungerter Wölfe würde ihr die Hände lecken, wenn sie wollte.

Ich hatte sie nur halb überzeugt, sie starrte weiter mit ängstlicher Miene auf das Haus, die Hände gefaltet, die Arme auf die Lehnen gepreßt und den Oberkörper nach vorne geneigt.

– Hör mal . . ., fügte ich hinzu. Selbst wenn er wie ein wildgewordener Stier wieder rauskommt, wird nichts passieren. Ich hab's deiner Mutter versprochen.

Eine beruhigende Stille ergoß sich nach meinen Worten, eine betäubende Ruhe begegnete ihren Ängsten.

– Was habe ich gesagt...?! trumpfte ich auf und streckte die Hände flach gen Himmel. Ist sie nicht großartig...!

Sie beschlossen, in der Zwischenzeit das Zelt aufzuschlagen. Sie holten ihre Ausrüstung aus dem *Fiat*, und ich blickte ihnen nach, als sie zum Strand hinuntergingen, bis sie zwischen den Dünen verschwunden waren. Ich hatte ihr alles versprochen, was sie wollte, weil es nicht mehr möglich war, mit ihr zu reden. Ich hatte es versucht, aber schnell einsehen müssen, daß sie nicht mehr imstande war, irgend etwas zu verstehen. Ihre Gefühle standen im Widerstreit, und es schien alles noch schlimmer zu werden, wenn ich nur den Mund aufmachte. Sie hatte mich zwar hierher gebracht, inzwischen aber, wie ich feststellen mußte, ihre Meinung geändert.

– Ah, misch dich nicht ein, ich flehe dich an...!! Herrgott, *halt dich da raus*...!! Es handele sich um ihren Sohn und um den Mann, mit dem sie zusammenlebte, nur für den Fall, daß ich nicht verstanden hätte. Und das müsse mir reichen. Man hätte meinen können, sie habe Angst vor mir und ich sei derjenige, der ihr Glück über den Haufen zu schmeißen drohe. Ihre Lippen zitterten. Ihr Blick durchbohrte mich, als sei ich nur mehr ein Teleplasma. Ich hatte sie an den Handgelenken gepackt und sanft zurückgedrängt, und sie hatte mein Hemd losgelassen. Ich hatte es zurechtgerückt und ihr kommentarlos alles versprochen, was sie wollte. Aber diesmal nicht, um ihr einen Gefallen zu tun – kein Vergleich mit meinem Versprechen von letzter Nacht, unsere intime Reise top secret zu behandeln –, ich hatte einfach die Nase voll.

– Immerhin... Das ist 'ne blöde Sache mit dieser Tür...! sagte er in boshaftem Ton und ließ sich mit einem grausamen Lächeln vor mir nieder.

Du hast es versprochen. Frag ihn nicht, ob ihm das öfters passiert, daß er Leute einsperrt. Frag ihn nicht, ob er deswegen unter

ärztlicher Obhut steht oder ob er sich nur einer ganz allgemeinen
Behandlung unterzieht. Du hast es versprochen.

– Alter, es tut mir leid...! seufzte ich. Ich beugte mich vor,
um ihm ein Glas zu kredenzen. Sei so nett und schick mir die
Rechnung.

– Nein... Darum geht's nicht.

Im gleichen Moment erblickte ich Sarah hinter dem Küchen-
fenster. Sie fabrizierte weiß der Kuckuck was über dem Spülbecken, doch ihr Gesicht war uns zugewandt und ihr Blick so
leiderfüllt, daß ich mir fast die Lippen zerfleischte. Dolbello
hatte sie nicht bemerkt. Er blinzelte mit der Miene eines lüsternen Buddha gegen die untergehende Sonne.

– Na schön, vergessen wir die Sache..., fuhr er fort. Aber der
Junge brauchte eine Lektion.

Du hast es versprochen. Halt dich zurück, trink in Ruhe dein
Glas aus. Du hast den Weg des Schlappen Schwanzes gewählt,
dieser Schwachkopf trifft nur ins Leere.

– Mmm..., meinte ich nickend. Das Leben ist eine einzige
lange Lehre.

Er fühlte sich wohl in seiner Haut, richtig selbstgefällig, man
hätte ihn in gewissen Katalogen antreffen können, in der Kosme-
tikabteilung oder in einem RANGE-ROVER-Werbespot.

Und er duftete, ein würziges, herbes Parfüm, das sich auf-
dringlich bemerkbar machte, als er sich vorbeugte.

– Unter uns... Es gibt gewisse Dinge, die kann ich nicht
akzeptieren... Du verstehst, was ich meine...?

Er war widerlich, das heißt, ganz und gar nicht mein Stil in
puncto »menschliches Wesen«.

– Verdammt... Wir sind schließlich *Männer*, oder nicht...?!
knurrte er.

Ich schnappte mir einen Fächer, der auf dem Tisch herumflog,
und erzeugte einen leichten Luftzug zwischen uns. Einen ordentlichen Mundschutz konnte das nicht ersetzen.

– Also, was soll der ganze Quatsch...?! fügte er hinzu.

Sieh sie dir an hinter ihrer Scheibe. Sieh doch, was sie für einen
Schiß hat, daß unser Gespräch abgleitet, und diese Leidensmiene.

Meinst du nicht, daß das für sie nicht noch viel härter ist? Außerdem, du hast es versprochen.

– Ich glaub, ich träume...

Ich sah ihm zu, wie er den Kopf schüttelte. Ich hatte größte Lust, aufzustehen und ihm eins mit dem Spaten überzuziehen, um ihn von seiner Enttäuschung zu heilen. Stattdessen schenkte ich ihm nach.

– Hör mal, ich versteh dich nicht...! meinte ich in vertraulichem Ton. Warum regst du dich über Dinge auf, die es nicht wert sind? Ich an deiner Stelle...

– *Nicht bei sowas!* Da kann ich nicht anders...! knirschte er.

Der Horizont dehnte sich hinter seinem Hals wie eine Blutlache. Je mehr sich der Tag neigte, um so intensiver wurde der Duft der Pinien, die Luft füllte sich mit einer jodhaltigen, einem feinen Nebel ähnlichen Bläue, und die Stille wurde immer undurchdringlicher. Ich konnte mir die Atmosphäre, wenn Richard erscheinen würde, nur zu gut vorstellen. Dolbello war bestimmt ein solcher Dämlack, wie zu befürchten war. Wenn ich diesbezüglich je den geringsten Zweifel gehegt hatte, dann war das jetzt nicht mehr der Fall, allein den Blick auf ihn zu richten war eine einzige Qual.

Sarah war eine angenehme Ablenkung, als sie sich zu uns gesellte. Sie erklärte, wir könnten bald essen, und verhehlte kaum ihr Entzücken, daß ich nicht alles über den Haufen geworfen hatte, wie sie es nannte. Sie war bescheuert. Als ob es zig Möglichkeiten gab, die Dinge zu sehen. Sie fühlte sich unwohl, dennoch lächelte sie. Es wollte mir nicht gelingen, ihren Zügen einen bestimmten Ausdruck zu entnehmen, ihr Gesicht war ein Sammelsurium widersprüchlicher Empfindungen, als müßte sie es sich verkneifen, pinkeln zu gehen, das war schon komisch und doch so bitter, daß ich wie vor den Kopf geschlagen war. Wenn man sich die beiden ansah, mochte man glauben, man sei zu Besuch in einer Nervenklinik.

Dolbello zog einen Moment lang eine schiefe, zufriedene Visage, als er sie betrachtete und mit Blicken auszog. Dann drückte er sich in seinen Stuhl und legte die Füße auf den Tisch.

– Mein Schatz, ich habe Dan gerade erklärt, daß es höchste Zeit war, die Sache in die Hand zu nehmen...! In letzter Zeit haben wir mit Richard sowieso nur Enttäuschungen erlebt...

Ich rutschte ein wenig auf meinem Kunstharzsessel:

– Oh..., hör mal..., das Ganze ist ziemlich kompliziert... Das heißt, ich weiß nicht, wie Sarah darüber denkt..., naja, weißt du, ich finde, man sollte da sehr behutsam...

Ich reckte Sarah meinen Hals entgegen, hängte mich an ihre Lippen, ganz so, als wollte ich den letzten Willen eines Todgeweihten ablesen, aber es kam nichts, nicht das geringste Zeichen, kein Brauenrunzeln, nicht die Spur von einer Meinung. Sie machte den Eindruck, als könne sie nichts mehr treffen, als wolle sie sagen:

– Töte mich, das ist auch nicht mehr von Belang...!

In diesem Moment wäre ich fast aufgestanden. Ich verstand nicht mehr, wofür ich überhaupt da war. Ich hatte ihr versprochen, mich nicht einzumischen, aber hatte ich auch zugesagt, als überflüssiger Dritter dabeizusein, hatten wir eine Abmachung getroffen, die mich verpflichtete, sie mit all ihrem Kram noch länger zu ertragen...?! Schon trank ich mein Glas aus. Hörte diesem Sack kaum noch zu, der mir, einmal in Schwung, versicherte, er habe da seine eigene Methode. Bis auf den letzten Tropfen, dann setzte ich es heftig ab. Und ich wäre fast aufgestanden, doch in diesem Moment kam Richard.

Er tauchte am hinteren Ende des Gartens auf, oben auf der Düne, die die Absperrung umgeknickt hatte. Er schlenderte sie seelenruhig hinab, die Hände in den Taschen, Gandalf im Schlepptau und ziemlich locker für einen, der sich in die Höhle des Löwen stürzt.

Er hüpfte hinunter und ging auf das Haus zu, ohne auch nur im mindesten zu zögern.

Im ersten Moment hatte es Dolbello die Sprache verschlagen, doch sein Schweigen verseuchte die Luft, und er kniff die Augen zusammen und zog die giftigste Flappe, die man je gesehen hat. Man konnte die Piniennadeln fallen hören, während Richard näherkam. Ich zündete mir eine *Especial* an (ich stand mich gut mit dem Hause *Monte Cristo*), um zu zeigen, auf welcher Seite ich war, ich blies einen feinen Rauchfaden in den pastellfarbenen Sonnenuntergang und warf das Streichholz in mein Glas.

Er ging an uns vorbei, ohne uns irgendeine Aufmerksamkeit zu schenken, mit diesem kalten, teilnahmslosen Gesichtsausdruck, den er schon hatte, als wir ihn aus dem Keller befreit hatten. Wir verdienten nichts Besseres, dessen war ich mir vollkommen bewußt. Das war keine Welt, auf die wir stolz sein konnten.

Dolbello blickte ihm nach, bis er in der Bude verschwunden war, dann verzogen sich seine Lippen zu einem verächtlichen Lächeln, und er fing vor meiner Nase an zu feixen:

– Das ist nur eine Frage des Umgangs... Aber da werde ich mich schnell drum kümmern, sei unbesorgt...

Ich musterte ihn einen Moment, dann betrachtete ich gelassen das Mundstück meiner Zigarre.

– Dan..., ich will offen zu dir sein...

Ich wollte, daß er *überhaupt* nichts zu mir war. Mein Mülleimer stand weit offen.

– Dan..., ich will dir die Wahrheit sagen. Ich glaube, das geht auch dich an, die Art, wie du deine Freunde aussuchst. Ich bin nicht du, aber ich sag dir, was ich denke: du solltest in deiner Umgebung ein wenig aufräumen... Es gibt da einige, die einen schlechten Einfluß auf Richard ausüben, es wird Zeit, daß du das merkst... Man tut ihm keinen Gefallen damit, wenn man ihn mit diesen Leuten zusammenkommen läßt, da hat niemand etwas von...

Ich beobachtete die Wirkung meines bloßen Atmens in seinem glühenden Auge, und ich sah die Flammen auf seinem Scheiterhaufen und die Art, wie er gestikulierte. Dann blickte ich langsam zu Sarah hinüber. In der Tat, sie hing dermaßen an diesem Kerl, es war kaum vorstellbar.

– Und du, was meinst du...?! fragte ich sie. Hast du die Sprache verloren...?!!

Sie gab keine Antwort.

Aber für diesen Blick, den du mir zugeworfen hast, für dieses elende, saubeschissene S.O.S., das mir beinahe das ganze Leben verleidet hat, dafür danke ich dir! Verlaß dich drauf, ich werde dich weiter bewundern, wie du es verdienst! Herrgott nochmal, ich glaube gar, ich werde noch anfangen, für dich zu BETEN...!!

– Sie wird dir das gleiche sagen wie ich..., erklärte der Typ zu meiner Linken, ein Mittelgewichtler mit dem Kopf eines Waffenhändlers.

– Vielleicht sollten wir ihr ein Zuckerstückchen geben...? scherzte ich.

Keine Ahnung, ob das daran lag, daß er mich mochte, jedenfalls schenkte er mir immer noch das gleiche Lächeln.

– Du solltest über meinen Rat nachdenken... Ich möchte, daß das klar ist...

Diese Unterhaltung wäre bestimmt schlecht ausgegangen, wenn ihr nicht Richards Rückkehr ein Ende gesetzt hätte. Ich wüßte nicht, wie wir da anders hätten rauskommen können. Ich sah nur einen langen, seifigen Abhang, den wir hinunterschlitterten. Vielleicht würde er mir sogar vorwerfen, ich hätte Gladys verführt, wo er einmal dabei war. Ich war froh, daß Sarah zugegen war. Ich wollte, daß sie begriff, daß man ein Versprechen nur *bis zu einem gewissen Punkt* halten kann.

Als ich Richard erblickte, spürte ich, daß ich der Gefahr nur mit knapper Not entronnen war, ich dachte, viel hätte nicht mehr gefehlt und es wäre soweit gewesen. Er hatte seine Tasche auf der Schulter, und ich begriff, daß das die einzig vernünftige Haltung war, die einzige Antwort, die man darauf geben konnte. Ich war bereits zu weit gegangen, ich hatte dem Kerl um einiges mehr bewilligt, als er verdiente. Richard stieg die wenigen Stufen der Freitreppe hinunter und schritt in dem zaudernden Abendlicht auf uns zu. Ich hatte nicht die Absicht zu trödeln. Der Sessel brannte mir bereits unter dem Hintern.

– He, wo willst du so einfach hin...? knurrte Dolbello, während Richard, den Blick zum Horizont gerichtet, näherkam.

Als er keine Antwort erhielt, sprang er auf, und bevor wir auch nur Uff sagen konnten, hatte er die Tasche an sich gerissen und auf die Erde gepfeffert. Richard erbleichte.

– Ich hab dich gefragt, wohin du gehst! Was soll das hei-ßen...?!! Was glaubst du eigentlich, wo du bist...?!!

Seine Stimme klang so drohend, daß Gandalf mit gesträubtem Fell in seine Richtung spuckte.

Dolbello verpaßte ihm einen Tritt.

– DU ALTES ARSCHLOCH...!! brüllte Richard.

Dolbello ohrfeigte ihn mit voller Wucht.

Ich knallte ihm eine Gerade mitten ins Gesicht.

Sarah stieß einen Schrei aus. Er flog in die Piniennadeln. Als ich mich umdrehte, um zu sehen, was Richard machte, rappelte er sich auf und fiel über meinen Rücken her. Das war nicht mein stärkster Punkt. Ich bog mich wie eine Kerze vor einem glimmenden Holzstück und riß ihn mit mir zu Boden.

Wir wälzten uns, umschlungen wie zwei Raubkatzen. Kaum wieder auf den Beinen – seine Unterlippe war aufgesprungen –, stieß er meinen Kopf gegen eine kleine Gartenhütte. Ich zielte nach seinem Magen. Verfehlte ihn.

Er versetzte mir einen Hieb, der mir das Auge schloß. Mit einem weiteren zwang er mich in die Knie, mir blieb die Luft weg. Er packte mich an den Haaren. Ich pflanzte ihm meine Faust in die Eier. Allmählich wurde die Sache ernst.

Wieder standen wir uns gegenüber. Erneut mußte ich einen einstecken, der direkt auf mich zuflog und wie eine Stern-schnuppe an meiner Stirn abprallte. Die ganze Geschichte dau-erte noch keine dreißig Sekunden, aber ich hatte nur den einen Wunsch, daß sie aufhörte. Ich schwankte. Er stürzte sich auf mich. Wir flogen quer durch die Hütte.

Er holte mich wieder hervor und versuchte mir die Fassade zu demolieren. Ich war einigermaßen benommen, aber ich schäumte vor Wut. Langsam fragte ich mich, ob er vielleicht stär-ker war als ich. Um ein Haar hätte er mir den Kiefer gebrochen. Ich verpaßte ihm eine Gerade an die Schläfe.

Und ich ließ ihm keine Zeit mehr, sich zu sammeln. Ich schnappte mir einen Klappstuhl, der dort herumstand, ein altes Modell aus Holz, an dem der Lack abblätterte, obwohl mir ein Baseballschläger lieber gewesen wäre. Ich zerschmetterte ihn auf seinem Kopf. Das allzu trockene Holz zersprang in tausend Stücke, doch Dolbello setzte ein Knie auf den Boden.

Sarah stürzte herbei und schloß ihn wimmernd in die Arme. Ich war ebenfalls in einem schönen Zustand, aber ich hatte keinen Anspruch in puncto Erste Hilfe. Ich schleuderte den Holm des Stuhls über den Zaun. Dann beugte ich die Knie, und ich guckte ihn von unten her an, damit kein Mißverständnis aufkam.

– Krümm Richard nur ein Haar, und ich bring dich um...! warnte ich ihn, bevor ich ging.

Gladys gab mir Arnikatabletten, und Hermann lief los, um ein Handtuch in den Ozean zu tunken. Richard war untröstlich. Mein Kopf brannte wie Feuer, aber ich sagte, alles halb so schlimm, er könne nichts dafür, es gebe nun mal gewisse Personen, mit denen könne man nicht reden, und leichter ums Herz sei mir auch. Zumindest waren die Dinge jetzt klar.

Als die Nacht hereinbrach, streiften sie durch die Dünen, um trockenes Holz zu sammeln. Das Tuch, das ich gegen mein Gesicht drückte, war glühend heiß. Ich rappelte mich mühsam auf, dann stapfte ich zum Wasser. Ich versuchte, mit den Fingerspitzen mein Gesicht wiederzuerkennen, aber es schien mir hart wie verleimter Karton. Das Meer war glatt, starr dahingestreckt im Mondschein. Ich schritt hinein bis über die Waden, und ich kniete mich mitten in die kleinen Wellen, daß sie sich mollig um meine Oberschenkel bauschten. Ich hatte nicht einen Tropfen Blut verloren, aber ich spürte, wie es in meiner rechten Gesichtshälfte toste. Ich beugte mich nach vorne, dann tauchte ich die wunde Stelle in die himmlische Kühle. Meine letzte *Especial* rutschte aus meiner Hemdentasche und sank auf den Grund, nicht mehr und nicht weniger, aber ich zuckte nicht einmal zusammen. Das Wasser war wohltuend weich, ich spürte, daß sich mein Auge, einer Seeanemone gleich, öffnete.

Als nächstes streckte ich mich aus und ließ mich auf dem Rükken treiben, wenige Schritte vom Ufer, die rechte Wange tief im Wasser und den Geist abgeschaltet, um Ruhe zu finden. Ich sagte ihnen, sie sollten sich keine Sorgen machen.

Als ich im Sand strandete, prasselte das Feuer, und jede Menge Funken stiebten in die Luft und wirbelten im Wind. Ich wickelte mich in Hermanns Badetuch. Sie fanden ebenfalls, daß es meinem Auge besser ging und daß ich auch sonst nicht allzu lädiert war, trotzdem, ich war am ganzen Körper zerkratzt. Ich zog mich um. Gladys hatte sich ins Haus geschlichen, um meine Tasche zu holen. Sie hatte Sarah gesehen. Dolbello stand unter der Dusche. Sarah war dabei, ihm ein Schlafmittel zuzubereiten. Ich sagte, es sei mir egal, was sie trieben. Ich fragte, ob jemand einen Schluck von meinem Bourbon wolle, dann rückte ich ein Stück zur Seite, ich sagte, ich könne mit meinem Gesicht nicht zu nah am Feuer sitzen.

Ich hatte keine Lust zu sprechen. Meine Wut war verflogen, aber stattdessen empfand ich eine unangenehme Leere. Ich streckte mich aus, und ich hörte ihnen zu, sofern nicht gerade mitten im Satz ein Ast im Feuer knackte oder ihre Stimmen im Zirpen der Grillen untergingen.

Als der Tag anbrach, fuhren sie mich zum Flughafen, dann rasten sie, wie vereinbart, wieder los. Ich stand eine Weile wie angewurzelt inmitten der Halle, mit diesem Loch, diesem Gefühl der Leere, das mich die ganze Nacht nicht losgelassen hatte.

Während des Flugs blieb der Platz neben mir leer. Nicht daß mein Gesicht derart angeschwollen war, daß man meine Gesellschaft bewußt gemieden hätte – davon war ich hinter meiner *wayfarer* weit entfernt –, trotzdem, es war eben so. Ein Loch von der Größe eines Schuhkartons in der Lungengegend.

Ich glaubte nicht, daß es günstig war, in ein leeres Haus zurückzukehren, aber ich hatte keine zündende Idee. Ich holte mein Motorrad aus Sarahs Garage. Ich überlegte kurz, ob ich ein wenig durch die Gegend fahren sollte, ob das irgendeinen wohltuenden Einfluß haben könnte, dann verzichtete ich darauf und lenkte meine Maschine direkt nach Hause.

Dort angekommen, entschied ich, daß sie nicht einwandfrei lief, ich fuhr sie vor die Tür und bückte mich, um mir den Leerlauf und alles andere anzuhören, und ich merkte, was zu tun war. Ich nahm das Gas weg. Ich bockte sie auf den Ständer und betrachtete sie einen Moment, wohlwissend, daß ich damit zwar nicht meinen Seelenfrieden, aber immerhin eine gewisse Erleichterung finden konnte. Dann blickte ich mich um, ich überlegte mir, daß ich mit dem Garten weitermachen, vielleicht auch den Stoff meiner Liegestühle erneuern oder die Fenster streichen könnte.

Als ich eintrat, sah ich sie, den Tränen nah, auf der untersten Treppenstufe sitzen. Die Tasche fiel mir aus der Hand. Mir wurde schwarz vor Augen, fast wäre ich angesichts des Himmels, der sich da auftat, erstickt.

– Verdammt nochmal, Dan . . . *Wo warst du* . . .?!! stöhnte sie.

Ich wußte, wenn ich sie nicht auf der Stelle in meine Arme nahm, wenn ich sie nicht im nächsten Moment einatmete, war ich erledigt.

– Ah, Elsie . . .!! stammelte ich.

Wir fielen einander um den Hals. Wie von Sinnen riß ich sie vom Boden, und ich taumelte rückwärts, sie mit Küssen bedeckend, in die Sonne, ich lehnte mich mit ihr in die Öffnung der Tür.

14

Ich brauchte vier Monate, um mit dem Drehbuch fertig zu werden. Nicht daß ich mein Händchen verloren oder herumgetrödelt hätte, nein, ich hatte etwas durchaus Außergewöhnliches verfaßt, tatsächlich hatte ich unermüdlich geschuftet, und ich hatte erreicht, was ich wollte.

Am Abend, als ich die Schlußszene noch einmal durchlas, hatte es geschneit, die ersten Flocken des Januars, die ersten, die man in der Stadt zu sehen bekam.

Ich hatte gute Arbeit geleistet, und ich wußte es. Ich hatte mein Herzblut gegeben plus alles, was ich als Drehbuchautor gelernt hatte. Von dem ursprünglichen Werk war nicht mehr viel übriggeblieben, ich hatte diese Idee gehabt, die mir von Anfang an durch den Kopf geschwirrt war, und als sie sich herauskristallisierte, hatte ich mit Marianne darüber geredet und zwei Bedingungen gestellt. Aus der Distanz betrachtet, wohlwissend, wie viele Drehbuchautoren auf der Straße saßen, fand ich, daß ich recht unverfroren war. Aber sie hatte akzeptiert. Es war mir gelungen, meine absolute Gewißheit, was den Erfolg des Projekts betraf, auf sie zu übertragen, dann hatte ich mich über ihren Schreibtisch gebeugt und ihr, entweder – oder, meine beiden Bedingungen genannt:

1. Hermann übernimmt die Hauptrolle
2. Ich will eine Gewinnbeteiligung,

und sie hatte ja gesagt.

Meines Erachtens war das die schönste Geschichte, die ich jemals geschrieben hatte. Und es war ein Geschenk für Hermann, ich hatte jede Minute daran gedacht, bei jedem Wort, das ich schrieb und das demnächst über seine Lippen kommen würde.

Auf diese Weise war ich Gladys' Liebling Nummer zwei geworden. Kaum drehte ich mich um, begoß sie meinen Teller mit phosphorhaltigen Anhydriden oder zerbrach Magnesiumampullen über meinem Bourbon. Wenn wir nebeneinander saßen, Hermann und ich, verdrehte sie regelrecht die Augen. Es kam nicht in Frage, daß mich jemand störte, wenn ich mitten in der Arbeit war, sie schob vor der Tür meines Schlafzimmers Wache, oder so gut wie.

Dort hatte ich mich nämlich eingerichtet. Ich hatte das Wohnzimmer aufgegeben, in dem ich all diese lächerlichen Jahre lang meines Amtes gewaltet hatte, und die Einsamkeit des Langstreckenläufers wiederentdeckt. Ich hatte lediglich meinen Computer und einen Bleistift nach oben verfrachtet, und ich hatte mich mit Blick zur Wand gesetzt.

Ich war nicht wieder zum Schriftsteller geworden, auch wenn sie es offenbar alle glaubten. Ich wußte, was sie hinter meinem Rücken sagten. Jede Stunde, die ich mich abkapselte, schien ihnen ein gutes Omen, waren sie es doch gewohnt, mich unten arbeiten zu sehen, in einer Wolke leichter Musik und jederzeit bereit, ein Gespräch anzuknüpfen oder mit zufriedener Miene von meinem Stuhl aufzuspringen. Ich mußte zugeben, die äußeren Anzeichen sprachen gegen mich, und die schlechte Laune, mit der ich an manchen Tagen die Treppe herunterstiefelte, setzte schon verwirrende Akzente, aber es war nicht so, wie sie meinten. Ich brauchte einfach Ruhe. Zumal die Zeit, da Hermann und ich die einzigen Bewohner der Bude waren, nur mehr eine ferne Erinnerung schien.

Richard und Gladys hatten nach meiner Auseinandersetzung mit Dolbello quasi die Adresse gewechselt. Von Zeit zu Zeit schliefen sie zwar noch zu Hause, aber sie legten keinen großen Wert darauf, dem Kerl über den Weg zu laufen. Richard hatte mich gefragt, ob ich das verstehen könne, und ich konnte, und zudem störte es mich nicht, wenn sie da waren, ich dachte, Mat, ihr Vater, werde mich vom Himmel herab segnen und darüber wachen, daß meine Arbeit voranging. Sarah und ich hatten uns deswegen am Telefon angeschnauzt, einer jener Anrufe, bei dem einem die Trommelfelle platzen, sie brauche sich bloß anders zu verhalten, wenn sie wieder mehr von ihren Kindern haben wolle, hatte ich gebrüllt, und sie könne sich glücklich schätzen, daß sie nicht zu weit weg waren, ohne mich hätten sie sich gleich zum Teufel geschert. Kurz und gut, es war ständig jemand im Haus. So daß ich mitunter stutzte, wenn es auf einmal still wurde, und neugierig hinunterging, um zu sehen, was eigentlich los war, ich warf sogar einen Blick in den Garten, ob das vielleicht ein Witz sein sollte.

Dann kehrte ich vor meinen Bildschirm zurück, die Haare standen mir fast zu Berge wegen all dem Zeug, das mir Gladys zu schlucken gab, und ich war leicht verstimmt, daß das Haus leer war. Sicher, ich brauchte Ruhe, und ich wollte nicht, daß man mein Zimmer ohne *gewichtige Gründe* betrat – Elsie hatte eine Art Nonstop-Passierschein, ich wollte nicht noch einmal den gleichen Fehler machen wie mit Franck –, aber deshalb wünschte ich mir nicht gleich die intergalaktische Wüste, darauf legte ich wirklich keinen Wert. Es gefiel mir, in der Stille meines Zimmers die Ohren zu spitzen und einige undeutliche Gesprächsfetzen aufzuschnappen oder irgendein anderes Lebenszeichen, doch, das kam mir zupaß.

Ich war nicht mehr der rasende Urian, der bescheuerte Dämon, der aus der Hüfte von *Moby Dick* hervorgegangen war, der entrückte, nach Ruhe und Einsamkeit gierende Schriftsteller, den Franck all diese Jahre – ich fragte mich, wie – hatte ertragen müssen. Diese Erkenntnis war mir nicht ganz neu, aber der Umstand, daß ich mich in einer ähnlichen Situation wiederfand – obwohl man die Literatur und ihren Schatten nicht vergleichen kann –, öffnete mir endgültig die Augen. Jetzt erst wurde mir *wirklich* bewußt, daß ich mich befreit hatte, und ich begriff, daß ich mir dessen bislang niemals sicher gewesen war. Es war ein köstlicher Moment für mich, als mir vergnügt, gleichsam vom Hölzchen aufs Stöckchen, der Gedanke kam, daß sich die Literatur vielleicht mit einem Menschen anstelle eines schwärmerischen Sklaven zufriedengeben werde und daß ich mich durchaus wieder daransetzen konnte, falls mich irgendwann die Lust überkam. *Und so frohlocke ich innerlich, ganz für mich, im Herzen jenes aufgewühlten Atlantiks meines Wesens, in einer stummen Ruhe, während die unheilvollen Planeten unablässig um mich*

kreisen, ohne jene tiefe und traute Stelle zu berühren, wo der
Funken meiner Freude schwimmt.

Aus purer Bosheit hatte ich Paul diese Möglichkeit gesteckt, eines schönen Morgens, und er wäre fast vom Stuhl gepurzelt.

– Beruhig dich..., ich hab nur gesagt, das *könnte* passieren. Noch bin ich nicht in der Stimmung...

Ich war gekommen, um ihm das Drehbuch zu *Außer Alaska* vorbeizubringen (im großen und ganzen die Geschichte eines Jungen, der seinen Vater sucht, aber nur sehr wenige Anhaltspunkte hat), doch unsere Unterhaltung war abgeschweift.

– Meine Güte, Dan... Das wäre mein sehnlichster Wunsch...!

Ich hatte ihm geantwortet, meiner beschränke sich auf den Erfolg des Films und nichts anderes. Er hatte die Finger verschränkt. Daraufhin war ich ans Fenster getreten, und während draußen der Schnee fiel und die Straßen verschwinden ließ, hatte ich gemurmelt:

– Allmächtiger Gott, schau auf mich herab, verlasse mich diesmal nicht, ich brauche Dich...

Ich stand lautlos auf. Ich betrachtete sie, während ich mich ankleidete, innerlich noch aufgewühlt nach dem Gespräch, das wir geführt hatten und das uns einen großen Teil der Nacht wachgehalten hatte. Der Körper von Eloïse Santa Rosa war ein makelloses Wunder, aber nicht ihn betrachtete ich mit zugeschnürter Kehle, ich betrachtete ihre Seele. Ich blieb einige Minuten auf der Bettkante sitzen, unfähig, mir über mich klarzuwerden, dann stand ich auf und zog die Tür unendlich behutsam zu.

Ich ging raus in den Garten, um meinen Kaffee zu trinken. Was mir schon länger ins Haus stand, passierte: der Stoff eines meiner Liegestühle gab unter meinem Gewicht nach, und ich spritzte dunkle Sterne auf mein strahlendweißes T-Shirt. Anfang Juli hatte es einige Regengüsse gegeben (Rekordbesuch in den Sälen), denen eine gnadenlose Sonne gefolgt war, die die Altersschwäche meiner Sitzmöbel ausgenutzt und sie bis auf die letzte Faser verbrannt hatte. Ich regte mich nicht auf, ich ging hoch, mich umziehen, und ich beschloß, mich ganz schnell um die Sache zu kümmern, ich klappte sie samt und sonders zusammen und stellte sie auf den Bürgersteig, dabei dachte ich an all die schönen Augenblicke, die sie uns geschenkt hatten und die nun gen Himmel fuhren, während ich ihre sterbliche Hülle auf den Mülleimern stapelte.

Bernie trat hinaus und gesellte sich zu mir. Ich war ziemlich in Eile, vielleicht sogar ein wenig aufgeregt, aber ich ging rein und kochte ihm leise – um Richard nicht zu wecken, der im Wohnzimmer schlief – einen Kaffee.

Es war neun Uhr, das Thermometer kletterte langsam in die Höhe, und das Gras roch gut. Bernie lehnte es ab, sich mit seiner weißen Hose darauf niederzulassen. Er kauerte sich hin, den Blick ins Leere. Ich fragte ihn, was denn – seit zwei, drei Tagen schon – los sei.

– Verdammt! Du weißt genau, was ist...! antwortete er in gereiztem Ton.

Ich drängte ihn nicht. Ich schnappte mir meine Jacke, und wir schwangen uns in den MG, die Haare im Wind, was mich betraf, und Bernie mit seiner Gentleman-Mütze.

– Du brauchst es mir nicht zu sagen..., bemerkte ich und deutete auf die Zufahrt zur Umgehungsstraße. Ganz wie du willst...

Wir fuhren nicht besonders schnell. In Wirklichkeit wollte ich, daß er mit mir redete, um von meinen eigenen Gedanken abgelenkt zu werden. Wir hatten alle unsere Probleme. Wir lebten, und das Leben zerriß uns. Trotz allem war der Weg blau und erleuchtet.

Er warf mir einen Blick zu, dann schlug seine Hand auf das Lenkrad:

– Herr im Himmel! Du weißt doch, wie er ist...! Das sieht doch ein Blinder...

Harold und Elsie waren ungefähr im gleichen Alter. Ich fühlte mich ihm ganz besonders verwandt, wenn er gewisse Prüfungen durchzustehen hatte. Das war eine gute Gelegenheit, das Terrain zu erkunden und zu erkennen, welcher Gefahr ich ausgesetzt war.

– Er wird mich mal wieder sitzenlassen...! murmelte er vor

sich hin. Und ich kann nichts dagegen tun... Außer mich darauf vorbereiten, ohne zu murren... Danny, ich kann nicht einmal den kleinen Finger rühren, nichts und niemand kann etwas daran ändern...!

– Mmm, findest du nicht, daß er ein wenig übertreibt...?

– Ach, weißt du, ich komm nicht dagegen an... Es führt zu nichts, wenn ich sauer werde.

– Sicher... Außerdem braucht er keine Hemmungen zu haben, ich wüßte nicht, was er bei der Sache riskiert... Anscheinend nimmst du ihn jedesmal mit offenen Armen wieder auf, oder nicht...?

– Dan, du kapierst wirklich überhaupt nichts... Was sind schon Stolz oder Selbstachtung, all diese *blödsinnigen* Gefühle, verglichen mit dem Taumel des Lebens...?! Ich leide, wenn er mich verläßt, ich leide *zutiefst*, aber ich fühle mich nicht erniedrigt, ich empfinde das nicht als persönlichen Affront...! In wessen Namen sollte ich ihn zurückweisen, kannst du mir das verraten...? Weißt du, in der Liebe ist nur eines wirklich verachtenswert, und das ist die Eigenliebe. Man muß wählen, verstehst du, zwischen dem anderen und sich selbst.

Ich nahm mir die Zeit, eine Sekunde darüber nachzudenken, dann nickte ich.

– Sehr gut. Das gilt auch für mich.

– Naja, das soll nicht heißen, daß ich ihm recht gebe, sagte er mit finsterem Gesicht. Dan, verdammt nochmal, es macht mich krank, wenn du es genau wissen willst...! Aber das einzige, was ich ihm nie verzeihen könnte, das wäre, wenn er nicht zurückkäme.

– Mmm, ich glaube, das hat er restlos begriffen.

– Nun denn, was soll ich machen... Liebe im Herzen, Pistole auf der Brust. So groß ist die Auswahl nicht...!

Mut, Willensstärke, die Kraft weiterzumachen, die Lösung unserer Probleme, all das schwebte in der Luft, greifbar nah.

Als wir in der Werkstatt ankamen, hüpfte ich über den Wagenschlag. Ich schleppte Bernie mit, während der Typ aus seinem Büro trat und hinter uns herlief.

Jessesmaria, er war wie neu!

– Bernie, was sagst du dazu ...?!

Er war in der Tat beeindruckt. Ich hatte ein Kribbeln in den Beinen. Die Trauer, die an mir nagte, seit mir Hermann seinen Entschluß mitgeteilt hatte, ganz zu schweigen von dem Stahl, den mir Elsie in den Bauch gerammt hatte, verlieh meinem Glück einen besonderen Geschmack, eine schärfere Form.

– *Aston Martin* DB 5, sagte ich. Baujahr 1964, 4 Liter, Modell *Vantage* mit drei *Weber*-Vergasern, 282 PS ...

Später, als ich mein neues Gefährt nach Hause kutschierte, stürmten traumhafte Erinnerungen auf mich ein. Ich sah mich wieder, zehn Jahre zuvor, am Steuer meines DB 2/4 Mark 1, Baujahr 54, mit Franck an meiner Seite, sie lachte, und Hermann, der genau die richtige Größe hatte, um hinten Platz zu finden, und Tränen stiegen mir in die Augen, und ich weinte leise vor mich hin, während ich einen kleinen Abstecher auf die Autobahn machte, ich wischte mir in regelmäßigen Abständen über das Gesicht und wußte nicht, was das zu sagen hatte, ob mich nun Trauer oder Freude durchdrang.

Ich wurde ein wenig nervös, als sie mich baten, ihn ausprobieren zu dürfen, aber ich gab ihnen den Schlüssel. Elsie war noch oben, aber nur um den Block, sagte ich. Gladys stieg hinten ein, Hermann und Richard strichen mit verblüffter Miene noch einmal um ihn herum, und dann sausten sie zu dritt los, während ich besorgt die Ohren spitzte (Getriebe ZF, deutscher Herkunft, feinfühlig zu handhaben).

Als Elsie im Garten auftauchte, begrüßte ich sie fröhlich, ich stürzte auf sie zu, um sie sogleich in die Arme zu schließen, und obwohl sie sich ein wenig steif machte, küßte ich sie auf den Hals, und ich fragte sie, ob sie das auch höre, dieses Motorengeräusch in der Ferne, ob sie eine Ahnung habe, was das sein könnte ...? Ich schien unser nächtliches Gespräch tatsächlich vergessen zu haben. Ich schnitt drollige Fratzen und preßte sie an mich, ich schleppte sie auf den Bürgersteig, als das Geräusch näherkam.

– Also nein, Dan, was ...

– Guck doch!

400 Meter aus dem Stand in unter sechzehn Sekunden. Mein ganzer Kummer verflog, als ich ihn kommen sah, ein Blitz puren Glücks aus azurblauem Himmel, der vor unseren Füßen landete. Ich linste Elsie aus dem Augenwinkel an. Nicht daß ich hoffte, so billig davonzukommen, aber gegen ein simples Lächeln hätte ich nichts eingewendet.

Schließlich ließ sie sich von der Begeisterung der andern anstecken, eine leise Andeutung von dem, was ich erwartete, erschien auf ihrem Gesicht. Ich faßte sie an der Hand und ließ sie einsteigen, dann beugte ich mich vor, um ihre Lippen zu erreichen. Ich spürte zwar, daß das nicht das Wahre war, aber ich drängte sie nicht, ich sagte mir, es hätte schlimmer sein können. Ich trat zur Seite, damit sie aussteigen konnte, und ich blickte ihr nach, während ich Richard erklärte, daß die Stoßdämpfer vom Armaturenbrett aus regulierbar waren (Armstrong Selectaride).

– Was hat sie denn…?! fragte mich Hermann.

Seit ungefähr achtundvierzig Stunden, seit er mir das Datum seiner Abreise mitgeteilt hatte – das heißt, *ihrer* Abreise, denn Gladys und Richard waren mit von der Partie –, zuckte ich beinahe zusammen, wenn er mich ansprach, und ich starrte ihn an, ohne daß ich in den nächsten zwei, drei Sekunden den Mund aufbekam.

– Mmm, das ist schwer zu sagen…

Mir war lieber, wir waren allein, wenn ich je mit ihm darüber sprechen sollte, wenn das je zu etwas gut war.

Ich war in einem fort in Bewegung, seit er angefangen hatte, seine Sachen zu ordnen, es war mir unmöglich, länger als fünf Minuten ruhig sitzen zu bleiben oder mich auf irgend etwas zu konzentrieren. Ich räumte meine Bibliothek aus. Zusammen mit Elsie und Gladys versuchte er ein wenig Ordnung in all diese Jahre zu bringen, und im Flur stand ein großer Koffer, es gab Dinge, die er mitnahm. Ich konnte ihm dabei nicht helfen, ich verstand nichts davon. Von Zeit zu Zeit tanzte ich jedoch mit einem Stapel Bücher an, und kaum hatte Gladys den Rücken gekehrt, nutzte ich die Gelegenheit, sie in den Koffer zu stopfen, denn wenn sie mich erwischte, konnte ich mich auf einen Nahkampf gefaßt machen – Faulkner war noch mit einem blauen Auge davongekommen, aber ich war mitten in der Nacht aufgestanden und hatte es geschafft, Conrad und Melville anstelle eines Paars Stiefel zu verstauen –, unsere Auffassungen, was *unentbehrlich* sei, gingen ein wenig auseinander, aber immerhin war ich sein Vater, ich war fünfundvierzig Jahre alt, Miller, Hemingway, Kerouac, das I-Ging sowie die drei, die ich in letzter Minute gerettet hatte, das war nun doch das *Allernotwendigste*, alles, was recht ist...!

Das Haus blutete langsam aus, nicht mehr und nicht weniger, aber das war kein gewaltsamer Tod. Die Erinnerungen stiegen auf, eine nach der anderen, und schwebten den ganzen Tag durch den Raum, alte Phantome, dem süßen Schlummer der Unachtsamkeit entrissen und unfähig, den Weg des Vergessens zu finden, leise stöhnend wanden sie sich in meinen Ohren, drängelten sie einander vor meinen Augen. Ich verbrachte meine Zeit damit, ergebnislos Fenster und Türen aufzureißen. Ich tigerte von einem Zimmer ins andere, und ständig beklagten sie sich – wenigstens Hermann war voller Verständnis für meine Ungeschicklichkeit –, ich würde ihnen nur zwischen den Beinen herumtanzen. Der Garten war der einzige Ort, an dem ich mich nicht unerwünscht fühlte. Wenn ich sie auch nicht sah, so hörte ich sie doch, und sie zerstörten das einzige, was ich in diesem Leben aufgebaut hatte, ich hörte, wie sie sich köstlich damit amüsierten, das Zimmer auf den Kopf zu stellen, ich hörte sie lachen und schamlos schreien, wenn sie irgendein altes Zeug entdeckten, das vor ihren Augen keine Gnade mehr fand, mir jedoch bestimmt das Herz in tausend Stücke zerrissen hätte. Ich legte mich ins Gras. Zwei Tage dauerte die Sache nun schon, aber ich hatte den Eindruck, sie hatte vor einer Ewigkeit begonnen.

Am Nachmittag kam ein Typ vorbei, um den Koffer abzuholen. Die von Gladys und Richard standen bereits in seinem Lieferwagen. Sicher, das Ganze war meine eigene Schuld. Der Himmel hatte mich erhört.

Sie hatten noch jede Menge Leute zu küssen, wenn ich recht

verstanden hatte, dazu ein paar Einkäufe auf den letzten Drücker, nun ja, jedenfalls zogen sie los, Gladys brauchte Elsie, sie zogen los, und ich blieb ganz allein zurück. Ich sah nach, was mein *Aston Martin* machte, aber das war noch ein wenig neu mit uns beiden.

Ich setzte mich trotzdem hinein, denn ich wußte nicht, was ich tun sollte. Das Telefon klingelte, aber ich ging nicht mehr ans Telefon. Seitdem ich das Drehbuch von *Außer Alaska* unterzeichnet hatte, erinnerten sie sich alle, daß ich noch existierte, oder aber man wollte Hermann sprechen. Nach einer Weile hob ich doch ab, ich hörte ihr zu, und ich redete ihr freundlich zu, ich sagte ihr, wir können nichts dafür, Sarah, das ist nun mal so, das mußte früher oder später so kommen, mach dir keine Sorgen um sie.

Ich blickte mich um und ging wieder hinaus. Draußen war es derart schön, daß alles unwirklich erschien, es war etwas in der Milde der Luft, das einen zu schützen schien. Ich setzte mich wieder hin, ins Gras, mitten in den Garten, und Bernie ließ sich mit zwei völlig beschlagenen und mit Fingerabdrücken übersäten *Coronas* neben mir nieder.

– Komm, nächstes Jahr um diese Zeit sind sie wieder zurück...

– Ja.

– Hollywood... Das ist eine Chance, da kann man nicht nein sagen...

– Wenn er ausziehen würde, um sich auf der anderen Straßenseite einzunisten, wäre das auch nicht anders. Wir werden nicht mehr zusammenleben, er und ich... Das ist nicht weiter kompliziert. Das sieht nach nichts aus, weißt du, aber das war alles, was ich hatte.

Ich hob meine Flasche, um auf sein Wohl zu trinken. Er schüttelte lächelnd den Kopf.

– Ich weiß, was du sagen willst, fügte ich hinzu. Aber das Leben könnte noch hundertmal gnädiger zu mir sein, ich würde mich auch nicht besser fühlen. Bernie, ich glaube, das ist der natürlichste Schmerz der Welt, aber er nimmt mich ganz schön mit, hab ich den Eindruck...

Elsie wußte, was mich bedrückte. Als sie eintraf, saß ich in meinem Sessel und betrachtete meine Blauen Chirurgenfische – einer von ihnen war schließlich doch gelb geworden, aber vielleicht war ich das auch, er erschien mir im übrigen weniger lebhaft als die anderen, und seine neue Farbe machte ihn melancholisch. Sie schaute mich an, dann streckte sie die Waffen und lächelte mich an. Ich streckte die Hand nach ihr aus. (*Falle zu Füßen dieses Geschlechts, dem du deine Mutter verdankst.* Philip Roth.) Sie setzte sich auf meinen Schoß, ohne ein Wort zu sagen. Ich hielt sie eine ganze Weile in meinen Armen, die Nase in ihrer Brust vergraben, als versenkte ich mich in das Herz der Welt, den Geist aufgewühlt und das Herz in Aufruhr ob dieser schlichten Selbstverständlichkeit: alles kam von dort, und alles kehrte dorthin zurück.

Später habe ich Hermann erklärt, was sie hatte, ich sagte ihm, sie wolle ein Kind. Wir waren in den Garten gegangen, nur wir beide, während die anderen schliefen, und ich hatte mir eine letzte Zigarre angemacht und mich unter meine Rosen gesetzt – acht Jahre zuvor, als wir die Nachricht von Francks Tod erhielten, war er schließlich zwischen meinen Beinen eingeschlafen, und wir hatten die Nacht unter freiem Himmel verbracht, genau an dieser Stelle, und ich hatte allein vor mich hin geredet.

– Ich glaube, die Musik interessiert sie nicht mehr besonders, fügte ich hinzu. Ich glaube, sie will ein anderes Leben ...

– Schön, und wo ist das Problem ...?

Das Lachen drängte sich aus der Tiefe meines Bauches. Ich hatte immer noch Tränen in den Augen, als ich mich wieder beruhigte. Es war niemand zu sehen, die Nacht war pechschwarz, ich drückte ihn in meine Arme.

– Paß auf dich auf ..., murmelte ich.

Ich küßte ihn auch, wo ich einmal dabei war.

– Werd mir nicht zu berühmt ... Ich möchte nicht, daß dich ein Bekloppter auf offener Straße abknallt wie John Lennon ...

– Wer ist denn John Lennon ...?

Die Tür meines Zimmers knarrte in aller Frühe. Die Dämmerung war da, und Elsie schlief an meiner Schulter. Hermann schob seine Nase durch den Spalt. Ich hob den Kopf, die Muskeln meines Halses spannten sich, so weit es ging. Er legte einen Finger auf seinen Mund. Ich stieß einen stummen Schrei aus, als er verschwand, und ich fiel auf mein Kopfkissen zurück, die Augen zur Decke gerichtet.

»[...] An diesem Tag habe ich Schriftsteller werden
wollen, und noch am gleichen Abend habe ich mein
Gebet geändert in Allmächtiger Gott, ich bitte dich
um nichts anderes, aber tu mir die Liebe und mach
einen Schriftsteller aus mir, alles andere ist mir egal,
aber mach einen Schriftsteller aus mir! Und ich habe
wie besessen *Moby Dick* an meine Brust gepreßt, unter meiner Schlafanzugjacke, und verdammt nochmal,
mein ganzes Bett hat angefangen zu zittern, das
schwör ich dir...«   (Seite 330)

Herman Melville
Moby-Dick

**Roman. Aus dem Amerikanischen von
Thesi Mutzenbecher und Ernst Schnabel
Mit einem Essay von W. Somerset Maugham**

Das gewaltige Epos vom großen weißen Wal im Diogenes Verlag.

»Das größte Buch der amerikanischen Literatur.«
William Faulkner

»Ein großes Buch, ein sehr großes Buch, das größte
Buch... eines der seltsamsten und erstaunlichsten
Bücher der Welt.«   *D. H. Lawrence*

»*Moby-Dick* ist der größte amerikanische Roman.«
C. G. Jung

»*Moby-Dick* ist der einzige dicke Roman, den ich zu
Ende gelesen habe.«   *Friedrich Dürrenmatt*

Philippe Djian
im Diogenes Verlag

Betty Blue
37,2° am Morgen
Roman. Aus dem Französischen
von Michael Mosblech

»Für jemanden, der verrückte und besessene Liebesgeschichten mag, eine Pflichtlektüre.« *Wienerin*

»Wirklich bemerkenswert ist, mit welch stilistischer
Sicherheit Philippe Djian diese Story vor dem Absturz
in Gefühlskitsch oder Beziehungskisten-Knatsch be-
wahrt. Alles geschieht wie selbstverständlich, vor-
wärtsgetrieben von einer Atmosphäre nervöser Spannung, die Djian ganz konzentriert und doch wie
beiläufig aufbaut. Ein Roman wie flirrende Saxophon-
Klänge in der Nacht.«
Hessischer Rundfunk, Frankfurt

»Der Rolls-Royce unter den Neuerscheinungen der
letzten Zeit, zumindest für Leute, die was von Literatur verstehen. So berauschend kann der Alltag sein in
seiner ganzen Tristesse.« *Pin Board, Düsseldorf*

»*Betty Blue* als Film in den Kinos: auch wenn Beineix
die Regie führt, kein Bild kann dieses Buch ersetzen.«
Szene Hamburg

Erogene Zone
Roman. Deutsch von
Michael Mosblech

Niemand kann eine Frau lieben und gleichzeitig einen
Roman schreiben. Soll heißen: einen *wirklichen* Roman schreiben, eine Frau *wirklich* lieben. Djian hat es
versucht und ist um ein paar Illusionen ärmer geworden. Er ist einem leicht perversen, ziemlich intelligen-
ten Mädchen begegnet. Er hat (wenig) gegessen. Er hat
(viel, vor allem Bier) getrunken. Sich Joints gedreht.

Musik gehört. Gelesen und gelesen. Er ist dem Geld nachgerannt, den Frauen, den Wörtern. Er hat sein Bestes gegeben. Er hat ein Buch geschrieben. Ungekünstelt, unprätentiös hat er das Unbeschreibliche beschrieben. Das Leben. In all seiner Derbheit, Schlichtheit und Hoffnungslosigkeit. Einfach großartig.

»Djian schreibt glasklar und in einem Tempo, dem ältere Herren wie Grass und Walser schon längst durch Herzinfarkt erlegen wären.« *Plärrer, Nürnberg*

Verraten und verkauft

Roman. Deutsch von
Michael Mosblech

»Djian sieht ganz genau hin, seine Bilder sind nur scheinbar so simpel, so einfach. Indem er das banale, das scheinbar triviale, das alltägliche Leben respektlos in die Literatur bringt, führt er das gekünstelte Wort ad absurdum. Dabei ist sein Stil so rein wie das kristallklare Wasser jenes kleinen Waldsees, auf dem er tagelang erfolglos angelt, um die Forelle dann mit einer gutherzigen Geste wieder ins Wasser zu werfen, die Hemingway hätte erstarren lassen. Sein Stil ist so rein wie der Schoß der Frau, die er liebt, und wenn er sich ihr hingibt, würde Henry Miller, so er noch könnte, mit seinen großen, roten Ohren schlackern. Zorc ist die Personifikation einer neuen nachmodernen, reinen Minne, und Philippe Djian ist sein Meister. Deshalb ist *Verraten und verkauft* mein Buch des Jahres.« *mid-nachrichten, Frankfurt*

Blau wie die Hölle

Roman. Deutsch von
Michael Mosblech

Ned ist ein Outlaw, einer der Autos klaut, Kneipen leerräumt, der sich nimmt, was er will. Franck ist ein Bulle, besessen und gewalttätig. Nichts haßt er mehr als Typen vom Schlage Neds. Lili ist Francks Frau,

Carol seine Tochter. Als Lili Franck verlassen will, begegnet sie Ned. Lili und Carol hauen mit Ned und dessen Freund Henri ab...

»Djians Sprache und Rhythmus verschlagen einem den Atem und ziehen einen in die Geschichten, als wäre Literatur nicht Folge, sondern Strudel.«
Göttinger Woche

»Djian ist ein Stilist. Und Stil ist es, worauf es ihm ankommt... Und alle Stilisten sind Musiker. Musik der Worte, der Sätze, der Abschnitte, der Kapitel...«
Pflasterstrand, Frankfurt

Krokodile

Sechs Geschichten
Deutsch von Michael Mosblech

Krokodile, das sind die Menschen in Djians neuem Buch, gutmütig hinter dem Panzer, den sie nach außen zeigen, doch auch hinter ihrem breiten Grinsen jederzeit zum Zubeißen bereit. Helden, die Berge versetzen möchten und doch wieder aufgeben müssen, das sind die liebenswerten Hitzköpfe, die dieses Buch bevölkern. Ein Feuerwerk der Gefühle.

»*Krokodile* ist Djian vom besten, direkt, schnell, beeindruckend, mit so einfachen und so schönen Bildern, daß man sich fragt, warum kein Schriftsteller vor ihm diese erfunden hat.«   *Le Monde, Paris*

»Erste Liebe, Konkurrenzneid, Vaterkomplex, materielle Abhängigkeit und die letzte Sehnsucht eines alten Hagestolzes sind die beinahe schon abgeklärten Motive dieser Geschichten.«   *FAZ*

»Der Betty-Blue-Bestsellerautor in Hochform: Da prickelt die Erotik, rauschen die Gefühle, feiert das Alltagsleben irrwitzige Orgien.«
Cosmopolitan, München

Pas de deux

Roman. Aus dem Französischen
von Michael Mosblech

Der Musiklehrer Henri-John fühlt sich in seiner Haut
ganz wohl, obwohl sein Leben seit einigen Jahren recht
eintönig verläuft. Sein Beruf ist nur ein Job zum Geld-
verdienen, seine Beziehung zu seiner Frau Edith, einer
erfolgreichen Schriftstellerin, ist so gemütlich wie wär-
mende Filzpantoffeln – und ebenso aufregend. Hélène,
seine Kollegin, versucht diese Ruhe zu stören, indem
sie ihn anflirtet. Henri-John ignoriert ihre Bemühungen zunächst, da eine Affäre unnötig viel Tatkraft er-
fordern würde. Als aber Edith für zwei Wochen in
Japan auf einer Lesereise ist, läßt er sich verführen.
Ein Buch, das langsam anläuft wie ein Jim-Jarmusch-
Film und sich steigert wie der *Bolero* von Ravel.

»Djian befindet sich in einer neuen Lebens- und
Schreibperiode. Er hat die Gelassenheit des Älterwer-
dens für sich entdeckt, schaltet bewußt einige Gänge
zurück in seiner Gier nach Abenteuern und ersetzt sie
durch Weisheit, Wärme und philosophische Betrach-
tungen – ohne daß ihm darüber freilich das Grinsen
auf den Lippen einfriert.«
Michael Fuchs Gamböck / Wiener, München

Pino Cacucci
im Diogenes Verlag

Outland Rock
5 starke Thriller
Aus dem Italienischen von Jürgen Bauer

»Von Cacuccis genau charakterisierten Antihelden geht eine eigenartige Faszination aus, hervorgerufen durch die coole Selbstverständlichkeit, mit der sie ihre Rolle als Außenseiter spielen. Bis etwas Unvorhergesehenes ihr Leben aus den Fugen geraten läßt. Cacucci wahrt eine ironische Distanz gegenüber dem, was er schreibt. Seine Sprache ist wie das Objektiv einer Kamera. Dadurch entstehen unsentimentale, scharfe Bilder und eine Spannung, die den Leser bis zur letzten Seite in Atem hält.« *Sender Freies Berlin*

»Dieses Buch hat mich so gefreut wie ein unerwartetes Geschenk, es war, als hätte ich einen Freund getroffen, der mir ein Bedürfnis, das ich selbst nicht genau kannte, zugleich weckte und befriedigte, jemand, der mir Gesellschaft leistet. Cacucci füllt eine große Lücke in der italienischen Literatur: Endlich einer, der das Erbe von Hammett und Chandler antritt.« *Federico Fellini*

Puerto Escondido
Roman. Deutsch von Ulrich Hartmann

»Ein road-movie, das sich gewaschen hat. Atemberaubend, spannend bis in die Haarwurzeln, elektrisierend. Ein italo-spanisch-mexikanisches Abenteuer: Im Mittelpunkt ein Mann, drei Welten, schöne Frauen, schräge Typen, ein Kommissar, viel Tequila, Peyotl, Mescalin und jede Menge Dope, Opium, Koks, Base und Salsa. *Puerto Escondido* ist der große Bruder von Kerouacs Klassiker *Unterwegs*.« *Stadtblatt Osnabrück*

»Wie in emotional tiefgefrorenen Momentaufnahmen schildert Cacucci mit messerscharfer Sprache eine Generation der lakonischen Verweigerer.«
M. Vanhoefer/Münchner Merkur

Tina

Das abenteuerliche Leben der Tina Modotti
erzählt von Pino Cacucci
Deutsch von Karin Krieger

Tina Modotti zählt zu den faszinierendsten Frauengestalten unseres Jahrhunderts: Fabrikarbeiterin, Hollywood, Modell und Muse im Mexiko der zwanziger Jahre, bekannte Photographin, Helfende im spanischen Bürgerkrieg. Ungewöhnlich ist ihre Stärke, rätselhaft ihr Tod.
Von den geschichtlichen Tatsachen ausgehend, bietet Cacucci in seinem biographischen Roman weit mehr als nur ein Faktengerüst: er läßt den Leser die Widersprüchlichkeit einer Epoche durchleben, das innere Drama einer geheimnisvollen Frau.

»Eine leidenschaftliche und zuverlässige Beschreibung ihres Lebens.«   *L'Indipendente, Mailand*

»Das Buch ist wie die vorangehenden Bücher des Autors in einem klaren, eindringlichen Stil geschrieben, die Handlung wird geschickt in zügigem Tempo präsentiert und fesselt so den Leser.«
El Observador, Barcelona

»Eine fesselnde Lektüre über das Leben einer außergewöhnlichen Frau sowie über den künstlerischen und politischen Umbruch in Spanien und Mexiko in den zwanziger und dreißiger Jahren.«
Edith Jörg/annabelle, Zürich

»Es läßt den Leser nicht los.«
Peter Zimmermann/Die Presse, Wien

Andrea De Carlo
im Diogenes Verlag

Vögel in Käfigen und Volieren

Roman. Aus dem Italienischen
von Burkhart Kroeber

»Eines Tages wird Fjodor Barna, der Held des Romans, aus seiner Ich-Befangenheit herausgerissen, in seinem scheinbaren Stoizismus irritiert durch die Liebe zu dem ebenso schönen wie unberechenbaren Mädchen Malaidina, dessen Anblick ihm das ›Blut verkehrt herum kreisen‹ läßt; und wenn man in Fjodor einen späten Nachfahren von J. D. Salingers Holden Caulfield sehen zu können meint, könnte Malaidina eine Nachfahrin von Holly Golightly aus Truman Capotes *Frühstück bei Tiffany* sein.« *Frankfurter Allgemeine Zeitung*

»Was Andrea De Carlo in seinem Roman *Vögel in Käfigen und Volieren* unternommen hat, ist nichts weniger als die erzählerische Bearbeitung eines der zentralen politischen Themen der zweiten Jahrhunderthälfte, jener merkwürdig imaginäre Krieg, den insbesondere junge Menschen gegen die ›Macht‹, gegen ›das System‹ anzuzetteln versuchten.« *Michael Rutschky*

»Atemlos gelebt, atemlos gelesen. Ein Italiener macht deutschen Romanciers Tempovorgaben. Dabei entstand eine neue Gattung: der Liebeskrimi. Das alles in einer Sprache, die nicht lange in sich verweilt, aber dennoch fotografisch genau ist. Ein wildes Buch.« *Szene Hamburg*

Creamtrain

Roman. Deutsch von Burkhart Kroeber

»Kritisch äußert sich Andrea De Carlo über seine Erfahrungen in Amerika, die er sich in seinem ersten Roman *Creamtrain* vom Leibe geschrieben hat. Mit diesem Buch, dessen Manuskript sein Sponsor und Lektor Italo Calvino betreute, wurde Andrea De Carlo auf Anhieb zum meistversprechenden literarischen Debütanten.« *Sender Freies Berlin*

»*Creamtrain* ist ein perfektes Buch, sehr gut geschrieben, sehr gut zu lesen. Macht Spaß. Unterhält. Ist cool. Stimmig. Kein Wunsch bleibt offen.«
Der Falter, Wien

Macno
Roman. Deutsch von
Renate Heimbucher

»Macno, einst Talkmaster im staatlichen Fernsehen, hat sich über Einschaltquoten zum Diktator befördert. Ausgehend von einer konventionellen Kritik an der Allmacht des Fernsehens nimmt der Autor die Idee auf und überdreht sie ohne Hemmungen, bis am Ende eine schrille Geschichte steht, die dennoch verblüffend wirklich klingt. Die gedankliche Abenteuerlust De Carlos hat eine Geschichte hervorgebracht, an die sich deutsche Autoren selbst in zehn Jahren noch nicht herangetraut hätten.« *Tempo, Hamburg*

Yucatan
Roman. Deutsch von
Jürgen Bauer

»Der Roman spielt auf mehreren Ebenen: der topographischen Ebene einer Reise nach Mexiko, der psychologischen einer Selbstfindung des Helden, der ideologischen einer Gegenüberstellung verschiedener Lebenshaltungen. Obwohl das Magische immer wieder in die Geschichte hineinspielt, dominiert es sie nicht. Man kann *Yucatan* auch als Reisebericht lesen. Dies um so mehr, als sich der gleichsam photographische Blick, mit dem der Verfasser gewisse Aspekte des amerikanischen Lebens wahrnimmt, seit der Veröf-

fentlichung seiner Erzählungen *Creamtrain* (1985)
und *Macno* (1987) womöglich noch geschärft hat. Bemerkenswert ist nicht nur die Präzision, sondern auch
die Wertfreiheit seiner Beschreibungen. Der Verzicht
auf die Attitüden eines schöngeistigen Antiamerika-
nismus versetzt De Carlo in die Lage, ohne Zorn und
Eifer bestimmte zeitgenössische Phänomene zu registrieren, die ihren Ursprung auf der anderen Seite des
Atlantik gehabt haben mögen, aber nicht auf Amerika
beschränkt geblieben sind. Dank seiner Fähigkeit zur
Nuancierung erkennt man jedenfalls in *Yucatan*
überall die Wirklichkeit wieder, in der wir leben. «
Frankfurter Allgemeine Zeitung

Zwei von zwei

Roman
Deutsch von Renate Heimbucher

*Ich dachte, wie verschieden und zugleich wie ähnlich
doch im Grunde unsere beiden Lebensläufe in diesen
Jahren gewesen waren, zwei von zwei möglichen Wegen, die an der gleichen Gabelung begonnen hatten.*

Mario, der Ich-Erzähler, und Guido, beide aus mehr
oder weniger kleinbürgerlichen Verhältnissen, lernen
sich in der Schule kennen, 1968 in Mailand. Guido ist
der aggressivere, frühreif, voller Ideen und Utopien,
antiautoritär, Mario ist von ihm fasziniert, hängt sich
an ihn an. Sie erleben zusammen die politische Re-
volte jener Jahre, aber auch die erste Liebe. Dann tren-
nen sich ihre Wege...

»Der ironische Blick, der den Kern einer Situation erfaßt, ist De Carlos herausragende Qualität, und war es
seit je. Das bedeutet nicht, daß er ein literarischer
Clown ist. Ohne tiefschürfende Introspektion rückt
er psychologisch äußerst komplexe Zusammenhänge
ins Licht, indem er sie an ihren sichtbaren Zeichen erkennt.« *Neue Zürcher Zeitung*

Techniken der Verführung

Roman
Deutsch von Renate Heimbucher

Ein junger Autor zwischen einer Frau, die er liebt, und einem Literaten, den er bewundert und der ihn fördert: In diesem modernen Künstlerroman wird das Schriftstellerdasein zum Abenteuer. Unter De Carlos Feder entsteht ein ebenso spannendes wie scharfes Bild des heutigen – korrupten – Italiens: Der Leser blickt hinter die Kulissen und erfährt nicht zuletzt Aufschlußreiches über das Innenleben von Redaktionsstuben und Literaturbetrieb...

»*Mit Techniken der Verführung* kehrt De Carlo zu seinen Anfängen zurück, und gleichzeitig ist es ein reifes Werk, er legt Zeugnis in ihm ab: ein hervorragend geschriebener, mutiger Roman.«
The European, London

»Eine scharfe Parabel auf die Korrumpiertheit der Gefühle, der Sitten und der Literaturszene, auf den Vampirismus der großen, von uns allen geliebten Schriftsteller.« *Basler Zeitung*

»Ein hervorragendes Buch.« *Der Spiegel, Hamburg*

»Eine zeitgenössische Version von Balzacs ›Verlorene Illusionen‹ oder Heinrich Manns ›Schlaraffenland‹.«
Frankfurter Allgemeine Zeitung

Jakob Arjouni
im Diogenes Verlag

Happy birthday, Türke!

Ein Kayankaya-Roman

»Privatdetektiv Kemal Kayankaya ist der deutsch-türkische Doppelgänger von Phil Marlowe, dem großen, traurigen Kollegen von der Westcoast. Nur weniger elegisch und immerhin so genial abgemalt, daß man kaum aufhören kann zu lesen, bis man endlich weiß, wer nun wen erstochen hat und warum und überhaupt.

Kayankaya haut und schnüffelt sich durch die häßliche Stadt am Main, daß es nur so eine schwarze Freude ist. Als in Frankfurt aufgewachsener Türke mit deutschem Paß lotst er seine Leserschaft zwei Tage und Nächte durch das Frankfurter Bahnhofsmilieu, von den Postpackern zu den Loddels und ihren Damen bis zur korrupten Polizei und einer türkischen Familie.

Daß *Happy birthday, Türke!* trotzdem mehr ist als ein Remake, liegt nicht nur am eindeutig hessischen Großstadtmilieu, sondern auch an den bunteren Bildern, den ganz eigenen Gedankensaltos und der Besonderheit der Geschichte. Wer nur nachschreibt, kann nicht so spannend und prall erzählen.«

Hamburger Rundschau

»Er ist noch keine fünfundzwanzig Jahre alt und hat bereits zwei Kriminalromane geschrieben, die mit zu dem Besten gehören, was in den letzten Jahren in deutscher Sprache in diesem Genre geleistet wurde. Er ist ein Unterhaltungsschriftsteller und dennoch ein Stilist. Die Rede ist von einem außerordentlichen Début eines ungewöhnlich begabten Krimiautors: Jakob Arjouni. Verglichen wurde er bereits mit Raymond Chandler und Dashiell Hammett, den verehrungswürdigsten Autoren dieses Genres. Zu Recht. Arjouni hat Geschichten von Mord und Totschlag zu erzählen, aber auch von deren Ursachen, der Korruption durch Macht und Geld, und er tut dies knapp, amüsant und mit bösem Witz. Seine auf das Nötigste abgemagerten Sätze fassen viel von dieser schmutzigen Wirklichkeit.« *Klaus Siblewski/Neue Zürcher Zeitung*

Verfilmt von Doris Dörrie, mit Hansa Czypionka, Özay Fecht, Doris Kunstmann, Lambert Hamel, Ömer Simsek und Emine Sevgi Özdamar in den Hauptrollen.

Mehr Bier
Ein Kayankaya-Roman

Vier Mitglieder der ›Ökologischen Front‹ sind wegen Mordes an dem Vorstandsvorsitzenden der ›Rheinmainfarben-Werke‹ angeklagt. Zwar geben die vier zu, in der fraglichen Nacht einen Sprengstoffanschlag verübt zu haben, sie bestreiten aber jegliche Verbindung mit dem Mord. Nach Zeugenaussagen waren an dem Anschlag fünf Personen beteiligt, aber von dem fünften Mann fehlt jede Spur. Der Verteidiger der Angeklagten beauftragt den Privatdetektiv Kemal Kayankaya mit der Suche nach dem fünften Mann...

»Kemal Kayankaya, der zerknitterte, ständig verkaterte Held in Arjounis Romanen *Happy birthday, Türke!* und *Mehr Bier* ist ein würdiger Enkel der übermächtigen Großväter Philip Marlowe und Sam Spade. Jakob Arjouni strebt mit Vehemenz nach dem deutschen Meistertitel im Krimi-Schwergewicht, der durch Jörg Fausers Tod auf der Autobahn vakant geworden ist.« *stern, Hamburg*

»Jakob Arjouni: mit 23 der jüngste und schärfste Krimischreiber Deutschlands!«
Wiener Deutschland, München

Ein Mann, ein Mord

Ein Kayankaya-Roman

Ein neuer Fall für Kayankaya. Schauplatz: die (noch
immer) einzige deutsche Großstadt: Frankfurt. Genauer: Der Kiez mit seinen eigenen Gesetzen, die
feinen Wohngegenden im Taunus, der Frankfurter
Flughafen.

Kayankaya sucht Sri Dao, ein Mädchen aus Thailand:
sie ist in jenem gesetzlosen Raum verschwunden, in
dem Flüchtlinge, die in Deutschland um Asyl nach-
suchen, unbemerkt und ohne Spuren zu hinterlassen,
ganz leicht verschwinden können – wen interessiert
ihr Verschwinden schon.

Was Kayankaya – Türke von Geburt und Aussehen,
Deutscher gemäß Sozialisation und Paß – dabei über
den Weg und in die Quere läuft, von den heimlichen
Herren Frankfurts über die korrupten Bullen und die
fremdenfeindlichen Beamten auf den Ausländer-
behörden bis zu den Parteigängern der Republikaner
mit ihrer alltäglichen Hetze gegen alles Fremde und
Andere, erzählt Arjouni klar, ohne Sentimentalität,
witzig, souverän.

»Jakob Arjouni ist von den jungen Kriminalschriftstel-
lern deutscher Zunge mit Abstand der beste. Er hat
eine Schreibe, die nicht krampfig vom deutschen Ge-
müt, sondern von der deutschen Realität her bestimmt
ist, das finde ich einmal schon sehr wohltuend; auch
will er nicht à tout prix schmallippig sozialkritisch auf-
treten.« *Wolfram Knorr / Die Weltwoche, Zürich*